BASTEI
LÜBBE

Konsalik

EIN MÄDCHEN AUS TORUSK

BASTEI-LÜBBE-TASCHENBUCH
Band 10607

© 1965 und 1985 by Autor und Hestia Verlag GmbH, Bayreuth
Lizenzausgabe: Gustav Lübbe Verlag GmbH, Bergisch Gladbach
Printed in Western Germany 1985
Einbandgestaltung: Roberto Patelli
Gesamtherstellung: Elsnerdruck, Berlin
ISBN 3-404-10607-5

Der Preis dieses Bandes versteht sich einschließlich der gesetzlichen Mehrwertsteuer.

Sie saßen nebeneinander im Wagen, gefangen in einer chromverzierten Blechmuschel, und starrten wortlos durch die Windschutzscheibe. Es roch nach neuem Polsterleder, herb-süßem Parfüm und dem Dunst verbrannten Benzins.

»Hast du eine Zigarette?« fragte sie.

»Ja. Bitte.« Er suchte in der Tasche seines weißen Smokings nach seinem goldenen Etui, klappte es auf und hielt es hin. Sie nahm mit spitzen, rotlackierten Nägeln eine Zigarette, steckte sie zwischen die Lippen und wartete, daß er ihr Feuer gab. Als das Feuerzeug aufflammte, merkte er, wie ihre Lippen zitterten. Es war ein unhörbares inneres Frieren, ein Flattern gehetzter Nerven.

»Danke«, sagte sie leise und blies den ersten Rauch gegen die Scheibe. Dann atmete sie tief auf und lehnte sich in die Lederpolster zurück.

Draußen wehte ein warmer Frühlingswind durch die Nacht und rauschte über die zartgrünen Buchenhecken, mit denen die langgestreckten, flachen Bungalows umgeben waren. Einige Lampen, weit auseinanderstehend, versuchten etwas Licht über die Straße zu streuen. Sie waren nur helle Flecken und störten nicht, denn auch die Finsternis kann einen Hauch von Vornehmheit und Würde haben.

»Das ist also das Ende?« fragte sie, als er weiter schwieg und sich auch keine Zigarette anzündete.

»Ja«, antwortete er kurz.

Martin Abels sagte es härter, als er wollte. Er spürte, wie Inken Holgerson neben ihm zusammenzuckte und Haltung suchte. Sie sog ein paarmal an der Zigarette, inhalierte den Rauch und stieß ihn mit kleinen, schnellen Atemzügen wieder aus.

Warum immer diese Aussprachen, dachte er. Warum kann man nicht auseinandergehen ohne Tränen, ohne Szenen, ohne Rechtfertigungen, Erklärungen und Beteuerungen? Warum kann man nicht sagen: Ich danke dir für viele, viele schöne Stunden – aber du wirst es gemerkt haben, ich habe es oft an deinen verwunderten Blicken und versteckten Bemerkungen gesehen, daß ich anders bin als der Mann, den du dir wünschst. Laß uns auseinandergehen, bevor wir beginnen, Reue in uns zu fühlen. Reue ist der Essig der Erinnerung.

Martin Abels legte die Hand auf den Türöffner. »Wir haben lange darüber gesprochen, Inken«, sagte er ungeduldig. »Sollen wir das noch einmal alles durchkauen?«

»Du bist nicht höflich, Martin.« Inken Holgerson zerdrückte die kaum gerauchte Zigarette in dem blinkenden Aschenbecher im Armaturenbrett. Es war ein neues Auto, ein großer, rasanter Sportwagen, den ihr Papa zum fünfundzwanzigsten Geburtstag geschenkt hatte. Sogar eine ihm sonst fremde Bemerkung hatte er dabei gemacht: »Den nächsten Wagen soll dir dein Mann schenken! Erwachsene Töchter belasten selbst die Kasse eines Reeders!«

Jeder im Familienkreise wußte damals, worauf der alte Holgerson anspielte: Er wartete auf den Tag, an dem der Fabrikant Martin Abels in einem dunklen Anzug und mit einem Rosenbukett vorfuhr und nach der üblichen Aussprache unter vier Augen in den Kreis der Familie aufgenommen wurde. Es gehörte in Bremen bereits zu den geheimen Wetten und den stillen Sorgen der Gesellschaft, ob man eingeladen werden würde oder nicht. Wer an der Hochzeit nicht teilnehmen würde, war damit deutlich abgestuft. Er würde Mühe haben, seinen Teesalon fürderhin zu füllen.

»Verzeih.« Martin Abels nahm die schlaffe Hand Inkens und küßte sie mit kühler Konvention. »Ich bin nervös.«

»Ich begreife das alles nicht.« Sie lehnte den Kopf weit zurück. Ihr langes braunes Haar floß über die Lederpolster und über seine linke Schulter. »Ich liebe dich doch. Mein Gott, wie weit muß ein Mädchen sein, um so etwas unaufgefordert zu sagen, einem Mann auch noch, der zu ihr sagt: Das ist heute unser letzter Abend ... Martin!«

»Ja.«

»Warum?«

Martin Abels zog nervös an seiner Smokingjacke. Vor einer Stunde waren sie von einer Party im Hause des Schiffsmaklers Boltenstern aufgebrochen, ganz plötzlich und un. Verletzung der simpelsten Höflichkeit, sich von dem Gastg ber zu verabschieden. »Du hast etwas!« hatte Inken mit der. feinen Instinkt einer Frau gesagt. »Sollen wir gehen, Martin?« Und er hatte genickt. Über die Terrasse und den Park verließen sie die schloßähnliche Villa und waren dann in Inkens neuem Sportwagen eine Stunde lang hin und her gefahren. Er hatte geredet, immerfort, eindringlich, beschwörend, und sie hatte ihm stumm zugehört, den Wagen gesteuert und ihn schließlich zu seinem Haus vor den Toren Bremens gefahren. Nur einmal hatte sie kurz gehalten, hatte ihn groß angesehen und mit einer merkwürdig festen und sicheren Stimme gesagt: »Ich glaube das alles nicht! Du bist einfach nur überarbeitet. Wir sollten verreisen . . . zusammen, Martin. Was gehen uns die anderen Leute an?!«

»Warum?« wiederholte Martin Abels. »Inken . . .« Er wandte sich ihr zu und nahm ihre Hände, die auf dem Steuer lagen. Sie waren kalt und leblos. »Es ist schwer, mich zu begreifen, ich weiß es. Die einen sagen, dieser Abels ist ein Genie, die anderen meinen, dieser Abels ist ein Spinner. Was dein Vater über mich denkt, weiß ich nicht genau, aber ich glaube, er hat sich aus beiden Versionen seine eigene Meinung zusammengesetzt. Wichtig für ihn ist, daß die Holgerson-Reederei und die Abels-Werke zusammenfallen. Man gebraucht dazu die alte Form, die das Haus Habsburg an den Königsthronen ganz Europas beteiligte: Man heiratet.«

»Nein«, sagte Inken Holgerson. »Du tust Papa unrecht. Ich liebe dich! Ich würde dich nie, nie, nie heiraten, wenn ich dich nicht liebte, und wenn du die halbe Welt besäßest.«

»Ein Idealfall, der deinem Vater die Mühe spart, dich zu überreden.« Martin Abels strich sich über die hohe Stirn. Er war müde und abgespannt. Er sehnte sich nach Ruhe. »Inken, laß uns als Freunde auseinandergehen.«

»Nein!« sagte sie hart.

»Dann vergiß mich.«

»Ich werde dich hassen!«

»Warum diese Dramatik?« Martin Abels öffnete die breite Wagentür. Sie schwang auf, die Nachtluft strömte herein und löschte den Ledergeruch der neuen Polster. Es roch nach blühenden Linden und frühem Jasmin.

»Du liebst eine andere!« rief Inken Holgerson und hielt ihn am Ärmel des Smokings fest. »Sei wenigstens so ehrlich und gestehe es.«

»Ja –« Es war eine müde Antwort, aber sie wirkte wie eine Explosion. Inkens Finger krallten sich in dem weißen Tuch fest wie zwei eiserne Klammern.

»Ist es Luise Darnberg?«

»Nein.«

»Aber Erika Vollenfeldt?!«

»Du kannst das Bremer Adreßbuch ablesen . . . es ist immer nein.« Martin Abels stieg aus dem niedrigen Wagen. Er dehnte sich, reckte die Arme und wippte etwas in den Knien. So schön diese Renner sind, so unbequem sind sie auch, dachte er. Fast so unbequem wie der Schlitten des Victor Pawlowitsch Unjeski, des Fellhändlers von Taragaisk.

Wie ein Lichtstrahl wischte es über das Gesicht Martin Abels'. Er beugte sich zu dem Wagen herunter und sah in die starren Augen Inken Holgersons.

»Wer ist diese Frau?« fragte sie mit bebender Stimme. »Es ist unsere letzte Minute, ich weiß es. Wie ich damit fertig werde, weiß ich allerdings noch nicht. Aber was soll dich das kümmern? Du hast immer nur dein eigenes Leben gelebt, du warst verschlossen, in dich gekehrt. Es war, als hörtest du auf eine Melodie, die in dir singt und die nur du verstehst.«

»Genauso ist es, Inken«, sagte er leise und war erstaunt über ihr Empfinden.

»Vielleicht habe ich dich darum geliebt, weil du in der Lage bist, um dich eine besondere Welt zu bauen.« Sie schüttelte den Kopf. Ihre rotgeschminkten Lippen verzerrten sich etwas. Es sah aus, als wolle sie weinen. »Nein, ich rede nicht mehr davon. Du hast Schluß gesagt – ich nehme es hin. Nur will ich zum Abschied wissen, wer die andere Frau ist. Sie muß ein Phänomen sein, wenn sie stärker ist als ich.«

Martin Abels starrte in die Dunkelheit. Die Hecke um sein Haus weitete sich, wurde zu einem Waldsaum, zu einem riesigen Land, das gerade der Schöpfung entsprungen zu sein schien. Ein grauer Himmel lag darüber, es schneite, lautlos, mit dicken, watteähnlichen Flocken. Aus dem Wald hörte er das rhythmische Schlagen der Äxte und das Geheul der Hunde, die ihre Ahnen, die Wölfe, rochen und sìch angstvoll zusammenballten ...

»Anuschka heißt sie«, sagte er, und auch seine Stimme kam von weit her.

»Anuschka?« Inken Holgerson beugte sich aus der Tür. »Wer ist Anuschka?«

»Ein Mädchen aus Torusk ... Anuschka Turganow, Tochter des jakutischen Pelztierjägers Pawel Andrejewitsch Turganow. Sie lebt in einer Hütte ... aus dicken Baumstämmen ist sie gezimmert, eine Blockhütte, wie sie zu Tausenden in der sibirischen Taiga stehen. Im Winter verkleben sie die Fensterritzen mit Zeitungen und Pappe, und nur der Rauch aus dem Kamin zeigt im Schnee den Weg zu den Menschen. Um das Haus herum heult der Sturm, hecheln die Wölfe und jammern vor Hunger, streifen die Bären in den Holzschlag und nagen die Rinde von den Bäumen. Dann geht Pawel Andrejewitsch auf die Jagd, mit selbstgeflochtenen ovalen Schneeschuhen. Zwei Meter ist er groß. Und allen erzählt er, daß er einmal an der Lena einen Tiger gesehen hat, einen einsamen Wanderer wie er. Sie haben sich angesehen, haben geahnt, daß sie gleich stark sind, und jeder zog seinen Weg weiter. Niemand wollte Pawel Andrejewitsch das glauben, nicht einmal der gutmütige Victor Pawlowitsch Unjeski in Taragaisk.«

Er schwieg und sah Inken Holgerson an. In ihrem Blick erkannte er Angst und ehrliche Sorge. Mit einem schmalen Lächeln schüttelte er langsam den Kopf.

»Nein, Inken, ich bin weder krank noch verrückt. Es war nur ein Takt der Melodie, von der du sagst, daß ich sie allein in meinem Inneren höre. Es ist die Welt Anuschkas.«

»Die stärker ist als ich.«

»Ja.«

»Eine Russin!« Inken Holgersons Lippen wurden verkrampft. »Du tauschst mich gegen eine Halbwilde? Du sagst mir ins Gesicht, dieses Weib in Sibirien, diese analphabetische Asiatin, liebst du mehr? Wo ist sie denn, diese Anuschka?«

»Sie kann lesen und schreiben und weben und nähen. Sie ist in Taragaisk in die Schule gegangen. Sie ist klug und verständig.«

»Ich hasse sie! Ich hasse sie!« schrie Inken Holgerson. »Ich könnte ihr ganzes Leben ausrotten, so hasse ich sie. Ich könnte sie ihren Wölfen zum Fraß vorwerfen!« Ihre rechte Hand schlug mit der Faust auf die Lederpolster des Sitzes. »Wo ist sie denn? Ist sie nach Bremen gekommen? Hast du sie geholt?«

»Nein. Sie lebt noch in Torusk.«

Eine ganze Weile war es still. Inken Holgerson atmete in kleinen Stößen. Ihre Gedanken überstürzten sich. Er ist wirklich verrückt, dachte sie erschrocken. Er liebt ein Mädchen tief drinnen in Sibirien. Er liebt ein Mädchen, das er jahrelang nicht mehr gesehen hat. Jahrelang. Man muß schon rechnen und das Leben des Martin Abels aufrollen, um festzustellen, wie komplett dieser Irrsinn ist. Jetzt schreiben wir 1963. Wie lange ist es dann her?... Richtig, acht Jahre! Vor acht Jahren ist er aus der russischen Gefangenschaft zurückgekommen, so hat er es selbst erzählt. Vor acht Jahren also hat er das Mädchen Anuschka zum letztenmal gesehen, und seitdem träumt er von den Wäldern der Taiga und hört in sich den Gesang der Lenafischer, wenn sie nach der Eisschmelze hinausfahren auf das riesige, gurgelnde Wasser, um die ersten Reusen auszulegen. Acht Jahre! Er tauscht sie ein gegen mich, die ich Gegenwart bin, heiße, liebende Gegenwart.

»Wir sehen uns morgen wieder«, sagte Inken Holgerson und versuchte, gütig zu lächeln. Er ist doch ein großer Junge, das war ihr tröstender Gedanke. Er kann ein Werk mit 2000 Arbeitern regieren, aber in den Augen einer Frau ist er Held und Kind zugleich.

»Laß uns Abschied nehmen, Inken«, antwortete Martin Abels müde.

»Ich komme dich um vierzehn Uhr zum Tennis abholen, Liebster.«

»Ich werde nicht zu Hause sein.«

»Dann um zwanzig Uhr zum Abendessen bei uns.«

»Begreif es doch, Inken ... wir müssen einander vergessen. Oder soll ich klarer werden? Soll ich sagen: Das alles ekelt mich an! Diese hohle, fade Wohlstandsgesellschaft, dieses Leben um des Geschäftes willen, dieses Poussieren um Kredit und Aufträge, diese Heuchelei, die man Party nennt, dieser Betrug, den man als Freundschaft deklariert. Ich habe genug davon. Ich habe mitgespielt bis zu einem gewissen Grad, ich mußte es, um das zu werden, was ich jetzt bin. Es gehört zu unserer modernen Gesellschaft, das eigene Ich zu verleugnen und den After mehr zu ehren als das Hirn. Nur so kommt man vorwärts, nur so wird man Vorstandsmitglied und Aufsichtsratsvorsitzender. Wer am besten leckt, kann später um so besser selbst geleckt werden. Das alles finde ich zum Kotzen! Alles – einschließlich deines Vaters!«

»Danke. Das war deutlich genug!« Inken Holgerson knallte die Tür zu und startete. Der Motor heulte auf. Sie kurbelte die Scheibe herunter und steckte ihr verzerrtes Gesicht hinaus. »In ein Irrenhaus gehörst du!« schrie sie wild. Eine Verzweiflung ohnegleichen hatte sie ergriffen. Sie fühlte sich wie ins Gesicht gespuckt, und das von dem einzigen Mann, den sie liebte und zu dem sie aufgeblickt hatte wie zu einem kleinen Gott. »Ich will dich nie, nie wiedersehen! O Himmel, wie ich dich hasse! Geh aus dem Weg, sonst fahre ich dich um ... du ... du ...« Sie suchte nach einer Beleidigung, und da sie keine fand, schrie sie grell: »... du russischer Idiot!«

Mit einem Satz schoß der schwere Wagen vorwärts und raste die Straße hinunter. Schleudernd fegte er um die Ecke, man hörte seinen heulenden Motor noch lange in der Ferne. Die Stille der Nacht trug das Schreien der Verzweiflung wie auf Wellen weiter.

Martin Abels knöpfte seine Smokingjacke zu und strich die blonden Haare aus der Stirn. Langsam ging er zur Einfahrt seiner Villa, blieb stehen, lauschte noch einmal auf das ferne Heulen des Automotors und suchte in der Hosentasche nach seinen Schlüsseln. Er brauchte sie nicht herauszuholen. Über dem Eingang mit der großen gläsernen, durch weißes Schmiedeeisen geschützten Haustür flammten zwei große

Lampen auf, ein Diener öffnete und rieb sich die schlaftrunkenen Augen.

Martin Abels sah zurück auf den Fleck, wo der Wagen Inken Holgersons gestanden hatte.

»Der Himmel möge mir verzeihen, daß ich ihr so etwas gesagt habe«, sagte er leise. »Aber es mußte sein.«

»Guten Morgen, Herr Abels.« Der Diener hielt die Tür auf. Guten Morgen? Martin Abels sah schnell auf seine Armbanduhr. Drei Uhr früh. Immer korrekt, der Alfons.

»Guten Morgen.«

»Ein Anruf aus New York, Herr Abels. Um zwei Uhr neunzehn. Die Aktien der Union-Steel sind um fünf Punkte gestiegen.«

»Danke.« Martin Abels klopfte dem Diener auf die Schulter. »Wenn du wüßtest, Alfons, wie wenig mich das interessiert.«

Zehn Minuten später verlor Inken Holgerson die Gewalt über ihren neuen Sportwagen. Er raste auf einen Laternenpfahl zu, wurde von ihm zurückgeschleudert und prallte dann gegen eine Gartenmauer.

Als die Polizei eintraf, stand Inken Holgerson unverletzt neben dem Wrack ihres Wagens. Sie war bleich, aber keineswegs verstört oder geschockt.

»Das ist ja ein totaler Bruch«, sagte der Polizeiwachtmeister, nachdem er die Personalien aufgenommen hatte und den Unfallwagen besichtigte.

Inken Holgerson nickte. »Ja.« Ihre Stimme war eher traurig als erregt. »Wenn Sie wüßten, was heute alles in die Brüche gegangen ist.«

*

Die große Stadt Bremen wird sehr eng, wenn es sich um die »großen Familien« handelt. Sie bilden eine in sich abgeschlossene Welt inmitten der weltoffenen Großstadt, und der Wind, den die Schiffe aus allen Ländern der Erde mitbringen, weht über sie hinweg oder höchstens in die Kassen ihrer Firmen. Was außerhalb der Handelshäuser, in denen man noch das alte Schild »Comptoir« findet und die Stehpulte der Buchhalter aus der Gründerzeit als Repräsentanten des »königlichen Kaufmanns« verehrt, was vor allem außerhalb der weißen Mauern der Villen am Rande Bremens geschieht, ist ein Allerweltstumult, dem man sich in vornehmer Zurückhaltung verschließt. Was dagegen innerhalb der eigenen Gesellschaft geschieht, bildet den Inhalt täglich wechselnder Kaffee-, Tee- oder Cocktailstunden.

So fiel es ohne äußeren Anstoß sofort auf, daß Martin Abels seine Besuche bei dem Reeder Holgerson einstellte. Der Jubel mißgünstiger Frauen – eine Charaktereigenschaft fast aller Damenkränzchen – erreichte seinen Höhepunkt, als bekannt wurde, daß Inken Holgerson nach Ägypten gereist sei, um dort die Pyramiden und die Assuanstaudämme zu besichtigen. Allein gereist, das war das Erregende. Von heute auf morgen. Wer fährt schon nach Ägypten, wenn er kurz vor der Verlobung steht?

Die Bremer »große Gesellschaft« hatte ihren Klatsch. Reeder Holgerson suchte um eine Aussprache bei Martin Abels nach und mußte sich sagen lassen, daß Herr Abels nicht gestört zu werden wünschte.

»Ein Flegel!« schnaubte der alte Holgerson. »Ein erbärmlicher Emporkömmling! Aber in Bremen vergißt man nicht so leicht! Auch ein Kugellagerfabrikant ist sterblich! Warten wir ab!«

Am Stammtisch in dem historischen Weinlokal »Zur Eule« trafen sich wenig später drei alte Kriegskameraden: Der Rechtsanwalt Ludwig Petermann, der Metzgermeister Heinz Fernholz und Martin Abels. Jeden ersten Freitag im Monat kamen sie in der »Eule« zusammen, tranken ein paar Schöppchen Wein, erzählten von ihrem Leben und erinnerten sich an die Zeit, wo sie als Plennys in Rußland zusammen in einem plombierten Viehwagen durch die unendlich scheinenden Wälder und Steppen gefahren worden waren, um in Moskau zu hören: »Nix Heimat – ihr Verbrecher!«

»Was ist eigentlich mit dir los, Martin?« wollte Petermann, der Anwalt, wissen. Es war ein neuer Freitag im Monat und drei Wochen nach der Szene auf der Straße vor Abels' Haus.

Die Bremer Gesellschaft hatte wunde Lippen vom Flüstern, Reeder Holgerson hatte sogar einen Arzt konsultiert, einen Herzspezialisten. Aus Ägypten kamen lakonische Karten von Inken: Mir geht es gut. Hier ist es schön. Die Pyramiden sind groß. Der Staudamm ist halbvoll . . . Karten, die der alte Holgerson fluchend zerriß. »Das Kind wird gemütskrank«, sagte er. »Wenn Inka durchdreht, drehe ich diesem Abels den Hals um.« Das war ehrlich gemeint. Jeder wußte es – und wartete auf das Genickumdrehen.

»Was soll los mit mir sein?« fragte Martin Abels zurück.

»Die Sache mit der kleinen Inken Holgerson . . .«

»Das war keine Sache«, sagte Abels hart.

»Alle warteten auf eure Verlobung. Wir dachten . . .«

»Man soll nicht zuviel denken, vor allem nicht über Dinge nachdenken, die sich der Kritik entziehen.« Abels umfaßte seinen grünen, reich geschliffenen Römer, als müsse er den Wein mit der Wärme seiner Hände auftauen. »Ihr wißt es doch genau – warum fragt ihr dann so dumm?«

»Noch immer Anuschka?« Fernholz, der Metzgermeister, räusperte sich. »Martin, Junge, wir sind doch alte Kumpel. Wir haben im Straflager von Lubenka abwechselnd Regenwürmer gegessen . . . mal du einen, mal ich einen, und wir sind nicht verhungert wie die anderen. Mit uns kannst du doch sprechen wie mit 'nem lahmen Gaul. Und wir mit dir, nehmen wir an.«

»Ja –«

»Also dann. Was soll der Blödsinn mit der Anuschka? Inken Holgerson ist bildhübsch, sie hat einige Millionen an den Füßen, sie ist total verknallt in dich . . . verdammt, das sage ich, wo ich immer geglaubt habe, du würdest mal meine Jüngste, die Marie, heiraten. Schwamm drüber, ich weiß, das ist 'ne Utopie. Aber die Inken, das ist deine Kragenweite! Und die läßt du abfahren wie 'ne Nutte. Ich verstehe das nicht.«

»Und gerade ihr solltet mich verstehen.« Martin Abels trank einen kleinen Schluck von dem Wein. Seine Augen blickten traurig. Petermann, der Jurist, trat unter dem Tisch Fernholz gegen das Schienbein und nickte zu Abels hin. Der

Metzger schwieg. Sie kannten das, sie konnten in diesem Blick ihres Freundes lesen ... wenn er stumm in die Weite starrte, war er in Torusk. Dann sah er die Wälder, die bis zur Lena reichten, dann saß er in der Blockhütte Pawel Andrejewitsch Turganows und trank den dampfenden grünen Tee aus flachen Terrakottaschalen. Und hinter ihm stand ein junges Mädchen mit langen schwarzen Haaren, und in ihren leicht geschlitzten, mandelförmigen, kohledunklen Augen leuchtete das Glück, für das es keine Worte mehr gibt.

»Himmel, Arsch und Wolkenbruch!« unterbrach Fernholz die feierliche Stille am Stammtisch. Martin Abels schrak auf und wischte sich über die Augen. Torusk versank – im Zigarren- und Zigarettenqualm sah er die »Eule« wieder. »So geht das nicht weiter! Wir sind alte Kameraden, und wenn einer von uns anfängt zu spinnen, dann treten wir ihm in den Hintern. Das ist ja nicht mehr zum Ansehen. Was weißt du von deiner Anuschka? Nichts. Seit acht Jahren schweigt Sibirien für dich. Du weißt nicht, ob sie noch lebt, ob sie nicht schon längst mit einem jakutischen Fellhändler verheiratet ist, fünf Kinder hat und aussieht wie ein morsches Faß. Mensch, du jagst einem Phantom nach.«

»Vielleicht.«

»Und versaust dir damit alle Chancen der Gegenwart. Deine Anuschka kann dieser Inken Holgerson nicht den Pißpott reichen.«

»Das darfst du nicht sagen, Heinz.« Abels schüttelte den Kopf. Er war weder beleidigt, noch fühlte er sich angegriffen. Was hier in diesem Kreise besprochen wurde, stand jenseits aller Leidenschaften. Man konnte sich einfach alles sagen, weil es die Wahrheit war, wie sie jeder aus seiner Sicht dachte. »Anuschka ist nicht zu beschreiben. Ihr kennt sie ja nicht.«

»Seit acht Jahren hören wir ihre Ballade.« Ludwig Petermann steckte sich eine Zigarre an. »Wirklich, Martin, du solltest dich von der Vergangenheit lösen. Es gibt keine Anuschka mehr für dich.«

»Und warum?«

»Sie ist, wenn sie noch lebt, in Torusk. Sie muß jetzt, wenn ich richtig rechne, fünfundzwanzig Jahre alt sein . . .«

»Ein Mütterchen mit einer Kinderschar«, warf Fernholz ein.

»Es ist nicht zu erwarten, daß sie noch gehofft hat, dich wiederzusehen, wie sie dich ja auch nie wiedersehen wird. Mag eure Liebe noch so groß sein: Die Zeit, die Politik, die Entfernung ist über euch hinweggerollt. Martin, wach endlich auf!«

»Ich bin aufgewacht.« Martin Abels lehnte sich zurück. Etwas Endgültiges beherrschte sein Gesicht. »Wer sagt, daß ich sie nicht wiedersehen werde? Ich werde sofort nach Rußland fahren und sie holen.«

»Jetzt ist er total übergeschnappt!« rief Heinz Fernholz. »Herr Wirt, bitte einen Holzhammer!«

»Ich habe jetzt die Möglichkeit, mich um Anuschka zu kümmern. Acht Jahre lang habe ich geschuftet, habe die kleine Fabrik meines Vaters zu einer über Deutschland hinaus bekannten erfolgreichen Firma gemacht, habe Geld und Aktien gesammelt wie andere Briefmarken oder Bierdeckel. Jetzt kann ich endlich an mich und Anuschka denken. Ich kann das, für das ich acht Jahre gearbeitet habe, in die Tat umsetzen – nach Torusk fahren, als freier Mann.«

»Die Sowjets werden dir was blasen!« Heinz Fernholz schüttelte den Kopf. Er verstand seinen Freund nicht mehr. Solange er geträumt hatte, ließ man es gelten und holte ihn nach einigen Gedenkminuten in die Wirklichkeit zurück. Aber jetzt würde es ernst. Es gab gar kein Deuteln mehr – Martin Abels war dabei, seinem Phantom nachzujagen. Wie diese Jagd auslaufen würde, wußte jeder, nur er wollte es nicht einsehen. Mit der Verbissenheit eines Märtyrers klammerte er sich an seinen Glauben: Anuschka lebt! Und sie wartet auf mich.

Martin Abels schloß die Augen. Petermann stieß Fernholz wieder an. Jetzt wandert er wieder, hieß das. Es war unheimlich mit ihm. Jeder, der an Sibirien dachte, fror bis auf die Knochen – er aber bekam das Lächeln tiefer Seligkeit auf die Lippen, und seine Augen verklärten sich. Und das bei einem

Mann, der vor Kraft und Gesundheit strotzte, der wie ein Baum war, mit breiten Schultern und schmalen Hüften, mit Muskeln an den Armen wie Drahtseilstränge und einem Kopf, der so männlich war, daß der Blick einer Frau weich und willig wurde.

»Ihr könnt das alle nicht verstehen«, sagte Martin Abels langsam und betont. »Ihr habt nicht in Torusk gelebt, nicht in der Hütte Pawel Andrejewitsch Turganows – und wenn ich es euch erzähle, werdet ihr sagen: Was soll's? – Man muß das fühlen, Freunde ... man muß zwischen Himmel und Hölle daherwandern, zwischen Sonne und Frost – man muß ein Herz haben, in das eine ganze Welt hineinpaßt, und auch dann wird man nur ein winziges Stück dessen erhaschen, was man Glück nennt.«

Es war ganz still in der Ecke der »Eule«. Ludwig Petermann rauchte stumm, und Heinz Fernholz trank leise seinen Wein, ganz vorsichtig, als könne sein Schluckgeräusch schon störend wirken.

»1955 war es«, sagte Martin Abels. Er hatte die Hände gefaltet und glich fast einem Märchenerzähler aus der guten, alten Zeit. »Ende September. Über den Wäldern von Torusk lag schon seit zwei Wochen Schnee. Noch war es nicht so kalt, aber die Bauern begannen schon ihre Fenster zu verkleben. Väterchen Frost kommt unangemeldet. Plötzlich ist er da, und sein eisiger Mantel weht vom Eismeer bis nach Irkutsk über das ganze riesige Land.

Ich weiß es noch genau. Es war der 27. September 1955 –«

*

»Väterchen, wir sollten doch noch einmal nach Taragaisk fahren und Tee einkaufen. Wir haben noch ein paar Rubelchen gut bei Victor Pawlowitsch«, sagte Olga Turganowa und scheuerte dabei den Samowar aus Messing.

Pawel Andrejewitsch nickte mehrmals und stopfte seine Pfeife mit grob gehacktem Machorka. Dabei blickte er zu Olga und schob die Unterlippe vor. Ein gutes Frauchen ist sie, dachte er. Dem Himmel sei Dank, daß ich sie habe. Sie kann kochen und Tiere enthäuten, Tran anrühren und Pelze nähen, sie hackt Holz und schaufelt Schnee, melkt die beiden Ziegen und füttert das Schwein. Und immer ist sie lustig und zufrieden, ein wahres Goldstück von Weibchen. Und Anuschka hat sie mir geboren, Anuschka, mein Engelchen, mein Täubchen. Allein schon deswegen sollte man sie unsterblich machen. Wer in ganz Torusk hat ein Kindchen wie Anuschka?

Ganz Torusk besteht aus neunundvierzig Holzhütten, einer gemeinsamen großen Banja und einer ebenso gemeinsamen Stolowaja. Das ist ein Versammlungsraum, in dem die Parteiredner sprechen, von Planwirtschaft erzählen, von Akkerbau und Holznutzung – alles Dinge, die man in Jakutien schon seit Hunderten Jahren kennt und wozu man keinen Mann aus Irkutsk oder gar Moskau braucht, der einem erklären will, daß hier kein Mais wächst. Aus Moskau war übrigens in zehn Jahren nur einmal ein Experte in Torusk, aber zweimal jährlich kam der Bezirkssowjet aus Schigansk, ein schmächtiges Männchen mit einem widerlichen Tatarenbart und gelber Haut wie Tabakbeize, stellte sich ans Rednerpult und sagte keck: »Genossen – das Soll muß verdoppelt werden!« Jedes Jahr zweimal sagte er das, und jedes Jahr zweimal sagte Pawel Andrejewitsch Turganow als Sprecher der Torusker: »Genosse Bezirkskommissar – wir wollen alles verdoppeln, sogar das Scheißen! Damit gewinnen wir auch mehr Dünger.«

Es ist klar, daß Pawel Andrejewitsch nicht sehr beliebt in Schigansk war. Aber was soll's? Für Torusk, dem nach sibirischen Maßstäben großen Dorf zwischen Lena und Lindja, war er der rechte Mann, ein guter Jäger, ein vorzüglicher Fellgerber, ein liebevoller Familienvater und ein aufrechter Kommunist – soweit man das beurteilen konnte und sich nach dem Leninbild richtete, das er im Zimmer neben der Ikone hängen hatte. Beides paßte zwar nicht zueinander, aber wen störte das in Torusk? Moskau war weit. Irkutsk war auch weit. Jakutsk, wo die Bezirksregierung saß, kümmerte sich mehr um die Industrie an der Lena als um die Pelzjägerdörfer in der sibirischen Taiga. Und die Holzschlagkolonnen? Die

Eisenbahningenieure? Die Geologen, die herumzogen und maßen und bohrten und die Wälder aus Hubschraubern aufnahmen? Sie waren nette, friedliche Männer, schlugen sogar vor der Ikone das Kreuz und benahmen sich wie gesittete Menschen.

Im Jahre 1954 wurde Torusk etwas unruhig. Gerüchte schwirrten herum, und Pawel Andrejewitsch saß abends am Ofen, kratzte sich den Kopf, aß schmatzend seine Kascha und berichtete: »Olgaschka, da hört man allerlei aus Taragaisk. Deutsche sollen hierherkommen! Deutsche Verbrecher! Alles zum Tode Verurteilte, die man dann zu lebenslänglicher Arbeit begnadigte. Soldaten, die schuld sind am großen Krieg. Ein kleines Lager wollen sie hier aufbauen, um Holz zu schlagen und mit einer Kleinbahn wegzubringen. Aus dem großen Lager Jakutsk kommen sie, die Deutschen. Nur dreißig Mann, sagen sie. Aber das ist genug. Dreißig Verbrecher bei uns! Man sollte dagegen protestieren.«

Anuschka saß am gemauerten Herd und briet in einer großen eisernen Pfanne ein Stück Speck. Der Duft zog durch den Raum, und Pawel Andrejewitsch hob witternd wie ein Hund die Nase und schnalzte mit der Zunge.

»Wirf auch noch ein Eichen hinein, Täubchen!« rief er. »Morgen fahre ich nach Norden. Es soll dort am Tjung fette Biber geben.«

»Wie sehen die Deutschen aus, Väterchen?« fragte Anuschka. Ihr schmales Gesicht mit den leicht geschlitzten Augen war vom Herdfeuer gerötet, die Haut über den etwas vorstehenden Backenknochen glühte. Sie hatte die schwarzen langen Haare im Nacken mit einem Band zusammengehalten, und ich schwöre es – es waren die schönsten Haare vom Eismeer bis zum Baikalsee. Sie trug ein Kittelkleid, in der Taille zusammengerafft mit einem Hirschledergürtel. Erwachsen war sie schon, das schöne Engelchen. Sie hatte eine feste, runde Brust, geschwungene Schenkel und zart gerundete Hüften. Und schlanke, lange Beine hatte sie, wie ein Reh, nicht solche sichelartige Reiterhaxen, wie sie viele Jakuten haben, weil sie auf struppigen Pferdchen und Mauleseln groß werden und oft auch im Sattel sterben. Nein, Gott hatte an Anuschka ein kleines Wunder vollbracht . . . er hatte mit der Zunge geschnalzt vor Freude, und siehe da, es wurde etwas Herrliches daraus.

»Wie sollen sie aussehen, die Deutschen?« murrte Pawel Andrejewitsch. »Wie Verbrecher eben aussehen. Wilde Kerle, mit gefährlichen Augen. Aus dem Weg muß man ihnen gehen, das ist alles. Aber sie werden bewacht, das ist wichtig. Sie kommen in ein Lager mitten im Wald, und rundherum wird man hohe Bretterzäune ziehen und an jeder Ecke einen Wachturm mit Scheinwerfern setzen. Sie bauen schon daran.« Er seufzte und schob seinen Teller mit dem Kaschabrei von sich. »Und nun der Speck, mein Täubchen. Und ein Ei für Väterchen.«

In diese Welt kam Martin Abels. Fahnenjunker, mit neunzehn Jahren 1945 bei Frankfurt/Oder von den Sowjets überrollt und quer durch Rußland nach Swerdlowsk transportiert, dann weiter nach Nowosibirsk und von dort nach Jakutsk, in Viehwagen, auf Planwagen, zu Fuß, auf großen Schlitten. Er hatte im Bergwerk gearbeitet und beim Straßenbau, in den Sonnenblumenfeldern und im Steinbruch, in einem Rüstungswerk und nun im Wald. Er war jetzt achtundzwanzig Jahre alt, hatte neun Jahre lang Rußland hassen gelernt und den Glauben daran verloren, jemals wieder zurückzukommen nach Bremen. Er war kein Plenny mehr, kein Kriegsgefangener – er war ein verurteilter Kriegsverbrecher, weil er – wie es die Dolmetscherin bei der Urteilsverkündung übersetzte, infolge seiner Tätigkeit in einer Panzerersatzteilkompanie durch das Reparieren der Panzer mitgeholfen habe, einen Angriffskrieg gegen die Sowjetunion zu ermöglichen. Todesurteil, Begnadigung zu lebenslänglicher Zwangsarbeit – der Vorhang war vor das Leben des Martin Abels gezogen worden, ein Vorhang von der Dicke einiger tausend Kilometer. Nur schreiben durfte er, jeden Monat eine Karte. Ob sie in Bremen ankam, wußte er nicht. Er erhielt nie eine Antwort, und der Lagerkommandant benutzte dies zu der hämischen Bemerkung: »Da seht ihr es: In eurer Heimat seid ihr abgeschrieben! Ihr solltet glücklich sein, daß das Sowjetvolk euch Ungeziefer ernährt!«

In den Wäldern von Torusk, das ahnte Martin Abels, würde die Endstation seines Lebens sein. Wer einmal hier war, kam nicht mehr zurück. Die Welt war hier wie am ersten Schöpfungstag, wild, feindlich, ungeordnet, erbarmungslos. Die Menschen, die hier lebten, Nachkommen ehemaliger Sträflinge aus dem Zarenreich, die in Sibirien geblieben waren, Jakuten und Usbeken, Mischlinge aus der Mongolei und Jäger aus Tungusien, empfanden nicht, wie weit die Welt sich noch nach Westen dehnte und welche Wunder es außerhalb Mittelsibiriens gab. Es kümmerte sie auch nicht. Sie sahen sich die Bilder in der Komsomolskaja Prawda an, in der Illustrierten »Die Sowjetunion« und der Frauenzeitschrift »Die Sowjetfrau«. Sie lasen von Modeschauen in Moskau und Kiew, bewunderten die riesigen Mähdrescher auf den ukrainischen Feldern, falteten dann die Zeitungen zusammen und machten mit ihnen ein schönes Feuerchen im gemauerten Ofen. Sie waren zufrieden. Sie hatten ihren unendlichen Wald, sie liebten die unübersehbare Lena, sie jagten und fischten, kauften in Taragaisk bei Victor Pawlowitsch Unjeski alles, was man in einer Hütte brauchte, badeten heiß in den Holztrögen der Banja, hielten ihre Versammlungen in der Stolowaja ab und besuchten fleißig, aber knurrend die Fortbildungskurse der Partei, in denen sie schreiben und lesen lernten. Und rechnen – mit den magischen Kugeln der russischen Rechenmaschine.

Vor allem die Jugend, unter ihr auch Anuschka, lernte viel. Dreimal in der Woche fuhr man nach Taragaisk in die Schule, und die Alten waren stolz auf ihre Kinder, die sich abends hinsetzten und ihnen vorlasen, was Genosse Stalin weit im Westen, im fernen Moskau gesagt hatte und was der Genosse Chruschtschow wollte und daß man Molotow in die äußere Mongolei verbannte. So kam die große Welt doch nach Torusk – aber es war nur Papier. Papier, das aus dem Holz gewonnen wurde, das man aus ihrem Walde schlug.

An einem Sommerabend im Jahre 1954 begegneten sich Martin Abels und Anuschka Turganow zum erstenmal.

Es hatte sich alles anders eingespielt. Abels wurde, als erfahrener Plenny, zum Vorarbeiter ernannt und führte eine

Kolonne Waldarbeiter. Sie bestand nicht nur aus Deutschen, sondern auch aus sowjetischen Strafgefangenen, aus Saboteuren, Bourgeoisen und ideologisch Kriminellen. Sogar ein Professor war darunter. Professor Wladimir Alexandrowitsch Bobobkin, Hochschullehrer aus Charkow. Er hatte die Ansicht geäußert, daß die Agrarpolitik Moskaus fehlerhaft sei. Man soll solche Äußerungen nicht tun, es sei denn, man ist ein dummer Mensch. Professor Bobobkin war kein dummer Mensch, und so kam er nach Torusk in das Waldlager, in die Kolonne des deutschen Plennys Martin Abels. Da er zu alt war, um mit der Axt gegen die harten Stämme anzugehen, und weil auch die Motorsäge aus seinen feingliedrigen Händen fiel, beschäftigte ihn Abels mit dem Küchendienst. Er mußte Kapusta säubern und Hirsebrei kochen, Graupen einweichen und Trockenfisch auftauen.

An jenem Nachmittag – es war ein heißer Tag, auch das gibt es in Mittelsibirien, wie alles in diesem Lande aus Extremen und Superlativen besteht – ging Martin Abels hinein nach Torusk, um Wasser für seine Arbeiter zu holen. Der Weg ins Dorf war näher als zum Lager zurück, und so klopfte er an die erste Holzhütte und klapperte mit seinen beiden Eimern. Olga und Anuschka kamen aus dem Haus. Martin Abels nickte freundlich, und während Olga Turganowa ihn anstarrte wie ein Untier und sich um ihr hüpfendes Herz kümmerte – da ist er, ein Deutscher, ein Verbrecher, ein Mörder, ein reißendes Tier. O heilige Mutter von Kasan, hilf uns! Er wird uns zerreißen wie ein Wolf! –, lächelte Anuschka zaghaft zurück und blickte auf die Eimer.

»Wer sind Sie?« fragte sie. Martin Abels betrachtete sie wie ein Wesen von einem anderen Stern. Inmitten der Wildnis blüht eine Rose, dachte er. Sie ist das Schönste, was ein Mann träumen kann. Nur träumen, ohne Hoffnung, es jemals berühren zu können.

»Ich heiße Abels, Martin Abels.« Er verbeugte sich und fand im gleichen Augenblick, wie dumm das war. Auch neun Jahre Sibirien haben es nicht vermocht, die Lehre der Höflichkeit auszulöschen, dachte er bitter.

»Martin?« Anuschka strich sich die flatternden Haare von

den Augen. Ein warmer Wind fegte über die Wälder, aus dem Süden kam er, aus der Mongolei, glitt über die Lena dahin und küßte die Hütten von Torusk. »Sie sind ein Deutscher?«

»Ja.«

»Ein Verbrecher?«

Olga Turganowa betete im Inneren. Jesus Christ und alle Engel, laß ihn nicht wild werden. Laß uns leben. Dabei blickte sie um sich und atmete beruhigt auf. Die Nachbarn standen in den Türen, die Semkanoffs, die Poltakins und die Tschugarsskis. Sie würden helfen, wenn es nötig war.

Martin Abels lächelte schmerzlich. »Für euch sind wir Verbrecher, ja«, sagte er. »Aber haben Sie keine Angst, mein Fräulein. Ich bitte nur um ein wenig Wasser. Zwei Eimer nur. Meine Kameraden im Wald haben Durst. Können Sie mir Wasser geben?«

Anuschka nickte. Sie nahm die Eimer aus den Händen Martin Abels', ging mit ihnen zum Ziehbrunnen und schöpfte Wasser aus einem Ledersack in die Eimer. Martin sah ihr zu. Wie sie die schönen Beine in die Erde stemmte, dachte er. Wie ihr Rücken mit den Muskeln spielt, wenn sie den Balken hinaufstößt und ihn dann mit dem Strick wieder herunterzieht. Durch die Bluse sieht man es. Und der warme Wind spielt in ihrem schwarzen Haar. Es glänzt wie gelackt und wirft die Sonne zurück in Tausenden glitzernden, goldenen Sternen.

»Ich danke Ihnen, mein Fräulein«, sagte er, als er die gefüllten Eimer wieder an sich nahm. »Darf ich wiederkommen, wenn meine Freunde Durst haben? Im Wald ist es jetzt heiß.«

»Sie dürfen es, Martin.«

»Sie haben meinen Namen behalten?«

»Er klingt so schön, so fremd für uns, so – so hart und doch freundlich.«

Sie sahen sich an, ganz kurz nur, aber es war ein Eintauchen in ihre Seelen, und als sie wieder an das Licht kamen, wußten sie, daß dieser Tag von Gott gewollt war.

»Auf Wiedersehen«, sagte Martin Abels, und seine Stimme war belegt wie mit Borken.

»Auf Wiedersehen –«, sagte auch Anuschka.

Dann ging er, hielt die beiden Eimer fest in den Händen, damit sie nicht überschwappten, denn jeder Tropfen Wasser war ein Labsal für die rodende Kolonne.

Anuschka sah ihm nach, bis er hinter einem Hügel verschwand. Mein Fräulein, hatte er zu ihr gesagt. Zum erstenmal in ihrem Leben hatte sie jemand »mein Fräulein« genannt. Sie war nun sechzehn Jahre. Sie war erwachsen. Sie fühlte Sehnsucht in den Nächten, ohne zu wissen, wie man sie dämpfen kann. Sie träumte von der Liebe und seufzte im Schlaf. Auch Pawel Andrejewitsch, ihr Väterchen, sah und hörte das. Und er seufzte heimlich mit, denn wenn ein Mädchen beginnt, sich zu sehnen, wird das Elternhaus zu eng. Und das ist schlimm für einen Vater, der sein Töchterchen so liebt wie Pawel Andrejewitsch.

Olga Turganowa stieß Anuschka leicht in die Seite. »Komm«, sagte sie dumpf. »Im Stall muß noch gemistet werden. Was wird der gute Pawel sagen, wenn er zurückkommt und erfährt, daß ein Deutscher hier war? Toben wird er! Wieso laufen sie eigentlich so frei herum?«

»Wo sollen sie denn hin, Mamuschka?« Anuschka sah verträumt zum Wald hinüber. »Die Größe unseres Landes ist ihr sicherstes Gitter.«

Wie klug sie ist, meine Kleine, dachte Olga Turganowa. Das lernt man alles in der Schule von Taragaisk, gewiß. Es ist schon etwas wert, gebildet zu sein! Auch wenn es solche Mühe macht.

Am Abend gab es wirklich Streit. Pawel Andrejewitsch tobte, fluchte wie ein Tatar, hieb auf den Tisch und ritt zum Gefangenenlager. »Ich werde es ihnen zeigen, ehrliche Sowjetbürger mit Verbrechern in Verbindung zu bringen!« schrie er wild. »Und noch ein Deutscher! Das ist eine Schande für uns! Wenn sie Durst haben, sollen sie Gräser kauen! Bei mir gibt es kein Wasser mehr!«

Aber auch in Torusk gilt das Sprichwort, daß nicht alles so heiß gegessen wird, wie es gekocht ist. Nach zwei Stunden kam Pawel Andrejewitsch vom Lager zurück, setzte sich an den Tisch, trank eine Schale Tee, kratzte sich den Schädel, rauchte ein Pfeifchen Machorka leer und scharrte mit den Stiefeln über die Dielen.

»Es ist so, meine Lieben«, begann Pawel Andrejewitsch nach diesen geräuschvollen Einleitungen, »daß auch die Gefangenen im Grunde genommen Menschen sind. Arme Menschen sogar. Und die Deutschen, verdammt seien sie, sind eben auch Menschen.« Dann räusperte er sich wieder und ließ die Katze aus dem Sack: »Im übrigen bekommen wir einen neuen Winterstall.«

»Wir, Väterchen?« rief Anuschka. »Ein richtiger Winterstall, wie ihn Unjeski in Taragaisk hat?!«

»Ja, man hat es angeordnet. Als Zentralscheune für ganz Torusk. Ein Fortschritt, meine Lieben. Wir werden den Kohl nicht mehr vergraben und im Winter aus der Erde hacken müssen, sondern wir werden jetzt in Riesenfässern den Kohl einsäuern. Ist das ein Fortschritt, was? Und die Deutschen bauen die ganze Anlage.«

»Die Deutschen –«, sagte Anuschka leise. Pawel Andrejewitsch starrte sein Täubchen an und kratzte sich die Nase.

»Einer hat sogar ›Mein Herr‹ zu mir gesagt. Seien wir ehrlich, meine Lieben: Auch wenn es Verbrecher sind – sie haben Benehmen! Und das ist etwas wert in Torusk!«

So begann die große Liebe zwischen Anuschka und Martin Abels. An einem Sommernachmittag, bei einem warmen Wind, der aus der Mongolei kam.

*

»Du bist so schön wie die Weite der Lena.«

»Ich liebe dich.«

»Ich werde nie weggehen aus diesem Land.«

»Nein, du mußt immer bei mir bleiben.«

»Ich fühle mich, als sei ich niemals woanders gewesen, als sei ich hier geboren.«

»Denkst du noch an Bremen?«

»Was ist Bremen? Eine Blume, ein Gebirge, ein Stoffgewebe, eine Frucht? Ich weiß gar nicht mehr, was Bremen ist.«

»Ich bin so glücklich.«

Sie küßten sich und spürten das Zittern ihrer Körper.

Am Ufer der Lindja lagen sie, im Gras, umgeben von Schilf und Birken. Sie hatten den Winter überstanden, und manchmal war Martin durch den Schneesturm gekommen, vereist bis zu den Knochen, und Anuschka hatte ihn ins Haus geholt, an den Ofen gesetzt, und Pawel Andrejewitsch hatte ihn aufgetaut mit Tee und Wodka oder mit dem höllischen Knollenschnaps, dem Samachonka, der wie verwässerte Milch aussah und in den Gedärmen brannte wie glühendes Pech.

Ihre Liebe kannte jeder in Torusk. Und man fand nichts dabei. Selbst Väterchen Turganow hatte sich dem Schicksal ergeben. Was seine Tochter glücklich machte, war auch für ihn das Glück. Und ein Deutscher, das hatte er eingesehen, war nicht das Schlechteste, was man Anuschka gönnen konnte. Nur wenn er an die Zukunft dachte, war Pawel Andrejewitsch unruhig und hilflos. Er hatte schon mit dem Parteimann in Schigansk gesprochen, unter der Hand, von Brüderchen zu Brüderchen, wie man das so tut, und angetastet, ob man nicht ein Gnadengesuch machen solle. Martin Abels wollte dann, wenn er ein Freier wurde, in Rußland bleiben und Anuschka heiraten, in aller Form. Er wollte mit auf die Jagd gehen, Pelze gerben und ein guter Bürger werden. Was wollte man mehr? Und der Bezirkssowjet versprach, in Jakutsk und in Moskau in diesem Sinne vorzutasten. Ganz vorsichtig natürlich, denn die Genossen in der Regierung hatten eine andere Ansicht von den Deutschen als die Jäger in Torusk.

Hand in Hand kamen sie später aus dem Schilf der Lindja zurück ins Dorf. Ein schönes Paar, dachten sie alle. Man konnte sich noch über das Glück der anderen freuen. 1000 Rubelchen hat der Alte gespart, flüsterte man. Es soll eine Hochzeit geben, wie sie Sibirien nicht gesehen hat. Wir werden alle besoffen sein, alle, drei Tage lang. Juchhei, Brüderchen! Wenn nur die Politik nicht so blöde wäre . . .

*

Und wieder schneite es. In dicken, flauschigen Flocken. Nachts fror es erbärmlich, und in den Wäldern zerplatzten mit lautem Knall die ersten Stämme. Wie Kanonenschüsse klang es. Der Salut für Väterchen Frost.

Die Lena fror zu, die Lindja und die Muna. Die Fischer fluchten erbärmlich, denn das alles kam viel zu früh, die Schnüre mit Trockenfisch waren noch nicht voll, und so mußten sie auf das Eis, Löcher hacken und die Fische an langen Netzen oder Angeln aus dem Wasser ziehen.

An einem dieser Tage wurde Martin Abels als Natschalnik der Waldarbeiter zum Kommandanten des Lagers gerufen. Hauptmann Jossif Nikolajewitsch Samsonow hatte eine gefurchte Stirn und bemühte sich nicht, die Schweißperlen auf seiner Glatze wegzuwischen. Er war ein alter Soldat, viermal verwundet, hatte ein steifes Bein zurückbehalten und war deshalb abgeschoben worden, um in Torusk mit seinen Kolonnen zu kultivieren.

Er fühlte sich zufrieden mit diesem Kommando, war sein eigener Herr und brauchte nur wöchentlich einmal nach Jakutsk zu melden: »Alles in Ordnung, Genosse Major. Soll ist erfüllt!« Einfacher geht es nicht, nicht wahr, ein kleiner König zu sein.

Hauptmann Samsonow und Martin Abels verstanden sich gut. Abends gab Abels dem sowjetischen Offizier Deutschunterricht und las mit ihm Goethe, da in Rußland Goethe als der Inbegriff abendländischer Kultur galt. Als Gegenleistung ließ Hauptmann Samsonow seinen Lehrer Abels zu Anuschka gehen. Es war ein herrliches Leben, eigentlich so frei wie die Wölfe im Wald.

»Ein schöner Mist, Martin«, sagte Hauptmann Samsonow an einem dieser schneereichen Abende. Er hatte ein langes Schreiben vor sich liegen und Abels sah, daß es eine Liste war. »Euer Adenauer war in Moskau. Du kennst Adenauer?«

»Nur aus den Berichten der Prawda. Dort nannten sie ihn einen Revanchisten und Kapitalisten.«

»Es ändert sich vieles.« Hauptmann Samsonow seufzte. »Er war in Moskau, sie haben im Kreml gegessen, Chruschtschow und er und auch andere, und dann haben sie verhandelt über euch.«

»Über uns? Wieso?«

»Über die letzten Plennys. Daß ihr nach Hause wollt, haben sie gesagt, und es hat ein Hin und Her gegeben, und nun ist's soweit: Du kommst zurück nach Deutschland!« Samsonow pochte mit der Faust auf die Liste. »Da steht dein Name. Die haben verdammt gute Karteien, die Genossen in Moskau.«

»Das ist schön.« Martin Abels starrte auf das lange Blatt Papier mit den verschiedenen Stempeln und Unterschriften. »Wissen sie es schon?«

»Ich sage es ihnen beim Morgenappell und verlese die Namen.«

»Das wird ein Jubel sein. Nach zehn, bei einigen nach dreizehn Jahren Gefangenschaft zurück in die Heimat. Sie werden es als Wunder betrachten. Wann soll der Transport sein?«

»In drei Tagen schon. Das Lager Torusk wird aufgelöst.«

»In drei Tagen.« Abels stand auf und trat an das mit Zeitungspapier verklebte, winterfeste Fenster. Vor ihm lagen die tief verschneiten Hütten des Lagers, der hohe Holzzaun, die Wachtürme, auf denen niemand stand, denn wer wollte von hier aus schon fliehen? Man konnte aus der Hölle entkommen, aber nicht aus dem vereisten Jakutien. »Ich werde natürlich hierbleiben, Hauptmann Samsonow«, sagte Abels. Aber seine Stimme war unsicher.

Samsonow hustete. »Nein«, antwortete er dann.

Abels fuhr herum. »Ich habe Anuschka hier. Was soll ich in Deutschland? Ich bleibe in Torusk.«

»Du stehst auf der Liste, also mußt du mit! Befehl aus Moskau!«

»Was geht mich Moskau an!« schrie Abels. »Man kann mich doch nicht zwingen, Rußland zu verlassen!«

»Man kann! Moskau kann alles. Die Politik . . .«

»Was kümmert mich die Politik?!«

»Politik ist unser Leben, Martin.« Hauptmann Samsonow stand auf. Auf seinen breiten Schulterstücken lag das Licht der ungeschützten Glühbirne in der einfachen Fassung. Sie pendelte an einer Schnur mitten im Zimmer. »Ein Preskas aus Moskau ist ein Heiligtum, ist mehr als ein Wort Gottes, wenn man solche dummen Vergleiche machen darf. Du stehst hier unter Nummer 5296, Transport 9, und du mußt mit!«

»Ich weigere mich!«

»Dann wird man dich zwingen. Sei nicht blöd, Martin.«

»Neun Jahre habt ihr mich gegen meinen Willen festgehalten, und das nanntet ihr gerecht. Neun Jahre lang war ich ein Verbrecher, und das war alles in Ordnung. Nun soll ich plötzlich unschuldig sein und zurückkehren in ein Land, das ich vergessen konnte, weil ich Anuschka fand. Ich appelliere an Ihre Menschlichkeit, Hauptmann Samsonow.«

»O Himmel!« Samsonow schlug die Hände über seiner Glatze zusammen. »Was geht Moskau Anuschka an?! Kann ich dafür? Willst du mich verantwortlich machen? Was bin ich denn?! Ein Kasten, in den man oben die Befehle hineinsteckt und erwartet, daß er die Befehle auch wieder ausspuckt. Ich liebe dieses Torusk auch, und wenn ich daran denke, daß ich vielleicht an die mongolische Grenze komme oder sonstwohin, ich könnte heulen.« Hauptmann Samsonow riß sich zusammen. Er war Offizier, und so schwer es ihm wurde, in diesen Stunden mußte er ganz das sein, was seine Uniform repräsentierte. »Kein Wort mehr, verdammt! In drei Tagen geht der Transport, und du bist dabei!«

An diesem Abend wurde kein Goethe mehr gelesen.

Hauptmann Samsonow betrank sich dafür und ertränkte seinen Kummer. Einen Tag später erwachte das Lager Torusk aus dem Schlaf sibirischer Winterkälte. Die Alarmglocke schellte die Sowjetarmisten aus den warmen Stuben.

Ein Mann war geflohen. Der Wahnsinn, in Sibirien zu flüchten, war Wahrheit geworden. Hauptmann Samsonow heulte vor Wut und Enttäuschung. Diese Flucht kam in seine Papiere. Er würde jetzt nie, nie Major werden.

»Er kann nur im Wald sein, dieser Idiot!« brüllte er. »Bei den Turganows braucht ihr gar nicht zu suchen. Verliebte Männer und verliebte Füchse haben eins gemeinsam – sie sehen die Fallen nicht mehr! Wir haben noch zwei Tage Zeit.

Um zehn Uhr geht der Transport und der Kerl ist dabei, sonst steckt ihr selbst im Straflager!«

Am zweiten Tag fand man Martin Abels. Er lag in einer Schneehöhle und wärmte sich auf Jägerart an einem ausgehöhlten, glimmenden Baumstamm. Er leistete keinen Widerstand. Er hatte eingesehen, daß er nur ein Mensch war. Und was gilt ein Mensch auf dieser Welt!

Anuschka war in Schigansk, als der Transport auf vier großen Lastwagen aus dem Sammellager rollte. Pawel Andrejewitsch hatte sie hingebracht, mit einem Schlitten und zwei Pferdchen. Geduldig hatten sie vier Stunden im Schnee vor dem großen Tor gewartet, bis die vier dunklen Wagen herausbrummten. Da war Anuschka aus dem Schlitten gesprungen und neben dem Wagen hergerannt, in dem sie Martin Abels erkannte. Eine zwischen fünfzig anderen Plennys eingekeilte, dunkle Gestalt, die mühsam den Arm hochschob und über die Köpfe der anderen hinweg winkte.

»Komm wieder!« rief Anuschka und rannte und rannte. Die dicken Räder des Wagens bewarfen sie mit Schnee, sie schluckte Matsch und Eisstückchen, Straßendreck und veröltes Wasser. Was machte das schon. Sie lief hinter dem Wagen her und winkte mit beiden Armen und sah ihn an, wie er auf sie herunterschaute, mit wunden Augen wie ein verletztes Tier. »Komm wieder!« schrie sie. »Ich liebe dich . . . ich liebe dich . . .«

Dann stolperte sie, fiel in den Schnee und blieb erschöpft liegen, während der Wagen in einer Woge von Schneewirbeln unterging.

In seinem Schlitten saß Pawel Andrejewitsch und heulte wie ein hungriger Wolf. Ihm brach fast das Herz, denn welcher Vater leidet nicht mit seiner Tochter?

Es war der 27. September 1955.

Vor acht Jahren.

Aber der Schrei Anuschkas: »Ich liebe dich!« verklang nie.

*

»Das ist alles ganz schön und gut«, sagte Ludwig Petermann, der Anwalt. Er kehrte als erster aus dem Bann der Erinnerung zurück, er war gewohnt, nüchtern zu denken. »Aber jetzt bist du hier. In Bremen. Und Anuschka, wenn sie noch lebt, sitzt in ihrer Blockhütte, Tausende von Kilometern entfernt.«

»Ich werde zu ihr hinfahren«, antwortete Martin Abels fest. »In drei Wochen.«

»Verrückt!« Heinz Fernholz, der Metzgermeister, schneuzte sich. Irgendwie hatte die Geschichte Anuschkas seine Seele doch ergriffen. »Als wenn du so einfach mit dem Flugzeug oder mit der Bahn nach Sibirien könntest. Ist ja auch nur ein Spaziergang, was?«

»Ich habe bereits einen Antrag über die sowjetische Botschaft laufen.«

»Und was sagen die Genossen in Rolandseck am Rhein?«

»Noch nichts. Ich fahre übermorgen hin.«

»Und wenn sie in ihrer schlichten, aber deutlichen Art ›njet‹ sagen?«

»Das werden sie nicht. Es hat sich in diesen acht Jahren vieles geändert. Man ist menschlicher geworden.«

»Aber ein Deutscher bleibst du trotzdem! Ich halte es für eine Utopie.« Ludwig Petermann bestellte noch eine Runde Wein und stieß mit den anderen an. »Martin, in aller Freundschaft: Nimm einen großen Rosenstrauß, zieh deinen blauen Anzug an und geh zu Holgerson. Das ist der Rat eines guten Freundes. Und daß Inken dich wirklich liebt, wissen wir alle. Die kleine Anuschka wird von den acht Jahren verschlungen sein.«

»Hast du ihr denn überhaupt mal geschrieben?« fragte Heinz Fernholz plötzlich.

»Ja. Vierzehnmal.«

»Und Antwort?«

»Keine.«

»Und trotzdem . . .?« fragte Petermann leise.

»Trotzdem! Vielleicht bin ich wirklich wahnsinnig . . .«

Drei Tage später saß er einem der Botschaftssekretäre der sowjetischen Botschaft gegenüber. Er sah auf dem Schreibtisch einen Schnellhefter, in dem sein Name in kyrillischer

Schrift mit Tusche gemalt war. Die Unterhaltung fand in russischer Sprache statt.

»Herr Abels«, sagte der Sekretär und lächelte verbindlich, »wir haben Ihren Antrag befürwortend nach Moskau geschickt. Der Herr Botschafter hat ein großes Mitgefühl bekundet. Aber Moskau –« er hob die Schultern – »richtet sich nicht nach den Gefühlen des einzelnen, sondern hat einen weiteren Blick als wir.«

»Also abgelehnt?« fragte Abels dumpf.

»Zurückgestellt, würde ich sagen.« Der Sekretär blätterte in den Papieren. Auf einem Briefblatt erkannte Abels den Kopfdruck des sowjetischen Innenministeriums.

»Ich kenne Ihre Terminologie zu gut, um zu wissen, was das heißt«, sagte Abels bitter. »Darf ich fragen, warum man mir die Einreise verweigert?«

»Natürlich.« Der Sekretär lächelte. Abels zog die Schultern hoch. Ein Russe kann lächeln, daß es wie Eis bis auf die Knochen dringt. »Sie sprechen unsere Sprache perfekt.«

»Ja.«

»Sie haben Verbindung mit der amerikanischen Union-Steel?«

»Ja.«

»Die Union-Steel hat Waffen an Feinde der Sowjetunion geliefert. Sie haben Aktien der Union-Steel. Man folgert daraus, daß Sie ein aktiver Feind der Sowjetunion sind.«

»Aber das ist doch Dummheit! Käme ich sonst in Ihr Land?«

»Wer weiß?« Der Sekretär hob wieder die Schultern. »Man kann in unserem Jahrhundert nicht vorsichtig genug sein. Im Kreml ist man vorsichtig. Wir sind innerhalb von fünfzig Jahren zweimal überfallen worden.«

Martin Abels erhob sich brüsk. Der Stuhl hinter ihm fiel polternd um. Der Botschaftssekretär lächelte mokant. Die Deutschen, sagte sein Blick. Immer wie starke Männer. Immer mit bumm und trara.

»Es besteht also keine Hoffnung, nach Torusk zu kommen?«

»Gar keine, Herr Abels.«

»Danke.«

»Leben Sie wohl.«

Minuten später stand Martin Abels am Rhein und starrte hinüber auf die im Strom liegende Insel Nonnenwerth mit ihrem Kloster und den schönen Parkanlagen. Weiße Schiffe glitten durch den Rhein, ein Auto hielt neben ihm, ein Vater mit drei Kindern stieg aus, dehnte sich und zeigte den Hang hinauf. »Seht mal, da wohnen die Russen!« sagte er. »Da, in dem weißen Schlößchen. Ihr wißt doch, was euch Papa von Rußland erzählt hat.«

Martin Abels ging weiter, am Rheinufer entlang, zum Parkplatz, wo Diener Alfons mit dem Wagen wartete.

Ich komme nach Torusk, dachte Martin Abels und ballte die Fäuste in den Hosentaschen. Es gibt viele Wege nach Sibirien, und einen werde ich finden. Und wenn sie mich alle für verrückt erklären: Ich spüre es, daß Anuschka auf mich wartet.

In diesem Augenblick beschloß er, nach Rußland, nach Sibirien einzudringen, sich einen Weg freizukämpfen in die Vergangenheit, die er zur Zukunft machen wollte.

Es vergingen noch sechs Wochen, ehe Martin Abels seinen Plan ausführen konnte.

Sechs Wochen sind keine lange Zeit, aber wer sie auszunützen weiß, kann in ihnen den Grundstein zu einem neuen Leben legen. Abels tat es mit allen Konsequenzen, die auch alle möglichen Eventualitäten einschlossen – zum Beispiel die, daß er von seiner großen Reise vielleicht nie mehr zurückkehren konnte. Er ordnete alles, übergab das Kugellagerwerk seinem 1. Direktor, setzte ein Gremium von Anwälten als Kontrollorgan ein und hatte eigentlich am meisten Mühe mit seinem Diener Alfons, der darauf bestand, ihn zu begleiten. Erst nach dem harten Befehl, auf das Haus aufzupassen und keinen Ton mehr über die Reise zu sagen, schickte sich Alfons in sein Schicksal.

Der Stammtisch in der »Eule« verfolgte diese Vorbereitungen mit tiefer Sorge. »Man muß etwas tun«, sagte der Metzgermeister Fernholz. »Er rennt in sein Unglück, und wir sitzen herum und sehen uns das an. Was er sich da vornimmt, ist doch kompletter Unsinn. Man sollte Martin in eine Anstalt stecken.«

Rechtsanwalt Petermann sprach noch einmal mit seinem Freund und Kriegskameraden. Es war drei Abende vor der Abreise.

»Es hat keinen Zweck, Ludwig«, sagte Abels, als ihm Petermann noch einmal die ganze Sinnlosigkeit vorhielt. »Ich werde fahren!«

»Du weißt, daß es eine Reise auf Leben und Tod wird.«

»Ja.«

»Ist diese Anuschka einen solchen Einsatz wert?«

»Ja!« Es war eine klare Antwort, gegen die es kein Argument mehr gab. Petermann hob die Schultern und verließ das Haus. Er gab sich geschlagen. Zu Fernholz, der ihn in der »Eule« erwartete, sagte er resignierend:

»Hast du schon einmal versucht, zu einem Vulkan zu sagen: Du darfst nicht rauchen? Na also – genauso ist es bei Martin.«

Das Schiff »Hukonda«, ein japanischer Frachter, lag in Bremerhaven. Es nahm hundert Kisten von den Abels-Werken an Bord, Kugellager für Ostasien. Die Endstation der Reise war Kobe. Von dort wollte Abels nach Tokio fliegen, um den Sprung auf den asiatischen Kontinent zu wagen.

Einen Tag früher als vorgesehen war Martin in Bremerhaven und stand am Hafen, beobachtete die Schauerleute, das Verladen der Stückgüter, die Übernahme von Öl und Lebensmitteln, sprach mit den Offizieren der »Hukonda« und richtete seine Kabine ein.

Am Tage der Abfahrt war plötzlich Inken Holgerson am Kai. Sie war braungebrannt von der ägyptischen Sonne, fröhlich und durchaus nicht mit Abschiedsschmerz behaftet.

»Ich wollte dich noch einmal sehen, Martin«, sagte sie, als sie sich an der Brücke trafen. Der Kabinensteward hatte Abels an Deck gebeten, ohne zu sagen, wer ihn sprechen wollte. »Nein! Keine großen Worte.« Sie hob die Hand und winkte ab, als Abels etwas sagen wollte. »Du siehst, daß ich völlig unbefangen bin. Ich wünsche dir alles erdenkliche Glück, Martin.«

»Es tut mir leid.« Abels griff in die Tasche seiner Jacke. Wie oft hatte er diesen Griff getan. Zigarettenetui heraus, aufgeklappt, angeboten, Feuer gegeben. Inkens spitze Lippen, wenn sie den Rauch von sich blies, etwas geziert und bewußt kindlich.

Sie schüttelte den Kopf und legte die Hand auf seinen Arm.

»Nein, danke. Keine Zigarette. Ich habe nicht soviel Zeit. Mein Verlobter wartet im Wagen.«

»Wer?« fragte Abels entgeistert.

»Mein Verlobter. Soll ich dir den Namen nennen? Was hättest du davon? Du würdest ihn doch gleich wieder vergessen.«

»Ich gratuliere!«

»Danke. Ich habe ihn in Kairo kennengelernt.« Inken Holgerson wischte sich die im Wind flatternden Haare aus der Stirn. »Das wollte ich dir noch zum Abschied sagen . . . damit du beruhigt fahren kannst . . . fall< du dir heimliche Vorwürfe gemacht hast.«

»Das habe ich, Inken.« Abels atmete auf. »Du bist ein lieber Kerl. Ich kenne deinen Verlobten nicht, aber ich möchte dir wünschen, daß er der richtige Mann für dich ist.«

Sie wandte sich ab und trat an die Reling. Der Wagen Holgersons stand neben einem Schuppen. Abels sah eine dunkle Gestalt hinter dem Lenkrad, ohne erkennen zu können, wie der Mann aussah.

»Der richtige Mann . . .« Ihre Stimme war wieder klein und unsicher. »Ich kannte nur einen richtigen Mann.«

Abels legte den Arm um ihre Schulter. Sie zuckte zusammen, wollte sich aus der Umarmung lösen, aber dann zerbrach ihr Widerstand. Sie schloß die Augen.

»Ist das dort dein Verlobter?«

»Ja.«

»Grüß ihn unbekannterweise von mir.«

»Das werde ich.«

Dann drückten sie sich die Hand, sahen sich groß an und bezwangen sich beide, sich nicht in die Arme zu fallen und sich zu küssen.

»Leb wohl«, sagte Inken Holgerson leise.

»Auf Wiedersehen«, sagte Abels fest.

Das Ablegen eines Frachtschiffes ist etwas sehr Unromantisches. Keine Bordkapelle spielt, keine Menschen winken, keine Fähnchen flattern im Wind ... nur eine Sirene heult, das schmutzige, ölige Hafenwasser quirlt auf, die Maschinen stampfen, die Taue werden abgeworfen, und der stählerne Leib schiebt sich langsam von der Kaimauer weg.

Inken Holgerson blieb an der Kaimauer stehen und winkte als einzige mit ihrem weißen Spitzentaschentuch. Ihre schmale Gestalt hatte etwas Rührendes, als sie allein vor den Lagerschuppen stand, ein Stück am Kai entlanglief und mit beiden Armen winkte. Martin Abels antwortete mit dem Schwenken seiner Reisemütze, und Fetzen der Erinnerung flogen in die Gegenwart ... Anuschka, wie sie neben dem Wagen herlief und schrie: »Komm wieder! Komm wieder! Ich liebe dich!« Und in den Schnee fiel, auf den Knien lag und die Hände ausstreckte, als könne Gott sich erbarmen in einem Land, in dem man Gott abgeschafft hatte ... und nun lief Inken neben ihm her und winkte und winkte, und es war ein Abschied für immer ...

Die »Hukonda« drehte ab, das Heck schob sich herum, der Kai, die Hafenschuppen, Inken Holgerson wurden weggewischt. Schnell ging Abels unter Deck in seine Kabine. Der Abschied von Deutschland war schwer, er wollte allein sein, nichts mehr sehen und nichts mehr hören. Das faszinierende Bild, wie die Küste Europas im Meer versinkt, konnte er in dieser Stunde nicht ertragen.

Von diesem Augenblick an war er wieder so armselig wie vor acht Jahren, als er in Moskau auf dem Güterbahnhof stand, vor dem Waggon, der ihn aus Nowosibirsk gebracht hatte.

Wie damals blieb ihm auch jetzt nichts mehr als die große Sehnsucht, ein Ziel zu erreichen, ohne Hilfsmittel, nur mit seinen Füßen und seiner wenigen Kraft.

Martin Abels warf sich auf das Bett, kreuzte die Hände unter dem Kopf und starrte an die Kabinendecke.

Die »Hukonda« schlingerte und rollte. Sie hatten das offene Wasser erreicht. Der Weg in die Unendlichkeit hatte begonnen.

Inken Holgerson wandte sich ab, als das Heck des Schiffes sich zu ihr drehte. Langsam ging sie zu dem Wagen zurück und öffnete die hintere Tür. Der Chauffeur sah sich um.

»Kann ich die Mütze wieder aufsetzen, gnädiges Fräulein?« fragte er.

»Ja. Und fahren Sie so schnell wie möglich nach Hause.« Sie lehnte sich zurück und schloß die Augen.

Er hat es geglaubt, er hat die Lüge mit dem Verlobten geglaubt. Wie wenig er mich doch kennt.

In der Ferne hörte sie noch einmal das Sirengeheul der »Hukonda«. Wir haben freie Fahrt, hieß es.

»Viel Glück«, sagte Inken leise. Der Chauffeur wandte den Kopf nach hinten.

»Wie bitte, gnädiges Fräulein?«

»Nichts. Fahren Sie, Hans. Und, bitte, nicht nach Hause. Ich habe es mir überlegt. Fahren Sie mich kreuz und quer herum, wohin, ist egal. Hier ist jetzt ja der einzige Ort, wo ich allein sein kann.«

*

Der amerikanische Militärstützpunkt North-Point liegt irgendwo in Alaska in der Nähe von Dillingham. Es ist ein Platz, wo sich die Weißfüchse gute Nacht sagen und von dem in der US-Armee behauptet wird, es sei der idealste Ausbildungsplatz für Stabsfeldwebel, denn wer North-Point ein halbes Jahr überlebt, ohne durchzudrehen oder zu verblöden, ist fernerhin durch nichts mehr zu erschüttern. Selbst aus der Luft ist dieser Stützpunkt kaum zu unterscheiden von den Blockhaussiedlungen. Nur die stets sauber gefegte Rollbahn und der Mast eines Kurzwellensenders verraten, daß hier zwischen Felsen, Eis und Wildflüssen Menschen leben, deren Aufgabe es ist, ein Ohr nach Osten offenzuhalten.

Major James Morrison gehörte zu jenen Typen, die man an einen Fluß stellen kann mit der Anordnung: »Zählen Sie die Luftbläschen, die die Fische auf dem Wasser machen, Sir«

– und er bleibt stehen, stundenlang, und starrt auf die Wellen. Anders wäre der Dienst in North-Point auch nicht zu ertragen gewesen. Um so mehr kam Unruhe in die Wildnis, als eine junge Dame erschien, mit einer Sondermaschine aus San Francisco, sich als Betty Cormick vorstellte und den Auftrag mitbrachte, sie an einem noch bestimmbaren Tage X von North-Point aus in 12 000 Meter Höhe nach Sibirien zu fliegen und sie dort mit dem Fallschirm abzusetzen.

Major Morrison war aus dem Häuschen.

Er gab einen Kasinoabend, er ermahnte seine Offiziere, sich anständig zu benehmen, und er verwöhnte Betty Cormick, wie es nur ein amerikanischer Mann kann, der monatelang nichts gesehen hat als kahle Felsen, gurgelnde Wildwasser und mürrische Soldaten, die pokerten und ab und zu Geländedienst machten, um nicht völlig einzurosten.

Was Betty Cormick erzählte, war wenig, aber was Major Morrison als »Geheime Kommandosache« erfuhr, war sensationell. Betty Cormick war eine Spezialagentin. Sie sprach Russisch wie ihre Muttersprache, lebte nach ihrer Ausbildung ganz im russischen Stil und hatte einen einwandfreien Paß auf den Namen Amalja Semperowa. Jetzt sollte sie im Inneren Sibiriens abgesetzt werden, die dort entstehenden neuen Rüstungswerke und Atomforschungsinstitute besichtigen und ihre Beobachtungen mit einem Sender an einen Kontaktmann in Jakutsk melden. Sie war furchtlos, fröhlich, verteufelt hübsch, und Major Morrison verkniff sich nicht die Bemerkung: »Miß Cormick! So etwas wie Sie sollte heiraten und einen Mann glücklich machen, statt sich mit Spionage zu beschäftigen. Warum tun Sie das eigentlich?«

»Warum saufen und rauchen Sie, Major?« war die Gegenfrage.

»Weil's mir gefällt, zum Teufel!«

»Eben!« Betty lächelte charmant. »Und da fragen Sie mich?«

Die nächsten Tage waren eine Niederlage für die Offiziere von North-Point. Betty Cormick startete zu einem Geländemarsch, und um sie nicht allein durch die alaskische Wildnis spazieren zu lassen, schlossen sich vier Offiziere an.

Um sieben Uhr früh zogen sie los, nach Norden, ins wildeste Gebirge. Um zwölf beorderte der erste Funkspruch einen Hubschrauber in die Felsen, um die Offiziere abzuholen, die sich die Füße wund gelaufen hatten und mit verbissenen Gesichtern herumsaßen.

Drei Tage blieb Betty allein in der Wildnis, während die Offiziere mit salbebestrichenen Fußsohlen im Kasino herumhinkten. Sie lebte von Beeren und rohen Fischen, schoß einmal einen Hasen und trank Schmelzwasser, das die Felsen herunterrauschte. Am vierten Tag war sie wieder auf dem Stützpunkt, etwas müde, aber durchaus nicht zerstört. Sie traf einen Major Morrison an, der tobend herumlief und alle Welt beschimpfte, vier Hubschrauber nach Betty hatte suchen lassen und seine Männer Schlappschwänze und leere Säcke betitelte.

»Das war nur ein kleiner Konditionsmarsch«, sagte sie freundlich, legte sich ins Bett und schlief achtzehn Stunden. Major Morrison nahm es mit steinernem Gesicht hin und sagte nur später im trauten Kreise: »Meine Herren, ich bin erst wieder froh, wenn diese Miß Cormick über Sibirien abgesetzt ist. Man bekommt ja Minderwertigkeitskomplexe! Habe nie gedacht, daß es so verteufelt hübsche und dabei so harte Weiber gibt!«

Vier Tage später kam Hauptmann Blonski nach North-Point. Elegant, jung, mit einer maßgeschneiderten Uniform, wirkte er unter den North-Point-Männern wie ein Pfau in einem Zwerghühnerhof. Er brachte umfassende Vollmachten des Geheimdienstes mit, nahm den anderen Offizieren beim Pokern 1500 Dollar ab und betätigte sich als Privatlehrer Bettys.

Noch einmal wurde alles, was sie gelernt hatte, abgehört. Sie machten Funkversuche, sie unterhielten sich auf russisch, sie übten Fallschirmspringen und Klettern an vereisten Felswänden. Vor allem aber übten sie Judo, Schießen und Nahverteidigung. Mit offenem Mund sah Major Morrison zu, wie Betty Cormick blitzschnell mit einem Dolch zustoßen konnte, wie sie aus der Tasche ihrer Wetterjacke schoß und eine Figurenscheibe genau ins Herz traf oder wie sie den starken Stabsfeldwebel Bud Mollow mit einem Hebelschwung aufs Kreuz legte, daß die Knochen wie Saiten einer Harfe sangen.

Noch einmal standen sie vor der großen Spezialkarte Sibiriens und legten den genauen Weg fest, den Betty gehen sollte.

»Damit wir uns richtig verstehen, Betty«, sagte Hauptmann Blonski, als der theoretische Teil erledigt war, »es kommt darauf an, daß du in die Betriebe einsickerst. Am besten ist es, erst einmal als Putzfrau anzufangen. Die sind immer unverdächtig. Und in den Papierkörben liegt manchmal die Entscheidung über Krieg und Frieden. Außerdem kommst du als Putzfrau auch in Räume, die sonst keiner ohne scharfe Kontrolle betreten darf.«

»Verlaß dich ganz auf mich, Jim.« Betty Cormick klopfte Hauptmann Blonski auf die Schulter. »Wann fliegen wir?«

»Die Wetterwarte meldet für morgen nacht gutes Flugwetter. Wenn du willst . . .«

»Natürlich will ich.« Betty Cormick wurde plötzlich ernst. »Sag mal, Jim«, fragte sie mit völlig veränderter Stimme, »ist das Geld schon angewiesen?«

»Ja. Natürlich, Betty.«

»Und sie ist weg?«

»Ja. Vorgestern schon.«

»Danke, Jim.«

Vor dem Einsteigen in den Fernaufklärer gab Betty jedem der Offiziere die Hand. Hauptmann Blonski griff in die Tasche und übergab ihr ein kleines silbernes Etui.

»Was ist das?« fragte sie.

»Ein Siegelring. Mit einer hohlen Platte. Darin liegt eine Ampulle Zyankali.«

Eine eisige Stille lag plötzlich über den Männern. Major Morrison hob die Schultern. Dieses Leben ist ein Saustall, dachte er. Warum muß das alles sein?

»Danke.« Betty nahm das Kästchen und steckte es in ihre Springerkombination. »Drückt mir die Daumen, Jungs.«

»Und verlieb dich nicht!« schrie Hauptmann Blonski, als

sie schon in die Maschine kletterte. »Es gibt eine ganze Menge verführerischer russischer Männer!«

»Keine Sorge, Jim!« Betty winkte noch einmal zurück. Dann schloß sich die Tür, die Maschine rollte auf die Startbahn, ein paar einsame Scheinwerfer erhellten die Piste, die Motoren brüllten auf. Wie ein Schatten hob sich der stählerne Vogel in die Luft und entwischte in die Nacht.

Major Morrison faßte Hauptmann Blonski am Arm. »Sagen Sie mal, warum tut sie das eigentlich? Das ist doch keine Frauenaufgabe!«

»Ihren Auftrag kann nur eine Frau erfüllen. Und warum sie es tut? Das ist eine lange Geschichte, Major. Sie beginnt in Cody, einem kleinen Nest im Staate Nebraska. Dort stellte der Landarzt Doc Phaerson bei der Mutter Bettys einen Brustkrebs fest. Sie wurde operiert, aber zu spät. Es hatten sich Lymphdrüsenmetastasen gebildet. Da hilft nur eine langwierige Bestrahlung, eine teure Klinikbehandlung. Aber Bettys Vater war nur ein Sattelmacher ...«

Major Morrison verstand. Er ließ den Arm Blonskis los.

»Und nun fliegt sie nach Sibirien, um das Geld zu verdienen«, sagte er leise.

»Ja.« Hauptmann Blonski drückte die Pelzmütze tiefer ins Gesicht. »Wir können einige Milliarden Dollar in den Weltraum schießen, aber der Mensch auf der Erde muß sich allein helfen. So ist's nun mal, Major! Wir leben in einer Zeit, die spätere Generationen vielleicht die ›verrückte‹ nennen werden.«

Hoch über Alaska, mit Richtung auf das Bering-Meer, zog in 12000 Meter Höhe eine einsame Maschine. Ihr Motorengebrumm saugte die Unendlichkeit auf.

In dem engen Laderaum hockte Betty Cormick und schlief. Den Kopf hatte sie auf den zusammengelegten Notfallschirm gelegt.

Zur gleichen Zeit bekamen die sowjetischen Flugabwehrstationen an der Küste des Bering-Meeres und des inneren sibirischen Verteidigungsringes Alarm. In Irkutsk trat das Oberkommando zusammen.

Eine Agentenmeldung war eingetroffen.

Über Sibirien – wo, das wußte man nicht – würde ein amerikanischer Spion abgesetzt. Er war schon unterwegs.

Ahnungslos flog Betty Cormick in die Hölle.

*

Für die Schönheiten Tokios hatte Martin Abels keinen Blick übrig. Er wanderte nicht durch die Gärten, besichtigte nicht die Shintoschreine, versäumte einen Bummel über die Ginza, die »Straße der tausend Freuden«, wie sie der Asiate blumig nennt, kümmerte sich nicht um die offenen Parks des Kaiserpalastes und um die Feierlichkeit in einer Teestube mit Geishabedienung und zarter, grillenhafter Gitarrenmusik.

Er ließ sich zur deutschen Botschaft fahren, sprach mit dem Handelsattaché und bat um die Adresse der Handelsmission der Mongolischen Volksrepublik.

»Was wollen Sie denn dort?« fragte der Attaché konsterniert. »Das ist doch ein kommunistisches Land. Im übrigen kann ich Ihnen sagen – falls Sie die stille Hoffnung hatten –, daß die Mongolen keinen ins Land lassen. Und die Chinesen nur nach langer Überprüfung. Außerdem, das wissen Sie, kann die deutsche Botschaft für Sie keinen Schutz mehr übernehmen, sobald Sie hinter dem berüchtigten ›Bambusvorhang‹ verschwunden sind. Sie wären vogelfrei, Herr Abels.«

»Das ist mir klar.« Martin Abels sah aus dem Fenster in den typisch japanischen Garten. Kirsch- und Mandelbäume wiegten sich an schmalen Wasserläufen, über die sich zierliche, gebogene Brücken spannten. Ein großer Essigbaum und einige Perückensträucher bildeten eine Gruppe auf einer blühenden, mit Blumen übersäten Wiese. »Ich möchte trotzdem die Verbindung mit den Mongolen aufnehmen.«

»Es ist sinnlos.«

Erst nach einem Händedruck mit dem Botschaftsrat und Stellvertreter des Botschafters erhielt Abels die Adresse. Immer wieder sagte man ihm, daß er sich außerhalb jeglichen Rechtsschutzes begebe, sobald er den Bambusvorhang durchschritt.

»Meine Herren, ich verlange ja gar keinen Schutz!« sagte

Abels endlich und trat damit den deutschen Botschaftsangestellten deutlich auf die Füße. »Ich will nur eine Adresse, weiter nichts.«

Er bekam sie und wurde kühl verabschiedet. Vorher hatte man seinen Namen, seine Paßnummer und sonstige Personalien notiert. Mit den täglichen Berichten flog auch sein Name um den halben Erdball nach Bonn und von dort nach Köln zum Verfassungsschutzamt.

Ein Mann, der schutzlos in die Mongolei will, ist verdächtig. Das Motiv, in Rußland ein Mädchen zu suchen, stieß auf lächelnde Ablehnung. So selbstverständlich es ist, Heldentum für den Staat zu fordern, so absurd schien es, das gleiche Heldentum für eine Frau einzusetzen. Obgleich es edler ist, als für einen Staat zu leiden. Denn eine Frau kennt Dankbarkeit.

Die Handelsmission der Mongolischen Volksrepublik hauste in einem alten Gebäude an der Tokio-Bucht. Der Blick aus den breiten Fenstern ging über die Fischerboote und Ausflugsdampfer und über den Fischmarkt, auf dem jeden Morgen die Thunfischversteigerungen stattfanden.

Es waren nüchterne, moderne Büroräume, in die Martin Abels kam. Ein paar Gemälde auf Seide erinnerten lediglich daran, daß in diesen getünchten Wänden Nachkommen des Dschingis-Khan wohnten, nicht mehr in langen Gewändern oder ledernen Reiterhosen, sondern in Maßanzügen, mit goldeingefaßten Brillen und einem Lächeln, dessen Unergründlichkeit fast lähmend wirkte.

Es dauerte zwei Stunden – Martin Abels wartete in einem nach amerikanischem Muster eingerichteten Gästezimmer mit Stahlrohrmöbeln und Klimaanlage –, bis der Geschäftsführer der Mission ihn empfangen konnte. Hier, im wichtigsten Raum des Hauses, war Asien. Mongolische Lampen hingen von der Decke, die Wände waren mit Bambustapeten beklebt, die Stühle wiesen reiches Schnitzwerk auf, und die Polsterkissen bestanden aus einem Gewebe aus Kamelhaar. Ulan Manichugur, der Geschäftsträger, erhob sich, als Abels eintrat, und gab seinem Gast die Hand.

»Seien Sie uns willkommen«, sagte er in einem akzentfreien Englisch. »Wir haben über Ihr Telefongespräch mit unserer Regierung verhandelt. Wir sind sehr interessiert.«

Abels sah sich um. Im Hintergrund des großen Zimmers standen zwei mongolische Offiziere. In ihrer Unbeweglichkeit wirkten sie wie Wachsstatuen. Nur das Leben in ihren Augen verriet, daß sie nicht künstlich waren. Ulan Manichugur lächelte sein tiefes asiatisches Lächeln.

»Natürlich wird unser Gespräch auf Tonband aufgenommen«, sagte er höflich. »Bitte, suchen Sie nicht das Mikrofon. Es erübrigt sich. Sie bieten uns Kugellager an. Wir kennen die Abels-Kugellager. Sie sind besser als die der Amerikaner. Wir sind sehr daran interessiert, für unseren Aufbau Kugellager dieser Qualität zu bekommen. Nur die Form der Lieferung ist schwierig. Sie wissen, daß wir mit Ihrem Land keinen Export- und Importvertrag haben.«

»Man könnte die Sendungen hier über Japan laufen lassen.«

»Einfacher wäre es über Korea.« Ulan Manichugur setzte sich. Ein Sekretär brachte grünen Tee und süßes Honiggebäck. Manichugur goß Abels' Tasse eigenhändig ein und spritzte aus einem kleinen silbernen Flakon einige Spritzer Rosenöl in den schillernden Tee.

»Sie sollten nach Ulan-Bator fliegen, Sir«, sagte er dabei. »Unsere Regierung ist bestrebt, mit dem Westen in Kontakt zu kommen. Die Lieferungen aus Rußland –«, Manichugur verzog das Gesicht. »Oft haben wir das Gefühl, man lädt bei uns ab, was man in Moskau nicht gebrauchen kann. Das kränkt uns. Die Mongolei war schon ein Kulturland, als in Rußland noch uneingeschränkt die Bären hausten und Moskau ein sumpfiger Flecken war. Gerade Kugellager wären wertvoll für uns. Wann könnten Sie reisen?«

In Abels' Brust begann es heiß zu werden. »Wohin?« fragte er und gab sich völlig verblüfft.

»Nach Ulan-Bator. General Gadan-Dalain wäre glücklich, sich mit Ihnen zu unterhalten, Sir.«

Martin Abels nippte vorsichtig an dem glühendheißen und süßen Tee. Die Offiziere in der Ecke standen noch immer regungslos. Aus dem Nebenzimmer, dessen Tür angelehnt war, hörte er vielstimmiges Vogelgezwitscher. Da mußte er lächeln. Die Mongolen lieben Vögel, dachte er. Ihre Kaiser hielten sich gezähmte Nachtigallen, die sie in den Schlaf singen mußten.

Ulan Manichugur verstand das Lächeln Abels'. Er nickte.

»Ich habe sechsundvierzig Vögel. Wir werden sie uns nachher ansehen und anhören.« Er lehnte sich zurück und legte die Fingerspitzen aneinander. »Was darf ich dem General melden, Sir?«

»Ich bin reisebereit.«

»Um so besser. Ihr Flugweg geht über Pjöngjang und Peking nach Ulan-Bator. Sagen wir übermorgen um sieben Uhr morgens?«

Martin Abels nickte. Die Leichtigkeit, mit der er ins Innere Asiens kam, erschreckte ihn fast. Verwirrt trank er seine Tasse Tee und wurde von Ulan Manichugur bis an die Tür begleitet. Die Unkompliziertheit, die man hier praktizierte, erstaunte ihn. Wer es gewöhnt ist, für den kleinsten Schritt einen Schwarm Beamte zu beschäftigen, Anträge auszufüllen, Instanzenwege zu gehen, warten zu müssen und dann zu hören, daß sein Antrag im »Arbeitsgang« sei und Mahnungen völlig zwecklos seien, den berührt es wie ein unbegreifliches Wunder, daß man große Dinge schnell erledigen kann.

Den ganzen nächsten Tag verbrachte er damit, einzukaufen. Er kaufte Hemden und Unterwäsche, Drillichhosen und zwei Pullover, einen Regenmantel aus einem schwarzen Wachstuchstoff, hohe Stiefel und Reithosen mit Lederbesatz. Vor allem aber kaufte er in der Altstadt Tokios zwei gute amerikanische Pistolen mit 1000 Schuß Munition.

So ausgerüstet stand er um 7 Uhr vor der chinesischen Maschine und sah zu, wie man seine Koffer verlud. Dann stieg er ein. Als er von der Gangway zurückblickte zum Flughafengebäude, sah er ein bekanntes Gesicht neben dem Tankwagen stehen. Es war der Handelsattaché der deutschen Botschaft, der als Augenzeuge aussagen sollte, daß der Deutsche Martin Abels mit einer rotchinesischen Maschine Japan verlassen hatte.

Abels hob die Hand und winkte ihm zu. Der Attaché

wandte sich brüsk ab, ging um den Tankwagen herum und verschwand aus dem Blickfeld Martins.

Ein lächelnder Steward wies Abels im Flugzeug Platz an und bot ihm einen Begrüßungstrank. Als Martin verneinte, schüttelte der Steward traurig den Kopf.

»Es ist besser, Sir, wenn Sie trinken«, sagte er mit einer hellen Stimme, wie überhaupt die Chinesen einen hellen Tonfall haben. »Der Trank beruhigt. Dies hier ist eine alte Maschine. Sie liegt nicht besonders gut in der Luft.«

»Wenn es so ist, natürlich.« Abels trank das Glas in einem Zug leer. Das Getränk schmeckte nach Orangen und Honig, es erfrischte und rann wie Öl in seinen Körper.

Kurz darauf wurde er schläfrig. Er hörte, wie die Motoren ansprangen, er spürte das Rollen unter sich, als die Maschine zum Startplatz fuhr ... aber schon das Abheben nahm er nicht mehr wahr. Er hatte den Kopf nach hinten auf das Nakkenpolster gelegt und schlief fest.

Ein Rütteln weckte ihn. Es kostete ihn große Mühe, die Lider zu heben und zu sehen, wer ihn störte. Vor ihm stand ein mongolischer Offizier und grüßte, als er bemerkte, daß der Fluggast seine Umgebung wieder wahrnahm.

Abels schüttelte sich und warf einen Blick aus dem Fenster. Er sah einen fremden Flugplatz, Arbeiter mit Spitzmützen; Kamele, die Lasten schleppten; Ochsenkarren, die am Rande des Rollfeldes Steine wegbrachten, und Soldaten in khakifarbenen Uniformen, die die Pässe der Passagiere kontrollierten.

»Wo sind wir denn hier?« fragte er und stand auf.

»In Ulan-Bator, Sir.« Der Offizier lächelte. »Sie haben die ganze Flugstrecke über geschlafen. Sie waren sehr müde.«

»Ja.« Martin Abels griff in die Taschen. Langsam zog er darauf die Hände wieder zurück. Die beiden Pistolen fehlten. Er brauchte nicht in seinem Gepäck nachzusehen, um zu wissen, daß auch die 1000 Schuß Munition verschwunden waren.

Das Getränk, dachte er. Sie haben mich betäubt. Ich bin über Nordkorea und China geflogen und habe nichts gesehen. Das allein war der Sinn des Willkommentrunkes.

»Bitte, Sir«, sagte der Offizier. »Sie werden erwartet.«

Abels verließ als letzter die Maschine und wurde zu einem großen, dunklen Moskwitsch-Wagen geführt. Hier wartete ein anderer Offizier, grüßte stumm, hielt die Tür auf und schlug sie hinter Abels zu. Im gleichen Augenblick fuhr das Auto an und raste durch einen Seitenausgang vom Flugfeld, hinein in die Stadt Ulan-Bator. Raste vorbei an Felljurten der mongolischen Nomaden, an trägen Kamelkarawanen, an Häusern mit den geschwungenen Giebeln, offenen Läden, Eseln mit Juteballen auf dem Rücken, Reitern in langen, durchgeknöpften Gewändern, Tausenden von Hunden, die wild durch die Straßen streunten, hübschen, rundgesichtigen Frauen, die ihre Kinder verschnürt auf dem Rücken trugen – und über allem strahlte ein wolkenloser, blauer Himmel. Rundherum sah man die bizarren, kahlen Lößberge und Felsen des Bagdo-Ula und des Kentai-Gebirges. Ulan-Bator selbst lag 1300 Meter hoch auf einem riesigen Plateau, durchschnitten von dem Fluß Tolo, der im Frühjahr nach der Schneeschmelze aus dem Kentai donnerte und Felsblöcke von der Größe eines Hauses mit sich hinunterriß ins Tal von Ulan-Bator.

In schneller Fahrt durchquerte der Moskwitsch-Wagen die Innenstadt und verlangsamte seine Fahrt erst in einem Außenviertel mit wunderschönen Gärten und modernen flachen Villen. Sie wurden künstlich bewässert. Rasensprenger drehten sich auf den im englischen Parkstil angelegten und beschnittenen Wiesenflächen. Hinter den Begrenzungsbüschen aber begann der trockene, rotgelbe Lehmsandboden, bewachsen mit hartem Steppengras und Disteln.

General Gadan-Dalain erwartete Martin Abels auf der Terrasse seines Hauses. Er war in Zivil, trug einen hellbeigen Anzug mit weichen weißen Schuhen und wirkte wie ein zufriedener Bankier, der auf seinem Landsitz die Ferien verbringt. Sein breites, gelbliches Gesicht war zerfurcht und mumienhaft. Aber das täuschte. Seine Augen sprühten Kraft, als er Abels die Hand drückte und ihn bat, in einem der Korbsessel Platz zu nehmen.

»Sie hatten einen guten Flug, mein Herr?« fragte er. Zur

größten Verblüffung Martins sprach der General deutsch. Gadan-Dalain lächelte stolz. »Sie wundern sich? Ich hatte einen deutschen Lehrer. Auf der Kriegsakademie in Moskau. Sie sehen, meine Berührung mit Ihrem Land hat schon sehr früh stattgefunden. Sie trinken Tee? Oder trinken Sie lieber Bier, wie alle guten Deutschen?« Er lachte und verbreitete das Wohlwollen eines harmlosen Greises.

»Ich habe geschlafen, General!« Abels sah seinen Gastgeber nachdenklich an. »Seitdem fehlen mir zwei Pistolen.«

»Was Sie nicht sagen.« Der General schüttelte den Kopf. »Spitzbuben gibt es überall. Aber trösten Sie sich – bei uns brauchen Sie keine Waffen. Wir sind ein friedliches Land. Die Zeiten Kublai-Khans und Dschingis-Khans sind vorbei. Unsere Sorge ist es, wie wir dieses schöne Land erschließen können, mit eigenen Mitteln, ohne Schulden, mit unserer Kraft. Seit Jahrhunderten leben wir im Schatten der anderen, wie der Inhalt einer geballten Faust, die aus Rußland und China besteht. Wir werden Ihnen in den nächsten Tagen vieles zeigen.«

Nach zwei Stunden wurde Martin Abels in das Gästehaus der Regierung von Ulan-Bator gefahren. Es lag am Tolofluß, glich einem modernen Hotel und stand doch unter der Bewachung mongolischer Truppen. Martin merkte es, als er die Hotelhalle verlassen und durch Ulan-Bator spazieren wollte. Ein Offizier trat höflich auf ihn zu und gab ihm einen Begleiter mit. Zum Schutz gegen Bettler und Gaukler, wie er sagte.

Abels verzichtete auf den Spaziergang und ging zurück auf sein Zimmer.

In der Nacht verließ er das Hotel. In zwei Säcke, die er an Lederriemen um seinen Hals hängte, stopfte er seine Hemden und Unterwäsche, sein Geld, das er in Japan in Rubel eingewechselt hatte und aus 2400 Rubel bestand, einen Plan von Sibirien, einen Kompaß und eine Taschenlampe mit zehn Ersatzbatterien. Über drei Balkone erreichte er den Hof, in dem der Abfall des Hotels verrottete und wo sich nachts die Ratten balgten. Von hier aus kletterte er über die Mauer und stand dann auf einem schmalen Fußpfad am Ufer des Tolo.

Über dem Kentai-Gebirge glänzte ein herrlicher blasser

Mond. Martin Abels kannte diese Monde; sie kündeten Kälte an, Schneefall, Eis. Ist es schon soweit, dachte er, als er den Tolo entlangschlich und sich zu den Wohnbooten wandte, die breit und dunkel am Ufer schaukelten. Der Winter kam dieses Jahr früher, als er es berechnet hatte. Über Nordsibirien fegten schon die Eisstürme. Die Lena und der Jenissei vereisten von der Mündung her. Aus dem Norden zogen jetzt die Wölfe in das mittelsibirische Bergland, Rudel mit hechelndem Atem und heraushängender blutroter Zunge.

Ein Boot aus Rinden und Geflecht, das lose am Ufer lag, war gerade das Richtige, was Abels suchte. Er stieß vom Ufer ab und ruderte lautlos den Fluß hinab. Eine ganze Strecke ließ er sich treiben, stieß ein paarmal an Sandbänken an oder mußte Klippen im Tolo umgehen. Beim Morgendämmern hielt er auf das Ufer zu, stieß das Boot in den Fluß zurück, als er an Land war, und sah dem kleinen Fahrzeug nach, wie es weiter mit den kalten Wassern abwärts hüpfte, sich um sich selbst drehte wie ein tanzendes Mädchen.

Erst um 10 Uhr am anderen Morgen wurde die Flucht Martin Abels aus dem Hotel bemerkt. Der wachhabende Offizier brach zusammen. Für ihn hatte das Leben aufgehört. Das Wort Gnade war selten in der mongolischen Sprache. General Gadan-Dalain schickte hundert Reiter in alle Winde, drei Hubschrauber durchkämmten das Bergland von Ulan-Bator.

Martin Abels fand man nicht. Er lag in einer Höhle und schlief. Die Erfahrungen aus seinen Fluchtversuchen in Sibirien kehrten in seine Erinnerung zurück und erwiesen sich noch immer als brauchbar. Er wanderte nur des Nachts, denn nachts schliefen die Mongolen. Noch immer saß der Dämonenglaube in ihren Herzen und war durch die neue Lehre des Kommunismus nicht zu verscheuchen. Man gab sich furchtlos . . . aber wenn es dunkel wurde, verriegelte man die Türen oder hängte die Felle vor die Jurteneingänge.

Der große Weg nach Norden hatte begonnen.

Zweitausenddreihundert Kilometer lagen nun vor ihm bis nach Torusk. Zweitausenddreihundert Kilometer durch

Steppe und Gebirge, durch Eis und Sturm, durch Wildflüsse und Wüste, durch Urwald und Sumpf. Zweitausenddreihundert Kilometer an hungernden Wölfen und Bären vorbei und an Soldatenstreifen, die ihn jagten. Und das alles in einer Einsamkeit, die wahnsinnig machte.

Es war der Weg zu Anuschka.

*

Am siebten Tage nach Martin Abels' Flucht aus Ulan-Bator befuhr der mongolische Reisbauer Chingai-Butu mit seinem Ochsenkarren die Höhenwege des Bugun-Schara-Gebirges. Seine Tochter Burkja war bei ihm, ein süßes, etwas molliges Mädchen von sechzehn Jahren, mit langen schwarzen Zöpfen, einem runden Gesicht und immer lachenden Augen. Sie wollten hinunter nach Banga fahren, um Stricke zu kaufen, Lederriemen, Salz und große Nadeln, damit Burkja in den langen Wintermonaten nähen konnte. Mäntel, Kleider, Blusen, Sommerschuhe. Es gab so vieles, was bereits verschlissen war.

Es war ein heller Tag, schon etwas kalt, die Sonne war nicht mehr golden, sondern weiß; die mongolischen Bauern sagen dazu: Die Sonne zieht das Brautkleid an. Nach einer alten Sage schläft die Sonne im Winter in einem Brautbett, um im Frühjahr die Natur neu zu gebären.

»Da, sieh einmal!« sagte Burkja und zeigte vor sich auf die enge Straße. Über einem Felseinschnitt kreisten einige Geier; mit ausgebreiteten Flügeln glitten sie lautlos in weiten Kreisen über das Land.

Chingai-Butu, der Bauer, hielt den Ochsen an und starrte.

»Da liegt was«, sagte er nach einigem Überlegen. »Fahren wir mal hin.«

Rumpelnd und über die Steine hüpfend fuhren sie ein Stück seitlich in einen Hohlweg. Und dann schrie Burkja leise auf, und auch Chingai-Butu war es nicht geheuer.

Zwischen den Steinen lag ein fremder Mensch. Ein Europäer. Ein weißer Mann mit zerrissenen Kleidern. Er lag mit dem Kopf auf einem Stein, starrte in die Höhe zu den kreisenden Geiern und war zu schwach, um wegzukriechen. Nun, da andere Menschen kamen, kreischten die Geier auf, flatterten und setzten sich dann rund um die liegende Gestalt auf die Felsen. Stumme Wächter vor einem Körper, der bald zu Aas werden würde.

Martin Abels hatte es schon am dritten Tag gespürt. Es begann mit einer Kälte, die durch alle Adern flutete. Ihr folgte eine Hitze, die ihn fast zerriß. Dann wurde er schlaff, fühlte sich ausgelaugt und lag einen Tag in der Sonne, wehrlos und außerstande, auch nur zu kriechen. Er hatte Durst, seine Zunge brannte und wurde dick, seine Glieder begannen zu zucken, er spürte, wie Ameisen über ihn hinwegkrochen, wie sie ihn bissen, das Blut aus den Wunden saugten, und er hatte keine Kraft mehr, sich wegzuwälzen.

Dann wurde es wieder besser ... er konnte wieder gehen, badete in einem Fluß, fühlte sich erfrischt und wie neu belebt. Aber am Abend brach er wieder zusammen, Fieber überfiel ihn, er schleppte sich von der Straße weg in einen Hohlweg und fiel erst in die Knie, dann auf den Rücken. Er wurde besinnungslos und wußte nicht, wie lange er gelegen hatte, als er wieder die Augen aufschlug. Er sah die Geier über sich kreisen, blickte in ihre starren grünen Augen, hörte das Klappern ihrer gebogenen, spitzen Schnäbel, die ihn zerreißen würden ... heute oder morgen ... Er versuchte sich zu bewegen. Es ging nicht, er war wie gelähmt. Nur denken konnte er noch – so sehr sein Körper auch versagte, sein Geist war hellwach.

Das ist ein frühes Ende, ging es ihm durch den Kopf. Ein unrühmliches Ende. Geierfraß. Daran haben sie alle nicht gedacht, nicht Petermann, nicht Fernholz. Nicht einmal der Handelsattaché in Tokio; Sie haben in der Mongolei keinen rechtlichen Schutz, hatte er gesagt. Rechtlicher Schutz gegen Geier ... mein lieber Mann, wie naiv wir alle sind. Wir sind daumenlutschende Kinder vor der Wucht der Tatsachen. Wir sind ahnungslose Säuglinge vor der erschreckenden Wahrheit.

Er schloß die Augen und hielt den Atem an.

Kommt doch, dachte er. Ihr verdammten, ihr verfluchten

Geier. Kommt doch endlich! Ich weiß, ihr freßt nur Aas . . . bin ich denn jetzt noch etwas anderes? Nur weil ich atme? Das ist bloß das Herz, ihr Geier, mein gutes, starkes Herz. Es schlägt und schlägt und schlägt – aber der Körper drumherum ist schon tot. Ich hätte nicht einmal mehr die Kraft zu schreien, wenn ihr mich auseinanderreißt.

Er fiel wieder in Ohnmacht, aber nicht aus Schwäche, sondern aus aufzuckender Angst und grellem Grauen, weil er plötzlich eine Berührung an seinem Körper spürte. Die Geier, schrie es in ihm. Jetzt sind sie da . . . ihre Schnäbel . . . ihre spitzen Schnäbel . . . in meinem Leib . . . in meinen Eingeweiden . . . O Gott . . . Gott . . . Gott.

Das Mädchen Burkja und ihr Vater, der Reisbauer Chingai-Butu, hoben den fremden weißen Mann aus den Steinen und trugen ihn zu ihrem Ochsenkarren. Dort gab Burkja dem Ohnmächtigen zu trinken. Sie preßte seine Zähne auseinander, setzte einen Wasserbeutel an seine Lippen und preßte die Flüssigkeit in seine Mundhöhle. Martin Abels schluckte mit hüpfendem Kehlkopf, das Wasser lief ihm aus dem Mund wieder heraus und über die Brust . . . aber er atmete plötzlich tief auf, seufzte und starrte in das breite, lächelnde Gesicht des Mädchens.

»Er lebt, Väterchen«, sagte Burkja und breitete eine Decke über Abels. Eine wohlige Wärme durchflutete ihn. Er streckte sich in dem Stroh des Karrens aus, fühlte eine gesunde Müdigkeit, aber er wehrte sich dagegen, wieder ins Dunkle abzugleiten, und sah das mongolische Mädchen an, das ihm mit ihren Händen das Gesicht wusch und die Brust rieb.

»Das ist ein merkwürdiger Fall«, sagte Chingai-Butu, der Bauer. »Man sollte zurückfahren und sehen, was daraus wird. Wir können doch nicht mit ihm nach Banga kommen.«

»Es wird das beste sein, Väterchen.« Burkja deckte Martin Abels wieder zu. »Onkel Churu kann etwas Russisch – vielleicht ist er ein Russe?«

»Dann ist er ein Spion und wird gehängt!« sagte Chingai-Butu dumpf. »Aber wie's auch ist – wir fahren zurück.«

Sie ließen den Ochsenkarren drehen und schepperten den Weg zurück zum Dorf.

Nach vier Stunden kamen sie aus dem Gebirge und in eine trostlose steppenähnliche Ebene. In der Ferne erhoben sich Lößhügel, terrassenförmig eingeschnitten, wie Treppen, die in den Himmel führen.

Burkja saß jetzt neben dem Vater auf dem Bock, der langhörnige Ochse hatte den Kopf gesenkt und stampfte mit dikken Beinen durch den Staub der Straße. Die Geier waren mitgezogen. Kreischend umkreisten sie das Fahrzeug, stießen herunter und rissen die gebogenen, messerscharfen Schnäbel auf.

Chingai-Butu kümmerte das wenig. Geier greifen keine Lebenden an. Außerdem war er tief in Gedanken versunken.

Was macht ein Weißer in den Schara-Bergen? Und dann noch allein? Es gab gar keine andere Lösung dieses Rätsels: Er war ein Spion.

Bei diesem Gedanken wurde der Bauer Chingai-Butu munter wie ein geschorenes Lamm. Das gibt eine Hinrichtung, dachte er zufrieden. Das gibt entweder ein Aufhängen, oder der riesige Lubku, der Henker aus Muktur, haut ihm mit seinem langen, doppelschneidigen Schwert den Kopf ab. Dann wird das Haupt aufgespießt und herumgetragen, es gibt Hammelbraten und Reiswein, und die Reiter zeigen ihre Kunststückchen. Ein Volksfest wird es werden. Hoiho! Wie lange hat es keine Hinrichtung mehr gegeben? Laß mich rechnen – vor drei Jahren war es das letztemal. Damals ergriffen sie einen Mörder und hängten ihn auf. Ein rechtes Schwein war das. Als ihm das Genick knackte, machte er in die Hose.

Aber hier haben wir einen Spion! Das ist etwas Besseres. Man wird ihn enthaupten. Es wird ein großer Tag werden!

Und Chingai-Butu begann vor Freude zu singen.

*

Die U-2, der Fernaufklärer der US Air Force, kreiste über dem Bering-Meer. Er hatte per Funk die Order bekommen, den Kurs zu ändern. Abhörstationen hatten sowjetische Anweisungen aufgefangen, die bewiesen, daß man die U-2 im Radarschirm hatte und abschießen würde, falls sie sowjetisches Gebiet überflog.

Betty Cormick schlief noch immer. Sie hatte viel Schlaf nachzuholen und viel vorzuschlafen. Mit dem Abstoßen aus dem Flugzeug ließ sie die Welt hinter sich. Niemand konnte ihr dann mehr helfen . . . als Amalja Semperowa würde sie irgendwo in Sibirien weiterleben, bis es anderen Agenten gelang, sie über die iranische Grenze wieder in die Freiheit abzuschieben. Wie lange das dauern würde? Wer wußte es.

Die einsame Maschine am Nachthimmel, 12 000 Meter über der Erde, kreiste eine halbe Stunde über dem Meer, dann flog sie weiter, in einem weiten Bogen nach der Insel Sachalin und von dort hinein in das sibirische Rußland. Sie war den russischen Radarstrahlen entglitten. Fluchend tasteten die Spezialisten den Himmel ab und griffen immer mehr ins Leere.

»Eine Sauerei, Genossen!« brüllte Luftgeneral Michailowitsch. »Jetzt setzen sie den Agenten ab, vor unserer Nase, und wir sitzen herum wie die Bettnässer! Man soll es nicht für möglich halten, welche Idioten in der Luftwaffe sind!«

Die U-2 kreiste lautlos über dem Gebiet des Stanowoj-Gebirges. Weiter ins Hinterland konnte sie nicht mehr, der Aufenthalt über dem Bering-Meer hatte zuviel Sprit verbraucht. Betty Cormick stand absprungbereit an der Tür und studierte noch einmal die Karte. Unter ihr lag das Tal des Flusses Gonam. Es gab keine andere Wahl, als abzuspringen. Über 1000 Kilometer trennten sie von den Orten ihres Einsatzes. Die mußte sie zu Fuß oder sonstwie überbrücken.

»Alles klar?« fragte der junge Leutnant, der hinter ihr stand.

»Okay, Leutnant.« Betty steckte die Karte in die Kombination.

»Wir gehen auf Sprunghöhe!«

Die U-2 kippte ab, die Motoren schwiegen. Im Gleitflug schraubte sie sich in die Tiefe.

»Kopf hoch!« sagte der Leutnant.

Betty Cormick lachte ihn an. »Ich war noch nie so ruhig wie jetzt, Leutnant.« Sie warf den Riegel zurück, die Tür schlug nach innen gegen den Sperrhaken. Mit weiten Augen starrte Betty hinaus. Unter ihr lag in undurchdringlichem Schwarz die Nacht. In diesem Augenblick 3000 Meter tief . . .

Der junge Leutnant untersuchte noch einmal die Gurte der beiden Fallschirme, den Kleider- und Materialsack, den Betty vor die Brust geschnallt hatte, er zurrte noch einmal den gepolsterten Sprunghelm fest und bückte sich, um die Verschnürung der Springerstiefel zu kontrollieren.

»Alles in Ordnung, Betty«, sagte er. Seine Stimme war vor Erregung belegt und im heulenden Fahrtwind fast unhörbar. »Wann kommt die erste Nachricht?«

»Wenn alles gutgeht, morgen früh!« schrie Betty Cormick durch den Wind.

Der Leutnant klopfte ihr auf die Schulter. Dann tippte er mit dem Zeigefinger an ihren Rücken.

»Los!«

Nur eine Sekunde zögerte Betty. Dann warf sie sich mit ausgebreiteten Armen in die schwarze Nacht. Einen Augenblick schwebte ihr Körper wie schwerelos neben der geöffneten Tür, dann versank er, leicht trudelnd, in der Tiefe.

Es gab kein Zurück mehr.

Als Betty Cormick war sie hinausgesprungen, als Amalja Semperowa würde sie auf der sibirischen Erde landen.

Was sie oft geübt hatte, am Sprunggerüst, bei den Probeflügen, im Sandkasten – nun, wo sie durch die Nacht fiel, ins Ungewisse, ins Unergründliche, in die völlige Gnadenlosigkeit ihres Agentendaseins, empfand sie nicht das, was sie sich vorgestellt hatte. Sie hatte gedacht, daß es nach der Überwindungssekunde ein Akt kalter Tapferkeit sei, über Rußland abzuspringen, daß sie fast gedankenlos durch die Nacht fallen und später schweben würde. Nun war alles ganz anders; sie dachte an ihre Mutter, die nun in einer der besten Kliniken Amerikas geheilt werden sollte. Und während sich ihr Fallschirm öffnete und ein heftiger Ruck durch ihren Körper zog – jetzt bin ich knapp 1000 Meter über dem Boden, dachte sie schnell –, wurde die Gegenwart wieder weggewischt; sie sah sich plötzlich in dem kleinen Haus des Sattelmachers Cormick, sah ihren Vater mit sorgengefurchtem Gesicht im Stall hinter dem Haus stehen, einen Strick in der Hand, mit dem er sich aufhängen wollte. Er hatte es nicht getan, Bettys wegen, die ahnungslos in den Stall kam, den Strick sah und fragte: »Paps, willst du mir eine Schaukel machen?« Da hatte der alte Cormick geheult wie ein Coyote und tatsächlich eine Schaukel gebastelt.

Die Nacht unter ihr riß etwas auf. Sie sah Felsen auf sich zukommen, und kalte Schauer der Angst durchzogen ihren am Fallschirm leicht pendelnden Körper.

Keine Ebene, ein Gebirge war unter ihr. Einsam, zerklüftet, von Tälern durchschnitten. Auf eines der Täler schwebte sie zu, in Längsrichtung, zwischen den seitlich aufragenden, kantigen Felsen hindurch.

Man kann sich auch in der Luft steuern, dachte sie. Was hatte Major Patrick immer gesagt? Strampeln! Strampeln! Das verändert die Richtung.

Betty strampelte wild. Der Fallschirm wurde unruhig, schwankte, aber er trieb von den drohenden Felsen weg in die Mitte des Tales.

In diesem Tal landete sie. Zwischen Geröll und den von Lawinen mitgerissenen Felsbrocken schlug sie auf, überkugelte sich vorschriftsmäßig, prallte gegen einen verwitterten Gesteinshügel und blieb einige Augenblicke wie betäubt liegen. Alle Glieder schmerzten ihr, sie wagte nicht, sich zu rühren – aus Angst, sie müsse aufschreien, weil vielleicht alle Knochen zersplittert waren. Aber dann bewegte sie einen Arm, kurz darauf den anderen, sie löste mit einem Fausthieb die Gurtschnalle des Fallschirms und ließ ihn vom Bodenwind ein paar Meter wegtreiben. Dann lag sie wieder auf dem Rücken, starrte in den nachtschwarzen Himmel, atmete mit aufgerissenem Mund wie ein an Land geschleuderter Fisch und versuchte, ihre wieder aufbrechende wahnsinnige Angst zu besiegen.

Die Nacht war vollkommen still, als sei sie in einem Vakuum gelandet. Die U-2 war längst davongeflogen und zog in 12000 Meter Höhe mit Höchstgeschwindigkeit zurück nach Alaska. Sie kam über der Bering-See wieder in die Radarschirme der sowjetischen Luftüberwachung.

In Jakutsk atmete man auf. General Michailowitsch beruhigte sich auch und unterließ es, seine Offiziere weiterhin als Idioten zu beschimpfen.

»Sie haben abgedreht, Genossen«, stellte er fest. »Sie können noch gar nicht über Sibirien gewesen sein. Sie haben auf dem Meer gekreist, und nun ist ihnen der Sprit ausgegangen. Schade. Es wäre eine schöne·weltpolitische Woche geworden, wenn wir wieder eine U-2 heruntergeholt hätten. Und mit ihr einen Agenten. Zu schade, Genossen –«

Der Großalarm an die Luftabwehr wurde abgeblasen. Die Raketen-Flak senkte wieder die Rohre, die Mannschaften trollten sich brummend in die Betten. Auch in Moskau gähnte der Einsatzstab des sowjetischen Generalstabes und trank zur Auffrischung ein Gläschen Wodka.

Unterdessen lief Betty Cormick zwischen den Geröllhalden herum und vernichtete die letzten Spuren ihrer amerikanischen Abstammung. Sie faltete den Fallschirm zusammen, zog ihre Springerkombination aus, schlüpfte in die russischen Winterhosen, die auch Frauen tragen, holte die Steppjacke aus dem Kleidersack und eine russische Ledermütze, innen mit Lammfell und Watte gepolstert. Sie spürte nach ihrer anfänglichen Erstarrung, daß die Kälte nicht von innen kam, sondern daß es wirklich schon sehr kalt in diesem Land war. So fiel es später nicht auf, wenn sie schon die Wintersachen anzog.

Bis auf das kleine Funkgerät, Verpflegung für sechs Tage, zwei Pistolen, Munition, ein Messer, das mit einer Säge kombiniert war, legte sie alles, was sie besaß, auf einen Haufen und schichtete es mit großen Steinen zu. So entstand ein neuer kleiner Hügel inmitten der Geröllandschaft. Vielleicht würde die Schneeschmelze im nächsten Frühjahr die Steine weiterspülen und das Versteck bloßlegen, aber dann war sie längst am Ziel ihres Auftrages.

Der Morgen dämmerte bereits, als sie all das, was an Betty Cormick erinnerte, vergraben hatte. Als Amalja Semperowa machte sie sich dann auf den Weg, fand am Rande des Gerölltales einen Maultierpfad, der an den Felsen vorbei nach Norden ging, sich später verbreiterte und zu einer Straße wurde.

Das machte sie vorsichtig. Wo Straßen gebaut werden, sind auch Siedlungen. Sie rastete eine Stunde, aß ein paar Kekse und drei Vitamindrops und wanderte dann weiter, einer blassen, über den Felsenkämmen aufsteigenden Sonne entgegen. Der Himmel war milchigweiß und durchsetzt mit grauen Schmutzflecken. Schnee liegt in der Luft, dachte Betty Cormick. Sie haben mich mindestens zwei Wochen zu spät abgesetzt, oder der Winter kommt in diesem Jahre früher. Es wird ein schwerer Weg nach Jakutsk werden.

Um die Mittagszeit – sie wanderte durch eine Felsenschlucht und hatte ein Dorf umgangen – traf sie auf einen Hirten, der zehn langhaarige, struppige Milchziegen vor sich hertrieb. Von ihm erfuhr sie, daß sie am Rande des Aldano-Utschurskij-Gebirges entlangwanderte, die nächsten größeren Ansiedlungen Alakowa und Tatarka waren und daß am Ende der Straße eine Militärwache lag, denn irgendwo in diesen Felsen verbarg sich eine Versuchsstation.

»Ab und zu knallt und zischt es in der Luft«, sagte der Hirte. »Ein unangenehmes Geräusch, Töchterchen. Übrigens – wo kommst du her?«

»Aus Utugeja«, sagte Betty schnell. »Ich will eine Tante besuchen, in Lebedinyi. Drei Tage hat mich ein Auto mitgenommen, aber dann wurde der Fahrer frech. Da gehe ich lieber zu Fuß, Väterchen.«

»Brav, brav.« Der alte Hirte nickte. Seine Augen musterten Betty kritisch. Es war deutlich, daß er ihr nicht glaubte. »Ich würde einen Bogen machen, Töchterchen«, sagte er und schob die Pelzmütze in die Stirn. »Die Soldaten haben Befehl, sofort zu schießen. Es sind wilde Kerle!«

»Danke, Väterchen.«

Der Hirte zog weiter, dem Dorf zu. Betty Cormick wartete noch eine Stunde, ehe sie weiterging. Sie schlug wirklich einen Bogen, kletterte über unwegsame Halden und wand sich durch einsame Schluchten, die Schmelzwasser in den Fels gegraben hatten, in jahrtausendelanger Arbeit.

Am Ende einer dieser Schluchten stand eine Blockhütte. Sie war nicht sichtbar für den, der den schmalen Pfad entlangkam. Hinter einem Felsvorsprung hatte man die Hütte gebaut, es war eine rechte Falle, wie sie nur von militärisch geübten Augen entdeckt werden kann. Sechs Rotarmisten verrichteten hier einen der langweiligsten Dienste in ganz Rußland. Sie bewachten eine Schlucht, durch die noch nie ein Mensch gekommen war. Ab und zu schossen sie einen Fuchs oder ein Wieselchen, und vor zwei Monaten hatten sie ein großes Glück, als gerade bei ihnen ein verirrtes Schaf auftauchte. Es machte dreimal bumm, und sechs Mann hatten am Abend einen Braten, von dem sie noch nach Wochen sprachen.

Um so mehr fuhren sie von ihren Holzpritschen auf, als der Außenposten hereingestürmt kam und völlig außer Atem meldete: »Da kommt einer!«

»Unmöglich!« Unterleutnant Schorpekin knöpfte sich den Mantel zu. In der Blockhütte war es heiß. Ein runder Eisenofen glühte in der Mitte des Raumes. »Wieviel hast du getrunken?«

»Nichts, Genosse Unterleutnant. Der Mensch kommt durch die Schlucht direkt auf uns zu. Als wenn das so ganz selbstverständlich wäre! Es muß ein Fremder sein, denn die Bauern wissen ja, daß sie hier nicht gehen dürfen.«

»Alarm!« brüllte Unterleutnant Schorpekin ganz unnötig. Aber er war froh, endlich einmal etwas brüllen zu dürfen, das eine Aktion auslöste. Er drehte an der Kurbel seines Telefons und gab zunächst dem Abschnittskommandanten durch, daß sich ein unbekannter Mann der Station III näherte. Dann rannten sie alle hinaus und stellten sich neben dem schützenden Felsvorsprung mitten in den Weg, die Maschinenpistolen im Anschlag.

Betty Cormick tat in diesem Augenblick das Dümmste, was es nur gab. Alles, was sie gelernt hatte, wurde durch diese Überraschung weggewischt. Sie dachte vor allem nicht mehr daran, daß sie jetzt Amalja Semperowa hieß. Das plötzliche Aus-dem-Nichts-Hervorspringen von sechs Soldaten erschreckte sie dermaßen, daß sie sich herumwarf und flüchtete. Mit wilden, weiten Sätzen sprang sie die Schlucht wieder hinunter, nach vorn geduckt, den Kopf eingezogen, wie ein Hase, der hin und her schnellt.

»Feuer!« schrie Unterleutnant Schorpekin. Er riß die Maschinenpistole hoch und schoß als erster. Neben ihm knatterten die anderen Gewehre.

Betty machte noch ein paar Sätze, als sie die ersten Schüsse hörte und die Kugeln neben ihr in die Felsen schlugen, vom Stein abspritzten und als Querschläger über die Schlucht heulten. Sie sah nicht zurück, sie wußte, daß einige schossen und die anderen ihr nachliefen.

Noch zehn Schritte, dachte sie. Noch acht, noch fünf ... dann bin ich in dem Buschgelände, dann kann ich den Bach entlanglaufen, dann kann ich mich in die Höhlen verkriechen, die ich überall gesehen habe ... noch drei Schritte ...

Unterleutnant Schorpekin schrie wie ein wildgewordener Ochse. »Das nennt man schießen!« tobte er. »Hat man euch so ausgebildet, ihr Hundeschwänze? Fressen und saufen und huren, das können sie. Aber einen Mann treffen, da schießen sie Löcher in die Luft! Ihr werdet strafversetzt! Alle! Alle!«

Als er merkte, daß er unter alle auch sich selbst miteinbeziehen müßte, wurde er stiller und sichtlich traurig. Die beiden Rotarmisten, die dem Flüchtenden nachgelaufen waren, kamen atemlos zurück.

»Der Kerl kann rennen wie ein wildes Schwein!« sagte der eine und lehnte sich keuchend an die Blockhütte. Dann spuckte er aus und suchte in der Tasche seines Mantels nach Sonnenblumenkernen. »Er war einfach weg!«

»Und was soll ich jetzt dem Kommandanten melden?« stöhnte Schorpekin.

»Er ist weg!« sagte auch der andere Verfolger.

»Man sollte euch in der Latrine ersäufen!« Schorpekin ging wie ein gebrochener Mann zum Telefon. »Ich garantiere: Morgen werden wir abgelöst! So wird man das Opfer von Schwachsinnigen.«

Das Auftauchen eines Fremden löste einen neuen Alarm aus. Aus dem Stützpunkt I kam eine ganze Kompanie und kämmte systematisch die Gegend durch. Ein Major der Abwehr wurde herbeigeflogen und verhörte die sechs Rotarmisten. Er fragte nach der Kleidung des Fremden, nach dem Aussehen, soweit man das überhaupt hatte feststellen können. Er fragte vier Stunden lang, ehe er sagte: »Ganz klar, Genossen – das war ein Agent! Ein Bauer aus der Gegend flüchtet nicht. Eine schöne Scheiße ist das! Wissen Sie, daß man diesen Agenten schon seit drei Tagen sucht? Er ist Amerikaner und von einer U-2 abgesetzt worden! Aber keine Sorge – jetzt, wo wir wissen, daß er im Land ist, entkommt er uns nicht!«

Ein kleiner Trost war das auf die wunde Seele des Platzkommandanten. Er brüllte Unterleutnant Schorpekin zusammen, ließ die fünf Rotarmisten strafexerzieren und so lange Schießübungen machen, bis sie alle ein dick geschwollenes Kinn hatten von den Rückstößen der Kolben.

Um die gleiche Zeit saß ein Mädchen Amalja Semperowa am Ofen des Bauern Gruschin und wärmte sich die klammen Hände. Auch bis in das Dorf Sapola war die Kunde von dem flüchtenden Spion gekommen. Die Bauern bewaffneten sich mit Knüppeln und Mistgabeln.

Das Mädchen Amalja beachtete niemand. Es war ein liebes, armes Täubchen, das zu seiner Tante wollte und dem man weiterhelfen mußte.

Die Jagd galt ja im übrigen einem Mann, den die Felsen verschluckt hatten. Daß ein Mensch so vollständig verschwinden konnte, begriff niemand. Nach drei Tagen einigte man sich darauf, daß er in eine Felsspalte gestürzt und gestorben sein mußte. Die Bauern beruhigten sich, die Soldaten noch nicht. Auch das war nichts Neues. Beim Militär dauert alles immer etwas länger, vor allem das Denken.

Amalja Semperowa aber zog weiter nach Norden, auf einem Maultier ritt sie, von Dorf zu Dorf wurde sie weitergereicht, von Freund zu Freund. Und wo sie übernachtete und mit der Familie des Gastgebers auf den breiten, gemauerten Ofen kroch und sich auf die Decke legte, wurde sie freundlich aufgenommen und mußte von ihrer Tante Larissa erzählen, die so krank war, daß sie nicht mehr laufen konnte.

»Einen dicken Kloß hat sie am Hals«, erzählte Amalja und war ganz traurig dabei, das arme Vögelchen. »So dick wie eine große Männerfaust.«

Und die Bauern nickten. Jaja, was es so alles gibt. Wer weiß, wie man selbst einmal stirbt. Und sie gaben Amalja Semperowa Suppe und Kascha, Kartoffeln und einen Eierkuchen, gebratenen Speck und Fladen aus Sojamehl.

Man hat doch nicht sein Herz verloren, Genossen.

*

Die Empörung Reeder Holgersons war groß. Er begriff nicht, wie sich seine Tochter Inken so weit erniedrigen konnte, nach Bremerhaven zu fahren und einem Mann zum Abschied die Hand zu reichen, der sie vor der Bremer Gesellschaft kompromittiert hatte. Einem Mann, der nun den Wahnsinn in die Tat umsetzte, ein russisches Bauernmädchen aus der Taiga herauszuholen. Als Inken aus Bremerhaven zurückkam, tobte Holgerson: »Läuft man einem Mann nach?«

»Vielleicht kommt er nie wieder«, sagte Inken. In ihren Augen lag die endlose Traurigkeit.

»Um so besser für uns!« fauchte Holgerson.

»Ich liebe ihn, Vater. So darfst du nicht von ihm sprechen.«

Sie ließ ihn stehen, ging auf ihr Zimmer und schloß sich ein. Dort blieb sie zwei Tage lang. Das Essen wurde ihr gebracht, und so sehr Holgerson mit seinem Vaterherzen rang – er fand nicht den Weg hinauf zu seiner Tochter. Er zog sich zurück in den alten Stolz, der gebot: Bei den Holgersons ist der Vater alleiniger Herrscher, hier gilt nur sein Wort.

So handelte er dann auch.

Er sprach mit seinem Freund Vokken, der einen Kaffee-Import betrieb und neben großen Lagerhallen, Brennereien, drei Rennpferden und einer Hochseejacht auch einen Sohn besaß. Dieser junge Mann stand in dem Ruf, ein blendender Tennisspieler zu sein, aber weiter nichts.

Eines Abends präsentierte Holgerson seiner Tochter den neuen Schwiegersohn. Er tat es in der Art, die in der Familie Tradition war. Er sagte: »Meine liebe Inken, morgen kommt Per Vokken und hält um deine Hand an. Die Hochzeit ist auf den Dreiundzwanzigsten festgesetzt.«

Inken Holgerson ließ ihren Vater ausreden, denn sie war ein höfliches Kind. Dann strich sie sich die Haare aus der Stirn, lächelte und antwortete: »Wie du wünschst, Papa. Dann notiere aber bitte auch auf deinem Terminkalender, daß am Ersten die Scheidung stattfindet. Ich heirate keinen Tennisschläger, und ich bin sogar, trotz der Holgerson-Erziehung, so modern, mir meinen Mann selbst zu suchen.«

Es half nichts, daß der alte Holgerson seinerseits die Erziehung vergaß, zunächst seine Tochter anbrüllte und dann eine Fayence mit dem Spazierstock zerschlug. Er erreichte das Gegenteil: Inken verließ das Elternhaus und mietete sich eine Appartementwohnung an der Weser. Obgleich sie genügend Geld hatte, nahm sie in Hamburg eine Stellung an. Als Mannequin. Sie führte Pelze vor. Sie benötigte keine besondere Ausbildung dazu, denn Pelze mit Würde zu tragen, hatte sie schon von Jugend an gelernt.

Reeder Holgerson resignierte.

»Sie hat den Holgerson-Kopf!« sagte er, und dabei schwang sogar Stolz in seiner Stimme. »Sie bricht mit ihrem Schädel Wände auf! Soll sie! Nur eins verstehe ich nicht: Warum wartet sie auf diesen Abels?«

Während Martin Abels irgendwo in der asiatischen Schneewüste in eisiger Ungewißheit dämmerte, schritt Inken Holgerson über den Laufsteg, führte Nerze und Chinchillas vor und schrieb in ihr Tagebuch: »Der 52. Tag ohne Martin. Aber ich liebe ihn immer noch ...«

*

Der Bauer Chingai-Butu hatte einen schweren Stand.

Man soll nicht anfangen, mit Frauen zu streiten, denn ihre Ausdauer ist größer als die des Adlers, sagt ein mongolisches Sprichwort. Chingai-Butu hatte diese Weisheit außer acht gelassen, als er in heller Vorfreude über das Köpfen sofort nach der Rückkehr in seine Jurte wieder hinauswollte, um seinen Fund an den Dorfältesten zu melden. Und an die Soldaten, die in einem Lager an der Grenze wohnten.

Zuerst war es Burkja, die aufstampfte und nein sagte. Und

dann war da noch seine Frau Talka und vor allem die Oma Sumja, die bestimmten: Der Fremde wird erst gesund gepflegt, und dann sehen wir weiter.

Oma Sumja war darin unerbittlich. Sie drohte sogar mit Schlägen, diese mummelnde Greisin, als Chingai-Butu aufsässig wurde und in glühenden Worten schilderte, wie schön er sich eine Enthauptung auf dem Dorfplatz vorstellte.

»Was bist du nur für ein Mensch!« sagte Sumja, die Greisin. »So etwas habe ich geboren und großgezogen? Ich sollte mich aufhängen über diese Schande! Geh weg, du Mißgeburt!«

Von diesem ganzen Streit spürte Martin Abels nichts. Ab und zu kehrte er in einen Zustand zurück, der ihn Personen und Dinge seiner engsten Umgebung erkennen ließ – aber er vermochte nichts zu hören oder auch nur einen Finger zu bewegen. Dann verlor er sich wieder in die Bewußtlosigkeit, schlief anschließend und wachte nach drei Tagen auf, fieberfrei und wie ausgeglüht.

Burkja, das schöne, mollige Mädchen, pflegte ihn rührend. Er bekam zu trinken, er aß einen süßlichen gelben Brei und – als er wieder richtig schlucken konnte – kleine Fleischstückchen in einer hellbraunen, mehligen Soße. Wie er später erfuhr, war es ein Spezialgericht der guten Oma Sumja, dem sie große Kraft und Gesundheit nachsagte: Getrocknete und später in Maiswein wieder aufgequollene nackte Raupen mit einer Soße aus getrockneten und zu Mehl zerriebenen Heuschrecken.

So schrecklich es für europäische Ohren klingt, und obwohl auch der Magen Martin Abels' noch lange hinterher zu zucken begann bei dem Gedanken daran, was er gegessen hatte – die Kraftnahrung von Oma Sumja bewährte sich. In fünf Tagen war Martin Abels wieder voll bei Kräften und machte die ersten Schritte an der Hand Burkjas.

Chingai-Butu war sehr zufrieden.

»Und nun die Enthauptung, Mutter Sumja«, bettelte er. »Ihr habt euren Spaß gehabt, nun kommt der meine!«

Im Dorf wartete man gespannt, was der russisch sprechende Onkel Churu aus dem Fremden herausquetschen würde. Daß er ein Russe war, stand außer Zweifel. Er war weiß, hatte blonde Haare und den kraftvollen, großen Körperbau der Männer aus dem sagenhaften Land an der Wolga. Ab und zu sah man sie auf Bildern in den Zeitungen, die die Soldaten herumliegen ließen und die dann im Dorf von Hand zu Hand gingen, nur der Bilder wegen, denn lesen konnten die wenigsten.

Martin Abels war froh, daß endlich jemand zu ihm kam, der russisch sprach. Mit Burkja, Mutter Talka und Oma Sumja verständigte er sich nur durch Zeichen und Grinsen. Chingai-Butu sprach zwar mit ihm, aber es waren nur ein paar Worte Russisch, von denen das auffälligste und rätselvollste »tot« war. Er sagte es immer wieder und trug dabei ein leuchtendes Gesicht zur Schau.

Onkel Churu war ein höflicherer Mensch als sein Neffe Butu. Er fiel nicht gleich ins Haus mit der Todesnachricht, sondern begrüßte Abels vornehm mit »Guten Tag, mein Herr! Wie fühlen Sie sich? Darf ich Ihnen etwas anbieten lassen?« Dann, nach einem Essen mit Hammelbraten und Maisbier, erzählte Onkel Churu eine Geschichte. Er berichtete von seiner Arbeit auf einer Sowchose bei Ulan-Ude, südlich des Baikalsees, von seinen lieben Genossen, die ihn mongolische Sau nannten und in den Hintern traten und von dem Verwalter, dem Natschalnik Grossenko, der Onkel Churu zehn Tage in Dunkelhaft einsperrte, weil drei Sack Mehl fehlten, die er selbst, Grossenko, an Ludmilla Poponewa verschenkt hatte, damit sie ihm, dem fetten Bullen, eine Nacht gönnte. Und Onkel Churu sollte der Dieb sein, so stellte man es jedenfalls hin.

»Verstehen Sie, mein Herr, daß aus diesen Gründen ein Russe bei uns nicht gut gelitten ist. Und dann auch noch ein Spion, der für dieses Land reist.« Onkel Churu war so höflich, bei den nächsten Worten traurig zu blicken. »Sie werden Verständnis haben, mein Herr, wenn wir Sie morgen mittag im Rahmen eines Volksfestes enthaupten.«

»Es tut mir leid«, sagte Martin Abels mit der gleichen asiatischen Höflichkeit und verbeugte sich vor Onkel Churu, »ich habe kein Verständnis dafür.«

»Das ist bedauerlich, mein Herr.«

»Ich bin kein Russe.«

Onkel Churus geschlitzte Augen rollten in den sie umgebenden Fettpölsterchen. Er war sehr verblüfft, man konnte es nicht mehr verbergen. »Kein Russe?« fragte er enttäuscht.

»Nein, ich bin ein Deutscher.«

Onkel Churu schwieg eine ganze Weile und sann nach. Ein Deutscher. Das war, als wenn man gesagt hätte: Er kommt vom Mond. Man kannte die Deutschen aus Berichten. Sie hatten mit den Russen gekämpft und verloren. Man wußte noch, daß sie weit oben im Norden wohnten, daß sie Häuser aus Stein hatten, aber – wie die russischen Zeitungen schrieben – keinerlei Kultur. Ein armes Volk also.

Onkel Churu seufzte. »Wie kann man das glauben?« fragte er, denn er war ein vorsichtiger Mann.

Abels zeigte seinen Paß. Wenn Churu auch nicht verstand, was er las, soviel erkannte er, daß es ein amtliches Dokument war, daß es nicht russisch war und daß es ordnungsmäßige Stempel trug. Allein schon das genügte. Ein Stempel ist der Beweis der Obrigkeit. Onkel Churu hatte es bei der Revolution erlebt. Da saß ein Kommissar an einem Klapptisch und stempelte ununterbrochen Todesurteile. Bumm – ein Toter. Bumm – ein Toter. Und so fort. Eine Woche lang. Seitdem hatte Churu eine höllische Achtung vor einem Stempel.

»Wir werden Ihnen helfen, mein Herr«, sagte Churu und erhob sich vom Essen. Er winkte dem erwartungsvollen Chingai-Butu, verließ die Jurte und stellte sich draußen mit einem tiefen Seufzer auf.

»Er ist kein Russe!« sagte er mürrisch.

Chingai-Butu fuhr sich mit beiden Händen in die Haare.

»Dann sag, daß er einer ist. Jeder wird es glauben! Du willst uns um die schöne Hinrichtung bringen?«

»Er ist ein Deutscher, Butu!«

»Von mir aus ein Chinese!«

»Dann würde er hängen. Aber ein Deutscher. Lieber Junge, das geht nicht. Er wird dein Gast sein und dann werden wir ihn über die Grenze bringen. Sein Volk ist ein armes Volk, ärmer als wir. Wir sollten großzügig sein.«

So kam es, daß Martin Abels noch vier Tage lang im Dorf blieb und von allen Mongolen Geschenke erhielt, Essen und Trinken, einen Mantel aus Kamelwolle, Reithosen aus Schafsfell und eine spitze Mongolenmütze. Vor allem Burkja war es, die ihn umsorgte, die immer bei ihm war.

»Burkja liebt ihn«, sagte Chingai-Butu eines Tages zu Onkel Churu und Oma Sumja. »Er ist groß und kräftig. Sollen wir ihn hierbehalten? Burkja hat nichts dagegen, mit ihm unter einer Decke zu schlafen. Und auch er sieht sie begehrlich an. Man sollte sich das überlegen.«

Aber auch dieser Plan scheiterte. Martin Abels fühlte sich stark genug, seinen Weg nach Torusk fortzusetzen. Er sprach darüber mit Onkel Churu und fand ein offenes Ohr.

»Morgen fahren wir nach Suche-Bator!« entschied das Familienoberhaupt. »Wir alle. Von dort geht es über die Grenze. Immer einen Bach entlang. Ein bißchen Sumpf ist da, es ist ein schönes Örtchen, hinüber nach Rußland zu kommen.«

Das ganze Dorf begleitete den Ochsenkarren einige Kilometer weit. Dann rumpelte nur noch die Sippe Chingai über die staubige Straße; auf dem Bock mit dem Ochsen am Zügel Butu, vor dem Ochsen, mit kräftigen Schritten, Onkel Churu, im Karren, auf dem Stroh sitzend, Martin Abels und Burkja. Hinter ihnen, an die Karrenwand gelehnt, hockte Oma Sumja. Es war das letzte große Erlebnis ihres Daseins. Sie begleitete einen sagenhaften Deutschen an die russische Grenze. Mutter Talka war zu Hause geblieben. Es gab noch sieben andere kleine Kinder, die man nicht allein lassen konnte. Aber auch sie war mit den Dorfbewohnern ein Stück neben dem Karren hergegangen, das jüngste Kind in einem Fellsack auf dem Rücken tragend.

Zwei Tage waren sie nur unterwegs bis zur Grenze.

Sie schliefen auf freier Strecke im Karren, wühlten sich alle in das Stroh, rückten eng aneinander, wärmten sich gegenseitig und deckten sich mit Kamelhaardecken zu. Dabei stellte sich heraus, daß Oma Sumja fürchterlich schnarchte und Onkel Churu im Schlaf sprach.

Martin Abels konnte nicht schlafen. Er schälte sich aus der

Umklammerung der Leiber, stieg über die Seitenplanken des Karrens und ging unruhig zwischen den Felsen hin und her. Der Ochse lag neben dem Karren, käute wieder und scharrte mit den langen Hörnern im Geröll.

In dieser Nacht spürte Abels, wie er begann, die Sinnlosigkeit seines Unternehmens einzusehen. Er wehrte sich gegen diesen Gedanken, aber je mehr er an die Strecke dachte, die vor ihm lag, an die über zweitausend Kilometer quer durch Sibirien, durch Eis und Schnee, vorbei am Baikalsee und dann den ganzen Lenalauf hinauf bis an den Rand der Tundra – eine Wanderung, die nie zuvor ein einzelner Mensch gewagt hatte –, empfand er große Lust, umzukehren.

Doch dann hörte er wieder die Stimme Anuschkas, wie sie neben dem Wagen herlief, durch den tiefen Schnee, die Arme vorgestreckt, als könne sie den Lastwagen aufhalten, wie sie stolperte und in den Schnee fiel und wie sie immer noch schrie: »Ich liebe dich! Ich liebe dich! Komm wieder –« Das war nicht wegzuwischen, das war stärker als jedes logische Denken, das war treibender als das ›Halt‹ der Vernunft, das er im Inneren hörte.

Am frühen Morgen erwachte als erste Oma Sumja. Sie rief »Heij! Heij!« und weckte damit die anderen. Man aß kalten, etwas ranzigen Speck, einen Fladen Mais, trank Tee, mit Schnaps gemischt, verteilte sich dann in die Gerölle, verrichtete die Notdurft und war schließlich bereit weiterzuziehen.

Am Abend, nach einer mühsamen Umgehung des Ortes Suche-Bator, standen sie nahe der russischen Grenze genau an der Stelle, die Onkel Churu beschrieben hatte. Ein kleiner gelbbrauner Fluß schlängelte sich durch eine Sumpflandschaft, die einem Dschungel glich und von schrecklich quakenden Riesenfröschen und hell summenden, schillernden Libellen bevölkert wurde.

Onkel Churu befahl Halt, unternahm einen Alleingang von über einer Stunde und kam mit der Nachricht zurück, daß keine russischen Patrouillen unterwegs seien. Diese weiche Grenze sei zu weich, als daß sie bewacht werde. Besser als zehn Bataillone schützte der Sumpf an dieser Stelle die Grenze Rußlands.

Onkel Churu legte drei Riesenfrösche auf den Boden. »Ich weiß einen Weg, der hindurchführt. Es ist der gleiche Weg, den ich genommen habe, als ich aus Rußland geflüchtet bin!«

Dann demonstrierte er, wie man einen qualvollen Hungertod umgehen könne, wenn man sich vom Reichtum des Dschungels ernähren würde. Er entzündete ein Feuerchen, ließ einige Holzstücke zu heißer Asche werden, legte die Riesenfrösche hinein und ließ sie so eine halbe Stunde gar ziehen. Als er sie wieder ausgrub, waren sie knusprig und rochen nach gebratenem Ziegenfleisch.

Die Familie Chingai aß mit größtem Appetit und lautem Schmatzen, was Onkel Churu als eine Ehre ansah. Martin Abels verzichtete auf die Frösche. Aber er merkte sich die Art der Zubereitung. Ehe man vor Hunger stirbt, würde man auch Sumpffrösche essen.

Der Abschied war rührend. Chingai-Butu gab Abels die Hand, Oma Sumja segnete ihn, und Burkja, das schöne Mädchen, stellte sich auf die Zehenspitzen und rieb ihre kleine, kalte Nase an dem Gesicht Martins. Sie küßte ihn auf mongolische Art, und es war die größte Auszeichnung, die er empfangen konnte. Darauf weinte sie, dicke Tränen quollen aus den geschlitzten Augen, sie rannte weg und versteckte sich wie ein sterbender Hund, der die Einsamkeit sucht.

»Los!« sagte Onkel Churu ergriffen. »Ich wünsche Ihnen viel Glück, mein Herr.«

Mit einem Sack voll Kleider, einem mongolischen Dolch als einziger Waffe, seiner fleckigen Landkarte und einem Lederbeutel voll reinen Wassers ging Martin Abels hinein in den Dschungel. Noch einmal drehte er sich um, ehe er im hohen Schilf und Gestrüpp verschwand.

Die Familie Chingai, ohne Burkja, stand auf einer Anhöhe und winkte ihm zu. Es sollte für lange Zeit das letzte Bild einer Andeutung von Zivilisation sein, das Martin Abels sah. Ein Karren, ein langgehörnter Ochse davor. Menschen, die ihm Glück wünschten, in deren Gesichtern er Mitleid ahnte.

Der Dschungel schlug über ihm zusammen. Martin Abels verfolgte den Weg, den ihm Onkel Churu geraten hatte: Immer im Flußbett wandern, auch wenn nach einer Stunde die Kälte in den Knochen hochkroch und das Herz zu schmerzen begann. Meine Füße werden ein Schwamm, dachte Martin Abels. Sie werden breiig, sie lösen sich im Wasser auf wie durchgeweichte Pappe.

Aber es gab nur diesen einen Weg nach Rußland. Links und rechts von ihm war der Sumpf, eine riesige, breiige Fläche, die alles in ihre Bodenlosigkeit hinabsaugen würde, was sie betrat.

Onkel Churu wartete eine Stunde, dann befahl er die Rückfahrt.

»Er kommt nicht zurück!« sagte er, und es klang fast enttäuscht. Er hatte es Burkja gewünscht, daß der Deutsche umkehren würde. Wie das arme Vögelchen weinte, welch rote Augen es hatte. Ein Jammer war's! »Die Geister mögen ihm gut sein.«

Oma Sumja machte ein paar geheimnisvolle Zeichen. Der Glaube der Ahnen an die guten und die bösen Geister brach in dieser Stunde wieder durch.

Hätte sie einen Hammel hier gehabt, sie hatte ihn jetzt den Geistern geopfert. Aber die Ahnen sahen auch so, wie groß ihre Bitte war.

Langsam rumpelte der Ochsenkarren zurück. Er nahm einen anderen Weg, er fuhr nach Banga. Chingai-Butu wollte endlich sein Salz holen, ehe der Winter begann.

Denn Schnee lag in der Luft. Die Sonne war blaß und trüb; man konnte sie ansehen, ohne geblendet zu werden. Und das ist immer ein schlechtes Zeichen. Der Winter kommt schneller als ein Kind, besagt eine alte mongolische Weisheit.

*

Zwei Tage später schneite es.

Martin Abels wurde von einem Schneewind zurückgedrückt, als er am Morgen aus der Scheune kriechen wollte, in der er übernachtet hatte. Den Sumpf hatte er überwunden, die russische Grenze lag hinter ihm, er war bis zu der kleinen

Stadt Nauschki gekommen, die die erste Stadt auf russischem Gebiet war.

Nun fegte der Schneesturm über das gebirgige Land und zwang die Menschen, sich auf Monate der Kälte und des Abgeschlossenseins vorzubereiten. Die Welt bestand nur noch aus wirbelnden weißen Flocken, sie waren dick wie Fingernägel und fielen so dicht, daß es wie ein Vorhang aussah, der sich über das Land senkte.

Martin Abels packte seine Sachen zusammen und wickelte zum erstenmal nach acht Jahren wieder Säcke um die Füße. Trotz der mongolischen Hosen und gefütterten Stiefel drang die Kälte an den Fuß und umklammerte die Zehen. Er kannte das und hatte in Sibirien gelernt, daß Lumpen und Säcke besser wärmten als das schönste gefütterte Leder.

Solange es schneite, störte ihn niemand. Er wanderte an einer Bahnlinie entlang und sah auf der Karte, daß es eine Kleinbahn war, die Nauschki mit Selenduma verband. Dort aber stieß er an die große Bahnlinie nach Ulan-Ude und Irkutsk, den Weg ins Innere Sibiriens.

Er zog etwa drei Stunden durch den pappigen Schnee, immer seitlich der schmalen Gleise, die sich durch Schluchten und einsamste Berge wanden. Einmal rastete er unter einem Holzstapel und machte ein kleines Feuerchen, über dem er seinen Wasserbeutel auftaute und sich dann in einem Tontopf aus der Küche Chingai-Butus einen herrlich wärmenden Tee kochte. In dem Tee weichte er einige getrocknete Fladen auf und aß den Mehlbrei mit großem Appetit.

Plötzlich hörte er unregelmäßiges, stotterndes Motorgeräusch und Stimmen. Er zertrat sofort das Feuer, schaufelte mit den Händen Schnee über die glimmende Asche, damit sie nicht qualmte, und drückte sich eng an den Holzstapel.

Über die Schienen der Kleinbahn fuhr langsam eine Draisine. Vier Rotarmisten saßen darauf, vermummt, die Pelzmützen tief ins Gesicht gezogen. Eine Patrouille!

Sie fluchten, Abels hörte es deutlich. Der Motor der Draisine schien nicht in Ordnung zu sein, er spuckte und stotterte.

Martin Abels hielt den Atem an. Immer näher kam das

Fahrzeug, und es wurde von Meter zu Meter langsamer. Genau vor Abels' Versteck versagte der Motor endgültig. Die Draisine kam zum Stillstand, die vier Soldaten sprangen mit wilden Flüchen ab.

Eine Minute lang war Martin Abels wie gelähmt vor Schreck. Er starrte durch die Ritzen des Holzstapels, sah die geröteten Gesichter der Soldaten ganz genau, keine fünf Meter von ihm entfernt. Die Anstrengung, keinen Laut von sich zu geben, verursachte ihm fast körperlichen Schmerz.

Während zwei der Rotarmisten im Schnee herumstapften, öffneten die beiden anderen die Motorhaube und starrten ratlos darunter. Abels hörte, wie sie miteinander diskutierten. Der Patrouillenführer fragte seinen Untergebenen wütend, ob er, zum Teufel, etwa vergessen habe, genug Benzin in den Tank zu füllen? Der so Verdächtigte schwor, es sei genug Sprit da, bitte schön, der Genosse Unteroffizier könne sich selbst überzeugen.

»Was, zum Teufel, ist dann los mit dieser Mißgeburt von einem Motor?« schrie der Unteroffizier.

Martin Abels ballte die Fäuste und biß sich auf die Lippen. Guckt die Zündung nach, ihr Idioten, hämmerte es in seinem Hirn. Er dachte es immer wieder, als könnte er damit die Männer hypnotisieren.

Statt dessen kamen jetzt die beiden unbeschäftigten Rotarmisten langsam um den Holzstapel herum. Martin Abels kauerte sich noch tiefer in seine Ecke. Er schloß die Augen, um die Gefahr nicht länger sehen zu müssen. Die Kälte kroch in ihm hoch, ein würgender Hustenreiz packte ihn. Nicht husten ... dachte er voll wilder Verzweiflung. Nicht husten ... nur jetzt nicht ... nein ... nein ...

Wie lange er so dagehockt hatte, stumm, halb betäubt vor Angst und ohnmächtiger Wut ... er wußte es nicht.

Die Stimmen der Rotarmisten wurden plötzlich leiser. Vorsichtig öffnete Abels wieder die Augen. Er sah durch die Ritzen des Holzhaufens, daß die Soldaten langsam davonstapften, alle vier ... in die Richtung, aus der er gekommen war. Offenbar wollten sie Hilfe holen. Der Teufel wußte, wo.

Er blickte den vermummten Gestalten nach, die allmählich

im wirbelnden Schneetreiben verschwanden. Er wartete noch eine knappe Viertelstunde, dann kroch er aus seinem Versteck und ging zu der Draisine hinüber. Dieses klapprige, rostige Ding war jetzt seine große Chance.

Martin Abels verstand einiges von Motoren. Er öffnete die Haube, sah einen altmodischen, schmalbrüstigen Vierzylinderblock, brüchige Kabel, verrottete Kerzen.

Er beugte sich tiefer, wackelte an den Zündkabeln, fand nichts, nahm schließlich mit vor Kälte steifen Fingern den Verteilerkopf ab. Er atmete auf. Das kleine runde Gehäuse war innen feucht. Mit dem Zipfel seines Pullovers wischte Abels es sorgfältig trocken, setzte den Verteilerkopf wieder auf, schloß die Haube und kletterte auf den Fahrersitz.

Es dauerte einige Zeit, bis er unter den ihm fremden Armaturen den Anlasserknopf gefunden hatte. Er drückte ihn, gab gleichzeitig Gas . . . und atmete auf. Stuckernd, fauchend und dröhnend sprang der Motor an.

Martin Abels handelte jetzt sehr schnell. Er packte seine Sachen, warf den Rucksack auf den Nebensitz, würgte krachend den Gang hinein und fuhr an.

Die Draisine rumpelte über die Schienen nach Norden, immer weiter weg von den Rotarmisten, die irgendwo weit hinten durch den Schnee wanderten.

Zwei Stunden lang fuhr Martin Abels so, ohne daß ihm eine Menschenseele begegnete, ohne daß er etwas anderes wahrnahm als wirbelnde Schneeflocken, pfeifenden Wind, grimmige Kälte und das monotone Geräusch der Draisine. Es waren zwei Stunden, in denen er die verrückte Illusion hatte, es müsse immer so weitergehen, es könne ihm gar nichts mehr passieren, er werde so unaufhaltsam bis nach Torusk fahren. Ein harter Stoß riß ihn aus seinen Träumen. Er erschrak, klammerte sich instinktiv an der Bordwand der Draisine fest, stieß mit der anderen Hand rasch den Gang heraus. Aber ein krachender zweiter Stoß warf ihn aus dem Sitz. Er sah sekundenlang die Erde hoch über sich, alles drehte sich um ihn, hinter ihm schlug etwas dumpf auf. Dann lag Abels der Länge nach im Schnee, mit schmerzendem Rückgrat. Unheimliche Stille war plötzlich um ihn.

Langsam kroch Martin Abels aus dem Schnee, betastete seine Knochen. Nichts gebrochen. Fünf Meter weiter lag die Draisine, umgekippt, und weitere zwei Meter daneben sein Rucksack.

Abels stand eine Zeitlang regungslos da, warf endlich einen Blick zu dem umgekippten Fahrzeug hinüber, sah die gebrochene Achse, die für das abrupte Ende seiner Fahrt verantwortlich war, schüttelte sich wie ein nasser Hund, warf schließlich den Rucksack wieder auf die Schulter und strich die Eiskristalle von seinen Augenbrauen und Bartstoppeln.

Er studierte wieder die Karte. Es blieb ihm keine Wahl – er mußte seitlich ins Gebirge und die Bahnstrecke verlassen. Seine anfängliche Freude über den leichten Weg nach Norden erstarb. Die ganze Härte der Situation wurde ihm bewußt, als er die Karte wieder zusammenfaltete. Fünfzig Kilometer durch das Gebirge, bei Schneesturm und beginnender Vereisung – und was sind fünfzig Kilometer, wenn zweitausend noch vor einem liegen?

Martin Abels verließ die Straße und tappte in die Schluchten hinein. Er stemmte sich gegen den Wind, band den Mantelkragen mit einem Strick um seinen Kopf so fest, daß nur die Augen zwischen Kragenrand und Mützenrand hindurchsehen konnten; ein Sehschlitz, der immer wieder zuschneite.

Nach weiteren drei Stunden war er ausgepumpt und so müde, daß er sich immer wieder zuredete, noch ein paar Meter zu gehen und sich nicht einfach in den Schnee fallen zu lassen. Er fand im Gestein den Eingang einer flachen Höhle, kroch hinein und schlief, so wie er war, im verschneiten Mantel, die Hände in den Taschen, vor Erschöpfung ein.

Am nächsten Morgen schien die Sonne, blaß und kalt; es schneite nicht mehr. Der Schnee auf der Erde leuchtete bläulich, die Felsenspitzen ragten in einen blaugrauen Himmel, über den nicht eine einzige Wolke zog. Es war ein Tag, an dem vor acht Jahren Pawel Andrejewitsch Turganow hinaus zu seinen Fallen ging, um zu sehen, was er gefangen hatte. Einmal saß ein Wolf in der Schlinge, und da die Falle nur für Nerze und Hermeline gemacht worden war, hatten sich die

Schnüre um seine Hinterläufe zugezogen. Er lebte also, der Wolf, und er tobte, als er den Menschen roch und später sah, zerrte an den Schnüren, biß vor Wut in den Schnee und brüllte fast mit blutrotem Rachen, als Turganow in sicherer Entfernung vor ihm stehenblieb.

»Welch ein schönes Tierchen!« sagte Pawel Andrejewitsch atemlos. Es kommt selten vor, daß man einen Wolf in der Schlinge fängt, und wer es erzählt, wird als Lügner ausgelacht. Und dann begann ein Schlachten. Der ganze Haß des Menschen gegen die Blutgier eines Wolfes brach in Pawel Andrejewitsch auf wie ein Vulkan. Mit einem dicken Knüppel erschlug er den Wolf. Nicht sofort, sondern in Etappen. Er zerhieb ihm die Hinterläufe, dann die Vorderläufe, darauf lähmte er ihn mit einem Schlag auf das Rückgrat, und das Geheul des Wolfes war ihm wie die schönste Musik; er lachte und jubelte und sang, als er endlich mit einem mächtigen Schlag die Hirnschale zertrümmerte. In einer Blutlache, die ihm aus dem Maul schoß, verendete das Raubtier.

Stolz hatte Turganow das erzählt, und so grausam es ist, ein Tier so zu töten – sie lobten ihn alle, die ihm zuhörten, denn nichts wird in Sibirien mehr gehaßt als ein Wolf.

Daran erinnerte sich Martin Abels, als er aus seiner Höhle hinauskroch und sich in der Sonne dehnte. Er riß die Mütze vom Kopf, knöpfte den Mantel auf und lief ein paarmal mit stampfenden Beinen im Kreis herum, um die Steifheit aus seinen Gelenken zu treiben. Dann holte er seinen Sack mit der Verpflegung aus der Höhle, brach von den gefrorenen Fladen kleine Stücke ab, wälzte sie im Munde hin und her, taute sie mit seinem Speichel auf und schluckte dann den Mehlbrei hinunter.

Als er sich erneut umwandte, blieb er starr sitzen und zog langsam die Hand von dem Verpflegungssack zurück. Seitlich, im Schnee sitzend, hockte eine große, dunkle Gestalt und beobachtete ihn aus kleinen, schwarzen, blinzelnden Augen. Die spitze Schnauze war etwas nach oben gerichtet, die Tatzen mit den langen, gebogenen Krallen lagen auf der Pelzbrust, übereinander, als bete er.

Martin Abels hatte keinerlei Geräusche gehört, und er

hätte den Bären auch nicht bemerkt, wenn er sich nicht umgedreht hätte. Nun aber starrten sie sich an, und es schien, als lächle der Bär über den Menschen.

Abels sprang auf und zog aus dem Gürtel den mongolischen Dolch von Onkel Churu. Er hatte eine leicht gebogene Klinge, und diese war scharf und spitz. Onkel Churu hatte es bewiesen: Einen Strohhalm hatte er in der Luft durchgeschnitten, als sei er eine Feder.

Der Bär beobachtete die schnelle Bewegung des Menschen mit Mißfallen. Er brummte dumpf, ließ sich nach vorn auf die Tatzen fallen und kam langsam näher.

Dann standen sie sich wieder gegenüber, zwei Meter Schnee dazwischen, und sahen sich an. Es waren kalte, erbarmungslose Blicke.

Du wirst sterben, Bär, dachte Martin Abels. Oder ich werde unter deinen Krallen enden. Dann wird Anuschka vergebens warten, und Jahr um Jahr in der Hütte sitzen und das Bild ansehen, das ich ihr dagelassen habe. Das Bild eines jungen, blonden Mannes; ein kleines, dummes deutsches Paßbild, auf dem wir alle aussehen, als wunderten wir uns darüber, geboren zu sein. Ich weiß – sie hat dieses Bild in einem Rahmen stehen, in einem Holzrahmen, den sie selbst aus Birkenholz geschnitzt hat.

Anuschka – ob sie überhaupt noch lebt? Ob sie wirklich wartet? Es wird darauf keine Antwort geben, wenn der Bär stärker ist.

Mit einem dumpfen Grollen, das aus der zotteligen Brust drang, als komme es aus dem Inneren der Erde, richtete sich der Bär wieder auf. Martin Abels wich aus, geduckt umkreiste er den Bären, und der Bär drehte sich mit, wie ein dressierter Tanzbär, der auf den Hintertatzen nach einer unhörbaren Musik sich wiegt.

Und plötzlich war er da. Er schnellte vor, warf sich dem Menschen entgegen und stieß dabei ein lautes, helles Grölen aus. Abels wich zurück, der Bär richtete sich auf, warf die Tatzen hoch in die kalte Luft. Ein Riese ist er, dachte Abels, und es wurde in ihm so ruhig, als sei er schon gestorben. Der Bär brüllte auf, aber auch Abels schrie, ohne es zu wissen; er mußte einfach brüllen, es entlud sich wie eine Urgewalt. Er holte weit aus, der Dolch blitzte in der Sonne, und dann stieß er zu, mitten in die Brust hinein, die sich ihm entgegenwölbte und sich dehnte im erneuten Brüllen.

Im gleichen Augenblick fielen die Tatzen auf seine Schultern nieder. Eine Zentnerlast drückte ihn in den Schnee, der Bär rollte über ihn, er spürte Blut über sein Gesicht rinnen und wußte nicht, war es sein Blut oder das Blut des Bären ... er spürte, wie der riesige Körper über ihm zuckte und strampelte, wie die Tatzen den Schnee zerhieben und gegen die Felsen kratzten, die Last wurde immer schwerer, drückte ihm den Atem ab und erstickte ihn. Er versuchte sich wegzuwälzen, aber wie eine Felsplatte lag der Bär über ihm, die dreckige, schmierige, stinkende Wolle des Pelzes preßte gegen sein Gesicht.

Anuschka, dachte Abels. O Anuschka, ich habe den Bär getötet ... und nun tötet er mich, er besiegt mich noch als Toter. Er erdrückt mich, er erstickt mich, er gräbt mich in den Schnee ein.

Anuschka –

Mit einer letzten Anstrengung versuchte Abels, sich unter dem zentnerschweren toten Körper wegzuwälzen. Es gelang nur halb ... er bekam das Gesicht frei, er konnte atmen, er konnte den Mund gegen den Schnee drücken ... Luft, o Luft!

Er hörte noch einen Schuß und spürte, wie die Kugel über ihm in den Bärenkörper einschlug. Dann wurde es schwarz vor seinen Augen. Das letzte, was er, schon im Weggleiten, wahrnahm, waren zwei geflochtene Schneeschuhe, die auf ihn zukamen. Und das letzte, was er dachte, war: Nun ist die Reise zu Ende. Daß jemand den Bären von ihm wegwälzte, hörte er schon nicht mehr.

*

Das Feuer war groß und hatte in einem weiten Umkreis den Schnee geschmolzen. Die über Kreuz aufgeschichteten Balken glühten, warfen die Hitze gegen die sie umringenden

Körper und erzeugten eine Halbkugel heißer, flimmernder Luft, die drei Meter über dem Boden wieder von dem Frost aufgesogen wurde.

Martin Abels erwachte und fand sich auf einem Wolfsfell liegend. Die über ihn strömende Wärme war herrlich, er dehnte sich, ohne sich darum zu kümmern, wo er lag. Dann erst, mit der Rückkehr seiner Erinnerung, setzte er sich mit einem Ruck auf und sah sich um.

Neben ihm hockten zwei bärtige Männer und waren schwitzend dabei, die letzten Fleischreste von der Bärenhaut zu kratzen. Sie benutzten dazu einen stählernen Schaber, und wie sie es machten, bewies, daß es Leute vom Fach waren und keine zufälligen Jäger.

»Er ist wieder da, Jurij«, sagte der eine und zeigte mit dem Schaber auf Martin Abels. Der als Jurij Angesprochene drehte den Kopf zu Abels, nickte, grinste und schabte weiter.

»Hunger?« fragte er dabei.

»Nein.« Abels erhob sich von dem Wolfsfell und trat an die beiden Schabenden heran. »Ich danke euch, Genossen ... Ihr habt den Bär erschossen.«

»Er war schon tot, Brüderchen.« Jurij wischte sich mit dem Unterarm über die Stirn und über den struppigen graumelierten Bart. »Ein guter Stich, man muß es loben! Genau in das Herz.«

»Das war Glück.«

»Und ein mongolischer Dolch war's. Du kommst von drüben?«

»Ja.«

»Und wohin?«

»Nach Norden.«

Der Jurij Genannte setzte sich seufzend neben das riesige Bärenfell, kramte in den Taschen seines Fellrockes, holte einen alten Lederbeutel heraus und ein Stück Zeitung. Er hielt beides Abels vor die Nase und nickte ihm zu.

»Willst du, Genosse?«

»Wenn ihr was zu trinken hättet ...«

»Auch das. Gib ihm die Flasche, Victor.«

Victor, der andere, zog einen Fellsack heran, holte eine Flasche, die mit Bast umwickelt war, hervor und schob sie Abels über den glitschigen, aufgeweichten Boden zu.

»Guter Wodka!« lachte er. »Ist besser als Engelstränen.«

Martin Abels entkorkte die Flasche, tat zwei tiefe Schlucke, hustete und rang nach Atem. Es war der schärfste Alkohol, den er je getrunken hatte. Nicht einmal Pawel Andrejewitsch hatte solch einen Schnaps gehabt, und schon den begleitete die Sage, daß einmal ein Fuchs daran geleckt habe und dann hustend zu den Menschen geflüchtet sei.

»Gut, Brüderchen, was?« Victor schlug mit der Faust auf den Kopf des Bären. Er freute sich wie ein Kind, der einfältige Waldmensch. »Das holt die Maden aus allen Ecken! Heij, noch einen?«

»Danke.« Abels gab, noch immer hustend, die Flasche zurück. Dann setzte er sich mit dem Rücken zum Feuer und sah zu, wie sie das Bärenfell sauberschabten. »Ihr fragt gar nicht«, sagte er nach einer Weile.

»Warum, Brüderchen?« Jurij hob die Schultern. »Wer fragt, wird belogen. Ist's nicht so? Du bist hier, du willst nach Norden, wer will dich hindern, das zu tun? Wir nicht. Wir haben ein Bärenfell, und das bringt viele Rubelchen. Ist's nicht ein guter Tausch, Genosse? Wir das Fell – und dafür fragen wir nicht.« Wieder hielt er den Tabakbeutel und das Stück Zeitung hin. »Willst du jetzt?«

»Ja.« Abels drehte sich eine der dicken russischen Zigaretten aus Zeitungspapier und zündete sie an einem glimmenden Holzstück des Feuers an. Der Tabak schmeckte beißend und doch süßlich. Er hatte eine Beimischung, die Abels nicht kannte. Jurij grinste wieder. Er konnte das vorzüglich. Wenn er grinste, sah er aus wie Väterchen Frost, so wie ihn die Kindermaler immer darstellen.

»Chinesischer grüner Tee ist dazwischen, Brüderchen«, erklärte er. »Viele mögen es nicht, aber wir! Es geht über die Zunge wie ein Weiberkuß.«

Man soll über Geschmack nicht streiten, denn wären wir alle gleich, säh's trostlos aus auf der Welt. So nickte denn auch Abels zustimmend und rauchte langsam und vorsichtig, ohne Lungenzüge, die Zigarette zu Ende. Schon nach der Hälfte hatte er das Gefühl, sein Gaumen sei gegerbt, und plötzlich begriff er auch, warum sie diesen gemischten Tabak rauchten. Er verdrängte das Durstgefühl. So unbegreiflich es war, aber es stimmte.

»Du bist Amerikaner?« fragte Jurij. Es schien, als sei er der Klügere von beiden. Er hatte einen Begriff von Amerika. Victor glotzte nur blöde und reinigte die Klinge seines Schabers.

»Amerikaner? Nein!« Abels warf den Zigarettenrest weg. Jurij schüttelte mißbilligend den Kopf. Er beugte sich vor, klaubte den Rest auf und steckte ihn in die Felljacke. »Wieso soll ich Amerikaner sein?«

»Man erzählt sich, daß jemand abgesprungen ist. Aber weiter nördlich. Ein Spion. Ist das eine Aufregung bei den Rotarmisten. Sie bewachen alle Bahnhöfe, die Hohlköpfe! Als ob ein Spion über einen Bahnhof geht, sich an den Schalter stellt und sagt: ›Bitte, eine Fahrkarte nach Moskau, Genossin Kartenverkäuferin. Und einen guten Wagen, mit weichen Polstern, nicht solch einen Dreckstall, wie ihr sie sonst auf den Schienen laufen habt. Ich bin Amerikaner und verwöhnt, mein Täubchen . . .‹ Aber sie stehen auf den Bahnhöfen rum, mustern jeden wie einen prämiierten Bock, halten einen sogar an und sagen: ›Deinen Ausweis, Genosse!‹.« Jurij schüttelte wieder den Kopf. Man sah ihm an: Er liebte das Militär nicht und gönnte ihm eine Niederlage.

Martin Abels dachte in diesen Augenblicken weiter. Sein Plan war es gewesen, von einem Bahnhof aus nach Norden zu fahren, so weit es ging. Er sah wie ein Russe aus, er sprach wie ein Muschik, er konnte fluchen wie ein Mülltonnenleerer. Nur einen russischen Ausweis hatte er nicht. Es würde also gar keinen anderen Weg geben, dachte er jetzt, als in das Innere Rußlands zu flüchten, wie er früher versucht hatte, aus Rußland hinauszukommen. Vielleicht hörten außerhalb des Grenzgebietes die Kontrollen auf. Weiter im Norden, und erst recht in der Taiga, fragte niemand mehr nach seinen Papieren. Er war einfach da, und wer da ist, bei vierzig Grad Kälte und heulendem Schneesturm, der war gestraft genug und mußte sehen, daß er überlebte. Warum ihn noch belästigen mit Fragen?

»Ich bin Deutscher«, sagte Martin Abels. Jurij und Victor sahen sich kurz an. Ei, ei, dachten sie. Ein Germanskij. So etwas sieht man selten hier unten. Damals, bei Smolensk, da haben sie geschossen wie die Teufel, und Jurij, der Scharfschütze im 2. Garderegiment von Irkutsk, erinnerte sich noch jetzt an die Magenschmerzen, die er bekommen hatte, als ausgerechnet unter dem riesigen Tannenbaum, in dem er hockte, eine deutsche Feldküche es sich gemütlich machte und der Geruch von köstlicher Gulaschsuppe bis zu ihm hinauf in den Baumwipfel wehte. Zwei Tage hockte Jurij in seinem Nest, rührte sich nicht, machte unter sich, verfluchte alle Deutschen und insbesondere die Köche, und als die Deutschen weiterzogen, war er soweit, daß er unter dem Baum die weggeworfenen Blechdosen ausleckte und vor Wut heulen konnte.

Mit Victor war das anders. Er war in Gefangenschaft geraten, bei der Kesselschlacht von Wjasma. Zehn Tage lang hatte er im Freien gelegen, dann wurde er vierzehn Tage lang in einem verschlossenen Viehwagen durch die Gegend geschaukelt und sah den Himmel erst wieder auf einem deutschen Bahnhof. Da war er so schlapp, daß man ihn aus dem Wagen tragen mußte, er wurde in ein Bett gelegt, ein Genosse Feldscher pflegte ihn, und erst viel später begriff er, daß er in der Gegend von Heimerzheim im rheinischen Vorgebirge war und gepflegt wurde, damit er später auf den Kohlfeldern arbeiten konnte. Das war eine schöne Arbeit, Genossen! Victor Victorowitsch bekam noch heute glänzende Äuglein, wenn er daran dachte. Die Bauersfrauen waren freundlich, und die Bauerntöchter, oje, Brüderchen, das war ein Kapitel für sich. Das Essen war gut, aber sagt selbst, wo soll es hinführen, wenn man Tag und Nacht die Felder beackern muß?

Als Victor 1945 befreit wurde, war das gar nicht nach seinem Sinn. Aber er mußte zurück zu Mütterchen Rußland, so weh es ihm tat, und nun saß er hier, wärmte sich an einem offenen Feuer, mußte sich sein Brot hart mit der Jagd verdienen, schabte Felle und mußte bei Marfa, der dicken Matrone, um gutes Wetter bitten und ein paar Rubelchen hinlegen, wenn er das haben wollte, was er im rheinischen Vorgebirge kaum hatte bewältigen können. Es war schon ein verfluchtes Leben! Wen wundert's, daß des Russen Gebetbuch die Wodkaflasche ist?

»Weg aus dem Lager?« fragte Jurij und grinste wieder.

»Kennst du Vorgebirge?« sagte Victor. Und bei Gott, er sprach es sogar deutsch aus. So sehr verwurzelt war es in seinem Herzen.

»Nein. Ich komme aus Bremen. Das ist eine große Stadt an der Küste. Ich will nach Torusk. An der Lena. Dort suche ich ein Mädchen. Anuschka heißt es.«

»Ein Mädchen?« Victor betrachtete den Deutschen mit sichtlichem Mitleid. Er hat ein kleines Gehirn, der Arme, las man in seinen Augen. Er kommt nach Rußland und sucht ein Mädchen, und in Deutschland laufen sie herum wie die Engelchen. Ein armer Mensch, wahrlich. Und er sieht gar nicht so blöde aus. »Du kommst hierher und willst Anuschka haben? Warum?«

»Ich liebe sie, Victor.«

»Und wenn sie dich totschießen?«

»Und sie werden dich totschießen!« sagte Jurij. »Wir bringen dich zur mongolischen Grenze zurück.«

»Bringt mich lieber zu einem Güterbahnhof. Ich werde schon nach Norden kommen.«

Die beiden Jäger schwiegen. Ihre bärtigen, schwitzenden, gegerbten Gesichter verrieten nicht, was sie dachten. Aber das war nicht schwer zu erraten. Wir bringen ihn nach Selenduma, dachten sie. Von dort soll er sehen, wie er weiterkommt, das dumme Seelchen. Sucht ein Mädchen an der Lena, hat man so etwas Dummes schon einmal gehört? Die Welt ist voller Weiber, aber nein, eine Anuschka muß es sein, an der Lena, so ein wildes, nach Rentierfett riechendes Frauenzimmer. Er ist ein so lieber Mensch, dieser Deutsche, aber was soll man anderes tun, als ihn bedauern, daß er so blöd ist?

»Andere Kleider muß er haben!« sagte Victor.

»Ja, das stimmt. Die sind mongolisch. Du mußt russisch

aussehen.« Jurij rollte das Bärenfell zusammen und verschnürte es mit Lederriemen. Auch die Schnauze umwickelte er, steckte quer durch die Zähne einen dicken, runden Stock und warf das schwere Fell über die breiten Schultern. Ein kräftiger Kerl war er, man sah es jetzt. Victor nahm die beiden Fellsäcke. Mit einem langen Baumstamm, der im Feuer zischte, weil er noch gefroren war, riß er den glühenden Holzstapel auseinander und zerstörte die Flammen.

»Hast du Geld?« fragte Jurij.

»Ja, zweitausend Rubel.«

»Das ist gut.«

Man sprach nicht mehr darüber.

Es dauerte einen ganzen Tag, bis sie Selenduma erreichten, ein erbärmliches Nest mit einem kleinen Bahnhof. Jurij erkundete die Lage. Die Rotarmisten beobachteten nur den Kartenverkauf und belagerten die Güterplätze. Wer einmal im Zug saß, schien sicher zu sein. Jurij sprach auch mit Reisenden, die aus dem Norden kamen. Da war alles still. Keine Kontrollen, keine Aufregung. Aber ein Winter wird das, sagten sie alle. Brüderchen, die Seele friert einem fest an den Rippen. Der Baikalsee soll schon zu sein, ein Meter dickes Eis. Und weiter oben, an der Lena und zum sibirischen Bergland hin, da krachen schon die vereisten Bäume auseinander, und Rudel von Wölfen kommen bis an die Siedlungen. Jetzt schon! Wie soll das erst im Dezember und Januar werden? Da werden die Füchse ihre eigenen Schwänze fressen.

Jurij kaufte eine Fahrkarte nach Tschita. Weiter wäre verdächtig gewesen. Auch jetzt schon fragte der Militärposten am Schalter: »Was willst du in Tschita, Genosse?«

»Mir die Hose flicken lassen, Brüderchen!« antwortete Jurij. »Sie platzt mir immer, wenn ich dumme Fragen höre.«

Das war eine gute Antwort. Der Posten lachte, sah in das struppige, wilde Gesicht Jurijs und zwinkerte mit den Augen.

»Zerreiß das Täubchen nicht«, sagte er fröhlich. Dann beugte er sich zum Schalter vor und nickte. »Für den Genossen einmal Tschita. Geht in Ordnung.«

Der Zug fuhr erst am nächsten Morgen. Selenduma ist

nicht Irkutsk, und auch dort muß man warten können. Jurij, Victor und Martin Abels übernachteten also in einer Herberge, die neben dem Bahnhof stand. Der Wirt lebte sehr gut von den Wartenden, nahm für eine Übernachtung 20 Kopeken und stellte dafür einen Sack mit Heu zur Verfügung. Auf diesen warf man sich, sagte sich, daß es ja doch nur eine kurze Nacht sei, brauchte eine Stunde, um sich an den Mief zu gewöhnen, und merkte dann, daß die Mischung von menschlicher Ausdünstung, Schnaps, Knoblauch, Schweißdrüsen, nasser Kleidung, stinkenden Pelzen und in Spankörben flatternden Hühnern und Gänsen, die zum Gepäck der Reisenden gehörten, der beste Schutz gegen die Kälte war. Erfroren ist schon mancher, aber noch nie erstunken.

Am frühen Morgen – es war erstaunlich, daß überhaupt bei den vereisten Schienen und Weichen ein Zug abfuhr – kam Unruhe in die große Stube. Die Reisenden erhoben sich, irgendwo aß jemand einen gut gereiften Ziegenkäse, dessen Duft noch im Zimmer fehlte, und auch Martin Abels wurde durch die allgemeine Unruhe, das Herumstoßen, das Fluchen und Schimpfen geweckt.

Die Heusäcke neben ihm waren leer. Jurij und Victor waren schon gegangen. In der Nacht noch waren sie aufgebrochen, und es war müßig, zu fragen, wohin. Mit ihnen aber fehlten auch die zweitausend Rubel, die Martin Abels in einem Lederbeutel auf der Brust getragen hatte. Dafür lagen russische Kleider neben ihm. Filzstiefel, Wattehosen, eine Steppjacke, ein alter Pullover, der nach Ochsendung stank, eine pelzgefütterte Mütze mit Ohrenklappen, dicke Fausthandschuhe aus Hundefell. Und eine Flasche Wodka lag dabei, gewickelt in den Pullover. Wenn zweitausend Rubel auch äußerst teuer waren für diese Kleidung, man muß ehrlich sein: Die Flasche Wodka zeugte von tiefer Freundschaft, denn sie hatten es nicht nötig gehabt, wo doch Wodka besser schmeckt als Engelstränen, wie Victor zu sagen pflegte.

Martin Abels verzichtete darauf, Lärm zu schlagen. Was sollte es auch? Man würde nur aufmerksam auf ihn, würde ihn mitnehmen zur Wache, ihn verhören und fragen: Zweitausend Rubelchen? Oha! Du hast zweitausend Rubelchen gehabt, die man dir gestohlen hat, Genosse? Irrst du dich auch nicht? Waren es etwa nur zwanzig Rubelchen und du hast ein paar Nullen drangehängt? Wer hat denn hier zweitausend Rubel, he? Davon träumt man in Selenduma, aber man hat sie nicht! Zeig mal deinen Ausweis! Wer bist du überhaupt? Zweitausend Rubelchen will der Kerl gehabt haben, und hat keine Papiere! Das ist interessant, Genossen! Ein dicker Fisch hängt an der Angel. Und ein dummer Fisch! Wer schreit wegen zweitausend Rubel, wenn er keinen Ausweis hat!

Martin Abels war nicht so dumm. Er warf seinen Fellsack über den Rücken, nachdem er sich umgezogen hatte, was unter den Augen alter und junger Bäuerinnen geschah, die nicht einmal hinsahen, denn ein Mann in Unterhosen ist etwas, was nicht einen Blick lohnt, auch nicht, wenn er groß und kräftig ist, denn vom Anschauen wird ein Hungriger nicht satt. Nach dieser Umkleidung reihte er sich in die Schlange der Reisenden ein, die sich langsam aus der Herberge zum Bahnsteig hinausschob. Dort wartete ein alter, mit Eis überzogener Zug, dampfend und zischend.

Dann saß er in einem Abteil, eingekeilt zwischen anderen Bauern, die in Körben und Kisten ihre Hühner auf den Knien schaukelten oder begannen, aus Leinentaschen Brot und Speck auszupacken und zu essen. Ihm gegenüber knöpfte eine junge, breitknochige Bäuerin ihre Wollbluse auf und legte ihr in Fellen eingewickeltes Kind an die Brust. Dabei rauchte sie, lachte Abels an und drückte ihre Stiefel gegen Martins Schienbeine, weil sie auf diese Weise das Kind besser stützen konnte.

Nach lautem Geschrei auf dem Bahnsteig – ein Bauer wollte zusammen mit einer Ziege ein Abteil besteigen, was bei aller Großherzigkeit der Bahnbeamten an den Bestimmungen scheiterte, deren Sinn wiederum der Bauer nicht verstand, denn, so brüllte er, seine Ziege sei ihm so wertvoll wie ein Mensch, ja, noch wertvoller, denn ein Mensch gäbe keine Milch, keine Butter und keinen Käse, sondern ein Mensch könne nur scheißen –, nach dieser Auseinandersetzung, deren Sieger, wie immer, das Gesetz war, pfiff es ein paarmal, es ruckte, die Wagen stießen an den Puffern zusammen, das Kind der jungen Bäuerin wurde von der Brust gerissen und schrie, und ein Stück Speck rollte Abels über die Backe ... und dann fuhr der Zug wirklich ab. Genossen, welch ein Glück, welche Fröhlichkeit, welch ein Feiertag! Er fuhr. Er dampfte nach Norden. Er besiegte Eis und Schnee. Er quälte sich nach Tschita.

Und da soll man nicht die Technik besingen? Man wäre wirklich undankbar, wenn man solch ein hartes Herz hätte, das nicht anzuerkennen.

Der Zug fuhr!

Er fuhr sogar noch eine Stunde später, was niemand gehofft hatte. Er zischte durch erstarrte Wälder und eisbestrichene Felsen. Er heulte vorbei an einsamen Blockstationen, die man nur daran erkannte, daß aus einem Schneehügel dunkler Rauch stieg.

Tschita, dachte Martin Abels. Tschita ist ein großer Umschlagplatz. Von dort werde ich weiter können.

Von zweitausend Kilometern hatte er knapp vierhundert hinter sich.

*

Eine Viertelstunde später wurde er jäh aus seinen Gedanken gerissen. Auf dem Gang, wenige Abteile weiter, übertönte eine dröhnende Baßstimme das Palaver der Reisenden und die Geräusche des Zuges: »Kontrolle!« Martin Abels rührte sich nicht. Fieberhaft überlegte er einen Ausweg. Da hörte er eine zweite Stimme, heller, ungeduldig: »Kontrolle! Los, beeilt euch, ihr Landstreicher!«

Abels begann zu schwitzen. Einen einzigen Milizsoldaten hätte er vielleicht ablenken können. Aber zwei, die gegenseitig aufeinander aufpaßten ...

Instinktiv griff er nach seinem Fellsack. Abspringen, durchzuckte es ihn. Es gibt keinen anderen Ausweg. Er sah aus dem Fenster. Der Zug keuchte langsam eine weite Kurve bergan. Es mußte gelingen. Der tiefe Schnee würde den Aufprall beim Sprung mildern.

Die anderen Reisenden in Abels' Abteil hatten die Stimmen der Milizsoldaten bisher nicht zur Kenntnis genommen. Keiner kramte nach seinem Ausweis, keiner zeigte Unruhe oder ein schlechtes Gewissen. Gelassen schwatzten die Bauern weiter. Ein älterer Mann öffnete einen Topf Gurken und bot reihum an.

Martin spähte auf den Gang hinaus. Er war vollgestopft mit Menschen, die keinen Sitzplatz mehr gefunden hatten. Direkt vor der Abteiltür hockten zwei junge Burschen auf ihrem Gepäck, spielten Karten und tranken Wodka aus einer Flasche.

Die Milizsoldaten waren ein Abteil näher gerückt. Wieder die verdammte Aufforderung: »Kontrolle!« Martin faßte sich unwillkürlich an den Hals unter dem Kragen seiner Steppjacke. Die Reise war zu Ende. Er konnte nicht durch den überfüllten Gang, konnte keine Tür erreichen.

In diesem Moment stand der alte Bauer mit dem Gurkentopf plötzlich auf und verdeckte mit dem Rücken die Abteiltür. »Genossen«, sagte er, »ich habe einen Koffer mit einem halben Schwein für meine Tochter und ihre fünf Kinderchen. Die Arme hat ihren Mann verloren. Ihr habt doch nichts dagegen, wenn ich den Koffer aus dem Fenster hänge?«

Ohne eine Antwort abzuwarten, machte er zwei Schritte zum Fenster, riß es auf, nahm seinen Koffer und hängte ihn mit wenigen geschickten Handgriffen an die Außenwand des Wagens. Zwei Haken und ein Stück Draht genügten. Der Mann mußte den Trick schon öfter angewandt haben.

Er schloß das Fenster, drehte sich um, zog eine kleine Flasche aus der Tasche und bot Martin von dem Wodka an. »Sie erwischen immer die Falschen bei der Kontrolle«, sagte er. »Unsereiner ist doch kein Spekulant. Sollen sie doch mal im Abteil der Eisenbahner nachsehen. Säckeweise steht dort das Zeug. Es sind Halunken!«

Martin nahm einen kräftigen Schluck. Der Schnaps fuhr wie Feuer durch seine Kehle. Aber er wärmte, er gab neue Hoffnung.

Im Abteil nebenan entstand ein scharfer Wortwechsel. »Hier ist der Ausweis, daß ich im Auftrag der Maschinenfabrik Uralsk reise!« schrie jemand mit erregter Fistelstimme. »Der Inhalt meiner Koffer darf nicht kontrolliert werden.«

»Dein Papierchen interessiert mich einen Scheißdreck, Genosse«, erwiderte der Milizsoldat mit dem Baß. »Geh aus dem Weg, du Bürowanze.«

Die Unterhaltung in Martins Abteil verstummte. Alle spitzten die Ohren. Die Kartenspieler auf dem Gang waren aufgestanden und spähten neugierig in das Nebenabteil. Hinter ihnen drängten sich andere Bauern. Martin bekam ein ungutes Gefühl.

Noch einmal hörte er die Fistelstimme, diesmal drohend und beschwörend: »Ich . . . ich werde Sie anzeigen!« Aber ein klatschender Schlag brachte den Mann zum Verstummen. Koffer sprangen auf, Flaschen polterten zu Boden. Dann folgte ein Geräusch, als ob ein Sack Erbsen ausgeschüttet würde.

Der Menschenhaufen auf dem Gang drückte sich mit Gewalt in das Nebenabteil. Ein unbeschreiblicher Tumult entstand. Einer der vordersten Männer kämpfte sich schon wieder aus dem Gedränge zurück, um seine Beute in Sicherheit zu bringen: eine Handvoll Kugelschreiber und drei nagelneue Brieftaschen.

Als die anderen diesen Erfolg sahen, waren sie nicht mehr zu halten. Mit einem dumpfen Stöhnen überschwemmte die Menge das Abteil, ein Kampf aller gegen alle entbrannte. Schläge, Schreie, prasselnde Glasscherben, splitterndes Holz. Die Milizsoldaten waren hoffnungslos eingekeilt und in Sekunden außer Gefecht gesetzt.

Fasziniert sah Martin dem verbissenen Ringen zu. Ein pockennarbiger junger Kerl mit einer heftig blutenden Platzwunde an der Stirn bahnte sich brutal einen Weg aus dem Getümmel und schwenkte triumphierend seine Beute: einen Karton Zigaretten und zwei Pelzmützen.

Nach zehn Minuten war die Schlacht zu Ende. Martin Abels warf einen Blick in das Nebenabteil. Es sah aus, als habe eine Bombe eingeschlagen. Keine Scheibe mehr. Die Holzleisten aus den Wänden gerissen. Der Boden übersät mit zertrampelten Kugelschreibern, Schokolade- und Zigarettenpackungen, ausgelaufenen Schnapsflaschen . . .

Auf der linken Holzbank hockten schwer atmend die beiden Milizsoldaten, zwischen ihnen der Vertreter der Uralsk-Werke. Er zuckte resigniert mit den Schultern und holte Zigaretten aus der Tasche. Als ob nichts gewesen wäre, bot er sie den Milizsoldaten an. Die beiden nahmen sie und begannen zu rauchen. Offenbar waren sie entschlossen, den Zwischenfall zu vergessen . . . und mit ihm ihren weiteren Kontrollgang durch den Zug.

Als Martin in sein Abteil zurückkam, hatte der alte Bauer seinen Koffer längst wieder hereingeholt. Er hielt ihn liebevoll auf den Knien und strahlte. »Ein Fest war's, nicht wahr, Brüderchen?« meinte er. »So ist eben unser Volk. Gegen die Langeweile in Sibirien muß ab und zu was getan werden. Du bist sicher nicht von hier, Freundchen. Wo kommst du denn her?«

»Aus Charkow«, log Martin.

»Das ist weit«, sinnierte der Alte. »Dort sind die Menschen wohl zahmer, was? Wir hier in Sibirien sind eben freie Menschen, uns kann keiner ungestraft schikanieren.«

Ein paar Abteile weiter erklang plötzlich eine Harmonika. Jubilierend wie eine Lerche sang ein Tenor die Strophe. Samtweich fielen die Bässe beim Refrain ein. Es war ein altes Lied der sibirischen Sträflinge. Aus unendlicher Schwermut schwangen die Seelen sich empor.

Was für ein Volk, dachte Martin Abels. Wie nah . . . und doch wie fremd.

*

Der Einbruch des Winters, der dichte Schneefall, der heulende Wind, der aus der Taiga blies und die Welt in tosende Luft verwandelte, und vor allem der Zusammenbruch aller Transportmittel vor der Allmacht des Väterchens Frost setzten dem Wanderdrang der kleinen, immer freundlichen und um ihre Tante so besorgten Amalja Semperowa ein jähes Ende.

Amalja Semperowa, die vergessen hatte, daß sie einmal Betty Cormick hieß und in der Prärie aufgewachsen war, zwischen gummikauenden Cowboys und in Staub gehüllten, brüllenden Rinderherden, war bis zu dem Dorf Nagornoje gekommen. Es lag im sumpfigen Quellgebiet des Flusses Timton, hatte keinerlei Bedeutung und existierte seit einigen Jahren allein durch den Glauben seiner Menschen an die Zukunft.

Das war so gekommen. Plötzlich erschienen in Nagornoje zwei Lastwagen. Zelte wurden ausgeladen, zusammenklappbare Hütten und Instrumente. Zwanzig Männer, gut angezogen, mit städtischem Benehmen, kamen in die Häuser, fraßen Speckkuchen und Hammelkeulen und erzählten, daß man eine Eisenbahn plane. Sie seien hier, um das Land zu vermessen und um festzustellen, ob sich Nargornoje als Bahnhof eigne. Sie hatten auch schon einen Namen für diese Eisenbahn. Baikal-Amur-Bahn sollte sie heißen. Nach der modernen Art, zu schreiben und zu denken, abgekürzt einfach: BAM.

Genossen, war das eine Freude in Nagornoje! Eine Eisenbahn! Ein Bahnhof! Jubel und Trubel! Die großen Züge mit den reichen Natschalniks würden hier halten, die sicherlich ein Teechen trinken oder ein bißchen essen wollten. Die Samoware würden gluckern und die Fischbrater im Öldunst schwimmen. Und im Winter könnte man immer sagen: Genossen, die Strecke ist vereist, die Weichen klemmen, ihr könnt nicht weiter. Dann brauchte man Hotels und Wodkastuben, und auch für die Unterhaltung der hohen Gäste mußte man sorgen. Ippolit Pawlowitsch Smulkow hatte da schon einen feinen Plan. »Wir machen ein schönes Bordell auf«, sagte er und schnalzte mit der Zunge. »Die großen Herren aus Moskau und Swerdlowsk sollen sich wohl fühlen in Nagornoje!« Na, wer sagt's? War er nicht ein kluger Kopf, der Dorfvorsteher Smulkow? Immer modern im Denken, das mußte man ihm lassen.

Dann hörte man nichts mehr von dem großen Projekt. Die Landvermesser reisten wieder ab. Sie hatten kreuz und quer das Land fotografiert und auf einer Karte Striche, Kreise und

Winkel gezeichnet. Sie hatten die Felsen gemessen, und Smulkow, das schnelle Hirnchen, schlug vor, wenn die Felsen im Wege seien, könne man sie ja wegsprengen. Er habe gelesen, daß man da schon ganz andere Dinge gemacht habe. Ganze Gebirge habe man durchbohrt. Was ist da ein Berglein, das neben Nagornoje steht?

Auf jeden Fall – die Hoffnung blieb im Dorf. Wenn man nichts hört, ist das auch schon ein Erfolg. Andernfalls hätte man eine Ablehnung gehört. So meinte Smulkow, und man glaubte es ihm. Ab und zu kamen Besucher aus dem Westen und Süden, die berichteten, daß man fleißig an der neuen Bahn baue. Riesige Raupen walzten die Fundamente für die Schienen, an Schwerpunkten seien ganze Städte neu erstanden. Es sei gigantisch, was man da arbeite. Ein Hoch auf die Arbeitsbrigaden.

»Es muß alles seine Zeit haben!« sagte Smulkow, auch wenn er nicht mehr daran glaubte. Was die Dorfbewohner noch nicht wußten, hatte er längst erfahren: Die BAM wurde unterhalb Nagornoje entlanggeführt. Der Bahnhof sollte Tygdinsk werden, die Endstation der bisherigen Bahn von Ulan-Ude nach Nordosten. Nur wenn er allein mit seiner Frau Axinja war, legte Smulkow den dicken Kopf in beide Hände, starrte auf die Karte und maß immer wieder die Entfernungen.

»Nur hundert Werst liegen dazwischen«, stöhnte er. »Lumpige hundert Werst. Man hätte auch diesen Knick nach Norden machen können. Waren wir nicht gastfreundlich zu den Ingenieuren, was? Haben sie nicht sieben Kinder hiergelassen? Und dann solch eine Behandlung! Nagornoje wird jetzt immer am Hintern der großen Welt bleiben. Selbst die Füchse wandern aus, so abseits liegen wir. Man darf es den guten Genossen bloß nicht sagen. Sie sollen weiter hoffen. O ihr Heiligen, sie kennen sonst keine Grenzen in ihrer Wut.«

Daß Smulkow die Heiligen anrief, obwohl er auf der Dorfsowjetschule in Tschita gewesen war und als überzeugter Kommunist heimkehrte und in allen Hütten Stalinbilder verteilte, die später gegen die von Chruschtschow ausgewechselt werden mußten, bewies seine tiefe, ehrliche Erschütterung. Und gerade bei diesem Smulkow landete Amalja Semperowa. Ein Bauer aus den Bergen, ein Vetter Smulkows, brachte sie mit einem Ochsenkarren zu ihm, bevor der große Schneefall einsetzte.

»Das dauert eine Zeit«, sagte Smulkow, als der erste Sturm losheulte und Axinja die Fensterritzen zuklebte. »Du wirst deiner Tante nur ein Blümchen bringen können, wenn es wieder taut. Sie wird tot sein.«

»Arme Tante«, sagte Amalja Semperowa und weinte. Auch das hatte sie gelernt, und weil es so echt war, ging Smulkow das Herz auf wie ein warmer Ziegenkäse. Er bat sie, in seinem Hause zu bleiben und den Winter hier abzuwarten.

Betty Cormick – wir wollen sie von jetzt an nur noch Amalja Semperowa nennen, denn mit ihrem Absprung gab es keine Betty mehr – bekam ein Zimmerchen neben dem Stall; es war ein warmes Fleckchen, denn hier lagerte Heu für die Ochsen und Mais für die Hühner, die meistens auf der Leiter vor ihrem Bett saßen und ihre Eier in eine alte Wiege legten.

Für Amalja war dies der richtige Ort. Nachts, wenn nebenan Smulkow und Axinja auf dem Lehmofen lagen und schnarchten, baute sie ihren Kurzwellensender auf und nahm Verbindung mit einem unbekannten Kontaktmann in Jakutsk auf. Die ersten drei Nächte suchte sie vergeblich auf der angegebenen Frequenz, es meldete sich niemand, aber dann tönte das dünne, helle Klimpern von Morsezeichen aus dem kleinen Kopfhörer, den sie sich in die Ohrmuschel klemmte.

»QI an PII . . . QI an PII . . .«

Amalja meldete sich. Dann tickte es ununterbrochen, und sie las erstaunt, was man ihr durchgab.

»Warum sind Sie noch nicht weiter? Wir erwarteten Sie schon! Wo sind Sie? Geben Sie genaue Position. Sie sind in der Nähe von Alakowa abgesprungen. Gehen Sie nach Tygdinsk. Von dort führt eine Straße nach Tora. In Tora warten Sie. Man holt Sie dort ab. Ende.«

Amalja gab ihre Position durch. Und sie morste wütend:

»Wenn Sie ohne Flügel fliegen können, machen Sie es vor. Ich bin hundert Werst von Tygdinsk entfernt. Aus der Ferne meckern ist leicht. Sie hätten den Winter aufhalten sollen, dann wäre ich schon da! Ende.«

Und die Antwort: »Immer Ruhe, Mädchen! Was haben Sie gelernt? Nicht aufregen! Geben Sie Nachricht, wenn Sie in Tygdinsk sind. Viel Glück. Ende.«

Nebenan schnarchte Smulkow und hatte einen schlechten Traum. Er hielt das Vögelchen Amalja in seinen Armen und schmatzte es ab, und Axinja kam dazu und hieb ihm mit einem Holzscheit über den Kopf. Das schmerzte sehr, er stöhnte im Schlaf, rollte sich auf den Bauch und grunzte dann zufrieden.

Am Morgen mußten sie sich ausschaufeln. Der Schnee stand wie eine Wand vor der Tür. Auch die anderen Häuser waren nur noch qualmende Schneehügel. Aber die Sonne schien, der Himmel war blau, es war ein herrlicher Tag.

Jetzt hätten wir eigentlich Zeit, uns um das Bahnprojekt zu kümmern, dachte Smulkow. Wenn es richtig friert, hindert uns nichts mehr, nach Tygdinsk zu fahren und die Genossen von der Bauleitung zu fragen: »Brüderchen, wie ist das? Macht es wirklich so viel aus, einen Knick von hundert Werst nach Norden zu bauen. Bedenken Sie, im Sommer haben wir sogar einen kleinen See, wo man baden kann. Ein Badehaus werden wir errichten, Genossen, mit Damenbedienung! Na, ist das nichts? Da läuft einem das Wässerchen im Mund zusammen! Wer kann Ihnen soviel bieten außer Nagornoje?! Da lohnen sich die hundert Werst Umweg.«

Ja, das wollte er sagen. Und sieben Kinder hatten die Vermessungsingenieure hinterlassen. Wenn das kein Beweis von Gebefreudigkeit ist.

»Noch acht Tage Frost, dann fahren wir mit dem Schlitten nach Tygdinsk! Fährst du mit, Täubchen?« sagte Smulkow laut.

In Amalja Semperowa war es wie Tauwetter. Ihr schönes schmales Gesichtchen glänzte. O Maria, dachte Smulkow. Man müßte jünger sein und keine Axinja haben. Sein Herz zuckte. Etwas von seinem nächtlichen Traum war in ihm übriggeblieben.

»Aber ja, wenn ich darf, Väterchen.« Amalja rieb sich die schönen schlanken Hände. »Meine Tante lebt doch dort.«

»Die Tante.« Smulkow nickte entzückt. »Aber nenn mich nicht Väterchen. Ich bin erst sechsundvierzig! Sag Ippolit zu mir.«

»Ippolitschi –«, sagte Amalja. Oh, sie war ein Biest!

Und in Smulkow begann die Sonne zu brennen, bis hinunter zum kleinen Zehchen.

Gott schenke einen langen Winter, betete er stumm.

*

Eines Abends fand Inken Holgerson, als sie aus dem Pelzsalon nach Hause kam und – müde von den Vorführungen – sich nach einer Tasse Tee mit Kandiszucker und Schmand sehnte, einen Brief im Briefkasten ihrer Wohnungstür.

Ein amtliches Schreiben. Absender war der Polizeipräsident. Kommissariat IIa. Kriminalrat Bergmann. Fräulein Inken Holgerson wurde gebeten, zwecks einer Vernehmung bis zum 15. des Monats auf Zimmer 56 zu kommen.

Inken nahm sich am nächsten Morgen telefonisch frei und fuhr zum Präsidium. Kriminalrat Bergmann war ein jovialer, älterer Herr, der erst in einem Aktenberg suchen mußte, ehe er sagen konnte, worum es sich überhaupt handelte. Aber dann, nach einem kurzen Überfliegen des obersten Briefes in dem Schnellhefter, wurde er ernst und kratzte sich die Nasenwurzel, als jucke es ihn dort.

»Eine dumme Sache, Fräulein Holgerson«, sagte er. »Ich kenne Ihren Herrn Papa, wer kennt ihn nicht auch in Hamburg, aber ich kenne ihn noch als Schuljunge. Wir haben einmal zwei Jahre nebeneinander die Schulbank gedrückt, auf dem Gymnasium. Dann kam ich weg, zum neusprachlichen Zweig. Ich vertrug Latein und Griechisch nicht.« Er lachte etwas gezwungen und klappte den Aktendeckel zu. »Ich hätte mich gern mit Ihrem Papa in Verbindung gesetzt, aber das darf ich nicht.«

»Habe ich silberne Löffel gestohlen?« fragte Inken Holgerson sarkastisch. »Ich schwöre Ihnen, Herr Kriminalrat – es muß kleptomanisch sein. Man sagt, eine Urtante litt an dieser Krankheit. Wenn man bedenkt, daß sich so etwas bis ins fünfte Glied vererben kann, nach dem Mendelschen Gesetz . . .«

Kriminalrat Bergmann lächelte säuerlich. »Es ist gut, daß Sie es so humorvoll sehen, Fräulein Holgerson. Die Sache ist in Wahrheit schlimmer. Silberne Löffel bei Ihnen beachte ich gar nicht – aber hier kommt die Sache aus Bonn, genauer aus Köln! Sie ist politisch.«

»Politisch?« Inken Holgerson hob die nachgezogenen Augenbrauen. »Ich habe mit der Politik keine andere Verbindung als über die Partys, die mein Vater gibt, um Staatsaufträge zu bekommen.«

Das war giftig, Kriminalrat Bergmann überhörte es höflich und kratzte sich wieder die Nasenwurzel.

»Sie kennen einen Martin Abels –«

Inken nickte. Martin. Ihr Herzschlag setzte für einen Moment aus, sie sah sich nach einem Stuhl um, zog ihn heran und setzte sich.

»Was . . . was ist mit Martin?« stotterte sie erschrocken.

»Nichts! Das eben ist es, was die Herren in Köln so aufregt. Nichts! Sie nennen Herrn Abels einfach Martin?«

»Wir sollten uns verloben.«

»Sollten?« Kriminalrat Bergmann sah auf seine Hände. »Verzeihen Sie, wenn ich in die Intimsphäre dringen muß: Sie sind es nicht, und warum?«

»Martin löste die Verbindung.«

»Wann?«

»Vor einigen Wochen.«

»Aus welchen Gründen?«

»Er liebt eine andere Frau.« Inken Holgerson starrte an Bergmann vorbei aus dem Fenster. »Eine Russin!«

»Das steht auch hier in den Aussagen seiner Stammtischfreunde. Nun sagen Sie es auch! Glauben Sie daran?«

Inken fuhr vom Stuhl hoch. Diese Frage war ungeheuerlich, und sie begriff nicht, wieso man sie stellen konnte.

»Natürlich, Herr Kriminalrat!«

»So natürlich findet man das in Köln gar nicht. Die Leute

von der Abwehr sind nüchterne Männer, müssen Sie wissen. Sie haben für Romantik herzlich wenig übrig. Das bringt ihr Beruf mit sich, der sich nur mit den Schatten befaßt. Man will einfach nicht glauben – und ich gebe zu, es ist auch schwer –, daß ein Mann sein Leben und seine Existenz aufs Spiel setzt, um aus Sibirien – aus Sibirien auch noch – ein Mädchen herauszuholen, das er als Kriegsgefangener kennengelernt hat. Sie müssen gestehen, daß so etwas absurd ist. Ein Mann mit der Stellung Martin Abels', mit seiner Intelligenz, seinen gesellschaftlichen Verbindungen unternimmt nie einen solchen Alleingang, der nicht einmal einem amerikanischen Schriftsteller einfallen würde, weil es eben zu unglaubhaft ist.«

»Was . . . was soll er denn sonst in Rußland wollen?« stammelte Inken Holgerson. Sie war entgeistert über die in ihr aufkommende Erkenntnis, Kriminalrat Bergmann recht geben zu müssen. Kein vernünftiger Mensch würde das tun, wozu Martin Abels aufgebrochen war.

»Das eben macht uns Kopfzerbrechen. Wir haben seinen Weg bis zu einer gewissen Grenze zurückverfolgt. Er war bei der deutschen Botschaft in Tokio, er nahm Verbindung auf zu der mongolischen Handelsmission und flog trotz eindringlicher Mahnungen mit einer rotchinesischen Maschine auf das asiatische Festland. Dort flüchtete er aus einem Staatshotel in Ulan-Bator und verschwand mit unbekanntem Ziel. Obwohl man alle Grenzen absperrte, tauchte er nicht wieder auf. Die deutsche Botschaft in Tokio hat daraufhin einen sehr harten Notenwechsel mit der Mongolei gehabt. Man glaubt, daß Martin Abels als Spion eingeschleust wurde.«

»Das ist doch völlig verrückt!« rief Inken Holgerson. Dann sagte sie: »Verzeihung, Herr Kriminalrat, das ist mir so herausgerutscht. Aber es gibt keinen besseren Ausdruck dafür.«

»Das sagen Sie! Es ist nicht verrückter als die Version, die Sie kennen: ein Mädchen aus Torusk zu holen! Wie soll sie heißen?«

»Anuschka.«

Kriminalrat Bergmann lehnte sich zurück. Daß das Verhör

Inken Holgersons keine neuen Aufschlüsse über den wahren Grund der Abels-Reise bringen würde, hatte er von Beginn an gewußt. Er tat nur seine Pflicht und fragte Dinge, die schon aktenkundig waren. Sicher war, daß der Industrielle Abels in der Mongolei verschollen war. Ob als Agent einer noch unbekannten Macht – oder als Verrücker, das blieb sich gleich. Er war ein Politikum für Bonn geworden, er hatte ein Aktenstück zu füllen begonnen und würde von nun an einige Beamte beschäftigen.

»Kann ich gehen?« fragte Inken. Kriminalrat Bergmann nickte, erhob sich und gab ihr die Hand.

»Es ist gut, wenn Sie an dieses Mädchen in Torusk glauben«, sagte er.

»Sie glauben es nicht?«

»Ich kann mir kein Urteil bilden«, wich Bergmann aus.

»Und was . . . was geschieht nun mit Martin?«

»Die übliche Routinearbeit. Man wird seine Betriebe inspizieren, seine Korrespondenz beschlagnahmen, alle Akten nach Köln bringen lassen, seine Geschäftsbeziehungen nachprüfen. Man wird ein Heer von Beamten zu kleinen Göttern machen, die einen einzelnen Mann auseinandernehmen dürfen. Sie wissen, bei uns genügt ein leiser Verdacht, und die Justizmaschine zermahlt das Opfer präzise und gnadenlos. Mag sein, daß er wirklich ein Mädchen sucht. Aber das ist so völlig romantisch, daß es mit bestem Willen nicht in ein deutsches Beamtengehirn hineingeht. Guten Tag!«

Mit bleischweren Beinen stieg Inken Holgerson die Treppe hinab und verließ das Polizeipräsidium.

Er ist verschollen, soviel hatte sie von all dem begriffen, was sie gehört hatte. In der Mongolei verschollen. Er kam nie wieder.

An diesem Vormittag rief sie ihren Vater an. Der alte Holgerson bekam rote Ohren vor Aufregung, als er die Stimme seiner Tochter hörte.

»Ja, Inken«, sagte er. »Hier ist Papa.«

»Kann . . . kann ich zu dir kommen, Paps?« fragte sie kläglich. Dann kamen keine Worte mehr . . . man hörte nur noch ein lautes Schluchzen.

»Ich hole dich! Wo bist du denn?« rief der alte Holgerson.

»In meiner Wohnung, Paps.«

So geschah es nun doch, daß der Reeder Holgerson das Appartement seiner Tochter betrat, ein Haus, von dem er behauptet hatte, daß es für ihn in Hamburg nicht existiere.

✳

Tschita ist eine große Stadt, gemessen an den Dreckflecken, die links und rechts der Bahn liegen und einen ehrbaren Namen haben, der ihnen gar nicht zusteht. In Tschita, drei Fünftel aus Holz, ein Fünftel aus Stein und im letzten Fünftel aus nicht mehr erkennbarem Material gebaut, gab es sogar so etwas wie städtisches Leben. Es fuhren einige Autos herum, an den Straßenkreuzungen standen Polizeibeamte und regelten den Verkehr, es gab ein pompöses Parteihaus mit einem Säuleneingang und einen Kulturpalast mit Gastspielen der Oper von Ulan-Ude. Dort hatte auch die stadteigene »Tanzgruppe der Burjat-Mongolei« ihr Quartier. Aber sosehr man sich bemühte, mit dem Westen mitzukommen und die Straßen sauberzuhalten – sogar elektrische Straßenbeleuchtung leistete man sich –, Tschita blieb eine halb russische, halb mongolische Stadt, in deren Straßen die Ochsengespanne mit den langhörnigen Rindern vorherrschten und wo im Sommer sogar Kamelkarawanen durch den Staub zogen, der von den umgebenden Bergen in die Stadt wehte.

Der Zug hielt mit vier Stunden Verspätung im Bahnhof von Tschita. Die Türen waren vereist. Von außen zerrten die Bahnbeamten, von innen drückten brüllend die Reisenden gegen die Türen, bis sich das Eis aus den Ritzen löste und die Waggons krachend aufsprangen. Auch Martin Abels stieg aus und ging zum Ausgang des Bahnhofs. Dort traf er auf einen Lastwagenfahrer, der Kisten mit Enten auslud.

»Wo ist der Güterbahnhof, Genosse?« fragte Abels und spuckte in den verharschten Schnee.

»Immer den Schienen nach. Und dann kommt ein Wasserturm. Hinter dem Wasserturm, da ist der Güterbahnhof.«

»Danke, Genosse.«

Es war nicht schwer, den Güterbahnhof zu finden. Nach einer Viertelstunde Weg ragte der Wasserturm über die Dächer, und dann stand Abels vor einem unübersehbaren Stapel Holz, Reihen an Reihen, die Gleise entlang, zwischen den Gleisen, ein Urwald geschlagenen Holzes, alles Rundstämme, von der Dicke eines Armes bis zum Umfang einer Zimmerhöhe. Kolonnen von Arbeitern und Arbeiterinnen in dicken Steppjacken rollten mit langen, angespitzten Eisenstangen die Stämme auf die Flachwagen, hatten Rutschen über die Seitenholme gelegt und ließen die Rundhölzer auf die Wagen rollen.

Martin Abels blieb stehen und beobachtete das Beladen der Wagen. Niemand sah zu ihm hin. Es stört die Norm, wenn man glotzt. Die Minuten, die man braucht, einen Menschen genau zu betrachten, fehlen einem hinterher. Wie soll man sein doppeltes Soll erfüllen, wenn man sich um fremde Menschen kümmert?

Langsam ging Abels zwischen den langen Güterzügen entlang. Er überkletterte Gleise, huschte unter den Wagen durch, las einige Namen an den Transportkästen und verlief sich in dem Gewirr der Holzstapel. Einmal traf er einen Vorarbeiter, der an den Güterwagen entlanglief und an jedem mit Kreide ein Kreuz machte. Fertig, hieß das. Kann rangiert werden.

»Wohin geht der denn, Brüderchen?« fragte Abels und klopfte gegen einen Waggon mit Holz.

»Nach Tygdinsk, Genosse.« Der Vorarbeiter war ein höflicher Mensch. Er blieb stehen, unterbrach seine Kreidestriche und unterhielt sich sogar. Das ist wirklich ein Beweis edler Menschlichkeit, denn gerade Vorarbeiter haben es besonders eilig, eben weil sie Vorarbeiter sind und nicht wieder Arbeiter werden möchten. Man kann das ja verstehen, Freunde.

»Mit Holz?« fragte Abels ungläubig. »Ihr fahrt mit Holz nach Norden? Da kommt es doch her.«

»Das macht die Planung, Genosse. Das verstehst du nicht.« Der Vorarbeiter war glücklich, einen dummen Menschen gefunden zu haben, den man aufklären konnte. Nichts ist nämlich für einen Menschen erhebender, als einen anderen belehren zu können. »Das Holz wird im Norden geschlagen, kommt hierher, wird hier registriert, von den Beamten in große Bücher eingetragen, dann werden die Anforderungsscheine geprüft, nach einiger Zeit auch genehmigt, und dann bekommen wir die Transportpapiere, beladen die Wagen und schaffen das Holz nach Norden zurück, wo man es zum Bau braucht. Ist das klar? Das ist alles Planwirtschaft!«

»Imponierend, Genosse!«

Der Vorarbeiter stockte einen Augenblick, sah Abels verblüfft an, nahm dann seine Kreide und lief weiter an den Waggons entlang. Kreuz – Kreuz – Kreuz – Man soll sich mit einem dummen Menschen nicht länger aufhalten als unbedingt nötig.

Für Martin Abels aber stand es fest, daß er mit diesem Zug, und mit keinem anderen, den Weg nach Norden fortsetzen würde.

Geduckt schlich er die lange Wagenreihe entlang, wartete, bis eine Kolonne junger Mädchen in dicken Wattejacken jenseits der Wagen auf dem anderen Gleis vorbeigezogen war, rannte dann weiter, erspähte ein Bremserhäuschen und kletterte, nach einigen Blicken nach allen Seiten, mit zwei Schwüngen hinein.

Hier blieb er, bis die Nacht kam. Er sah durch die vereiste Scheibe Lichtschein, hörte Stimmen, jemand blieb vor seinem Wagen stehen, genau vor dem Bremserhäuschen, und zündete sich eine Pfeife an. Er hörte es an dem Schmatzen, mit dem der Mann Feuer zog.

Abels hatte sich an die Rückwand gepreßt und wartete. Wenn der Mann jetzt in das Häuschen stieg, gab es nur den Tod. Wer es auch sein mochte . . . er würde Alarm schlagen. Schon aus Schreck darüber, daß jemand bereits dort saß, wo er selbst hin wollte.

Es wird das erstemal sein, daß ich einen Menschen mit meinen Fingern töte, dachte Abels. Er umklammerte den Griff seines Dolches und lauschte. Er wußte nicht, ob er wirklich zustoßen, wirklich die Hemmungen überwinden und in den Körper eines Menschen hineinstechen würde wie vor kurzem in die haarige Brust des Bären.

Laß ihn nicht kommen, betete er und spürte ein Flimmern in allen Nerven. Laß ihn nicht die beiden steilen Stufen hinaufkommen in das Bremserhäuschen.

Der Mann stand noch immer vor dem Wagen. »In Ordnung!« rief er, und Abels zuckte zusammen, als habe er ihm ins Ohr geschrien. »Dawai!«

Zwei, drei Erschütterungen, Eisen knallte auf Eisen. Man koppelte andere Wagen an. Dann war es wieder still. Abels hauchte gegen die kleine Scheibe und sah hinaus.

Unter ihm, dick vermummt in einen Pelzmantel, stand noch immer der Mann und rauchte seine Pfeife. Er wartete. Es war offensichtlich, daß er zum Bremserhäuschen gehörte. Schon seine Vermummung wies darauf hin. Wer bis Tygdinsk in einer engen hölzernen Kammer sitzen muß, durchgerüttelt und vom Eiswind umheult, muß sich warm anziehen.

Martin Abels drückte den langen, gekrümmten Mongolendolch an seine Brust. Ihm wurde übel, wenn er daran dachte, wie der Mann dort unten wenig später in den Schnee fallen würde, mit weiten, ungläubigen Augen, in denen stand: »Warum tötest du mich, Brüderchen? Was habe ich dir getan?«

Irgendwo, weit vorn, pfiff eine Lokomotive. Der Mann unten vor dem Bremserhäuschen antwortete mit einer hellen Pfeife.

Die Fahrt begann.

Martin Abels preßte sich gegen die Rückwand und schob den Arm zurück, um zuzustoßen.

Langsam, ganz langsam fuhr der Zug an. Es knirschte unter den Rädern, das Eis auf den Schienen wurde zermalmt, die Achsen kreischten, und durch das Bremserhäuschen ging ein Rütteln und Stöhnen des Holzes.

Der Mann war auf die untere Stufe der Treppe gesprungen, hielt sich an einem der eisernen Griffe fest und pfiff noch ein paarmal mit seiner grellen Pfeife.

Dann krachte es wieder, die Erschütterung des Zusammenpralls mit anderen Wagen zitterte durch alle Waggons, Martin Abels drückte sich an die Wand seines Versteckes, immer die schmale Tür vor den Augen. Wenn sie aufgerissen wurde, war das gleichbedeutend mit dem Ende oder dem Fortbestand seines Lebens.

Und dann geschah es. Der Griff bewegte sich nach unten, die Tür ging auf, wurde vom Fahrtwind erfaßt, schlug dröhnend gegen die Halterung. Und schon tauchte von der Seite der Mann auf. Er stand auf dem obersten Trittbrett, machte noch einen Schritt ... und sah Martin Abels.

Seine Verblüffung war so vollkommen, daß er auch nicht den Bruchteil einer Sekunde an Gegenwehr dachte. Seine einzige Reaktion war ein Schrei: »Halt ... Nein!«

Er rief es auf deutsch!

Martin Abels glaubte nicht recht zu hören. Entgeistert sah er sein zitterndes Gegenüber an. Dann packte er den Mann mit der Linken blitzschnell am Kragen, noch immer den Dolch in der rechten Hand.

»Nein, nein, njet«, schrie der Bremser und warf hilflos die Hände hoch. »Mensch, ich tu dir ja nichts!«

»Bist du Deutscher?« zischte ihn Martin Abels an.

»Ja, ja. Aus Bückeburg.«

»Um Gottes willen, Mann! Fast hätte ich dich umgebracht. Los, mach die Tür zu.«

Der Bremser kletterte keuchend auf die kleine, schmale Holzbank im Hintergrund des Häuschens und lehnte sich an die Wand.

»Junge! Das war knapp! Bist du verrückt? Einfach mit'm Dolch –«

Abels setzte sich neben ihn. Auch er zitterte noch am ganzen Leib und spürte, wie ihm der Angstschweiß über den Körper lief.

»Ich hätte dich umgebracht, wenn du ein Russe gewesen wärst«, sagte er leise. »Ich hätte zum erstenmal in meinem Leben mit der eigenen Hand einen Menschen getötet. Es waren höllische Sekunden, glaub es mir.« Er steckte den mongolischen Dolch in den Gürtel zurück und sah den Bremser an. »Wie kommst du denn hierher? Und wieso bist du hier bei der Bahn?«

»Mensch! Das ist eine lange Geschichte.« Der Bremser

zerrte eine Brieftasche aus seiner Steppjacke und klappte sie auf. »Ich heiße Stepan Michailowitsch Felkanow –«

»Aus Bückeburg –«

»Quatsch. Da hieß ich Stefan Feldmann. Aber das ist lange her, Kumpel! Das habe ich völlig vergessen! Ich heiße jetzt Felkanow! Hier, sieh dir das an!«

Er holte ein Bild aus der Brieftasche und hielt es Abels unter die Augen. Er knipste die kleine Batterielampe an, die er an einem Band vor der Brust trug, und beleuchtete das Foto. Der Güterzug rangierte weiter, Eisen knallte wieder auf Eisen, die automatischen Kupplungen rasteten ein.

»Das ist sie, meine Frau Njuschka«, sagte Felkanow stolz. »Und das da ist mein Ältester, der German. Die beiden Mädchen sind Zwillinge und heißen Nadjeschda und Sophie, wie ihre Großmütter. Und das da sind Piotr, Ludmilla und Matwej.«

Martin Abels nickte. Er sah in acht strahlende Gesichter, in acht sibirische Augenpaare. Felkanow hatte auf dem Foto seine Sonntagsuniform als Bremser an.

»Wie ist das denn möglich?« fragte er und gab das Bild an Felkanow zurück. »Wie bist du denn in Sibirien geblieben? Du warst doch Plenny wie ich, nehme ich an.«

»Klar.« Felkanow steckte die Brieftasche wieder weg. »Aber das zu klären, habe ich jetzt keine Zeit. Bei der neunten Weiche muß ich abspringen. Dann fährt der Zug auf die freie Strecke.« Er sprang auf und trat an die Tür. Eiskalter Wind strömte in das enge Bremserhäuschen. »Noch zwei Minuten, Kumpel.« Er drehte sich zu Abels um. »Ich will nicht fragen, was du hier machst – ich habe nichts gesehen –«

»Ich suche ein Mädchen, oben in Torusk.«

»Ein Mädchen?« Felkanow grinste. »Das kannste meiner Urgroßmutter erzählen! Also, ich habe nichts gesehen! Du willst nach Tygdinsk?«

»Ja.«

»Da wohne ich. Pendle hin und her. Tschita–Tygdinsk. Wenn du mich besuchen willst: Ich wohne in der Sadowaja 24. Im Süden von Tygdinsk.« Er stieß die Tür auf, die ganze eisige Nachtkälte fiel über die beiden Männer her. »Wie soll ich dich nennen?«

»Ich heiße hier Nikolai Stepanowitsch Arkadjef.«

»Ein schöner Name, Genosse Stepanowitsch!« Felkanow grinste. »Viel Glück . . . was immer du auch bei uns machen willst.« Er zögerte, kam zurück und umarmte Abels. Wie zwei Russen küßten sie sich auf beide Wangen und nahmen Abschied. »Gott mit dir, Nikolai Stepanowitsch.«

»Gott auch mit dir, Stepan Michailowitsch.«

»Die Weiche.« Felkanow duckte sich und sprang dann hinaus in die Dunkelheit, in den Schnee. Gleichzeitig schlug die Tür wieder zu. Abels war wieder allein.

Mit dem Absprung vom Trittbrett des Bremserhäuschens fiel von dem ehemaligen Gefreiten Stefan Feldmann auch wieder die letzte Erinnerung an Deutschland ab. Er war wieder der harmlose Bremser mit Namen Felkanow und Vater von sechs unmündigen Kindern, er stand im Schnee, auf Tschitas Rangierplatz, pfiff noch einmal langgezogen, was soviel bedeutete wie: Alles in Ordnung, Brüderchen Lokomotivführer! und entfernte sich dann durch die Dunkelheit und zwischen den Holzstapeln.

Martin Abels starrte durch das freigehauchte Loch in der kleinen vereisten Scheibe seines Bremserhäuschens. Er sah, wie sich der Mann entfernte, und steckte seinen Dolch wieder in den Gürtel der Hose unter die Steppjacke.

Nun fuhr der Zug wirklich ab, machte einen Bogen, umkreiste den Wasserturm, der wie eine lange Faust in den Nachthimmel stieß, ratterte auf einem fernen Gleis am Bahnhof Tschitas vorbei und tauchte dann unter im Schneedunst der freien Strecke.

Es wurde eine langweilige Fahrt. Die 900 Werst zwischen Tschita und Tygdinsk dauerten vier Tage. Das war nicht die Schuld des Zuges, er tat seine Schuldigkeit, so gut er es konnte. Aber die Natur war feindlich, sie war außer Rand und Band und entfesselte einen Tag und eine Nacht lang einen Schneesturm, wie ihn selbst Abels in den schlimmsten sibirischen Wintern nicht erlebt hatte. Es war überhaupt nichts mehr zu sehen, die Welt war nur noch weiß und heulte, und durch dieses Inferno bummelte die lange Schlange des Holzzuges, unentwegt, keuchend und knirschend. Es gehörte Mut dazu, weiterzufahren und nicht einfach stehenzubleiben und zu sagen: »Genossen! Hier ist Schluß! Jetzt warten wir, bis das Schlimmste vorbei ist. Wir haben noch Dampf im Kessel, und geht die Kohle aus . . . hinter uns sind ja hundert Waggons mit Holz. Das brennt auch!« Aber nein, so dachte man nicht. Es sind schon rechte Helden, diese Lokomotivführer von Tschita nach Tygdinsk! Sie bissen die Zähne zusammen, zogen die Pelzmützen bis zu den Nasen, fluchten, tranken einen und rannten gegen den Schnee an.

Martin Abels hatte sich in seinem Bremserhäuschen eingerichtet. Er aß das harte Brot, das er in kleinen Klumpen mit dem Dolch absplittern mußte, oder den ranzigen Speck, den ihm Burkja noch zugesteckt hatte, weichte alles in Wodka auf oder brockte es in eine Blechbüchse, die er halb mit Schnee füllte und mit der Wärme seiner Hände auftaute. So bekam er eine Wasser-Wodka-Brotsuppe, die ihm zwar keine Kraft gab, ihn aber auch nicht verhungern ließ.

Solange der Zug fuhr, war er sicher in seinem Versteck. Nur einmal noch wurde es kritisch. Das war in Kuenga, am zweiten Tag. Da hielt der Zug plötzlich, und genau vor einer angetretenen Kompanie Rotarmisten, die frierend herumstand, in weißen Tarnuniformen, die Skier geschultert.

Martin Abels klebte an seinem freigehauchten Loch in der vereisten Scheibe und beobachtete, wie die Kompanie nach hinten marschierte. Es krachte wieder ein paarmal, neue Wagen, dieses Mal alte, klapprige Personenwaggons, wurden angekoppelt, die Soldaten verschwanden in den Abteilen, ein paar Bahnarbeiter rannten von Wagen zu Wagen und hielten Lötlampen an die vereisten Bremsen.

Und dann war wieder die Einsamkeit zu Gast in der Weite des Landes. Vereiste Felsen, im Schnee erstickte Wälder, und mitten hindurch der Schienenstrang. Ein paar Blockhütten mit Streckenwärtern. Ab und zu ein Dorf, das man nur an dem Rauch über dem Schnee erkannte. Und immer das Gefühl, wie rettungslos verloren man sein würde, wenn man hier aussteigen und zu Fuß weiterziehen mußte.

Vier Tage und Nächte in einem engen Bremserhäuschen, bei über zwanzig Grad Kälte, bei kaltem Essen und ohne mehr Bewegung, als die Arme gegen den Körper zu schlagen oder mit den Füßen aufzustampfen und auf der Stelle zu tanzen, und dann 900 Werst nach Norden – das ist schon etwas, Freunde! Und noch eines erkannte Abels bereits am zweiten Tag: Mit zweitausend Rubel in der Tasche hätte er verrecken können, denn Geld wärmt nicht, wenn man in einem Bremserhäuschen sitzt. Aber die Flasche Wodka, die Jurij und Victor – diese Halunken, der Teufel drehe ihnen die dicken Hälse um! – ihm zu den Kleidern gelegt hatten, war jetzt tausend Rubelchen wert. Nichts Besseres gibt es gegen die Kälte als ein Schlückchen Wodka. Ob Zar, Chruschtschow oder der Muschik Labkowitz – wenn man friert, greift man zur Flasche, und mit jedem Zucken der schluckenden Kehle rinnt wohlige Wärme in den Körper.

Gott segne den Wodka, Brüderchen.

Auch Abels hielt es so. Jede Stunde nahm er einen kleinen Schluck, und der reichte eine gewisse Zeit. Wenn's gar zu eisig wurde, setzte er die Flasche wieder an und wärmte sich auf. Dabei achtete er genau auf die Dosierung. Die Flasche mußte reichen bis Tygdinsk. Was dann kam, würde sich zeigen.

Noch einmal hielt der Zug, auf einem Güterplatz, der sich stolz Amasar nannte und aus nichts anderem bestand als aus ein paar Holzhütten, drei Steinhäusern, in denen die Verwaltung des Güterbahnhofes wohnte, und einem Lager behauener Steine. Der Grund des Anhaltens waren die Rotarmisten. Warum, das sah man sofort, als der Zug vor den drei Steinhäusern stehenblieb. An die fünfzig Soldaten rannten über die Gleise, durch den Schnee und über die Steinhaufen zu den Mauern der drei Häuser, erkannten, daß sie hier im Windschatten saßen, zogen die Hosen herunter, hockten sich hin und beschmutzten die Regierungsgebäude.

Welch eine Aufregung! Der Vorsteher rannte heraus und brüllte die unflätigsten Flüche, drei untergeordnete Beamte standen blaß an den Fenstern und stierten auf die blanken Hinterteile der Rotarmisten, ein Offizier ließ sich blicken und redete mit wild gestikulierenden Armen, der Vorsteher riß sich die Mütze vom Schädel, warf sie in den Schnee und zertrampelte sie wie ein wütender Büffel – es war ein großer Krach auf dem Bahnhof von Amasar, bis die Soldaten wieder in ihren Wagen waren.

Es war kein freundlicher Abschied. Der Vorsteher drohte mit beiden Fäusten und schrie immer wieder etwas, das wie »Wilde Säue!« klang, die Soldaten sangen und grölten, denn auch sie wärmten sich mit Wodka, und wer Wodka kennt, weiß, wie er treibt und die Därme kitzelt, kurzum: Außer für den Vorsteher von Amasar war es ein lustiger Tag, der für viele eisige Sturmstunden entschädigte.

»Nichts wegschaffen!« brüllte der Vorsteher, als der Zug wieder im Schneedunst untergetaucht war. Er starrte auf die klumpige Verschmutzung der Stationsgebäude, und sein Herz tat ihm weh. »Nichts anrühren! Das bleibt. Das lasse ich einfrieren. Eine Kommission lasse ich kommen! Das ist der Beweis, wie man mit uns Beamten umspringt! Es ist eine Beleidigung des ganzen Fortschritts!«

Er rannte ans Telefon und rief in Tschita bei der Regierung des Bezirkes an.

»Genosse!« schrie er in den Hörer und keuchte vor Ergriffenheit und Wut. »Man hat Amasar beleidigt! Kommt her und seht es euch an! Ich hebe es für euch auf, Genossen!«

In Tschita hatte man aber keine Lust, solche Dinge zu besichtigen. Es schneite ununterbrochen. Man war froh, wenn man wenigstens auf die Straße konnte, um einzukaufen.

Und so blieb der Schmutz liegen, den ganzen Winter über, bis die Schneeschmelze ihn von allein wegspülte. Das war im Mai! Und bis Mai ärgerte sich jeden Tag der Vorsteher von Amasar, wenn er um sein stolzes Gebäude herumging.

Kurz vor Tygdinsk – man erkannte es an den Rangiergleisen, an Bauhütten, an Arbeiterkolonnen, die Schneisen in die Wälder schlugen, an zwei Hubschraubern, die Materialkisten über verfilzten Waldstücken absetzten, in denen demnach Menschen hocken mußten – verlangsamte der Zug seine Fahrt. Martin Abels stand an der Tür, hatte sie einen Spalt geöffnet und sah hinaus. Als er wieder Holzstapel auftauchen sah, stieß er die Tür auf, umklammerte seinen Kleidersack und sprang ab, zwischen zwei Holzstapel, die nahe an den Gleisen aufgebaut waren. Er fiel in hohen, angewehten, weichen Schnee, rollte sich an einen der Stapel und zog den Kopf ein. Wie ein Bündel weggeworfener alter Kleider sah er aus, als die Wagen mit den Soldaten an ihm vorbeirollten. Er hörte ihre Rufe, ihr Singen, eine aus dem Fenster geschleuderte Flasche patschte neben seinem Kopf in den Schnee – dann war diese Gefahr vorbeigerumpelt, und der Zug entschwand in einer Biegung des Gleises.

Martin Abels war in Tygdinsk angekommen. Über ein Drittel des Weges zu Anuschka war geschafft. So schön es war, dies zu denken, er gab sich keiner Illusion hin: Es war das leichteste Stück Weg, das er überwunden hatte. Vor ihm lag noch die Straße zur Lena, der Übergang über den riesigen Fluß, der Weg durch die Taiga, durch das Gebiet von Namana, das so einsam war, daß noch heute die Jakuten Märchen von Geistern erzählten, die dort leben sollen.

Er klopfte den Schnee von Jacke und Hose, zog die fellgefütterte Mütze eng an den Kopf und ging mit sicheren Schritten das Gleis entlang, hinein nach Tygdinsk.

Der erste, den er traf, war ein bärtiger Arbeiter, der über einer aufgetauten Weiche stand und mit einem langstieligen Hammer gegen die Schienen klopfte.

»Es lebe der Fortschritt!« sagte Abels und grinste. Der Mann unterbrach sein Hämmern, sah den Fremden an und wackelte mit der Nase.

»Hä?« fragte er zurück. Er war anscheinend ein unhöflicher Mensch oder hielt nicht viel vom Fortschritt, wer kann in die Herzen blicken?

»Wo kann man hier arbeiten?« fragte Abels weiter.

»Arbeiten? Was denn? Was kannst du denn?«

»Alles.«

»Wo kommst du denn her?«

»Aus Tschita. Dort habe ich Lasten getragen.«

»Geh zu Michail Jefimowitsch Duganoff. Ingenieur ist er. In der Baracke am ›Platz der BAM‹. Er braucht immer welche.«

»Danke, Genosse. Ein Schlückchen?« Abels hielt seine Flasche Wodka hin. Ein schäbiger Rest war noch in ihr, er hatte gut hausgehalten.

»Du bist ein edler Mensch!« sagte der Arbeiter, nahm die Flasche, setzte sie an den Mund und soff sie leer.

So sind die Menschen! Immer unbändig, wenn man ihnen gut sein will!

Mit nichts als dem, was er auf dem Leib trug, ging Martin Abels weiter. Hier werde ich etwas bleiben müssen, dachte er. Man muß Geld verdienen, um weiterzukommen. Es ist unmöglich, ohne einen Rubel in der Tasche nach Norden zu ziehen. Vielleicht drei oder vier Wochen, das genügt.

Er kam in eine künstlich durch Baracken aufgeblähte Stadt, in der es trotz des Winters wie in einem Ameisenhaufen wimmelte. So fiel es überhaupt nicht auf, daß ein bärtiger großer Mensch sich unter die anderen mischte.

*

Dorfvorsteher Smulkow hatte seinen Schlitten geputzt, die Kufen mit Fett eingerieben, das Gestänge geölt und das Pferdchen gestriegelt. Wenn man mit einem so süßen Täubchen wie Amalja durch die Gegend fährt, muß es wie ein Feiertag werden. Seine Frau Axinja war zwar verschnupft und lief herum wie ein kastrierter Kater, aber Smulkow hatte ihr mit vielen Worten klargemacht, daß sie nicht mitfahren könne. Erstens sei die Reise eine politische Angelegenheit, zweitens sei es für das Pferdchen zu schwer, drei Personen zu ziehen, und drittens beleidige es die Gastfreundschaft, wenn man mißtrauisch ist und nur mitreisen will, um zu sehen, ob der Ehemann auch nicht die Röcke verwechselt.

Smulkows Rede war flüssig, aber sie überzeugte nicht. Immerhin blieb Axinja zu Hause, was das wichtigste war, egal, ob sie nun an Smulkows ehrliche Seele glaubte oder nicht.

Der Tag war wieder herrlich für eine Reise. Die Sonne schien, der Himmel leuchtete hellblau, der Schnee stäubte wie Pulver, das Pferdchen scharrte und wieherte, und es war Smulkow, als müsse er mitwiehern. Freunde, welches Glück, mit 46 Jahren noch so lustvoll zu sein! Das macht das gesunde Leben in Nagornoje. Auch das wollte er den Genossen in Tygdinsk sagen: Wenn ihr die Bahn 100 Werst nach Norden laufenlaßt, kommt ihr in das ewige Leben hinein! Seht mich an, Brüderchen! Ich stehe im Saft wie eine junge Birke!

Und dann ging es los! Hui, wie glitt der Schlitten über den Schnee, hinaus auf die Straße. Das Glöckchen am Halse des Pferdchens bimmelte fröhlich; das hölzerne, mit bemaltem Leder überzogene Spitzkumt schwankte auf dem Nacken, die Mähne flatterte und der Schwanz wehte über die Geschirriemen, und Smulkow saß vorne auf dem Bock, lobte Gott und unterdrückte den Drang zu singen. In der Tür des Hauses stand Axinja, dick und in ihren Wattekleidern unförmig, und winkte. Was sollte sie auch anderes tun? Ein Mann ist wie ein Bock, der am hellsten meckernden Ziege läuft er nach. Man muß sich mit solchen Naturgegebenheiten abfinden.

Hinten im Schlitten, im warmen Stroh, eingehüllt in zwei Wolldecken und zugedeckt mit einem Bärenpelz, saß Amalja Semperowa und winkte zurück. Sie wußte, daß es ein Abschied für immer war. Ahnungslos fuhr Smulkow sie in jene Stadt, von der aus sie nach Norden, nach Tora, finden mußte.

Sie hatte ihr ganzes Gepäck mitgenommen, vor allem den kleinen Sender und die beiden Pistolen samt Munition. Eine von ihnen, geladen und gut geölt, trug sie an einem Gürtel unter der linken Achsel. Man erkannte es nicht, denn Amalja konnte weibliche Formen vorweisen, und niemand vermochte zu sagen, wo die Natur aufhörte und das lederne Schulterhalfter begann.

Man wird drei Tage in Tygdinsk bleiben, dachte Smulkow und hatte Mühe, das Wasser, das ihm im Mund zusammenlief, wieder hinunterzuschlucken. In drei Tagen wird man Gelegenheit finden, jugendliche Frische zu beweisen. Ippolitschi, hatte sie zu ihm gesagt. Das war ein Versprechen. So etwas kannte man. O du Sonne, du Himmel, du Schnee, du trabendes Pferdchen, beneidet den glücklichen Smulkow! Kling, mein Glöckchen, lauf, mein Gäulchen – wir fahren in die Seligkeit.

Amalja Semperowa hatte völlig andere Gedanken. Sie waren real und kalt wie die Luft, durch die sie glitten. Bevor sie abfuhren, hatte sie noch einmal versucht, den Agenten QI zu erreichen. Aber der Äther war still. Es antworteten keine Morsezeichen, es gab keinen Kontakt mehr.

In der Nacht hatte Amalja die Spezialkarte studiert. Nach Tora führte eine einzige Straße, durch Schluchten und wilde Täler und vorbei am 1220 Meter hohen Berg Ewata. Auf dieser Straße verkehrten die gesamten Nachschubfahrzeuge zum Siedlungsgebiet am Flusse Aldan. Einen anderen Weg gab es nicht, es sei denn durch die Wildnis der Berge.

Smulkow begann zu singen. Man sollte das verstehen – ein Mann, so innerlich mit Freude gefüllt wie er, mußte sich entladen. Da war das Singen noch das Harmloseste, auch wenn es nicht schön klang. Dafür war es laut, und es war ein altes mongolisches Lied von der Nachtigall, die sich in einen Pfau verliebt. In einen weißen Pfau, allein der Federn wegen.

100 Werst mit dem Schlitten, das ist eine schöne Strecke. Das geht nicht in einem fort, da muß man rasten, sich aufwärmen, dem Pferdchen ein paar Rübchen geben und einen Sack voll Hafer, sich selbst ein Brot mit warmem Speck und ein Schlückchen aus der Flasche. Und schon bei diesen Aufenthalten zum Wohle des Magens bemühte sich Smulkow auch für das Wohlbefinden des Herzens. Er führte verliebte Reden, erklärte, daß ein gereifter Mann das Endziel jeder Frau sei, denn so ein junger Floh müsse ja erst das Beißen lernen, wohingegen ein alter genau weiß, wo er zu saugen hat . . . er war eben ein fröhlicher Mensch, der gute Smulkow, und verstand es, mit Worten und Sinnbildern umzugehen. So etwas lernt man auf der Parteirednerschule in Tschita.

Sechs Stunden waren sie unterwegs, das Pferdchen wurde müde, Mähne und Schweif waren bereift, und an den Hufen klebten Eisstückchen. Nicht so Smulkow. Er hatte eine Flasche Wodka geleert und befand sich im Stadium ungeheurer Stärke. Er erzählte aus dem Großen Vaterländischen Krieg gegen die Deutschen. Ein Held sei er gewesen. Ganz allein habe er einen Brückenkopf gehalten, mit einem Maschinengewehr und einem Granatwerfer. Immer hin und her sei er gesprungen, vom MG zum Granatwerfer und wieder zurück, dort geschossen, hier gebumst, und die Deutschen, diese Dummen, haha, seien am anderen Ufer geblieben, weil sie dachten, da drüben liege eine ganze Kompanie. – Daß Smulkow in Wirklichkeit den ganzen Krieg über bei einer Transportstaffel gewesen war, Granaten von Lager zu Lager gefahren hatte und das Schießen nur von den Übungen her kannte, verschwieg er. Ein Mann ist immer ein Held, wenn er mit einer hübschen Frau spricht!

Jedenfalls kamen sie in Tygdinsk am späten Nachmittag an, Smulkow sehr betrunken und Amalja sehr erschöpft. Sie fuhren zu einer Herberge neben dem Parteihaus, das auch nichts anderes war als eine aufgestockte Holzbaracke, und Smulkow, das schlaue Füchslein, verhandelte mit dem Genossen Hotelier unter der Hand und verlangte ein Zimmerchen mit zwei Betten.

Amalja Semperowa ließ es geschehen. Sie tat, als höre sie nichts, ging auf das Zimmer, bewunderte die Bettwäsche aus Leinen, die Aussicht aus dem Fenster und erwähnte mit keinem Wort die Tatsache, daß zwei Betten nebeneinander standen. Smulkow tat einen innerlichen Freudensprung. Sie nimmt es hin, jubelte er. Es ist ihr selbstverständlich. O mein Täubchen, mein Schmetterling . . .

Er jagte hinunter in die Wirtschaft, holte eine neue Flasche und trank sie auf dem Zimmer halbleer. Bitte, nehmt ihm das nicht übel. Jeder Mensch begrüßt das große Glück anders. Smulkow soff.

Was Amalja erwartet hatte, trat nach einer halben Stunde ein.

Smulkow legte sich röchelnd auf sein Bett, streckte alle viere von sich und schlief ein. Er schnarchte so laut, daß das Bett wackelte, und reagierte auch nicht mehr, als Amalja ihn kräftig schüttelte. Und dann tat sie etwas, was ein wohlerzogenes Mädchen nicht tun sollte: Sie zog den dicken Smulkow aus, bis auf Unterhose und Unterhemd natürlich, nahm ihm die Stiefel und die Socken weg, die Hose und die Jacke und den Pelz, die Fellmütze und die Handschuhe und ließ ihm nur das Unterzeug. Sie deckte ihn zu, verschnürte Smulkows Kleider zu einem Bündel, klemmte es unter den Arm und verließ die Herberge. Da es Abend war und die Arbeiter der Eisenbahn in der Wirtsstube standen und sich aufwärmten, beachtete sie niemand.

Sie versteckte das Kleiderbündel wenig später in einer herumliegenden Kiste, ging zurück zur Herberge und in den Stall und gab dem Pferdeknecht 10 Kopeken, als er auf Verlangen das Pferdchen heranführte. Am Zügel zerrte sie es eine Zeitlang durch die Stadt, schwang sich dann auf den struppigen Rücken und ritt auf der Straße nach Tora hinauf nach Norden.

So weit war alles gutgegangen. Smulkow würde bis zum späten Morgen schlafen und dann entdecken, daß er allein im Bett lag und aller Kleidung beraubt war. Das war peinlich, aber er würde keinen Krach schlagen oder eine Anzeige loslassen, denn das Doppelbett war fatal, und die Sache konnte Axinja zu Ohren kommen. Er würde also neue Kleider kaufen, nach seinem Täubchen Amalja jammern, das sich als ein Aas entpuppt hatte, und einen Schlag bekommen, wenn er das Fehlen des Pferdchens entdeckte. Wie er dies erklären sollte, war ein Problem für sich. Amalja Semperowa kümmerte sich nicht darum. Sie ritt durch die Nacht, dick in ihren Pelz vermummt, und überließ es dem Pferd, sich einen Weg durch den Schnee zu suchen.

Drei Stunden ritt sie so, als sie plötzlich angerufen wurde. Sie zuckte hoch, griff in den Pelz und umklammerte den Griff der Pistole im Schulterhalfter. Ein Satz kam ihr plötzlich ins Gedächtnis, und es war unbegreiflich, daß sie in dieser Sekunde an nichts anderes dachte, als an das, was Major Philipps ihr bei der Ausbildung gesagt hatte: »Wer zuerst schießt, überlebt! Denken Sie immer daran, Betty! Mit Skrupeln zu überleben, ist eine Utopie! Finger durchdrücken und genau zielen, das ist die ganze Weisheit. Und nicht denken: Da fällt ein Mensch um, das könnte dein Vater, dein Bruder, dein Geliebter sein. Er ist dein Tod, wenn du nicht zuerst schießt – das allein ist sicher!«

Vor ihr stand ein Mann in der Winteruniform der Roten

Armee und hob den rechten Arm. »Stoij!« rief er unhöflich. »Wohin? Die Papiere! Weißt du nicht, daß Ausgangssperre ist? Weis dich aus, Genosse.«

Amalja Semperowa zog die Pistole aus dem Halfter. Sie sah sich um. Ein Mann allein kann nicht kontrollieren, es müssen mehrere sein. Aber es war keiner auf der Straße als er, seitlich an einem Schneehügel lehnten seine Skier.

Sie stieg vom Pferd und kam auf ihn zu. Schon als sie drei Schritte von ihm entfernt war, roch sie seinen Atem, und er roch gut nach scharfem Schnaps.

»Drei Rubel Strafe, Genosse!« schrie der Soldat. Jetzt sah man auch die breiten Schulterstücke, es war ein Unterleutnant, und alles sprach dafür, daß er die Straße als kleine private Einnahmequelle betrachtete. Wer wollte sich wehren, wenn ein Soldat ihn anhielt? Es gab nur Ungelegenheiten mit der Kommandantur. Also zahlte man lieber, wenn auch mit knirschenden Zähnen.

Amalja zog die Hand aus dem Pelz. Sie wunderte sich selbst, wie leise und trocken der Schuß klang und wie klaglos der Mann umfiel, vor ihren Füßen in den Schnee rollte und lautlos starb. Verwundert starrte sie auf den leicht qualmenden Pistolenlauf und dann auf den ausgestreckten Körper. Beim Fallen war ihm die Mütze vom Kopf gerutscht. Er hatte blonde Haare und ein junges, fast noch unfertiges Gesicht. Ein Offiziersschüler, dachte Amalja und steckte die Waffe zurück in den Schulterhalfter. Ein armer Junge, auf den jetzt seine Eltern vergeblich warten werden.

Die Worte Major Philipps' fielen ihr wieder ein. Nicht denken. Handeln! So handeln, wie es im Augenblick notwendig ist.

Notwendig war es jetzt, von der Straße wegzukommen. Der Weg nach Tora, der normale Weg über die Straße, war durch diesen Schuß verschlossen worden. Wenn man den Unterleutnant am Morgen vermißte, gab es Alarm in der ganzen Gegend.

Zurück nach Tygdinsk? Dort konnte sie Smulkow in die Arme laufen. Hinein in die Berge und wie ein einsamer Wolf nach Norden ziehen? Es war die einzige Möglichkeit. Noch etwas konnte sie tun, und sie überlegte, ob es nicht das beste sei: In den Bergen sich versteckt halten. Abwarten. Zeit gewinnen. Die alte Taktik der Russen: Nicht die Uhr ist maßgebend, sondern die Nervenkraft, warten zu können.

Amalja entschloß sich wirklich für das letzte. Sie band den Toten an der Seite des Pferdchens fest und ritt seitlich in das Gebirge. Es ging unendlich langsam, denn der Unterleutnant war schwer, und das Pferdchen war zu müde, um auch noch in flottem Schritt einen Toten durch den Schnee zu schleifen. Aber sie kamen doch voran . . . mit leisen Zurufen, mit Hakkentritten, mit Schlägen gewannen sie die Einsamkeit des waldbewachsenen Stanowoj-Gebirges und tauchten unter in den Urwald vergessener Schluchten.

An einem Steilhang hielt Amalja Semperowa. Sie band den toten Körper los und rollte ihn den Abhang hinab in einen Buschwald. Der Körper wickelte sich in den Schnee, wurde zu einer Kugel und verschwand im Gestrüpp. Eine Weile stand Amalja oben am Hang und sah hinab, wo der junge Unterleutnant liegen würde, bis ihn im Frühjahr die ersten Beerensucher fanden.

Empfand sie Reue? Schauderte sie jetzt vor sich selbst, weil sie einen Menschen getötet hatte? Dachte sie daran, was aus der kleinen, schwarzhaarigen Betty geworden war, die sich mit zwölf Jahren vor dem Spiegel gedreht und gesagt hatte: »Wenn ich einmal groß bin, gehe ich nach Hollywood. Ich weiß, daß ich dann hübsch sein werde.« Sie war nicht nach Hollywood gekommen. Sie stand in einem sibirischen Gebirge und starrte einem Toten nach. Welch ein Weg bis dahin. Dachte sie daran? Wer weiß es?

Nach einigen Minuten nahm sie das Pferd wieder am Zügel und ging weiter in die Einsamkeit hinein.

Von dem Pferd werde ich ein paar Wochen leben können, dachte sie. Jeden Tag ein halbes Pfund, mehr brauche ich nicht. Sie hatte gelernt, in den Rocky Mountains, acht Tage ohne Nahrung zu sein. Es ist gar nicht so schlimm. Nur die ersten drei Tage sind schrecklich, dann hat man sich daran gewöhnt, der Körper hat sich umgestellt und zehrt sich selber auf.

Am Morgen gab es in Tygdinsk gleich zwei Sensationen. Eine heimliche, sie kam von Smulkow. Er raste in Unterhosen und Unterhemd in seinem Zimmer herum, fluchte auf Gott, der ihn verlassen habe, und verdammte alle Weiber, schon im Mutterleib. Dann ließ er sich neue Kleidung besorgen und nannte sich einen riesigen Idioten.

Anders war es bei der 2. Kompanie des Ausbildungsregiments V. Hier gab es Alarm, eine Meldung nach Jakutsk und eine große Suchaktion, die erfolglos verlief. Der Unterleutnant Milowitz blieb verschollen. Man fand nur seine Skier auf der Straße und einen Blutfleck, so groß wie ein Kopekenstück. Aber das genügte zur Rekonstruktion.

Über das Gebiet von Tygdinsk wurde der Ausnahmezustand verhängt. Der Weg nach Norden war geschlossen. Amalja Semperowa saß in einer riesigen Falle.

*

Es gehört zu den edlen Eigenschaften des Menschen, verzeihen und vergessen zu können. Zwar können das nur wenige, aber wer die Kunst beherrscht, sich selbst an die Zügel zu nehmen und Vernunft zuzusprechen, der hat einen großen Schritt zur wahren Menschlichkeit getan.

Der Reeder Holgerson, so polternd und manchmal unausstehlich er war, gehörte zu den Menschen mit der seltenen Gabe, nicht nachtragend zu sein, wenn es darum ging, durch Verzeihen bessere Lebensbedingungen zu schaffen. So war er auch nicht abgeneigt, der Bitte seiner Tochter Inken nachzukommen, sich in das Rätsel um Martin Abels einzuschalten. »Er ist zwar ein verrückter Hund!« sagte er im Familienkreis. »Aber man soll bedenken, daß er Charakter hat, wenn auch für unsere Familie am falschen Platze. Ich halte nämlich wenig von dem Verdacht, daß er für den Start nach Rußland irgendeinen anderen Grund hatte, als dieses Mädchen Anuschka zu suchen. Es ist Aufgabe der Beamten in Köln, immer mißtrauisch zu sein, dafür sind sie vom Verfassungsschutz – aber Martin Abels ist nie und nimmer mit politischen Absichten losgefahren.«

Er bekräftigte diese Ansicht durch die Tat. Er beauftragte seinen japanischen Vertreter, Nachforschungen anzustellen. Die Idee Inkens, sofort mit der nächsten Maschine nach Tokio zu fliegen, hielt er für unrentabel und verfrüht. »Man säße doch nur herum und erführe nicht mehr, als unser Herr Bender uns berichten wird. Oder willst du etwa auch in die Mongolei fliegen?«

»Wenn es sein muß – ja, Paps.«

Holgerson seufzte und faltete die Hände über dem Bauch.

»Eigentlich paßtet ihr sehr gut zusammen, du und Abels. Ihr habt die gleiche verrückte Ader, sich an Unmögliches heranzuwagen. Überleg doch mal, Kleines: Du sitzt in Ulan-Ude, besichtigst das Hotelzimmer, aus dem er verschwunden ist – und was weiter? Nichts! Wenn die mongolischen Behörden nicht weiter wissen . . .«

»Vielleicht wissen sie mehr, als sie sagen!« rief Inken verzweifelt.

»Das klingt wieder wie ein handfester Räuberroman!« Holgerson beugte sich über die große Karte, die auf dem Tisch ausgebreitet lag. Mit dem Zeigefinger fuhr er über die Mongolei, hinauf zur russischen Grenze. »Hier kann er rüber sein«, sagte er. »Ich möchte fast schwören, daß er in Rußland ist. An das Verschollensein glaube ich auch nicht.«

»Für dich steht also fest, daß er lebt!«

»Natürlich.« Holgerson sagte es energisch, um seine Lüge glaubwürdig klingen zu lassen. In Wahrheit glaubte er nicht daran. Er hatte sich eine andere Situation ausgedacht. Martin Abels hatte versucht, die Grenze nach Rußland zu überschreiten. Dabei wurde er angeschossen und starb an der Verwundung. Um keinerlei Fragen aufkommen zu lassen, erfand man in Ulan-Ude die Geschichte von dem verschollenen Deutschen. So blieb alles offen – und wer fragte in einem Jahr noch nach einem Martin Abels? Dies Inken zu sagen brachte er aber nicht übers Herz. Er spürte, wie sie diesen Abels noch immer liebte, auch wenn sie vielleicht verstandesmäßig einsah, daß es eine sinnlose Liebe war.

Und das war das einzige, was der Reeder Holgerson nicht

nachvollziehen konnte. Wenn etwas vorbei ist, sollte man sich damit abfinden. Man kann die Zeit nicht zurückdrehen, und man kann Tatsachen nicht mit Wunschträumen umkleiden und verfälschen. Realitäten sind da, daß man sich mit ihnen auseinandersetzt. Nach diesem Prinzip war Holgerson Millionär geworden. Daß seine Tochter Inken so romantisch war, einer verlorenen Liebe nachzutrauern und zu hoffen, wo es nichts mehr zu hoffen gab, erschütterte ihn am meisten. Die neue Jugend ist doch nicht so illusionslos, wie sie sich gibt, dachte er. Sie verkapselt die Ideale nur. Wir schrieben früher dumme Gedichte in Poesie-Alben – die neue Generation trägt die gleichen Gefühle im Herzen und spricht nur nicht darüber. Im Grunde ist alles geblieben wie früher.

Der Bericht des Holgerson-Vertreters aus Tokio war unbedeutend. Er übermittelte Tatsachen, die längst bekannt waren. Nur ein Satz war da, den Holgerson immer wieder las, weil er nicht in das Bild paßte, das er sich zurechtgelegt hatte.

Auf dem Markt von Banga, das hatte der Vertreter über verschiedene asiatische Informanten erfahren, waren Kleider eines Europäers verkauft worden. Die mongolische Polizei hatte sie sofort beschlagnahmt, aber es war nicht mehr zu entdecken, woher sie kamen, wer sie auf den Markt gebracht hatte. Es hieß, ein Bauer sei's gewesen. Wie aber sollte man jemals diesen Bauern finden?

Die Kleider waren unversehrt, nicht blutbefleckt, nur schmutzig. Es war eine vollkommene europäische Herrenausstattung, mit deutschen Einnähetiketten und einer Einwechselbescheinigung der Staatsbank Tokio: Dollar gegen Rubel.

Kein Zweifel: Es war die Kleidung Martin Abels'.

Inken Holgerson bekam einen Nervenschock und weinte. »Sie haben ihn beraubt und dann getötet!« rief sie immer wieder. »Jetzt weiß ich, daß er nicht mehr zurückkommt! O hätten wir doch nie, nie nachgefragt!«

Auch das war wieder eine jener Unlogiken, die Holgerson an seiner Tochter nicht verstand. Gut, Martin Abels kam nicht wieder. Kein Mann läßt sich freiwillig seine Kleidung ausziehen und läuft nackt herum. Daß niemand wußte, woher die Sachen des Europäers kamen, verdichtete den Verdacht, daß er – wie Inken richtig spürte – beraubt worden war. Aber nun war damit eine Tatsache geschaffen, die man hinnehmen mußte. Was konnte man mehr tun?

So tragisch das Ende Martin Abels' war – es schuf die Basis für ein weiteres, ein anderes Leben Inkens. Ein Warten war sinnlos geworden. Man konnte ein paar Wochen oder auch Monate still trauern, aber dann ging das Leben weiter. Reeder Holgerson nahm die Pläne wieder auf, die er bei dem Wegzug Inkens in die Schublade eingeschlossen hatte. Pietät ist notwendig, dachte er. Aber auch die Geschäfte gehen weiter. Wenn Inken den Sohn des Exporteurs Fahrenkrug heiratet, sind mindestens drei meiner Schiffe für alle Zeiten ausgelastet mit Fracht. Die Reederei Holgerson liegt nicht in der Mongolei, sondern in Bremen. Und die Schiffe mit den gelbblauen Fahnen der Holgersons wollen Fracht haben und in alle Welt fahren.

Nachdem sich Inken etwas beruhigt hatte, schenkte Holgerson seiner Tochter ein neues Abendkleid und einen märchenhaften Halsschmuck aus Rubinen.

»In vierzehn Tagen ist ein Ball im Parkhaus«, meinte er ganz beiläufig, als Inken in stummer Bewunderung vor dem Schmucketui stand. »Es wäre sehr schön, wenn du mir den Gefallen tun würdest, diesen Schmuck dann zu tragen.«

Inken verstand. Sie nickte stumm, aber in ihren Augen lag die Einsamkeit unsterblicher Trauer.

※

Der Ingenieur der BAM, Michail Jefimowitsch Duganoff, war ein dicker Mann. Das mußte er sein, denn er war ein großer Natschalnik, und je höher ein Mann über den anderen steht, um so dicker bläht sich sein Bauch. Ein kleiner, dürrer, mieser Natschalnik – ich bitte euch, Genossen, wer kann vor ihm Achtung haben? Aber wenn er in ein Zimmer kommt und füllt die Tür aus, und seine Stimme ist wie das Donnerrollen, o ja, dann hebt man den Hintern vom Stuhl und sagt freundlich: »Was ist gefällig, Genosse?«

So einer war auch Michail Jefimowitsch, der Ingenieur. Er hauste in einer feudalen, doppelwandigen Baracke, denn er brauchte viel Wärme, weil er zeichnete. Jeden Tag stand er stundenlang an einem Zeichenbrett und malte Brücken und Tunneldurchbrüche, Unterführungen, Überführungen, Bahnhöfe und Blockstellen, und er tat es gewissenhaft, malte, wenn er fertig war, eine Nummer an die linke obere Ecke der Planung und legte sie in eine große Mappe. Dort blieb sie liegen, vergilbte und bekam Stockflecke. Denn eine gute Planung, Genossen, braucht viel Zeit. Auch in Rußland! Es geht nicht einfach so, daß jemand sagt: Da kommt eine Eisenbahn hin, und die Gleise laufen von dort nach da. O nein! Was denkt ihr denn?! Ihr kennt die Beamten nicht! In jeder Planung wittern sie eine Lebensbeschäftigung, und so gehen sie sie auch an. Immer langsam, Brüderchen. Man ist erst fünfzig! Mit dreiundsechzig wird man sich in eine kleine Datscha zurückziehen oder in eine Wohnung außerhalb der Stadt. Das sind noch dreizehn Jahre! Ich frage: Was soll ich in diesen dreizehn Jahren an produktiver Arbeit machen?! Aber jetzt haben wir eine Planung! Das ist doch etwas, Genossen! Da muß man sich draufstürzen wie ein Geier auf ein Aas. Eine solche Planung muß eine ganze Behörde ernähren. Eine Bahn vom Baikal-See bis nach Nikolajewsk am Golf von Sachalin und an der Tatarenstraße. Schwindelig wird's einem, Brüderchen, vor diesen ungeheuren Schwierigkeiten.

Und so hatte Michail Jefimowitsch Duganoff einen ruhigen Posten, zeichnete für seinen Bauabschnitt Brücken und Straßen und Tunnels, berechnete die Durchstiche und die Kubikmeter zu bewegender Erde, war am Abend angeheitert – denn Zeichnen macht durstig – und wurde der Schrecken der Jungfrauen von Tygdinsk, von denen es nach Einzug der Bautrupps nur noch wenige gab.

Bei ihm meldete sich Martin Abels. Er machte es nach guter, alter russischer Art: Er kam ins Zimmer, stampfte den Schnee von den Stiefeln, grinste, nahm die Mütze vom Schädel und machte eine kleine Verbeugung. »Guten Tag, Genosse Chefingenieur«, sagte er dann. »Ich habe Sie vom Fenster aus beobachtet. Ihr Zeichenbrett steht genau davor, man kann gut lesen, was Sie da malen. Und ich meine, die Berechnung für die Spannweite der Brücke stimmt nicht.«

Michail Jefimowitsch war sprachlos. Da kommt ein Kerl wie ein Räuber ins Zimmer, stinkt wie ein Murmeltier und sagt: Die Berechnung ist falsch! Soll man das für möglich halten?

Duganoff stellte seine Tasse mit Tee auf den Ofen zurück, nahm einen dicken Bleistift und warf ihn Abels an den Kopf.

»Da! Rechne es richtig! Aber wehe, du Hund, wenn du es nicht kannst! Ich zerbreche dir die Knochen!«

Martin Abels zog seine Jacke aus, stellte sich an das Zeichenbrett und überflog den Plan. Es war eine saubere, korrekte Zeichnung, es gab an ihr nichts auszusetzen. Vier Jahre habe ich nicht mehr am Brett gestanden, dachte er. Damals lebte Onkel Josef noch, der nach Vaters Tod die Abels-Werke leitete. Er hatte darauf bestanden, daß Martin das Ingenieur-Examen nachholte. Wissen hat noch nie geschadet, war seine Hauptredensart. Ein Mensch, der glaubt ausgelernt zu haben, beweist damit, wie dumm er in Wirklichkeit ist.

»Na?!« brüllte Duganoff, als Abels nicht sofort begann. »Nun rutscht dir das Herz an den Hintern, was?! Ich sage dir, Freundchen, ich stecke deinen dämlichen Kopf in den Schnee, bis aus deinen Zähnen Eisblumen wachsen.«

Er hatte eine bilderreiche Sprache, der Michail Jefimowitsch, aber er kam auch aus Kasakstan, und dort lieben es die Menschen, besonders plastisch zu sprechen.

»Bei uns in Kiew baute man schon vor sechs Jahren Brücken mit einer Drahtseilspannung. Diese Bogenbrücken sind veraltet, Genosse Oberingenieur. Eine freihängende Brücke, aufgehängt an einem einzigen Pylon! Sie sind nicht starr, sondern sie schwingen mit.«

Duganoff staunte und trank noch einen Schluck Tee.

»Du kommst aus Kiew?«

»Ja.«

»Wie heißt du?«

»Nikolai.«

»Und du kannst zeichnen und rechnen?«

»Sie sollten einen Versuch machen, Genosse Oberingenieur.«

Duganoff machte einen Versuch. Er gab Abels eine lange Rechnung. Eine verteufelte Aufgabe war es, so etwas mit einem trigonometrischen Punkt, eine Landvermessungssache, Teufel, Teufel.

Abels rechnete bis zum Abend. Er bekam ein gutes Essen und Wodka, Tee und Zigaretten. Dann hatte er die Rechnung fertig und legte sie Duganoff vor. Michail Jefimowitsch betrachtete die Blätter mit den vielen Zahlen und Formeln kritisch und mit vorgewölbter Unterlippe. »Richtig, du Hundesohn?« fragte er.

»Ja, Genosse Oberingenieur.«

Duganoff tat, als verstände er etwas davon, und legte seine Stirn in tiefe Falten wie ein nachdenklicher Dackel. Seine Finger fuhren über die Zahlenkolonnen, er räusperte sich und rülpste leise, denn der Speck war fett gewesen und schwamm nun in seinem Magen im Wodka. Fett und Alkohol gibt Seife; es war also ein unangenehmes Aufstoßen.

»Die Sache muß ich nach Ulan-Bator geben«, sagte Duganoff ernst. »Wenn wir uns blamieren, Freundchen . . .«

»Wir werden es nicht, Genosse. Man wird begeistert sein.«

»Dann pack es ein und kleb es zu.« Duganoff ging zu seinem Ofen zurück und trank wieder Tee. Dieser Speck, dachte er. Dieser Sauspeck! Der ganze Abend ist verdorben.

»Du kannst bleiben, Nikolai«, sagte er. »In der Baracke, hinter dem Archiv, ist noch ein Zimmer. Du bist zu meiner alleinigen Verfügung, verstehst du! Keiner hat dir etwas zu sagen. Und wer dich fragt, dem antwortest du: Kümmere dich um deine eigene Hose! Meine ist zu! – Verstanden?«

»Ganz genau, Genosse Oberingenieur.«

So begann die Freundschaft zwischen Abels und Duganoff. Sie war allerdings in der Arbeit einseitig. Abels zeichnete, und Duganoff soff und hurte. Aber er ließ sich auch nicht lumpen. Er zahlte Abels für die Woche 50 Rubel! Bei freiem Essen und freiem Wohnen. Man kann nichts dagegen sagen. Es war anständig von Michail Jefimowitsch.

In der Frühe kam dann der Alarm wegen des verschwundenen Unterleutnants. Duganoff stellte Abels sofort eine Bescheinigung auf den Namen Nikolai Stepanowitsch Arkadjef aus, damit er trotz des Ausnahmezustandes in Tygdinsk und der Umgebung herumlaufen konnte.

Schon nach drei Tagen wurde Abels nicht mehr kontrolliert. »Da kommt ja der Arkadjef!« hieß es, wenn er in die Berge zog, auf der Schulter den Holzkasten mit dem Theodoliten, dem Winkelmeßgerät. Daran erkannte er, wie wertvoll die Bescheinigung Duganoffs war. Er hatte einen Ausweis, der ihm alle Sperren öffnete. Durch Zufall nur hatte er einen Zipfel des Glückes ergriffen.

Etwa eine Woche nach dem Verschwinden des Unterleutnants – er wurde trotz umfangreicher Suchaktionen nicht gefunden – tappte Abels auf seinen breiten Schneeschuhen durch das Stanowoj-Gebirge. Nach den Plänen, die Duganoff ihm gegeben hatte, sollte von Solotinka eine elektrische Leitung an Hochmasten nach Tygdinsk gelegt werden, als zusätzliche Energie für den Bahnknotenpunkt. Nun ging er die Strecke ab, wo man die Masten setzen wollte, und erkannte schon nach einigen Messungen, daß dies sinnlos war, weil die Höhenunterschiede zu schnell wechselten. Es war sinnvoller, die Leitungen durch ein Tal zu legen, das zwar eng und wild bewachsen war, das aber in gerade Richtung die Berge durchschnitt und sonst zu nichts anderem zu verwenden war.

Er baute seine Geräte also auf einer kleinen Anhöhe auf, berechnete die Spannhöhe und ruhte sich dann aus, indem er sich auf die Kiste des Theodoliten setzte, sein Stück Schinken und einen Kanten Brot auspackte und den Verschluß von der fellumspannten Feldflasche schraubte. Der heiße Tee, mit Schnaps vermischt, tat Wunder, er durchwärmte den etwas klammen Körper und machte die wilde Gegend freundlicher.

Gerade als Abels trinken wollte, bemerkte er unter sich in den verfilzten Büschen eine Bewegung. Leise stellte er die

Feldflasche neben den Holzkasten, legte die Hände auf die Knie und wartete. Er war unbewaffnet, und er dachte jetzt mit einem unangenehmen Gefühl daran, daß es ein Wolf sein könnte oder wieder ein Bär. Der Winter war plötzlich und mit ganzer Grausamkeit eingefallen, und die Tiere hatten Hunger und verloren die Scheu vor den Menschen. Ein Wolf im Sommer ist fast harmlos wie ein Hündchen. Aber im Winter wird er der blutgierige Mörder, der graue Würger.

In den Büschen rauschte es. Schnee fiel von den Zweigen, Äste knackten. Dann trat eine Gestalt aus der Wildnis, eine schwankende, kaum noch zum Gehen fähige menschliche Gestalt. Sie blieb stehen, starrte zu dem einsamen Mann auf der Anhöhe empor, hob die Arme und ließ sie dann schlaff an den Körper zurückfallen. Lange schwarze Haare fielen über die Steppjacke, das Gesicht war mit Eis überkrustet. Noch ein paar Schritte machte sie, dann sank sie in die Knie und senkte den Kopf in ohnmächtiger Ergebenheit.

Abels sprang auf. Eine Frau! Eine zu Tode erschöpfte Frau, die aus der Wildnis der Stanowoj-Berge kommt. Das war so völlig absurd, daß er einen Augenblick verharrte und sie noch einmal musterte. Dann aber lief er den Hang hinunter, rutschte einen Teil auf dem Hosenboden, die Füße mit den Schneeschuhen angezogen, stand dann wieder auf und lief auf sie zu.

Amalja sah die auf sie zurennende Gestalt und schloß die Augen. Sie kniete im Schnee, und es war ihr gleichgültig, was jetzt mit ihr geschah. Sie können mich erschießen, dachte sie. Sie können mich foltern, in ein Bergwerk stecken, vergewaltigen, mit Peitschen schlagen . . . es ist alles besser, als noch einen Tag in dieser eisigen Hölle zu leben. Überall wird Wärme sein, im schaurigsten Gefängnis sogar . . . Wärme, o Wärme . . .

Sie sah auf, als Abels neben ihr stand. Mit beiden Händen griff er unter ihre Achseln, hob sie aus dem Schnee und stützte sie. Ihr Kopf fiel müde und willenlos gegen seine Brust, ihr vereistes, starres schwarzes Haar knirschte, die Kristalle an ihrem Gesicht splitterten ab.

»Wo kommen Sie denn her, Genossin?« rief Abels und

preßte sie an sich. Sie ist ja wie ein Eisklumpen, dachte er erschrocken. Wie kann sie überhaupt noch laufen? Bei jedem Schritt müssen doch ihre Knochen brechen wie morsches Holz.

Amalja antwortete nicht. Sie sank plötzlich zusammen und hing in den Armen Martins. Ihr Kopf fiel nach hinten. Schnell legte Abels seine Hand in ihren Nacken. Er hatte Angst, er würde abbrechen.

»Lassen Sie mich an einem warmen Ofen sterben«, flüsterte Amalja. »Bitte!« Und sie sprach englisch, ohne es zu merken. Sie war wieder wie ein Kind, das sich nach Geborgenheit sehnte. Wie warm waren die Sommer in der Prärie, dachte sie und spürte nicht, wie Abels sie fast trug, wie er sich mühte, mit ihr den Hang wieder zu erklettern, hinaufzukommen zu seiner Kiste und zu der Feldflasche mit dem heißen Tee.

Dann endlich waren sie oben, er preßte ihr das Mundstück zwischen die Zähne und zwang sie, ein paar Schlucke zu trinken. Sie schluckte, hustete, krümmte sich dabei, als zerspränge ihr Leib und klammerte sich an Abels fest.

»Danke!« keuchte sie, und jetzt sprach sie wieder russisch. »Danke, Brüderchen.«

Sie sah Abels aus flatternden Augen an, krallte sich in seine Jacke fest und wurde ohnmächtig. Er konnte sie geistesgegenwärtig auffangen, bevor sie in den Schnee stürzte.

Sie hat englisch gesprochen, dachte er, als er sie in den Schnee legte und ihren Kopf gegen die Kiste lehnte. Und sie spricht russisch, wie es die Art der Ukrainer ist. Und sie kommt aus dem Nichts, aus einer urweltlichen Wildnis.

Es waren Rätsel genug, und es blieb ihm gar nichts anderes übrig, als sich neben sie zu setzen und zu warten, bis sie aus ihrer Ohnmacht erwachte. Er rieb ihr Gesicht vorsichtig mit Schnee ab und deckte einen Lappen aus Filz darüber, mit dem er sonst die empfindlichen Meßinstrumente schützte. Als sie sich regte, nahm er den Filz wieder weg und sah in ihre großen, fragenden Augen.

Er lächelte ihr zu, ermutigend, freundlich, soweit man das so nennen konnte, was sich in seinem struppigen Gesicht vollzog. Denn wie alle Arbeiter bei der Eisenbahn rasierte sich auch Abels nur einmal in der Woche. Er hatte das schnell entdeckt, und um nicht unliebsam als Schönheitsfanatiker aufzufallen, machte er es mit. Zudem wärmt ein Bart, sagt man. Nicht umsonst haben die Tiere Felle, sogar die Affen. Und vom Affen sollen wir abstammen, na also!

»Wieder da?« fragte er russisch. »Wer verläuft sich auch in der Wildnis, Täubchen?«

Amalja Semperowa setzte sich und rieb sich die Backenknochen. Dabei schielte sie zu Abels hinauf und griff dann nach der Feldflasche. Sie trank ein paar tiefe Züge, und sie hustete nicht einmal wegen des scharfen Schnapses, der den Tee veredelte. »Habe ich etwas Dummes gesagt?« fragte sie vorsichtig. Dabei hob sie den schönen, schmalen Kopf und versuchte ebenfalls zu lächeln.

»Ja.« Abels sprach dieses Wort plötzlich auf englisch, und durch den Körper Amaljas fuhr es wie ein Schlag. Sie wollte aufspringen, aber die Hand Abels' drückte sie in den Schnee zurück. »Aber haben Sie keine Sorge. Wenn ich ein Russe wäre, würde ich mich wundern . . .«

»Sie . . . Sie sind kein Russe?«

»Nein, ich bin Deutscher!«

»In russischen Diensten?«

»Im Augenblick, ja.« Abels setzte sich neben Amalja auf die Holzkiste und holte aus seinem Verpflegungsbeutel Speck und Brot. »Mögen Sie?«

»Nein, danke.« Sie schüttelte den Kopf. »Mir steht es bis hierhin.« Sie zeigte mit der flachen Hand bis unter das Kinn und würgte. »Was nun?«

»Wieso, was nun?«

»Was machen Sie mit mir? Sie übergeben mich der Polizei, nicht wahr?«

»Sehe ich so aus?« Abels schnitt ein Stück Speck ab und reichte es ihr, auf die Messerspitze gepiekt, hin. »Essen Sie!«

»Nein!«

»Sie müssen! Sie sehen aus, als hätten Sie tagelang wie ein verwilderter Hund gelebt.«

»Schlimmer. Viel schlimmer.« Amalja nahm das Stück Speck, steckte es in den Mund und würgte und lutschte daran herum, als sei ihre Speiseröhre zusammengeschrumpft. »Sie ... Sie fragen mich gar nicht ...«, sagte sie endlich.

»Warum? Sie werden es mir auch so sagen.« Martin Abels deckte ein Tuch über seinen wertvollen Theodoliten und trank auch einen Schluck Tee. »Doch bevor Sie beichten: Ich bin, genau wie Sie, illegal in Rußland. Ich lebe jetzt zwar in Tygdinsk und arbeite bei der Eisenbahn, aber ich bin, wie Sie, ein Eindringling. Man nennt mich hier Nikolai Stepanowitsch Arkadjef, aber ich heiße wirklich Martin Abels.«

»Ich heiße Betty Cormick und nenne mich Amalja Semperowa.« Sie zögerte, aber dann schien es, als habe sie Vertrauen gefaßt. »Ich bin mit einem Fallschirm abgesetzt worden.«

»Agentin?«

»Ja.«

Abels schwieg. O Gott, dachte er nur. Wenn die Soldaten sie ergreifen. Der Tod ist nicht das Schlimmste, er wird nur eine Erlösung sein. Aber was mit ihr geschieht, bevor sie stirbt, ist nicht auszusprechen.

Amalja beobachtete ihn. Es schien, als könne sie seine Gedanken unter der pelzmützengeschützten Stirn lesen.

»Ich weiß«, sagte sie leise. »Ich habe kaum noch eine Chance. Ich bin auch am Ende. Nur erfrieren wollte ich nicht.«

»Es wäre gnädiger gewesen, Miß Cormick.«

»Sagen Sie Amalja.« Sie hob die Schultern. »Spielen wir bis zuletzt Theater. Ich nenne Sie auch Nikolai.«

»Haben Sie den Unterleutnant getötet?« fragte er plötzlich.

Sie zögerte keinen Augenblick und nickte.

»Ja. Er wollte einen Paß sehen.« Plötzlich schlug sie die Hände vor die Augen und schwankte im Sitzen. »Es war furchtbar. Er war der erste Mensch, den ich tötete. Bei der Ausbildung, da war alles so einfach. Da haben wir auf Männer aus Pappe und Holz geschossen. Die schrien nicht, die hatten keine Augen, die vor dem Brechen fragten: Warum hast du das getan? Die hatten keinen Mund, der aufriß, und keine Finger, die sich in den Schnee krallten. Die fielen einfach um, und Major Hopkins sagte: Brav, Mädchen, das hat hingelangt! Du schießt wie ein alter FBI-Knaller! – Ich habe nie geglaubt, daß ich es jemals brauchen würde. Und dann stand er plötzlich da, der Junge, und ich mußte . . .« Sie ließ die Hände fallen und starrte Abels aus weiten, brennenden Augen an. »Ich glaube, ich bin gezeichnet für mein ganzes Leben!« sagte sie leise.

Abels schwieg. Er dachte an die Minuten im Bremserhäuschen des Holzzuges von Tschita und an den ahnungslosen Stepan Michailowitsch Felkanow, den Vater von sechs Kindern, der auf dem Trittbrett gestanden hatte, einen Meter vom Tod entfernt. Jetzt, wo alles zurücklag, wußte er nicht, ob er wirklich mit dem mongolischen Dolch zugestoßen hätte, wenn nicht der Aufschrei Stepans, sein Aufschrei in deutscher Sprache, ihn zurückgeworfen hätte. Ich glaube, ich hätte ihn töten müssen, dachte er und schauderte bei diesem Gedanken. Man fragt in solcher Lage nicht mehr nach Menschlichkeit und Recht und Moral. Man will überleben, weiter nichts.

»Gehen wir!« sagte er laut. Amalja zuckte zusammen.

»Wohin denn?«

»Zu einem Freund.« Der Gedanke war Abels gekommen, als er an Stepan dachte. Es gab nur eine Möglichkeit, Amalja zu verbergen, und das war das Haus Felkanows. Weiter wußte er auch nichts. Was kommen würde, was mit Amalja geschehen sollte, ob sie weiterziehen sollte im Frühjahr oder ob sie Kontakte zu Mittelsmännern hatte, das zu fragen war jetzt völlig sinnlos. Es kam darauf an, daß niemand sie durchschaute. In drei Wochen wollte er weiterziehen nach Norden, hinauf zur Lena und von dort nach Torusk. Wenn Felkanow ein guter Kerl war, würde er im Frühjahr Amalja mit nach Tschita nehmen und dafür sorgen, daß sie über die Mongolei wieder in die Freiheit kam. Den gleichen Weg, den er genommen hatte, nur zurück.

»Ist er wirklich ein Freund?« fragte Amalja.

»Ich glaube es. Ich kenne ihn kaum.«

»Und trotzdem . . .«

»Ich wollte ihn töten – und dann stellte sich heraus, daß er ein Deutscher wie ich war. Nur einer, der Russe geworden ist, einer Frau und sechs Kindern wegen.«

»Und wenn er mich ausliefert?«

»Wir werden sehen.« Abels stützte Amalja, als sie sich aufrichtete, und klopfte ihr die Kleidung vom Schnee frei. »In Ihrem Beruf muß man ja mit gewissen Risiken rechnen, nicht wahr? Wo wollten Sie denn hin, Amalja?«

»Nach Jakutsk.«

»Oha!«

»Was haben Sie?«

»Ich glaube, wir haben den gleichen Weg.« Abels umhüllte den Theodoliten mit dem Tuch und öffnete die große Holzkiste. »Ich muß noch ein Stückchen weiter nach Norden.«

»Sie sind auch ein Agent, nicht wahr?«

»Nein.«

Abels lächelte und schüttelte langsam den Kopf. »Meine Geschichte ist privat, ganz privat. Für einen Staat würde ich nie einen solchen Weg machen. Hier beginnt Patriotismus zum Verbrechen zu werden.«

»Sie halten mich für eine Verbrecherin?«

»Warum tun Sie es, Amalja?«

»Wegen des Geldes. Ich sage es ganz ehrlich. Mein Vater war Sattelmacher im Westen. Wir lebten besser als die Ratten, aber schlechter als die Schoßhunde. Und dann bekam Mami Krebs. Man sagte es ganz offen: Sie wird sterben, wenn sie nicht operiert und bestrahlt wird. Aber beides kostet Geld, viel Geld. Damals kannte ich einen Leutnant, der bei einer Sondertruppe war. Der nahm mich mit zu seinem Major. Und so wurde ich das, was ich jetzt bin . . . und Mami ist operiert worden und liegt in der besten Klinik der USA in einem Einzelzimmer und hat die berühmtesten Ärzte um sich.« Sie warf den Kopf in den Nacken und preßte die Lippen zusammen. »So!« sagte sie heiser durch die Zähne. »Und nun nennen Sie mich eine Verbrecherin. Mir ist's egal!«

»Schon gut, Amalja.« Abels nickte, klopfte ihr auf die

Schulter und legte den Theodoliten in den Kasten. »Helfen Sie mir zusammenpacken. Und vergessen wir, was wir sind. Sie sind Amalja, ich bin Nikolai. Dawai! Und versuchen Sie, nicht so deutlich ukrainisch zu sprechen. Seien Sie ein wenig ordinär . . . jop twoje madj!«

Sie lachten, und es war wie eine Befreiung. Sie packten die Meßinstrumente zusammen und gingen dann langsam aus den Felsenschluchten hinaus auf die Straße, durch den tiefen Schnee watend, stumm, sich gegenseitig stützend. Was wird Felkanow sagen, dachte Abels. Er wird schreien und betteln und an seine sechs Kinderchen erinnern. Sie hängen mich auf, wenn's herauskommt, wird er wimmern. Was geht es mich an, daß es eine Frau ist? Und ich bin auch kein Deutscher mehr! Ich bin Russe! Ein Musterrusse! Ich heiße Stepan Michailowitsch! Ich will nicht mehr wissen, was hinter mir liegt. Versteck sie meinetwegen im Keller der Verwaltung oder unter deinem Bett. Ich will nichts sehen und wissen . . . nur laß mich damit in Ruhe.

So wird er schreien, bestimmt wird er das. Und man kann es ihm nicht übelnehmen. Wer will schon einen Spion beherbergen? Bei dem Gedanken allein stellt sich die Haare aufrecht. Es ist beruhigender, den Teufel ins eigene Bett zu legen, als einen westlichen Spion.

Amalja Semperowa blieb auf der Straße stehen und sah zu dem kleinen Schlitten und dem Pferdchen hinüber, die unter einem Schneeschutzdach aus Balken standen und warteten.

»Ihr Fahrzeug, Genosse?« fragte sie.

»Ja. Steigen Sie ein.«

»Und die Kontrollen?«

»Man kennt mich zu gut, um mich anzuhalten.«

So war es auch. Ungehindert passierten sie die dreifachen Sperren. Die Soldaten winkten ihnen zu und riefen ihnen unflätige Worte nach.

»Sieh an, der Arkadjef!« schrien sie zum Beispiel. »Was er sich da vermessen hat! Wie lang und wie breit ist es denn, das Täubchen? Wenn du sie hinlegst, paßt sie immer. Haha!«

Und Amalja streckte die Zunge aus und antwortete mit den

frivolen Worten: »Für eure Messungen tauge ich nichts. Ihr habt die falschen Instrumente.«

Das gab ein Lachen und Rufen und Kreischen, und Abels lenkte seinen Schlitten durch die Soldaten, winkte und grinste und tat so wie ein verliebter Affe, der seine Äffin heimfährt.

Dann waren sie in Tygdinsk, aber sie fuhren nicht durch die Stadt, sondern lenkten den Schlitten zur Bahn. Hier, nahe dem Bahnhof, hielt Abels und gönnte dem Pferdchen eine Schnaufpause. Es nutzte sie aus, prustete und hustete und schnupfte, bis die Nüstern sich mit Reif überzogen und mit hellen, bizarren Eiskristallen. Es waren 26 Grad unter Null, daran sah man es.

»Sind wir da?« fragte Amalja. »Das ist ja der Bahnhof.«

»Ich muß fragen, wo er wohnt.«

»Sie waren noch gar nicht bei ihm?« rief sie entsetzt.

»Nein. Ich kenne nur seine Adresse.« Abels stieg aus dem Schlitten und gab Amalja die Zügel. »Halten Sie mal fest. Ich erkundige mich. Ich habe ja nie geglaubt, daß ich ihn noch einmal brauche.«

*

Die Felkanows bewohnten ein Haus in der Nähe des Güterplatzes. Es war ein Haus wie Hunderte in Tygdinsk. Außen Rundstämme, innen Bretterwände, dazwischen Lehm und Glaswatte als Kälteschutz. Eine ganze Zimmerwand nahm der große Ofen ein, auf dessen Plattform die ganze Familie schlief, wenn es draußen unter 20 Grad kalt wurde und die Stürme gegen die kleinen, verklebten Fenster prallten. Dann lagen sie schön säuberlich nebeneinander auf der heißen Lehmplatte: Stepan, seine Frau Njuschka und die Kinder – das Kleinste neben der Mutter und dann die anderen, aufsteigend bis zum Ältesten, der ganz am Rand lag und im Laufe eines Winters durchschnittlich siebzehnmal vom Ofen auf die Bank fiel und dann mörderisch brüllte.

Stepan Michailowitsch hatte einen strammen Dienst. Dreimal in der Woche fuhr er zwischen Tygdinsk und Tschita hin und her und rangierte oder bremste. Zweimal in der Woche hatte er Stapeldienst und wuchtete Stämme und Bretter auf dem Güterplatz aufeinander. Und nur einmal die Woche hatte er einen freien Tag. Den verbrachte er auf dem Rücken liegend in wohlverdienter Ruhe und Zufriedenheit, ließ sich von seiner Njuschka verwöhnen mit Essen, mit Trinken und auch sonst, wir verstehen uns, Freundchen, und blinzeln ein bißchen mit den Augen voll Verständnis. So kam es, daß Njuschka jedes Jahr guter Hoffnung war. Nur eine Reihe von Fehlgeburten verhinderte es, daß Stepans Haus zu klein wurde. Immer, wenn der Winter kam und die Familie auf den Ofen zog, begann Njuschka zu seufzen und gab der Hebamme schon im voraus ein Trinkgeld, denn mit solchen Frauen muß man sich gut stellen. Stepan aber fühlte sich wohl. Wer wußte noch, daß er einmal Stefan Feldmann geheißen hatte, aus Bückeburg stammte und gelernter Schuhmacher war? Als 1941 der Gefreite Feldmann in Gefangenschaft geriet, endete auch sein deutsches Leben. Jetzt war er so vollkommen Stepan Michailowitsch Felkanow, daß er sogar die deutsche Sprache nicht mehr konnte und erst aus dem Russischen übersetzen mußte, so, wie man es mit der Muttersprache macht, wenn man etwas in einer fremden Sprache sagen will.

Njuschka war eine liebe Frau, die Kinder waren wohlerzogen, das Einkommen als Bremser war verhältnismäßig gut, zumal Stepan noch im Chor der Partei mitsang und als Aktivist Sonderzuteilungen erhielt, vor allem an Schnaps und Butter. Das war ein großer Vorteil, denn Schnaps belebte und Butter gab Kraft – zwei Dinge, die Stepan in den langen Wintermonaten nötig hatte und die Njuschka in Bewegung hielten. Außerdem war Stepan ein Halunke. Wer ist das nicht, Genossen, wenn man als Bremser und Rangierer an alles herankommt, was so mit der Eisenbahn befördert wird? Wie oft platzt eine Kiste auf oder ein Karton oder ein Paket? Soll man die Ware im Schnee verkommen lassen? Soll das Volksvermögen so in der Nässe verfaulen? Ich bitte! Es ist die Pflicht eines guten Bolschewiken, Wertvolles vor dem Zerfall zu retten! Also platzte bei Stepan ab und zu ein Kistchen oder ein Karton, und immer waren es lebensnotwendige Dinge, die er rettete. Seine größte Rettungstat war die Rettung einer Kiste voller Porzellan. Er schleppte sie nach Hause, schwitzend unter der Last des vor der Zerstörung bewahrten Volksvermögens. Vom Verkauf des Geschirres und durch Kompensation konnte er sich eine Kuh anschaffen und eine Buttermaschine. Von da an galten die Felkanows unter ihresgleichen als wohlhabend, und Njuschka wurde beneidet. Ein Mann, der pausenlos Liebhaber ist und trotzdem noch Zeit hat, seiner Familie Wohlstand zu verschaffen, ich frage, Freunde: Wo findet man das so schnell wieder zwischen Tschita und Tygdinsk?

Stepan war zu Hause, als Abels klopfte und in die heiße Stube trat. Aus seinem Pelz dampfte sofort die Feuchtigkeit, das Eis an den Haaren schmolz und tröpfte auf die rohen Dielen.

Stepan saß auf dem Ofen, rieb die nackten Füße gegeneinander und starrte auf den großen, abschmelzenden Mann. Dann erkannte er hinter dem Mann die zarte Gestalt eines Mädchens, und das wirkte auf ihn elektrisierend. Er sprang vom Ofen, brüllte drei Kinder, die ihm nachspringen wollten, an: »Oben bleiben!« und verbeugte sich.

»Was führt Sie zu mir, Genossen?« fragte er. Dann erkannte er plötzlich Abels, und sein Gesicht wurde schreckhaft; er schien durchaus nicht erfreut. Er sah sich um nach Njuschka, die am Herd stand und eine Suppe aus getrocknetem Fisch kochte. Sie rieb sich die Hände am Rock und starrte auf die beiden Fremden. Sie war bleich und erbrach sich seit einigen Tagen wieder jeden Morgen. Was soll's, Genossen, sie war eben wieder schwanger. Der Winter hatte früh begonnen.

»Du?« sagte Stepan breit. Sein Blick wanderte zu dem Mädchen. Er fand keine Erklärung und verhielt sich so, wie es ein kluger Mensch tut: Er stellte sich dumm. »Das ist schön, daß ich dich wiedersehe! Njuschka!« Er wandte sich um zu seiner Frau und wies auf Abels. »Das ist ein guter Freund von mir. Ein Herzensfreund. Du solltest ihm ein paar Eierchen braten, mit Speck. Magst du doch, nicht wahr?« Er schielte wieder zu Amalja. Ein süßes Vögelchen, dachte er. Und dann, aus dem Urgrund seiner Seele, brach das Deutsche wieder in ihm auf. Welch ein toller Hund, dachte er. Ist auf der Reise nach Norden und angelt sich nebenbei eines der schönsten Mädchen, das ich gesehen habe. Der Kerl hat Nerven.

Es war nur ein kurzes Aufflackern. Njuschka erinnerte ihn daran, daß er Russe war. Sie klapperte mit der Pfanne und sagte: »Stepanja, ich habe keine Eier mehr.«

»Dann back einen Butterkuchen, Täubchen!« Stepan zeigte auf eine Milchkanne. »Geh und melk die Kuh!«

Als Njuschka in den Stall gegangen war, trat er näher und brachte sein Gesicht nahe an das von Abels. »Was willst du hier?« zischte er. »Ich kann dir nicht weiterhelfen. Das weißt du doch. Wer ist das Weibchen?«

»Amalja Semperowa. Sie soll bei dir wohnen.«

»Bei mir? Unmöglich!«

»Sie hat keine andere Wahl. Du mußt sie bis zum Frühjahr bei dir verborgen halten.«

»Verrückt! Njuschka und sie ... sie würden sich zerfleischen wie liebestolle Wölfinnen!« Stepan schielte zu Amalja. Sie ist höchstens fünfundzwanzig, dachte er. O Gott, welche Komplikationen wachsen da heran. »Es geht nicht«, sagte er laut.

»Du hast damals gesagt: Wenn du mich brauchst, komm zu mir. Jetzt brauche ich dich. Und wenn du noch so sehr zum Russen geworden bist.« Plötzlich sprach Abels deutsch, und der ehemalige Gefreite Stefan Feldmann zuckte zusammen. »Du bist ein deutscher Kamerad und haust uns nicht in die Pfanne! Das Mädchen heißt auch nicht Amalja, sondern Betty Cormick.«

»Ach, du Scheiße!« Stepan atmete tief auf. »Sag bloß, daß sie von den Amis hier abgesetzt worden ist.«

»Genau das ist sie.«

»Und jetzt bei mir? Hör mal, bei dir fehlt wohl 'ne Schraube! Mach bloß, daß du verduftest. Ich habe mehr zu verlieren als du! Ich habe sechs Kinder! Ich lebe glücklich als Russe! Keiner weiß, wer ich bin, ich soll im nächsten Jahr sogar in die Bezirksvertretung der Partei übernommen werden, ich habe dreimal eine Auszeichnung wegen Erfüllung des dreifachen Solls bekommen ... geh mir vom Hals mit deiner Betty!«

Abels winkte Amalja. Sie trat näher und setzte sich auf einen Schemel mitten ins Zimmer. Stepan sah es mit zusammengekniffenen Augen und deutlicher Abwehr. Abels knöpfte seinen Pelz auf und holte aus der Brusttasche seinen von Oberingenieur Duganow unterzeichneten Passierschein.

»Lies!« sagte er. »Ich bin Nikolai Stepanowitsch Arkadjef, die rechte Hand vom Genossen Duganoff. Du kennst Duganoff?!«

»Wer kennt ihn nicht hier?« Stepan las schnell das Papier und gab es Abels zurück. »Gratuliere, Kumpel! Du hast es schneller geschafft als damals ich. Ich habe mit Njuschka drei Jahre im Untergrund leben müssen, bis ich einen Paß bekam und nach Tygdinsk wandern konnte. Aber was soll das alles? Nimm du sie doch zu dir!«

»Ich ziehe in drei Wochen weiter.«

»Verrückt! Du bist in zwei Tagen zu einem Eiszapfen erstarrt, trotz Schnaps und Pelz! In drei Wochen haben wir da oben fünfzig Grad.«

»Wem sagst du das. Ich habe lange genug an der Lena gelebt. Aber wir wollen nicht von mir sprechen ... wo kannst du Betty oder besser: Amalja unterbringen? Sie muß bei dir bleiben, Stepan!«

»Unmöglich!« rief Stepan wieder. »Ihr könnt Njuschkas Butterkuchen essen und ein Schnäpschen trinken, aber dann ist die Gastfreundschaft vorbei!«

Amalja erhob sich und winkte Abels zu. »Kommen Sie, Nikolai«, sagte sie müde. »Es hat keinen Zweck. Fahren Sie mich zurück zum Bahnhof und setzen Sie mich dort ab. Und dann kümmern Sie sich nicht mehr um mich. Jeder muß sehen, wie er weiterkommt. Sie haben Ihr Ziel ...« Sie hob die Arme und ließ sie an den Körper zurückfallen. Es war eine Gebärde der völligen Hilflosigkeit, ohne Trost und Hoffnung. Stepan nagte an seiner Unterlippe. Es ist eine verfluchte Situation, dachte er. Wenn der NKWD sie entdeckt, ist sie keine Kopeke mehr wert. Ich kenne sie, die Genossen vom Geheimdienst. Ich singe ja mit ihnen im Chor. Jeden Sonntag.

> Warum ist die Wolga so rot?
> Sie ist rot vom Blut der Reaktionäre,
> rot vom Blute der Kosaken,
> rot vom Blut der Revolution ...

Stepan schluckte. Ein dicker Kloß hüpfte ihm im Hals. »Eßt erst«, sagte er rauh. Njuschka kam zurück aus dem Stall. Sie trug einen Eimer mit frischgemolkener Milch und schüttete sie in einen Kessel. Dazu tat sie Mehl, Grütze und einen Klumpen Butter. Das alles verrührte sie zu einem dicken Brei. »Wärmt euch und werdet satt.« Stepan setzte sich auf die Ofenbank und kratzte sich den wolligen Schädel. »Man muß das alles erst durchdenken, Genosse!« Er schielte zu seiner Frau und bemerkte, wie sie verwundert zu ihm hinsah. »Es ist eine große Ehre für uns«, sagte er schnell. »Man muß innerlich damit erst fertig werden.«

Um das Zögern Stepans zu verstehen, muß man erst seine Lebensgeschichte kennen. Sie kann kurz erzählt werden, denn es ist nicht viel dran, aber sie kann auch ein ganzes Buch werden, wie ja das Leben eines jeden Menschen ein dickes Buch füllt. Seien wir kurz: Der Gefreite und Schuhmacher Stefan Feldmann geriet bei Rshew in sowjetische Gefangenschaft, zu einer Zeit also, in der die Deutschen noch von Schlacht zu Schlacht siegten und ihre Triumphe wegnahmen wie von einem Fließband. Stefan Feldmann aber, von jeher kein guter Uniformträger und von Hause aus kein Nationalsozialist, hörte sich die Reden der in Moskau lebenden Emigranten an, sagte zu allem laut ja und wurde aufgenommen in den Kreis der Antifa. Er bildete in Moskau und später in Swerdlowsk russische Gardetruppen nach preußischem Muster aus und erreichte es, daß man ihm einen Paß auf den Namen Stepan Michailowitsch Felkanow gab und zu ihm sagte: »Karascho! Jetzt bist du ein Sowjet, Genosse!« Bei einem Lehrgang in Alma-Ata lernte er die schöne Njuschka kennen, und als sich das erste Kind ankündigte, heiratete man. Das war 1947, das ganze Land war mitten im Aufbau, überall wurden Hände gebraucht, und plötzlich war Stepan Michailowitsch aus Swerdlowsk verschwunden. Drei Jahre lang lebte er bei einem Onkel Njuschkas auf einer Kolchose als Melker, bis er nach Süden wanderte, in Tschita den todkranken Bruder Njuschkas aufsuchte und bei ihm blieb, bis der Arme an einem Tumor starb. Von ihm erbte er nicht nur das Haus in Tygdinsk, sondern auch dessen Stellung als Bremser und Rangierer. Das war ein begehrter Beruf, man sah viel von der Welt, hörte so manches und konnte – wir haben es schon erfahren – so manches Volksvermögen vor dem Verderb retten.

Na, ist das nicht eine kurze Geschichte, die ein ganzes Buch füllen könnte, wenn man's ganz genau erzählen würde? Stepan Michailowitsch Felkanow war heute ein glücklicher und zufriedener Mann, saß fest im Sattel, liebte seinen Beruf und achtete die Partei, sang im Chor und übte Rhetorik, hatte vergessen, daß er aus Bückeburg stammte, und fühlte sich ganz als Russe. Wen nimmt es da wunder, daß er von Martin Abels' Besuch nicht hocherfreut war, und noch weniger von dem Gedanken, eine amerikanische Agentin bei sich zu beherbergen? Er sollte von diesen Sorgen bald erlöst werden. Aber wer weiß das im voraus?

Zunächst aßen sie gemeinsam die Mehlfladen, die Stepan stolz Butterkuchen nannte. Er, Njuschka und die sechs Kinder schmierten sich auch noch Marmelade auf die Fladen, tranken Tee dazu und schmatzten vor Wonne.

Satt gegessen, stimmte Stepan endlich zu, daß Amalja für diese eine Nacht bei ihnen unterkriechen könnte, allerdings nur im Stall. Man sah es Njuschka an, daß es ihr nicht lieb war, aber Stepan war der Hausherr, und sein Wort galt.

Bevor Abels zurückging in seine Konstruktionsbaracke, brachte er Amalja noch zu ihrem Lager. Es war eine Strohschütte neben der Kuh mit zwei Wolldecken und einem harten Kissen, das mit getrocknetem Gras gefüllt war. Amalja lachte, warf sich in das Stroh und streckte Arme und Beine von sich.

»Wärme!« sagte sie dann und schloß die Augen. »Herrliche Wärme. Nikolai, Sie wissen nicht, was das bedeutet. Ich habe gestern noch jede Ratte um ihren warmen Erdbau beneidet.« Sie setzte sich und schlang die Arme um die Knie. »Dieser Stall ist gerade richtig. Ich werde heute nacht versuchen, zum letztenmal Verbindung mit Jakutsk aufzunehmen. Man kann mich doch hier nicht einfach liegenlassen! Schließlich habe ich einen Auftrag.«

»Sie wollen funken?« Abels sah sich um. Stepan wühlte in der Futterkiste und hörte sie nicht. »Ich bitte Sie, Amalja . . . bringen Sie die Felkanows nicht in Gefahr.«

»Ich werde es ganz kurz machen.« Amalja zog eine Decke über sich und ließ sich nach hinten ins Stroh sinken. »Morgen wissen wir mehr, Nikolai. Ich danke Ihnen.«

✳

Die Verlobung Inken Holgersons mit dem Sohn des Exportkaufmanns Fahrenkrug stand kurz bevor. Benno Fahrenkrug war ein netter junger Mann, nur zwei Jahre älter als Inken, leitete im Hause seines Vaters die englische Exportabteilung und lebte das Dasein des einzigen Sohnes eines »königlichen Kaufmanns«, ein Titel, den der alte Fahrenkrug als Ehrennamen ansah und nicht als Abwertung, wie er in den Augen der neuen Generation schien, die boxerisches Können vor Ehrlichkeit setzte.

Der Reeder Holgerson war zufrieden mit seiner Wahl. Vor allem war Benno Fahrenkrug ein Junge, der Inken den Traum von Martin Abels vergessen lassen konnte. Nachdem nun feststand, daß Abels nie wiederkehren würde und die mongolische Weite ihn verschluckt hatte, ließ der Vater ihr noch einige Wochen der stillen Trauer, rührte nicht an ihrem Gedenken und ließ es zu, daß sie allein zum Hafen ging und stundenlang an der Pier stand, von der vor Wochen der japanische Dampfer »Hukonda« abgelegt hatte, mit Martin Abels an Bord.

Dann schien auch diese Periode des stillen Schmerzes überwunden zu sein. Inken tanzte wieder auf den Partys, glänzte mit neuen Kleidern und vor allem mit dem herrlichen neuen Schmuck, den ihr Holgerson geschenkt hatte, und ganz von selbst – durch eine gute Regie – wurden Benno Fahrenkrug und Inken miteinander bekannt und in kurzer Zeit unzertrennlich. So etwas aber bedeutete in der steifen Bremer Gesellschaft, daß ein familiäres Ereignis unmittelbar bevorstand. In den Salons machte man sich schon Gedanken über neue Kleider, die man zur Verlobung und der Hochzeit tragen wollte. Auch über Pelze wurde gesprochen. Nerz war bereits ein Volkskleidungsstück geworden; man war der Exklusivität wegen gezwungen, auf Chinchilla oder Kronenzobel auszuweichen. Wie gut hatten es da die Männer. Sie konnten seit zwanzig Jahren den gleichen Frack tragen. Selbst am Hemdkragen änderte sich nichts.

An einem Sonntag – es war ein trüber Tag, der Himmel hing schneeschwer über dem Land, und jeder wartete darauf, daß er aufbrach und die ersten Flocken den Winter einleiteten – ritten Inken und Benno Fahrenkrug wie jeden Sonntagmorgen aus. Meistens lenkten sie die Pferde hinunter zu den Weserwiesen und zu den noch sumpfigen Marschlanden um Oberneuland. Dort konnten sie die Pferde auslaufen lassen, jagten im Galopp über das flache Land und empfanden das herrliche Glück jedes Reiters, souverän über Tier, Erde und Himmel zu sein. Meistens gewann der Schimmel Inkens das Rennen; wie ein weißer Pfeil flog er über das grüne Land, ja, es schien, als fliege er geradewegs in den Himmel hinein, der in seiner unendlichen Bläue wie greifbar mit der Erde zusammenstieß.

An diesem Sonntag ritten sie am Weserufer entlang, übersprangen einige Staketen und waren stiller als sonst. Wie von selbst fielen die Pferde erst in einen leichten Schritt, schließlich standen sie nebeneinander, sahen über das trübe Flußwasser und zu den Schleppkähnen, die träge zum Hafen glitten.

»Inken?«

Sie drehte den Kopf zu Benno Fahrenkrug und nickte.

»Ja, Benno?«

»Ich muß dich etwas fragen.«

Der junge Mann in seinem schwarzen Reitrock über den hellgrauen Hosen nahm die Mütze ab und reckte den Kopf, als sei es ihm zu heiß geworden und der etwas faulig riechende Wind von der Weser her könne ihm Kühlung bringen.

»Ich weiß, was du fragen willst«, sagte Inken Holgerson leise. »Soll ich es dir sagen?«

»Bitte!«

»Du willst fragen: Liebst du mich wirklich, Inken?«

»Ja –«

Eine Weile lag Schweigen zwischen ihnen. Liebe sollte jauchzend sein, ein glückhaftes Überschäumen der Seele – daß sie hier zwischen Inken und Benno nachdenklich, ja fragend war, damit hatte man sich in den Häusern Holgerson und Fahrenkrug bereits abgefunden.

»Liebe kommt in diesem Falle in der Ehe!« sagte der alte Holgerson bestimmt. »Wir wollen kein Strohfeuer entfachen, sondern eine solide Sache begründen – und die braucht Zeit und Gewöhnung. Himmel, wie viele himmelhochjauchzende Ehen krachen täglich zusammen! Es ist ganz gut, wenn sich die Kinder selbst über alles klarwerden.«

Inken Holgerson hob den Kopf und legte ihre Hand auf den Arm Bennos. »Du liebst mich sehr, nicht wahr, Benno?«

»Das weißt du, Inken. Und ich gäbe alles hin, wenn ich den Schatten Martin Abels' aus deinem Herzen verdrängen könnte. Vielleicht gelingt es mir.«

»Du mußt Geduld haben, Benno.« Inken streichelte die Mähne ihres Schimmels. »Ich weiß ja, daß er nie wiederkommt. Damit muß man sich abfinden, auch wenn es schwer ist.« Sie wandte sich wieder Fahrenkrug zu, und plötzlich lächelte sie. »Du bist ein so lieber Kerl, Benno.«

»Bloß ein ›Kerl‹?«

»Nein. Mehr.«

»Ist das wahr, Inken?«

»Ja.«

Sie beugte sich zu ihm hinüber und küßte ihn. Es war das erstemal, daß sie ihn küßte. Bisher hatte immer nur er sie in seine Arme gezogen und ihren Mund geküßt. Stets hatte er dabei das Gefühl gehabt, daß sie es bloß duldete. Nie hatten sich ihre Lippen unter seinem Kuß geöffnet, nie waren sie warm oder blühten auf. Sie blieben geschlossen, kalt, zusammengepreßt, und oft hatte er das Empfinden, eine Wachspuppe könne einen Kuß nicht lebloser erwidern. Jetzt aber beugte sie sich vom Pferd aus zu ihm und küßte ihn von sich aus, und ihre Lippen waren warm und blutvoll, nicht wächsern und hart. Da griff er zu, umarmte ihren Nacken, zog ihren Kopf zu sich und preßte sie an sich. Die Pferde unter ihnen zitterten und wurden unruhig, sie schnaubten und stampften, aber das störte sie nicht. Zum erstenmal empfanden sie, daß sie zueinander gehörten, daß innerlich aus zwei Seelen eine einzige wurde, daß ihre Körper zueinanderdrängten und das Blut schneller und wie mit Sekt versetzt durch ihre Adern pulste.

»Laß uns schnell heiraten, Benno«, sagte Inken, als sich ihre Lippen voneinander lösten. »Ich fühle, wie ich wieder glücklich bin ... und ich habe große Angst, dieses Glück auch wieder zu verlieren.«

Als sie heimritten, in einem leichten Trab über die Wiesen, lachten sie wie verspielte Kinder, jubelten über neckende Zurufe und warfen sich Kußhändchen zu. Und dann geschah es. Sie übersprangen weder einen Zaun, noch galoppierten sie, noch jagten sie mit den Pferden um die Wette ... ein kleines Loch im Rasen war es, vielleicht ein Luftloch einer Feldmaus, im Gras nicht sichtbar. Aber der Schimmel sank plötzlich mit dem rechten Vorderhuf ein, er stolperte, erschrak, machte einen abwehrenden Buckel, stutzte, und Inken Holgerson fiel über den Hals des Pferdes auf die Erde. Noch im Fallen versuchte sie als geübte Reiterin, sich zu drehen, aber der Sturz kam so plötzlich, daß der Gedanke: »Nicht mit dem Kopf zuerst!« später einsetzte als der Aufprall.

Ein wahnsinniger Schmerz durchzuckte Nacken und Wirbelsäule Inkens, es war, als bräche sie mittendurch, als zerschneide sie ein glühendes Messer unterhalb des Nackens. Sie hörte noch den Schrei Benno Fahrenkrugs: »Inken! Um Gottes willen! Inken!«, spürte, wie zwei Arme sie umfingen und sie aufrichteten, dann war wieder dieser wahnsinnige

Schmerz da, der das Gehirn explodieren ließ. Sie schrie grell auf, krallte sich in den Rock Bennos fest und starrte mit weitaufgerissenen Augen in den Schneehimmel.

»Mein Kopf!« schrie sie. »Benno ... mein Kopf springt auseinander ...«

Dann fiel sie in Ohnmacht und wurde von dem glühenden Schmerz erlöst.

In der Klinik von Professor Dahrfeld wachte sie auf. Sie lag in einer Art Wanne, langgestreckt, bandagiert und den Kopf mit Nacken und Schultern und Rücken zu einem unbeweglichen Block vereinigt. Eine Schwester saß auf einem Stuhl neben ihrem Bett und lächelte sie an, als sie versuchte, die Arme zu heben. Sie hatte keine Schmerzen dabei, nur ein dumpfes Gefühl lag über ihr, eine Art bleierner Müdigkeit, die durch den ganzen Körper zog.

»Ganz still liegen, Fräulein Holgerson!« sagte die Schwester und drückte seitlich des Bettes auf einen Klingelknopf. Dreimal. Das Signal für den Arzt: Sie ist aufgewacht.

Inken gab Antwort durch ein Senken der Wimpern. Sie konnte sich nicht bewegen. Die Beine hingen an ihrem Körper wie zwei leblose Fleischwürste. Sie spürte gar nichts als diese rätselhafte Dumpfheit. Aber das Gehirn konnte wieder denken. Es erinnerte sich. Bebsy, die Schimmelstute, scheute plötzlich ... und dann der Sturz über den Pferdehals, der feurige Schmerz im Nacken und im Rücken, der Aufschrei Bennos ...

»Habe ich mir etwas gebrochen, Schwester?« fragte sie leise.

»Ich weiß es nicht, Fräulein Holgerson. Der Herr Professor wird gleich kommen und sich mit Ihnen unterhalten.«

Im Zimmer des Chefarztes saßen Reeder Holgerson und Benno Fahrenkrug. Vor ihnen auf dem Tisch lagen einige Röntgenaufnahmen. Sie hatten sie angesehen und dann entsetzt weggelegt. Professor Dahrfeld ging unruhig im Zimmer auf und ab.

»Ich hielt es für meine Pflicht, meine Herren, Sie rückhaltlos darüber zu informieren«, sagte er mit belegter Stimme. »Es hat keinen Sinn, den Kopf wie ein Vogel Strauß in den

Sand zu stecken. Vor allem hier, wo der ärztlichen Kunst Grenzen gesetzt sind.«

Holgerson rang die Hände, seine Finger knackten, so fest preßte er sie ineinander.

»Sagen Sie bitte nicht, daß Inken nicht mehr zu heilen ist«, stöhnte er.

Professor Dahrfeld blieb stehen. Er war mit dem Hause Holgerson befreundet, aber das rechtfertigte eher die Wahrheit als eine billige Tröstung.

»Sie haben die Röntgenbilder gesehen, meine Herren«, sagte er. »Ein Nacken- und ein Rückenwirbel sind gebrochen. Fräulein Inken wird überleben, natürlich – aber sie wird von der Gürtellinie ab für immer gelähmt bleiben.«

»Das kann nicht wahr sein!« stöhnte Holgerson. »Das ist auch nicht wahr! Ich wehre mich dagegen, das zu glauben!«

Professor Dahrfeld hob die Schultern. Was sollte man da noch sagen? Trost geben? Was ist ein Wort in dieser Situation? Die Wahrheit ist oft schwer zu glauben ... aber man wird sich daran gewöhnen müssen. Benno Fahrenkrug, das sah er, hatte die Lage klarer erkannt und begriffen. Er saß mit weißem Gesicht am Fenster und starrte hinaus in den Klinikgarten. Er schwieg, nur seine Kaumuskeln waren in ständiger Bewegung. Sie zermalmten die Erregung, die in ihm sprühte.

Über der Tür zuckte dreimal mit einem leichten Summerton eine rote Lampe auf. Professor Dahrfeld knöpfte seinen weißen Kittel zu.

»Inken ist aufgewacht. Wollen wir zu ihr gehen, meine Herren!«

Holgerson sprang auf. »Wollen Sie ihr jetzt schon die Wahrheit sagen, Herr Professor?« rief er.

»Nein! Ich werde erklären, daß sie Prellungen im Nacken und Rücken hat und deshalb stillgelegt wurde. Ob sie es allerdings glaubt? Inken ist ein intelligentes Mädchen ... sie wird die Wahrheit spätestens dann erfahren, wenn sie versucht, ihre Beine anders zu legen, und merkt, daß die Beine nur mehr Anhängsel ihres Körpers geworden sind.«

»Und da gibt es keine Heilung? Keine Möglichkeiten? Ich

setze mein ganzes Vermögen dafür ein!« schrie Holgerson. Professor Dahrfeld hob wieder die Schultern.

»Können Sie ein Wunder kaufen?« fragte er leise.

*

In der Nacht versuchte Amalja Semperowa, wieder mit dem Kontaktmann in Jakutsk in Verbindung zu kommen. Sie rief auf der angegebenen Frequenz immer wieder die Schlüsselworte: »P II an QI . . . P II an QI . . .« Schließlich, nach drei Stunden, meldete sich die Gegenseite. Knapp und nüchtern.

»QI! Was ist?«

»Was soll mit mir geschehen?« fragte Amalja. »Ich sitze hier in Tygdinsk und kann nicht weiter. Kommt jemand mich abholen?«

Sie schaltete um. Das helle, ganz weite Ticken war kaum verständlich. Aber aus dem Zirpen las sie heraus, was sie fassungslos werden ließ.

»Hat man Ihnen noch nichts mitgeteilt? Auftrag ist erledigt. Neuer P III ist unterwegs.«

Amalja schaltete sofort um. »Und ich?« funkte sie nach Jakutsk. »Was geschieht mit mir?«

Die brutale Antwort: »Versuchen Sie, auf eigene Faust zurückzukommen. Hilfe von hier nicht möglich. Sie haben enttäuscht. Ende.«

Amalja Semperowa biß die Lippen zusammen. Sie schaltete wieder auf Sendung und funkte ihre ganze Wut und ihre helle Angst in den Äther. »Ihr könnt mich doch nicht hier in Rußland lassen!« morste sie verzweifelt. »Wo soll ich denn hin? Das ist ja Mord . . . Mord . . . Ihr könnt mich doch nicht einfach fallenlassen . . . Hallo! Hallo! QI! QI! QI!«

Der Kontaktmann in Jakutsk schwieg. Immer und immer wieder funkte Amalja und schrie Hilfe. Bis zum Morgen dauerte es, ehe sie begriff, daß sie für den Auftrag gestorben war. Da ließ sie sich erschöpft ins Stroh zurücksinken, drückte unter den beiden Pferdedecken das kleine Funkgerät an ihre Brust und weinte.

So fand sie Stepan Michailowitsch, als er unruhig vom

Ofen kletterte – aber erst, nachdem er sich überzeugt hatte, daß Njuschka wirklich fest schlief – und in den Stall kam. Er setzte sich neben Amalja ins Stroh, und als er sie trösten wollte und die Hand auf ihren Körper legte, fühlte er den harten Gegenstand auf ihrer Brust. Das Funkgerät.

»Was ist?« fragte er leise. Amalja drehte weinend den Kopf zur Seite.

»Es ist vorbei, Stepan«, sagte sie zitternd. »Ich bin ganz allein.«

»Aufgeflogen?«

»Nein. Fallengelassen.«

»Schweine!« sagte Stepan dumpf. »Was nun?«

Sie zuckte hilflos mit den Schultern. »Ich weiß nicht.«

»Hierbleiben können Sie nicht.«

»Das weiß ich.« Sie richtete sich auf, nahm das kleine Funkgerät und warf es gegen die Wand. Es klirrte und splitterte in dem Metallkasten. Die letzte Verbindung war endgültig zerstört. Stepan Michailowitsch nagte an der Unterlippe.

»Das hätten Sie nicht tun dürfen«, sagte er dumpf. »Ich weiß auch nicht, was mit Ihnen werden soll.«

»Noch bin ich nicht so weit, daß ich mich aufhänge oder den Wölfen zum Fraß vorwerfe!« Amalja warf die Decken von sich und sprang auf. »Wie weit ist es bis zur Grenze?«

»Zu weit!« Stepan schüttelte den Kopf. »Ob hundert oder tausend Werst . . . es ist immer zu weit für Sie. Sie kommen nicht hin. Legen Sie sich hin und schlafen Sie. Wir werden morgen darüber reden.«

Aber wer denkt an Schlaf in solcher Lage? Stepan wälzte sich auf seiner Ofenplatte unruhig hin und her, so daß Njuschka aufwachte und ihn umarmte. Aber Stepan drückte sie weg, was etwas ganz Neues war, seufzte und bemühte sich, stillzuliegen und doch dabei zu denken.

Amalja Semperowa ging im Stall hin und her. Ich bin tot, dachte sie. Ich bin für alle, die mich kannten, einfach tot. Verschollen. Ohne Spuren habe ich mich aufgelöst. Ein neuer Agent ist abgesetzt worden, und er hatte mehr Glück als ich. Und die Welt und das Leben gehören den Glücklichen, den Erfolgreichen, den Siegern! Sie haben es mir klar genug gesagt: Sie haben versagt! Das ist ein Todesurteil – man muß es nur begreifen.

Am Morgen kam Abels wieder zu den Felkanows. Er hatte dem Oberingenieur Duganoff vorgelogen, daß er einen Teil des Theodoliten vergessen habe, und Duganoff hatte gebrüllt: »Sofort holen, du Affe! Vergißt etwas! So ein Idiot! Man soll es nicht für möglich halten, wie die Gleichgültigkeit um sich greift! Los! Such es!«

Abels traf Amalja allein mit Stepan an. Njuschka war auf den Markt gegangen, um frische Butter gegen Eier einzutauschen.

»Eine schöne Scheiße!« sagte Stepan auf deutsch. »Hör dir das an! Und dann erfind was! Eine Woche kann ich sie bei mir verborgen halten, aber dann ist's aus. Mich geht die Politik nichts an. Ich will ruhig leben, immer was im Topf haben, für meine Kinder sorgen und den Kopf oben behalten.«

Nach dieser Rede ging er hinaus in den Stall und ließ Amalja mit Abels allein.

»Was ist passiert?« fragte Abels. Er sah in das bleiche, übernächtigte Gesicht des Mädchens. Amalja stand auf und ging ans Fenster. Sie hatte den Rest der Nacht über Zeit gehabt, ihre Lage durchzudenken. Sie war hoffnungslos ohne Abels. Wenn man einen Fisch aus dem Wasser in die Wüste trägt, hätte es nicht schlimmer sein können.

»Es ist vorbei«, sagte sie mit merkwürdig nüchterner Stimme. Sie sprach sogar englisch. »Es gibt nur zwei Möglichkeiten: Entweder Sie nehmen mich mit, Martin, oder ich melde mich beim Militärkommandanten von Tygdinsk und lasse mich erschießen. Es gibt nur diese beiden Auswege, glauben Sie mir.« Sie drehte sich um. Ihre dunklen Augen sprühten vor Wut. »Sie haben mir einen Tritt gegeben, Martin! Sie haben mir gestern nacht in deutlicher Sprache mitgeteilt, daß ich für sie gestorben bin. Weil ich versagt habe, weil ich noch hier bin und nicht in Jakutsk. Weil ich den Winter, den Schnee, das Eis, den Frost nicht überwunden habe. Weil ich zu langsam war. Das alles genügt, um einem Menschen zu sagen: Stirb! Verrecke meinetwegen! Aber melde dich nicht mehr! Ende!« Sie hob die Arme ein Stück und ließ sie an den Körper zurückfallen. »Sie sehen – es bleibt keine Wahl mehr. Ich muß mich an Sie klammern und Sie bitten, für mich zu sorgen – oder ich muß mich töten lassen. Mich selbst umbringen, das kann ich nicht. Dazu fehlt mir der Mut . . . obwohl ich die Blausäurekapsel bei mir habe.«

Abels lief es kalt über den Rücken. Er streckte die Hand aus und winkte mit den Fingern.

»Her damit!« sagte er laut.

»Was?«

»Die Zyankalikapsel!«

»Warum?«

»Hergeben!«

Zögernd griff Amalja Semperowa in die Innentasche des Rockes und holte die kleine, flache Schachtel heraus. Sie gab sie Abels, und dieser steckte sie ein. »Ich werde sie nachher vergraben«, sagte er. »Und wir werden schon etwas für Sie finden.«

»Wir werden finden! Wir müssen darüber nachdenken! Am Morgen sprechen wir darüber. Immer die gleichen Worte, die gleichen Töne! Ob Sie oder dieser Stepan! Begreifen Sie denn nicht? Ich bin ein lebender Leichnam. Daß ich noch atme, ist ein Frevel. Aber ich denke nicht daran, mich aufzugeben. Ich werde um dieses mistige Leben kämpfen, und ich werde so brutal sein, mich an Sie zu werfen, mich an Ihnen festzukrallen und Ihnen zuzuschreien: Sorgen Sie für mich! Ob Sie es wollen oder nicht – Sie sind ein Mensch, ich bin ein Mensch, wir müssen uns helfen. Oder liefern Sie mich aus – dann sind Sie mein Mörder. Wenn Ihr Gewissen das ertragen kann – bitte!«

»Sie reden sich da in eine Erregung hinein, Betty. . .« Abels setzte sich an den Herd und hielt die Hände gegen die Glut. Draußen hatte es erneut gefroren. Das Thermometer war auf 30 Grad gefallen. Der Morgenzug aus Tschita war nicht eingetroffen. Er hing irgendwo auf der Strecke fest, an einer eingefrorenen Weiche. »Überlegen Sie doch mal! Ich werde zu Fuß nach Norden weiterziehen.«

»Ich gehe mit!« sagte sie hart.

»Ich wühle mich durch diese Wildnis, um ein Mädchen zu

suchen. Das wissen Sie. Wenn ich es gefunden habe, muß ich den gleichen Weg wieder zurück in die Freiheit!«

»Ich werde Ihr Schatten sein.«

»Die Chance, daß zwei durchkommen, ist schon gering. Zu dritt sinkt die Chance um die Hälfte! Wollen Sie mich und Anuschka verraten?«

»Wollen Sie mich so einfach wegwerfen?«

»Wir müssen einen Weg suchen.«

»Ich kenne ihn! Es ist Ihr Weg!«

Stepan kam zurück aus dem Stall. Er hatte von der Tür das meiste mit angehört und nickte mit dem Kopf. »Sie hat recht, Nikolai.« Er sprach wieder russisch, denn er hatte Njuschka vom Markt kommen sehen. »Nimm sie mit!«

»Verrückt!« schrie Abels. »Was soll ich in der Taiga mit einem Mädchen? Sie hält es nicht durch! Soll ich sie auf dem Rücken durch Sibirien schleppen?«

»Ich werde euch helfen, so gut ich kann. Hast du Geld?«

»Ich verdiene es bei Duganoff.«

»Wie lange brauchst du noch?«

»Noch zwei Wochen.«

»So lange kann ich Amalja im Stall verstecken. Aber dann geht ihr weg.« Stepan hielt Abels die Hand hin. »Versprich mir, daß du sie mitnimmst. Du hast mich damals nicht erstochen – als Gegenleistung werde ich euch ausrüsten für den Marsch.«

Abels schlug in die hingehaltene Hand ein. Er hatte ein ungutes Gefühl dabei, aber es blieb auch ihm keine andere Wahl.

Zwei Wochen lang arbeitete Nikolai, wie man ihn nannte, bei Duganoff und verfertigte dessen Zeichnungen. Er verdiente gut, indem er neben seinem Lohn auch noch einige Sachen über Stepan verschob: Papier, Bauholz, Werkzeuge, Verbandmaterial aus der Lagerapotheke, ja sogar einen Karton Klosettpapier, das als ausgesprochener Luxus galt. Er sammelte die Rubel und entzückte das Herz Duganoffs damit, daß er sagte: »Genosse Oberingenieur, Sie können morgen und übermorgen ruhig bei Ihrem Täubchen bleiben – ich mache die Arbeit schon allein!«

»Du bist ein wertvoller Mensch!« antwortete Duganoff darauf und verschwand wirklich für zwei Tage. Es waren die beiden wichtigsten Tage, in denen Abels die letzten Vorbereitungen für seinen großen Fußmarsch durch Sibirien vollendete.

Felkanow, der Gute, hatte ebenfalls sein Versprechen eingelöst. Er hatte eingekauft: zwei Paar Skier, zwei Rucksäcke, einen Berg Verpflegung, vor allem getrocknetes Salzfleisch, Kekse, Bohnen, Gries, Grütze, Zucker, Hartwurst und einen Klumpen Fett, ein Gemisch aus Butter und Schmalz. Das Wertvollste aber übergab er Abels und Amalja, als sie reisefertig vor ihm standen. Er tat es mit der Feierlichkeit eines einsegnenden Priesters.

»Und hier, Freunde, mein Abschiedsgeschenk! Es ist wichtiger als alles, was ihr bei euch tragt.«

Er ging in eine Ecke und holte aus ihr ein Gewehr und zwei Pistolen hervor. Wie eine Kostbarkeit trug er sie auf beiden Händen zu Abels.

»Du bist ein wirklicher Freund, Stepan«, sagte Abels gerührt. »Woher hast du das alles?«

»Vor dem Verfall gerettet, Brüderchen«, sagte Stepan mit zwinkernden Augen.

Der Abschied war kurz. Man küßte sich nach russischer Sitte auf beide Wangen, gab sich die Hand und sagte: »Gott beschütze dich!« Auch Njuschka bekam einen Kuß, aber auf den Mund, von dem sie später zum großen Ärger Stepans behauptete, er sei der erste Kuß ihres Lebens gewesen, den sie bis in die kleine Zehe gespürt habe. Dann winkte man sich zu, ja, Stepan ging sogar noch ein Stückchen mit und blieb erst an der Weggabelung stehen, von der der eine Weg zur Chaussee führte und der andere Pfad in die Stanowojberge. Abels nahm den letzten Weg . . . die Weite Sibiriens öffnete sich ihnen.

Es war früher Morgen, die Dämmerung glitt eben erst über die Wälder und Felsen. Ein eisiger Tag begann, windstill, aber trübe und mit schneeschwerem Himmel.

»Gott mit euch!« sagte Stepan Michailowitsch Felkanow noch einmal, dann wandte er sich ab und stapfte nach Tygdinsk zurück. Die sieht man nie wieder, dachte er. Die werden irgendwo verfaulen. Aber man hat seine Pflicht getan als Christenmensch. Man hat ihnen geholfen, weiterzukommen ... und wenn's in die Hölle ist.

Drei Tage lang tobte Oberingenieur Duganoff und ließ seinen Zeichner suchen. »Ein Hurenmensch!« brüllte er. »Ein pflichtvergessenes Schwein! Ich erwürge ihn! Ich entmanne ihn! Bringt ihn mir nur! Ihr werdet sehen, was ich mit ihm tue!«

Aber niemand sah Nikolai Stepanowitsch Arkadjef wieder. Am Ende sagte sich Duganoff in seinem Suff, daß er das alles nur geträumt habe. Nur als er wegen guter Zeichnungen gelobt wurde und man ihm sagte: »Weiter so, Genosse!«, schloß er sich in sein Zimmer ein und weinte bitterlich über sein tragisches Schicksal.

＊

Vier Tage zogen sie durch die Wildnis, bis sie aus dem Gebirge hinauskamen in das flache Land, in die Region der ewigen Wälder, die mit Hügeln und kleinen Gebirgszügen durchsetzt war. Eine wilde, gnadenlose Urlandschaft, die Bären durchstreiften, Füchse und Marder, Nerze und Biber und Wölfe. Hier lebte niemand mehr. Nur Jäger kannten bestimmte Waldgebiete, stellten dort ihre Fallen und Schlingen, spannten Netze für die Nerze und gruben Fallgruben für Bären und die vereinzelten Hirsche. Nachts rasteten sie entweder an Hügeln oder schlugen ihr Lager mitten im Wald auf, wärmten sich an kleinen Feuern und brieten ihr Fleisch. Stepans Gewehr erwies sich als das nützlichste Stück, genau wie er es vorausgesagt hatte. Abels schoß am zweiten Tag einen Schneehasen, den Amalja sachkundig enthäutete, ausnahm und über dem offenen Feuer briet.

»Das habe ich in der Prärie gelernt«, sagte sie lachend, als Abels ihre Fertigkeit bewunderte. »Als Kinder haben wir die Hasen heimlich gebraten. Einmal ging dabei sogar eine Scheune in Flammen auf. Man hat nie herausgekriegt, wer das Feuer gelegt hat.«

Am vierten Tag ihrer Schneewanderung durch den Urwald traten sie auf eine Ebene hinaus und sahen sich verwundert an.

»Felder!« sagte Abels verblüfft. »Hier, mitten in der Wildnis? Ich kann es mir nicht anders erklären, als daß irgendwo in der Nähe eine Datscha ist. Das ist gefährlich. Machen wir einen Bogen nach Osten, zurück in den Wald.«

Sie sahen noch einmal über das Schneefeld, wendeten dann auf den Skiern und wollten zurück in den schützenden Wald.

In diesem Augenblick hörten sie die Wölfe.

Zuerst war es ein heiseres Bellen, begleitet von einem Kreischen. Dann quoll ein schauerliches Heulen auf, das gegen den Waldrand prallte und sich im Echo fortpflanzte.

Amalja krallte sich an den Ärmel von Abels' Pelzjacke fest.

»Wölfe!« sagte sie tonlos.

»Ja!«.

Dann sahen sie die Horde. Ein riesiger Leitwolf mit buschigem Schwanz jagte vor ihr her, ein gewaltiger huschender, grauer Schatten über dem weißen Schnee. Ihm folgte das Rudel ... kleinere springende Leiber, keuchend, hechelnd, mit aufgerissenem Rachen, bellend und kreischend. Und vor ihnen jagte ein Schlitten her, gezogen von zitternden, in Todesangst schreienden Panjepferden. Zwei vermummte Gestalten klammerten sich an den Seitenwänden des Schlittens fest, die Zügel schleiften durch den Schnee, und eine der Gestalten versuchte, mit der langen Peitsche den neben dem Schlitten hetzenden Leitwolf zu schlagen. Es war eine Tat sinnloser Wut und ohnmächtiger Angst. Der Schlitten hüpfte über das Schneefeld, und es konnte nicht lange mehr dauern, bis er umstürzte und die Wölfe über Mensch und Pferde herfielen.

»Mein Gott! O mein Gott!« stammelte Amalja und lehnte sich gegen einen Kiefernstamm. »Die Wölfe sind schneller! Sie haben den Schlitten gleich erreicht.«

Einen Augenblick zögerte Martin Abels. Er hielt schon das Gewehr im Anschlag, aber er schoß noch nicht.

Ein großer Widerstreit war in ihm aufgebrochen, der gleiche wie damals in dem vereisten Bremserhäuschen des Holzzuges von Tschita. Wenn er schoß, konnte er den beiden gehetzten Menschen das Leben retten – aber es konnte gleichzeitig bedeuten, daß man ihn und Amalja verriet und an die Miliz auslieferte und daß damit sein und des Mädchens Weg wirklich zu Ende ging. Schoß er hingegen nicht, so würden in wenigen Sekunden die Wölfe den Schlitten umzingelt haben, der graue riesige Leitwolf würde die Pferde anspringen, sie zu Fall bringen, und dann gab es nur noch ein Knäuel blutgieriger Bestien, unter deren zuschlagenden Zähnen die beiden Menschen und die Pferde zerrissen würden. Und er, Abels, würde dabeistehen und zusehen, das Gewehr, das sie hätte retten können, im Arm. Es würde ein Anblick sein, der sich in ihm eingrub als eine Schuld, die nie mehr zu löschen war.

Langam hob er das Gewehr und zielte.

Der graue Riesenwolf flog nun in Höhe des mit der Peitsche nach ihm schlagenden Menschen; sein Geheul erfüllte die Stille und die eisige Luft. Seine Fänge, blutrot, mit langen, spitzen Zähnen bewaffnet, klafften auseinander. Ein starkes, ein gnadenloses Tier, das schon das Blut witterte und dessen kalte graugrüne Augen auf die beiden Menschen starrten, die in heller Verzweiflung zu schreien begannen.

»Hoj!« brüllten sie grell. »Hoj! Du Teufel! Du Satan! Hoj!« Und sie klammerten sich weiter am Schlitten fest und beteten, daß die Pferde schneller sein mochten als das graue Rudel der Wölfe.

Da schoß Martin Abels. Er konnte nicht anders, das Menschliche in ihm siegte über die Angst und alle Bedenken. Dreimal schoß er, und dreimal wußte er, daß er den Riesenwolf getroffen hatte. Über Kimme und Korn sah er, wie der graue fliegende Körper von den Einschlägen durchgeschüttelt wurde – aber der Leitwolf hetzte weiter, allerdings weniger schnell, mit ab und zu einknickenden Läufen. Schließlich taumelte er, Blut floß aus seinen Fängen, die Zunge schleifte über den Schnee, aber er lief und lief und schien sich an seinem eigenen Blut zu berauschen.

»Er ist unsterblich!« keuchte Martin Abels und schoß zum

viertenmal. Der Wolf machte einen Satz zur Seite, blieb stehen und sah sich nach seinem Rudel um. Dann versuchte er weiterzulaufen; der wilde Drang, noch immer lebensfähig zu sein, trieb ihn ein paar Meter vorwärts, aber dann spürte er den Tod in sich, knickte in den Vorderläufen ein und erwartete so sein Rudel. Noch einmal heulte er auf, schaurig, langgezogen, klagend, den Himmel herabreißend . . . er riß den Fang auf, seine Zähne blinkten, seine blutige Zunge hing weit über die Lefzen . . . und dann war das Rudel bei ihm, und es vollzog sich das grausame Gesetz der Natur. Mit einem Triumphgebell fielen die anderen Wölfe über ihn her, ein Knäuel grauer, zitternder Leiber überrollte ihn, und dann sah man die Fleischfetzen fliegen und ein Auseinanderstieben der Herde, ein jeder Wolf mit einem Stück seines Leittieres im Rachen, zufrieden, vom warmen Blut berauscht, den Schlitten, die Menschen, die Pferde vergessend.

Noch dreimal schoß Martin Abels, und seine Schüsse hallten wider im Wald und über die Ebene. Drei weitere Wölfe sprangen hoch, überkugelten sich und wurden von den anderen Tieren zerrissen und in Stücken weggetragen.

Der Schlitten raste in einem weiten Bogen auf den Waldrand zu. Eine der vermummten Gestalten hatte die Zügel wieder ergriffen und versuchte, die in Todesangst blind über das Feld jagenden Pferde zu bändigen und zu lenken. Endlich gelang es, sie in den Griff zu bekommen, eine tiefe Stimme schrie: »Stoj! Stoj! Seid doch vernünftig, ihr Kleinen! Wir sind gerettet! Stoj!« und ließ den Schlitten auf den Wald zurasen. Kurz vor Abels und Amalja brachte man die Pferde zum Stehen, sie zitterten noch, als stäken sie in den Fängen des riesigen grauen Würgers; ihr Fell, schweißnaß, troff und dampfte und wurde in Sekundenschnelle mit einem weißen Kristallbelag überzogen, denn die Kälte war stärker als die tierische Wärme. Der Mann sprang aus dem Schlitten, während die andere Gestalt sich in den Schlitten und in die Decken zurückwarf, die Hände vor das Gesicht schlug und zu weinen begann.

»Danke, Genosse! Das war Rettung in letzter Sekunde!« sagte der Mann. Er streifte seine mit einem dicken Fuchsfell umrahmte Kapuze vom Schädel und wischte sich über das Gesicht. Er sah nicht aus wie ein Bauer, und auch seine Pelzkleidung war reich und nicht in einer Holzhütte bei Petroleumlicht mit der Hand genäht. Er war groß, hatte ein tiefes Organ und wasserhelle blaue Augen. »Ich bin Wassilij Petrowitsch Tasskan«, sagte er und verbeugte sich. »Und dort im Schlitten sitzt Marfa Umatalskaja. Sie kennen doch Marfa?«

»Nein!« sagte Abels ehrlich. »Ich bin Nikolai Stepanowitsch Arkadjef. Und das hier ist meine Gefährtin Amalja Semperowa.«

»Es freut mich, Freunde zu sehen und Lebensretter dazu. Ich habe eine Datscha hier in der Nähe. Dreißig Werst nördlich.« Er betrachtete Abels und Amalja und schüttelte den Kopf. Woher kommen sie, dachte er sicherlich. Sie kennen Marfa Umatalskaja nicht, die große Marfa, die »Künstlerin der Nation«, die Leninpreisträgerin, deren Filme man in der ganzen Welt bewundert und die wie keine andere eine Katharina die Große oder eine Dunja Puschkins spielen konnte. Und auch der Name Tasskan sagt ihnen nichts. Tasskan, der Regisseur und Drehbuchdichter, der Freund Mikojans und Malinowskijs, der Schüler Eisensteins und Ehrenburgs, dessen Filme »An der Wolga« und »Wildschwäne« die größten Preise gewannen. Sie kennen das alles nicht? Woher kommen sie?

Im Schlitten rührte sich nun auch Marfa Umatalskaja. Sie kletterte aus den Fellen und Decken und kam auf Abels zu. Klein, zierlich, in ihrem Pelzkostüm wie eine Puppe aussehend, mit langen, schwarzen Locken unter der Pelzmütze, einem Gesichtchen wie aus rosig bemaltem Wachs. Mit großen, vom Weinen geröteten, aber brennend schwarzen Augen, stand sie vor Abels und streckte ihm die schmale Hand entgegen, Finger, die so zart waren, daß man fürchtete, sie bei dem leisesten Druck zu zerquetschen.

»Ich danke Ihnen, Nikolai Stepanowitsch«, sagte sie. Sie hatte eine helle, schwingende Stimme, es war, als sänge sie jedes Wort, und jedes Wort gewann dadurch einen Ton, der wie ein Streicheln klang. Martin Abels starrte Marfa verwundert an. Sie sieht Anuschka ähnlich, dachte er plötzlich. Wirklich, sie könnte Anuschka sein ... diese Haare, die Augen, die Stimme, dieses Ausströmen von Zuneigung und Begehren.

Er schüttelte den Kopf, um sich von diesem plötzlichen Zauber zu befreien. Marfa Umatalskaja legte den zierlichen Kopf etwas zur Seite.

»Warum schütteln Sie den Kopf, Nikolai Stepanowitsch?«

»Weil ich nicht verstehe, noch nie von Ihnen gehört zu haben, Genossin. Die Frage Wassilij Petrowitschs verblüffte mich. Ehrlich – ich kenne Sie nicht.«

»Ich spiele im Film, weiter nichts.« Ihr Lächeln wurde groß und übergoß ihr Gesicht mit Wärme und innerer Schönheit. Martin Abels sah sie fasziniert an und wurde nur von dem Ausruf Tasskans aus dem Zauber gerissen, der aus den Worten »Welche Schönheit! Welche Schönheit!« bestand.

»Wir drehen auf meiner Datscha einen neuen Film«, sagte Tasskan. Aber er sprach mehr zu Amalja, die er mit der gleichen Verzückung betrachtete wie Abels den Engel Marfa. »Einen Film über den Winter in der Taiga. Auch eine Wolfsjagd soll darin vorkommen –« er lachte bitter – »aber nicht so wie heute. Das stand nicht im Drehbuch, und außerdem ist heute ein drehfreier Tag.« Es sollte sarkastisch klingen, aber das in den Wäldern sich verkriechende Heulen und Bellen der satten Wölfe ließ keinen Humor mehr zu. »Der ganze Aufnahmestab ist auf der Datscha, nur Marfa und ich wollten eine kleine Schlittenpartie machen. Aus Leichtsinn unbewaffnet, denn so nahe habe ich noch keine Wölfe an der Datscha gehabt.«

»Der Winter ist plötzlich gekommen und gleich sehr hart«, sagte Abels. »Sie können wirklich Gott danken, daß wir zufällig am Wald standen.«

»Gott?« Marfa Umatalskaja hob die nachgezogenen Augenbrauen. »Sie sprechen von Gott, Nikolai Stepanowitsch? Hat Gott geschossen, oder waren Sie es?«

Abels erkannte, daß er etwas falsch gemacht hatte. Man muß umdenken, wenn man ein Sowjetrusse sein will, dachte er. Bis jetzt war es gelungen, aber immer wieder fällt man in das Gedankengut des eigenen Wesens zurück.

»Ich habe geschossen«, sagte er gleichgültig. »Aber Gott hat mir das Auge gegeben, gut zu zielen.«

Tasskan, der Regisseur, winkte ab. Er klopfte den noch immer zitternden Gäulen auf den Hals und strich mit den flachen Händen über ihre vereisten Nüstern. »Lassen Sie uns nicht über Gott diskutieren, Freunde!« rief er. »Mit Marfa darüber zu sprechen ist eine aussichtslose Sache! Darf ich Sie einladen auf meine Datscha?«

Wieder sah er Amalja dabei an, und sie war es auch, die nickte und »Ich bin sehr neugierig!« sagte, bevor Martin Abels etwas sagen konnte, was eine Verneinung gewesen wäre. So blieb ihm nichts anderes übrig, als zustimmend zu nicken. Marfa Umatalskaja ging leichtfüßig zum Schlitten zurück, schlug die zerwühlten Decken auf und machte eine einladende Handbewegung.

»Bitte einzusteigen!« Sie sah kurz zurück zu dem Schneefeld, auf dem noch die blutigen Spuren der Wolfsmahlzeit leuchteten. Alle Angst war aus ihren Augen gewichen. Als erste stieg sie in den Schlitten und rückte zur Seite: »Kommen Sie neben mich, Nikolai Stepanowitsch. Amalja und Wassilij nehmen ja doch den Kutschersitz.«

Sie deckte Abels mit den warmen Fellen zu, und da es eng im Schlitten war, schien es selbstverständlich, daß man zusammenrückte und Körper an Körper preßte.

Tasskan hüllte Amalja in mehrere Decken, stülpte ihr eine Pelzkapuze über und schwang sich dann auf den Sitz. Er sah gleichfalls zurück zum Wald und zu den Wolfsspuren, aber bei ihm wirkte das Erlebnis noch nach. Es war alles verstaut: die beiden Skipaare, die Tragsäcke, das Gewehr. Das war etwas, was Tasskan zu stillen Überlegungen anregte. Die Ausrüstung seiner Retter ließ darauf schließen, daß sie zu Fuß auf einer Wanderung nach Norden waren. Wer aber geht zu Fuß in diesem Frost nach Sibirien? Nur Jäger und Geologen durchstreifen die Wildnis, und auch sie sind nie allein, sondern bilden Trupps, haben Funkgeräte und werden, wenn sie in den unendlichen Wäldern untergetaucht sind, von Hubschraubern versorgt. O nein, es ist heute nicht mehr so einsam in Sibirien, wie man glaubt. Zwar sind die Wälder noch jungfräulich, aber vom Himmel aus hat man sie längst erobert. Um so mehr fällt es da auf, wenn zwei einsame Menschen auf Skiern durch die Taiga ziehen. Das ist mehr als ungewöhnlich. Das ist verdächtig.

Tasskan nahm sich vor, jetzt nicht mehr zu fragen. Sie haben mir das Leben gerettet, dachte er. Sie sind meine Gäste. Aber einmal wird der Augenblick kommen, wo ich fragen werde: »Und nun sagt die Wahrheit, Genossen! Was habt ihr verbrochen?«

Er schielte zur Seite zu Amalja Semperowa. Sie saß mit geröteten Wangen neben ihm, und ihre Blicke trafen sich, weil auch sie verstohlen zu ihm hinschaute. Da lächelten sie stumm, und Tasskan wurde es warm ums Herz. Verteufelt ist das, empfand er. Sie strömt einen fremden, unwiderstehlichen Zauber aus. Ich werde ihm erliegen, gerade ich, der ich die schönsten Mädchen in Moskau kenne.

Als sie auf eine schmale Straße kamen, begann Tasskan zu singen. Der Schlitten glitt schwerelos über den festen Schnee, die Beinchen der kleinen, struppigen Pferde trappelten und stampften. Und er sang mit lauter, tiefer, warmer Stimme ein altes kosakisches Volkslied, das die Hirten auf der Steppe sangen, wenn der Abend kam und die Lagerfeuer um die Jurten flackerten.

> Mein Mädchen hat ein buntes Band,
> heij,
> in ihren Locken,
> ein Band, das auch mein Herz umschlingt,
> denn, großer Mond, ich liebe sie,
> mein Mädchen ist die schönste ja,
> heij,
> im ganzen Land –

Marfa Umatalskaja legte den schmalen Kopf auf Abels' Schulter. Ein Hauch süßen Rosenparfüms wehte über sein Gesicht.

»Wassilij Petrowitsch hat sich in Ihre kleine Amalja verliebt«, sagte sie leise.

Selbst ihr Atem duftet nach Rosen, dachte Abels verwirrt.

»Glauben Sie?« fragte er unsicher.

»Er singt sonst nie. Er ist ein stiller Mann, fast zu ernst für seinen Beruf. Er ist immer ganz Würde, immer ganz großer Mann, immer nur der gefeierte Star des Films. Aber nun singt er wie ein Steppenjunge. Das tut ein Mann nur, wenn er verliebt ist und seine Seele in Melodien schwimmt.«

Wieder wehte ihr Rosenatem über sein Gesicht. Ganz nahe waren ihre schwarzen glänzenden Augen. Ihr Mund ist ja rot, dachte Abels. Ein schöner, geschwungener Mund, dessen Lippen beim Sprechen zittern und über die die Spitze ihrer Zunge gleitet, als müsse sie jedes Wort vorher küssen, ehe es ihre Lippen verläßt.

»Lieben auch Sie Amalja?« fragte sie plötzlich.

»Nein! Wie kommen Sie darauf?«

»Ich dachte nur. Es könnte möglich sein, nicht wahr? Wer mit einem so schönen Mädchen durch die Einsamkeit zieht – Und sie ist schön!«

Abels hob die Schultern. Er hatte Amalja bis heute noch nie mit den Augen eines Mannes betrachtet, der nach weiblicher Schönheit sucht. Für ihn war sie die Amerikanerin Betty Cormick, die ihr Geheimdienst fallenließ, weil sie versagt hatte. Und nun hatte sie sich wie eine Klette an ihn gehängt und wanderte mit ihm nach Torusk, jenem fernen Ziel hinter Wäldern, Bergen und Flüssen, wo eine Blockhütte am Waldrand lag, in der die Familie Turganow wohnte.

»Ich weiß es nicht«, sagte er stockend. Marfas Lächeln wurde stärker.

»Sie haben keinen Blick für weibliche Schönheit, Nikolai Stepanowitsch?«

»Doch. Sie zum Beispiel sind ein Engel.«

»Ich kann eine Bestie sein.«

»Dann wären Sie keine Frau, wenn's nicht so wäre.«

Sie lächelte noch einmal unergründlich, legte dann den Kopf auf Abels' Schulter, schmiegte sich in seinen ihre Schulter umfangenden Arm und schwieg.

Nach drei Stunden erreichten sie die Datscha. Es war ein großes Gehöft mit vier mächtigen Holzhäusern, Stallungen, einem Park und einem Gerätehof. Um das ganze Anwesen zog sich eine hohe Holzpalisade. Schutz gegen Bären, Wölfe und Tiger.

Mit großem Hallo fuhr der Schlitten in den Innenhof. Ein Knecht, Anfim mit Namen, stellte sich den Pferden entgegen und hielt sie an. Hinter den Fensterscheiben drängten sich Gesichter. Ein dicker Mensch, schwankend, sichtlich betrunken, eine Flasche noch in den feisten Händen, trat in die Tür und winkte grölend.

»Sie haben sich vermehrt, Brüderchen!« schrie er. »Aus zwei sind vier geworden! Teufel, Teufel, wie der Tasskan das kann!«

Marfa Umatalskaja schlief fest. Und wenn sie nicht schlief, so spielte sie jedenfalls die Schlafende meisterhaft.

Martin Abels trug sie auf seinen Armen ins Herrenhaus. Sie war leicht wie eine Puppe, Anfim, der Knecht, zeigte ihm den Weg. Tasskan blieb draußen und erklärte Amalja mit weiten Handbewegungen seinen Besitz.

Es war ein herrlicher Flecken Erde. Im Sommer blühten Rosenhecken und standen im Teich hinter dem Herrenhaus wilde Flamingos. Jetzt, im Winter, rauschten die mächtigen Kiefern und Fichten, wenn der Schnee abrutschte und ihre breiten Zweige in die Höhe schnellten.

»Sie sind ein glücklicher Mensch, Wassilij Petrowitsch«, sagte Amalja leise. Und Tasskan nickte und sagte:

»Jetzt ja, Amalja Semperowa. Ab heute der allerglücklichste.«

*

In dieser Nacht wurde ein Mensch ermordet.

Man fand den dicken, besoffenen Komiker Pawel Andrejewitsch Suskin mit eingeschlagenem Schädel auf dem Flur liegend, vor der Tür des Fremdenzimmers, in dem der neue Gast Amalja schlief. Es war kein schöner Anblick. Aus der eingestampften Hirnschale floß das Hirn, der Flur war mit Blut besudelt, sogar hoch an die Wände hatte es gespritzt. Wie in einem Schlachthaus sah es aus, in dem der Schlächter schlecht mit dem Bolzen gezielt und den Stier nur angekratzt hatte.

Die Aufregung war groß. Marfa Umatalskaja fiel in Ohnmacht, als sie auf den Flur trat, denn sie war diejenige, die den Mord entdeckte. Tasskan rief sofort nach einem Pferd, aber man hielt ihn davon ab, hundert Werst bis zur nächsten Station zu reiten und die Gendarmerie zu alarmieren. »Einfacher ist's zu funken!« schlug jemand von den Filmleuten vor. In wenigen Minuten war der Flur mit halbangezogenen, durcheinanderredenden Menschen gefüllt, die alle auf den toten Suskin starrten und auf sein ausgeflossenes Gehirn.

»Soviel?« sagte jemand. »Dabei war er doch so dumm!«

Tasskan rief um Hilfe. Er benutzte dazu einen Kleinsender, der im Winter die einzige Verbindung der Datscha zur Außenwelt war. Nach der ersten Aufregung sagte er sich, daß es notwendig sei, den Mord zu melden, denn immerhin war Suskin ein bekannter Komiker gewesen. Andererseits war es immer unangenehm, wenn die Polizei ins Haus kam. Unangenehm vor allem für seine Gäste Amalja und Nikolai Stepanowitsch.

Während man über den verkrümmten Körper Suskins eine Decke breitete – die alte Haushälterin Natalja gab sie erst heraus, als man zum Schutz gegen Flecken noch einige Lagen Zeitungspapier über den Toten schichtete – und darüber diskutierte, wer der Mörder sein könnte, saß Abels am Bett Amaljas und war wütend.

»Sie haben uns da eine schöne Schweinerei eingebrockt!« rief er. »Ich habe es geahnt! O Gott, hätte ich Sie doch in Tygdinsk gelassen! Nun wird die Polizei kommen, und was dann?«

»Ich habe ihn nicht getötet!« schrie Amalja. Sie sprang aus dem Bett und rannte in einem dünnen Nachthemd hin und her. Es war heiß im Zimmer, ein Eisenofen versprühte Wärme. Abels zeigte auf das durchsichtige Bekleidungsstück.

»Woher haben Sie das? Das ist doch nicht in Ihrem Gepäck?!«

»Tasskan hat es mir gegeben.«

»Ach! So weit sind Sie also schon? Reizwäsche in der Taiga! Betty, machen Sie aus unserem ernsten Unternehmen keinen billigen Hollywoodfilm! Ich habe kein Interesse daran, in Karaganda im Bergwerk zu enden oder oben am Eismeer beim Straßenbau. Ich habe lange genug die sowjetischen Straflager kennengelernt, um zu wissen, daß ich heute so etwas nicht mehr überleben würde!« Er hielt Amalja am Arm fest, als sie an ihm vorbeiging. »Los! Erzählen Sie, was geschehen ist. Wer hat Suskin erschlagen, und gerade vor Ihrer Tür?!«

»Er wollte zu mir ins Zimmer«, sagte Amalja wütend und riß sich los.

»Und?«

»Ich habe die Tür von innen zugehalten und um Hilfe gerufen! Aber der Kerl hatte Bärenkräfte. Er rannte wie ein Rammbock gegen die Türfüllung. Da gab es plötzlich einen dumpfen Schlag, ich hörte etwas auf den Boden fallen. Und dann war Ruhe.«

»In diesem Augenblick hat der Mörder Suskin umgebracht. Und was haben Sie dann getan?«

»Ich bin ins Bett gegangen.«

»Und das soll Ihnen einer glauben?« Abels sprang auf und stellte sich Amalja in den Weg. »Halten Sie mich für einen Blödian? Welche Frau legt sich ruhig ins Bett und schläft selig, wenn sie eben noch um ihre Ehre kämpfte und draußen jemand erschlagen wurde . . . vor der eigenen Tür . . .«

»Das wußte ich doch nicht!« schrie Amalja und warf den Kopf zurück. Jetzt sieht sie wirklich schön aus, dachte Abels. Marfa hatte recht; sie ist berauschend, wenn man ihre Schönheit einmal erkannt hat. Aber hinter dieser Maske weiblicher Vollkommenheit steckte eine unerbittliche Härte, das gedrillte Produkt des amerikanischen Geheimdienstes. Betty Cormick, die aus der Hüfte schießen kann und Brennesseln aß, als sie in den Rocky Mountains fast verhungerte.

»Warum lügen Sie?« sagte Abels in kalter Brutalität. »Sie haben den Toten gesehen. Sie haben die Tür aufgemacht und den Mörder ins Zimmer gelassen.«

»Verrückt!« Amalja wandte sich ab und trat an den Ofen. Gegen das Licht des Fensters war ihr dünnes Nachthemd wie ein Schleier. Es verbarg nichts. Sie schien es zu wissen, aber sie zierte sich nicht, sondern blieb so gegen das Frühlicht stehen.

»Ich warne Sie, Betty!« sagte Abels heiser. »Ich überlasse Sie Ihrem Schicksal und dränge alle Skrupel in mir zurück! Ich bin in Rußland eingesickert, um Anuschka zu holen, nicht, um durch Ihren Leichtsinn zu verrecken!«

»Anuschka!« Amalja lachte rauh. »Ich habe immer geglaubt, das sei nur ein frommes Märchen von Ihnen! Ich habe Sie immer für einen ganz gerissenen Kollegen der deutschen Konkurrenz gehalten, der unter dem Mantel der Romantik die sowjetischen Raketenabschußbasen ausfindig machen will. Verdammt, ich habe mich getäuscht. Sie sind ein heilloser Idiot, der ein dummes Sibiriakenmädchen sucht! Ich habe Sie höher eingeschätzt, als Sie sind!«

»Das ist Ihre Version meines Lebens. Mich kümmert nur, daß wir hier wieder herauskommen. Wir sind doch in einer Falle! Betty, begreifen Sie doch: Sie haben keinen Paß! Man wird Sie entdecken! Und das bedeutet Tod!«

»Nicht mehr –«

Sie sagte es mit solcher Sicherheit, daß Abels sich wie zurückgestoßen aufs Bett fallen ließ.

»Haben Sie den Verstand verloren?« sagte er leise.

»Nein!« Amalja lächelte mit blendenden Zähnen. »Ich habe lediglich meine Standhaftigkeit verloren. Ich war eine Nacht lang nichts als Frau. Auch das ist etwas wert! Ich habe nichts mehr zu befürchten . . .«

Abels sah auf seine Hände. »Tasskan –« sagte er stockend.

»Ja.«

»Sie sind seine Geliebte geworden?«

»Ich habe mein Leben gerettet. Es gibt verschiedene Möglichkeiten, das zu tun. Sie werden weiter durch Frost und Schnee wandern, andere verkriechen sich . . . ich bin im Besitz der stärksten Münze, mich freizukaufen. Ich breite nur die Arme aus. Es sind billige Opfer, die man abwaschen kann.«

»Betty! Was ist aus Ihnen geworden?« sagte Abels erschüttert.

»So war ich immer, mein Freund.« Sie trat aus dem Lichtkreis des Fensters und setzte sich neben Abels auf die Bettkante. »Tasskan kam zu mir und sagte mir auf den Kopf zu: ›Du bist auf der Flucht. Du sprichst nicht wie eine gebürtige Russin. Ich kenne das. Ich kenne vom Beruf her alle Dialekte. Deinen Dialekt gibt es nicht. So spricht nur ein Amerikaner, der sich bemüht, ein Russe zu sein!‹ Genau das sagte er, und ich war starr vor Schrecken und Angst. Da habe ich die Wahrheit gesagt und mich freigekauft mit mir selbst. Tasskan wird mich nie ausliefern, und wenn die Polizisten kommen, wird er dafür sorgen, daß man mich nicht fragt.«

»Sie kennen die sowjetische Polizei nicht, Betty.«

»Tasskan ist ein Freund Mikojans und Malinowskijs.«

»Als ob das einen Kommissar kümmern würde!«

»Er hat außer der Polizei auch den Gebietskommissar benachrichtigt, und der ist ein Freund von ihm. Es wird also gar nichts geschehen. Man wird den armen Suskin abholen und begraben.«

»Und der Mörder?«

»Man wird ihn nie entdecken.«

»Weil es Tasskan selbst ist!« rief Abels und sprang auf. »Als er zu Ihnen wollte, sah er Suskin gegen die Tür rennen und hat kurz entschlossen zugeschlagen. War es so?!«

»Denken Sie, was Sie wollen, Nikolai!« Sie sprach jetzt wieder russisch, nachdem das bisherige Gespräch wie von selbst in die englische Sprache geglitten war. »Sie haben mir einmal gesagt, dieses Land sei voller Geheimnisse, die Generationen nicht lösen werden. Gut denn . . . fügen wir diesem Dunkel ein neues Geheimnis hinzu, das Suskin heißt.«

Es klopfte. Tasskan kam ins Zimmer und küßte Amalja ungeniert vor Abels auf beide Augen.

»Mein Engelchen«, sagte er zärtlich und winkte Abels zu, der ans Fenster trat, »es werden zwei Hubschrauber mit der Polizei und dem Kommissar landen. In einer Stunde sind sie hier. Leg dich ins Bett . . .‘ wir werden ihnen eine wunderschöne Szene bieten . . .«

Abels trat an die Tür und sah hinaus auf den Gang. Er war

jetzt wieder leer, nur die zugedeckte Leiche Suskins lag auf dem Boden.

»Hat er laut geschrien?« fragte er plötzlich.

Tasskan schüttelte den Kopf.

»Nein, er war sofort tot.«

Dann merkte er, daß er in die Fangfrage gestolpert war, und lächelte. Es war ein breites, kameradschaftliches Lächeln.

»Du bist ein gefährlicher Bursche, Nikolai«, sagte er freundlich.

*

Der Bezirkskommissar war dick und faul und wirkte wie ein vollgefressener Biber. Wie ein Biber wollte er im Winter auch seine Ruhe haben, lebte lieber in seinem Haus von dicken Kohlsuppen und vollen Flaschen, als daß er in die Kälte hinausging, um zu kontrollieren, ob alles in seinem Distrikt in Ordnung war. Fünfhundert Werst im Quadrat maß sein Gebiet, größer als Bayern etwa und größer als ganz Dänemark. Wie soll man das alles überblicken, Freunde, und dann auch noch mit nur zwei Augen, von denen eins immer blau und geschwollen war, denn außer mit Verantwortung war er auch noch mit Axinja, seinem Weib, gesegnet, die ihre Bratpfanne nicht allein zum Braten und Backen benutzte. Es ist schon ein schweres Leben, so ein langer Winter, eingesperrt mit einem resoluten Weibchen!

Als er mit dem ersten Hubschrauber landete, schrie er zunächst nach einem feurigen Wodka, denn der Pilot – der Satan drehe ihm den Hals um! – wäre bald mit dem Maschinchen abgestürzt, weil die hinteren Propeller vereisten. Zehn Minuten hatte Distriktkommissar Fjodor Konstantinowitsch Alajew Blut und Wasser, Schweiß und Rotz geschwitzt, bis der Hubschrauber hinter der Datscha Tasskans sicher aufsetzte und der Pilot – man sollte ihn in der Luft zerreißen, diesen Hurensohn! – sich sogar bekreuzigte, als sei er aus der Hölle entwichen.

Im zweiten Hubschrauber folgten drei Polizisten, ein Schreiber, den man Protokollarier nannte, und ein Leutnant

der Gendarmerie, der den Außenposten führte. Der Protokollarier begab sich sofort zur Leiche Suskins und begann zu
notieren, was seine ersten Eindrücke waren. Er kam sich
mächtig wichtig vor, warf mit lateinischen Worten wie Exitus
und Fraktur um sich, stellte immer wieder heraus, daß er auf
einem Gymnasium in Irkutsk studiert habe, und verbreitete
eine penetrante Mischung von Wissen und Stolz um sich.
Keiner im Hause Tasskan mochte ihn, kaum daß zehn Minuten seit seinem Eintreffen vergangen waren. Vielleicht war er
ein zu vollkommener Beamter. So etwas stößt ab, Genossen.
Die Untersuchung ergab folgendes:
Exitus durch Schädelfraktur und Gehirnaustritt, hervorge-
rufen durch einen mächtigen Schlag mit einem harten Gegenstand. Dabei rollte der Protokollarier das Wort Exitus wie einen Sahnebonbon im Mund. Wie gesagt, ein ekelhafter Kerl.
Suskin war sofort tot, und der ihn erschlagen hatte, mußte
ein Hüne sein, ein Bulle von Mann, ein Bursche mit eisernen
Muskeln, denn es ist gar nicht so leicht, wie man denkt, eine
Hirnschale so völlig einzuhämmern, wie es bei Suskin geschehen war.
»Das ist ein schwerer Fall«, sagte Kommissar Alajew und
trank noch ein Gläschen Wodka. Tasskan servierte ihn in
halbhohen, schlanken Gläsern, und so hatte auch die Nase etwas Freude, bevor die Kehle die Köstlichkeit verschluckte.
Der Duft eines Wodkas übertrifft den einer Frau, sagen Kenner. »Verhören wir erst einmal die Augenzeugen.«
Augenzeugen waren keine anderen vorhanden außer
Amalja Semperowa. Tasskan führte Alajew in das Gästezimmer, vor dem noch immer die Leiche Suskins lag, jetzt nicht
mehr zugedeckt, denn er wurde von allen Seiten fotografiert.
Der Protokollarier hielt einen Vortrag, daß dies hier ein kleiner Fisch sei, man habe schon ganz andere Dinge aufgeklärt,
zum Beispiel den Mord an der Witwe Kamanjew, die sieben
Liebhaber hatte, und jeder hatte sie umgebracht. Man muß
sich das vorstellen – sieben Mörder und ein Opfer! Das war
ein Fall! Man hörte dem widerlichen Menschen zu und bemühte sich, ihn nicht zu verärgern, denn allen, die im Hause
Tasskans wohnten, saß der Schrecken im Nacken. Der Mör-

der Suskins war noch unter ihnen, jeder konnte es sein, auch wenn keiner es dem anderen zutraute.

Tasskan hatte Amalja wie auf dem Theater zurechtgemacht. Sie lag bleich und mit geschlossenen, dunkel umrahmten Augen im Bett, zugedeckt bis zum Hals, und schien tief zu schlafen. Sie sah ergreifend aus, erschütternd in ihrer bleichen Schönheit. Kommissar Alajew und Tasskan betraten das Zimmer auf Zehenspitzen und blieben vor dem Bett stehen. »Sie schläft, das arme Vögelchen«, sagte Tasskan leise. »Sieh nur, Brüderchen, wie zerbrechlich sie ist. Liegt sie nicht da wie Julia nach dem Tode Romeos?«

Alajew nickte. Er fand den Vergleich mit Julia sehr schön und verzichtete darauf, Amalja aufzuwecken.

»Das Erlebnis hat ihre Nerven zerstört«, sagte Tasskan. Er flüsterte es Alajew ins Ohr, weil sich Amalja seufzend im Bett bewegte. »Wir sollten sie schonen. Was weiß sie schon? Sie war doch im Zimmer, nicht davor –«

»Das stimmt. Gehen wir.« Auf Zehenspitzen schlichen sie wieder aus dem Zimmer und drückten ganz vorsichtig die Tür ins Schloß. Dabei stieß Alajew gegen den Bauch des toten Suskin und fluchte leise.

»Noch nicht fertig?!« fauchte er den Protokollarier an. »Was ist denn noch?«

»Mir gefällt der Tote nicht, Genosse Kommissar«, sagte der wichtigtuerische Mensch.

»Mir auch nicht! Eine Schönheit war er nie! Aber was soll's? Kommt es darauf an?«

»Er wurde von vorn erschlagen. Sein Kopf ist nicht hinten aufgeplatzt, sondern über der Stirn. Einen solchen Schlag kann man nicht von hinten führen. Suskin hat seinen Mörder angesehen, er hat ihn erkannt, hat sich deshalb nicht gewehrt ... und bum, war er tot!«

Alajew betrachtete den Protokollarier wie eine dickgesaugte Wanze. Immer diese Intelligenzler, dachte er. Sie machen einem das Leben schwer. Anstatt zu sagen, der Täter hat den armen Suskin meuchlings überfallen, entdeckt er, daß es ein Mord unter Freunden war. Bei Gott, welche Schwierigkeiten gibt das wieder!

Der Kommissar seufzte, ordnete an, daß man den Leichnam endlich entfernen solle – denn weder die berühmte Marfa noch das Vögelchen Amalja getrauten sich aus den Zimmern, solange der dicke Tote herumlag – und ging in den großen Speisesaal der Datscha, um mit den Verhören zu beginnen.

Den ganzen Tag über befragte er die Gäste Tasskans, natürlich ohne Erfolg. Die Filmleute waren harmlos, sie hatten geschlafen. Was soll man in der Nacht auch anderes tun? An weiblichem Personal waren nur zwei alte Weiber auf der Datscha, es lohnte sich also nicht, wach zu bleiben. Auch Abels wurde verhört. Tasskan stellte ihn vor als Tontechniker der Filmgesellschaft. Alajew verzichtete auf lange Reden, notierte sich bloß den Namen Nikolai Stepanowitsch Arkadjef und schloß dann die Verhöre mit dem Satz: »Es ist alles Mist, Wassilij Petrowitsch! Sie haben mir einen Hirschbraten versprochen – das ist das einzig Reale!«

Wie vorauszusehen: Die Untersuchung brachte nichts an den Tag. Es gab kein Motiv außer dem, daß Suskin dem kleinen Täubchen Amalja an die Ehre wollte, aber das war so selbstverständlich, daß man deswegen keinen Mord begeht. Kommissar Alajew schloß deshalb die Akten und stützte den Kopf in beide Hände.

»Ich muß Sie alle verhaften!« sagte er traurig.

Tasskan lächelte verlegen. »Machen Sie keine Scherze, Genosse Alajew.«

»Was bleibt mir anderes übrig? Ein Toter, der Mörder im Haus, aber keiner ist's gewesen! Ich muß Sie alle mitnehmen. Wie stehe ich sonst da in Irkutsk? Ein Nichtskönner ist er, wird man sagen. Da bringt man einen Volksschauspieler um, haut ihm das Schädelchen ein, es kommen nur zwanzig Personen dafür in Frage, aber der Alajew findet keinen! Das ist blamabel! Ich werde Sie alle einsperren müssen, Wassilij Petrowitsch.«

»Lassen Sie uns das ganz genau überlegen, Genosse Kommissar«, sagte Tasskan nachdenklich. »Wie sind Ihre Leute?«

»Verschwiegen.«

»Haben sie Sinn für filmische Effekte?«

»Wir gehen gern in ein Filmtheater, Wassilij Petrowitsch.«

»Dann wird man den armen, dicken Suskin mit allen Ehren begraben können –«

Am nächsten Morgen gab es einen neuen Alarm auf der Datscha. Anfim, der Knecht, hatte bei einem Kontrollgang zu einigen Hasenfallen den toten Komiker Suskin gefunden. Er lag mit zerfetztem Schädel am Ausgang des Datschaparkes, und viele Fußspuren und aufgekratzter Schneeboden bewiesen, daß ein wilder Kampf stattgefunden hatte.

Kommissar Alajew, der Protokollarier, der Leutnant, die Polizisten, Tasskan, die ganze Filmgesellschaft lief zum schrecklichen Ort und besichtigte ergriffen den getöteten Suskin.

»Ein Bär!« sagte Alajew laut. »Freunde, das ist ganz klar . . . ein Bär hat ihn geschlagen! Macht Fotos, schreibt die Protokolle . . . Suskin, so ein guter Schauspieler, und muß so enden! Es ist ein Jammer!«

Alajew erwies sich als ein glänzender Charakterdarsteller. Er legte eine Erschütterung an den Tag, die so echt wirkte, daß dem Protokollarier die Tränen in die Augenwinkel schossen. Er machte ein neues Protokoll, zerriß das alte von gestern, vernichtete die Filme in der Kamera und nahm den neuen Tatbestand auf. Dann schaffte man den armen Suskin ins Haus, und hier erhielt er endlich seine wirkliche Ruhe, wurde im Pferdestall aufgebahrt, mit Tannengrün bekränzt, sogar vier große Kerzen in silbernen Leuchtern stellte man am Kopf und an den Füßen auf. Es war wirklich sehr feierlich.

»Sie sind ein Genie, Wassilij Petrowitsch«, sagte Kommissar Alajew, bevor er wieder den Hubschrauber bestieg. »Darf ich Sie im Frühjahr zu mir einladen?«

»Im Frühjahr filme ich in der Mandschurei, Genosse. Aber im Sommer bin ich hier. Dann werden wir Rebhühner jagen . . .«

»Das werden wir!«

Sie schieden wie immer als gute Freunde.

Am nächsten Tag wurde Suskin am Waldrand begraben. Tasskan sprach ergreifende Worte des Abschieds. Er war wirklich ein großer Regisseur . . .

*

Professor Dahrfeld brauchte die Wahrheit nicht mehr zu sagen. Inken Holgerson hatte ihren Zustand begriffen, noch bevor sie ihren Vater und Benno Fahrenkrug sah und Professor Dahrfeld die fromme Lüge von der Prellung anbringen konnte.

Sie lag steif in ihrem Streckverband und dem Spezialwasserbett und versuchte sogar zu lächeln, als Holgerson als erster in das Krankenzimmer trat, in der Hand einen großen Strauß roter Rosen.

»Mein Kleines«, sagte er und gab sich Mühe, mit der Stimme nicht zu zittern. »So ein dummes Mauseloch! Aber da sieht man wieder, daß keiner so fest im Sattel sitzt, als daß ihn nicht unwichtigste Dinge herausheben könnten.«

Inken gab mit einem Senken der Lider Antwort. Sie sah zur Tür, in der Benno Fahrenkrug erschien, hinter ihm der weiße Kittel Professor Dahrfelds. Eine Prozession zu einer lebenden Leiche, dachte sie bitter. Sie werden sich jetzt überbieten in Lügen und Bagatellisierungen, in Hoffnungssprüchen und ermunternden Reden. Ich werde sie mir nicht anhören, ich werde ihnen sagen, was ich weiß.

»Werde ich für immer gelähmt bleiben?« fragte sie in die Stille hinein, die sich gebildet hatte, weil keiner das erste Wort ergreifen wollte. Professor Dahrfeld hob die Brauen, Holgerson und Fahrenkrug sahen sich schnell an.

»Wer redet denn von Lähmung?« sagte Fahrenkrug burschikos. »In vier Wochen machen wir einen Schneeritt, daß es nur so staubt.«

»Es ist nett, Benno, daß du mir Mut machen willst, aber ich weiß, was mit mir los ist.«

»Und was, meinen Sie, ist los?« fragte Professor Dahrfeld.

»Ich bin gelähmt.«

»Im Augenblick ja! Die Prellungen haben im Rücken . . .«

»Es sind Wirbel gebrochen, Herr Professor«, unterbrach ihn Inken mit klarer Stimme. »Bitte, sagen Sie die Wahrheit. Ich kann sie ertragen. Ich habe den dicken Schädel der Holgersons, der alle Schicksalsschläge auffängt, ohne vom Stuhl zu fallen.«

»Was du nur redest«, sagte Holgerson heiser. »Inki, das ist doch Dummheit! Und wenn was gebrochen wäre, wir bekommen das schon wieder hin. Der Herr Professor . . . und dann die Spezialkliniken . . .«

»Paps, warum lügst auch du?« Sie versuchte den Arm zu heben, um die Hand auf das Knie ihres Vaters zu legen. Nur mühsam bewegte sich der Arm und fiel dann schlaff auf die Bettdecke zurück. »Siehst du . . . ich bin hilfloser als ein Säugling. Die Beine kann ich überhaupt nicht bewegen, nicht einmal die Zehen. Ich bin nur mehr ein denkender Kopf mit einem Anhängsel, das man Körper nennt. Und wenn du schon von Spezialkliniken sprichst . . . ich kenne dich doch, Paps . . . dann ist es ernst.« Sie sah mit großen Augen zu Professor Dahrfeld, der sich auf das Fußende des Bettes gestützt hatte. »Herr Professor, bleibe ich für immer so hilflos?«

»Nein, Fräulein Inken.«

»Ehrlich?«

»Ja. Sie werden nach einigen Wochen oder Monaten wieder aus dem Bett können, Ihre Arme und Hände gebrauchen können, hinaus in die Welt fahren, teilhaben am schönen Leben . . .«

». . . nur laufen werde ich nie wieder können, nicht wahr?«

Professor Dahrfeld zögerte mit der Antwort, aber dann sah er nicht ein, warum er lügen sollte, wenn Inken Holgerson selbst die Kraft aufbrachte, darüber so klar und unerschütterlich zu sprechen.

»Ja! Laufen werden Sie nie wieder.«

»Herr Professor!« Holgerson sprang auf. »Das war brutal!«

»Ich bin dem Professor so dankbar dafür, Paps!« Inken lächelte, aber man sah, wie schwer es ihr fiel. Für immer gelähmt, dachte sie. Ein Krüppel, der in einem Rollstuhl hin und her gefahren wird, den man auf die Toilette heben und wieder wegnehmen muß, den man ins Bett tragen wird, der nicht einmal an Krücken gehen kann, weil die Beine wirklich nichts anderes mehr sind als am Körper baumelnde Würste.

»Wir werden, sobald du transportfähig bist, in die USA fliegen, nach Rochester, in die Mayo-Klinik. Ich werde die besten Spezialisten der Welt mobilisieren, mein Kleines.« Holgerson beugte sich über das schmale, bleiche Gesicht Inkens und küßte sie auf die Augen. Seine Lippen zitterten dabei. »Nichts ist hoffnungslos. Jeden Tag geschehen neue Wunder in der Medizin.«

Inken nickte wieder mit den Lidern. Ihr Blick wanderte zu Benno Fahrenkrug, der neben dem Bett stand, einen Strauß Teerosen in den Händen. Er machte den Eindruck, als stände er bereits vor einem offenen Sarg und wollte als letzten Gruß seine Blumen niederlegen.

»Armer Benno«, sagte sie leise.

Fahrenkrug drückte das Kinn an den Kragen. Man sah ihm an, wie schwer es ihm wurde, Haltung zu bewahren.

»Wieso arm? Ich bin glücklich, daß es dir so gutgeht, Inki.« Er legte seine Teerosen auf ihre Brust und schob sie dann ein wenig höher, damit sie den süßen Geruch wahrnehmen konnte. Professor Dahrfeld zog Holgerson am Rock und nickte mit dem Kopf zur Tür. Widerwillig folgte ihm der Reeder und wollte protestieren, als Dahrfeld ihn aus dem Zimmer schob und die Tür schloß.

»Jetzt lassen Sie die jungen Leute mal allein«, sagte Professor Dahrfeld, als Holgerson wieder ins Zimmer wollte. »Alles, was wir jetzt zu sagen haben, ist Dummheit. Die beiden haben ihre Probleme, nicht wir. Sie müssen sich mit ihrem ferneren Leben auseinandersetzen; für uns ist das klar, wie es werden wird. Kommen Sie, Herr Holgerson, wir gehen zu mir und trinken noch einen Kognak.«

Benno Fahrenkrug setzte sich neben Inken auf das Bett und ergriff ihre schlaffen Hände. Er streichelte sie und beugte sich dann über ihr Gesicht, küßte sie auf die kalten, blutleeren Lippen und auf die Augen, die plötzlich in Tränen schwammen.

»Es wird alles wieder gut, Inki«, sagte er stockend. »Dein Vater hat recht ... jeden Tag geschehen neue medizinische Wunder.«

»Wollen wir darauf warten, Benno?«

»Ja.« Fahrenkrug schob die Rosen etwas zur Seite und streichelte Inkens Haare. »Wir werden hier in der Klinik unsere Verlobung feiern, und wenn es nicht anders geht, heiraten wir oben in der Krankenhauskapelle.«

»Nein!« Es war eine klare Antwort. Fahrenkrug schüttelte den Kopf, aber Inken sprach weiter und ließ ihm zu einer Entgegnung keine Zeit.

»Ich bleibe für immer ein Krüppel, Benno!«

»Aber du bleibst auch immer meine Inki.«

»Ich werde dir eine dauernde Belastung sein. Immer im Rollstuhl, immer hin und her gerollt, immer gefesselt an den Sitz, auf den man mich gerade gehoben hat. Ich werde nicht tanzen können, nicht reiten, nicht Tennis spielen, nicht reisen, nicht mehr mit dir durch die Wälder gehen ... ich werde immer nur in einem Rollstuhl sitzen und das Leben an mir vorbeigehen lassen, so wie ein Film vor mir abläuft mit nicht greifbaren Bildern von Schönheit und Freude.«

»Das Leben besteht nicht nur aus Tanzen und Tennisspielen«, sagte Fahrenkrug laut. »Ich liebe dich doch, Inki!«

»Noch! Und morgen und übermorgen ... aber in einem Jahr, in zehn Jahren ... da werde ich eine ungenießbare, knurrige Frau sein, unzufrieden, verbittert, vom Leben ausgeschlossen, ich werde die Hölle um mich verbreiten ... Und du bist jung, wie ich, du kannst das Leben in seiner ganzen Fülle genießen – warum willst du dich an eine gelähmte Frau fesseln?«

»Weil ich dich liebe! Ich werde es dir immer sagen, Inki: Weil ich dich liebe!«

»Überleg es dir, Benno.« Sie schloß die Augen. Müdigkeit überfiel sie plötzlich, eine selige Schwäche, ein Gefühl des Schwebens ergriff sie; es war ihr, als könne sie schwerelos herumgehen, Arme und Beine wieder bewegen in einer Art, wie man eine Feder durch die Luft gleiten läßt.

Fahrenkrug erhob sich leise vom Bett und beugte sich über Inken Holgerson. Er hauchte ihr einen Kuß auf die Stirn und legte die Teerosen auf den Nachttisch.

»Benno –«, flüsterte sie mit geschlossenen Augen. Ihre Stimme schien wie in Watte gepackt.

»Ja –«

»Ich liebe dich auch. Aber wir müssen auseinandergehen, hörst du – wir würden uns gegenseitig aufreiben.«

Er wollte antworten, aber dann erkannte er, daß sie schon schlief. Auf Zehenspitzen schlich er aus dem Zimmer und traf auf dem Flur die Stationsschwester.

»Sie schläft«, flüsterte er, als könne seine Stimme sie auch noch auf dem Flur aufwecken.

»Ich sehe nach ihr. Der Herr Professor läßt Sie bitten, zu ihm zu kommen.« Die Stationsschwester verschwand in der Teeküche, und Fahrenkrug eilte zum Chefzimmer.

»Na, was ist?« fragte Holgerson sofort, als Benno eintrat. »Was sagt Inken?«

»Alles klar, Papa«, log Fahrenkrug und gab sich freudig und gelöst. »In vier Wochen steigt die Verlobung. Inken ist mit allem einverstanden –«

»Brav, mein Junge.« Holgerson atmete auf. Sein sorgenvolles Gesicht glättete sich. »Diese innere Freude wird zur Heilung beitragen, glaube es mir.«

»Ich weiß es, Papa«, sagte Fahrenkrug und wandte sich ab, um Holgerson nicht in die Augen sehen zu müssen.

*

Es zeigte sich wie so oft, daß Glück und Unglück Schwestern sein können.

Nach vier Wochen – die Verlobung mußte auf Anraten Professor Dahrfelds verschoben werden – stellte sich heraus, daß die Lähmungen nachließen, daß die Wirbel keine lebenswichtigen Nerven abklemmten, daß sich die Funktionen ab der Gürtellinie wieder einstellten. Zwar langsam, zögernd, aber jeden Tag etwas mehr.

Professor Dahrfeld sah fasziniert auf dieses »Wunder«,

wie er es offen nannte. »So etwas kommt in hundert Jahren einmal vor«, sagte er etwas übersteigert vor Freude. »Mein lieber Holgerson – Ihre Tochter wird nicht gelähmt bleiben! Sollen wir sagen: Sie hat ungeheures Glück gehabt? Oder sollen wir wirklich an ein Wunder glauben?«

Die anderen Verletzungen, die Professor Dahrfeld zunächst als »Nebenerscheinungen« und Lappalien betrachtet hatte, als eine Routineheilung, wurden plötzlich zum Mittelpunkt.

Da war eine Oberschenkelfraktur, die man normal gerichtet und stillgelegt hatte. »Kommt alle Tage vor«, hatte Professor Dahrfeld gesagt. »Der Knochen ist leider direkt über dem Knie gebrochen. So etwas hat man nicht gern, aber kein Grund, pessimistisch zu sein.«

Es wäre auch alles normal verlaufen, wenn Inken Holgerson nicht an sich selbst ein Experiment gemacht hätte. Nachdem die Rückenwirbel so weit geheilt waren, daß sie ein Stützkorsett tragen und sich aufrichten konnte, wollte sie die Zeit überlisten. Ich werde sie alle überraschen, dachte sie. Ich werde die Holgersonsche Energie demonstrieren . . . ich werde ihnen eines Tages entgegenkommen. Zwar noch am Stock . . . aber ich werde gehen, Schritt für Schritt.

Eines Nachts überredete sie eine junge Frau aus dem Nachbarzimmer, als diese einmal kurz bei Inken hereinsah, weil sie noch Licht bemerkte, ihr das Zuggewicht vom Bein zu nehmen. »Ich kann nicht mehr richtig schlafen«, sagte sie klagend. »Nur eine Stunde, dann hängen wir es wieder an.«

Die junge Frau tat ihr den Gefallen, und fast eine Stunde lang versuchte Inken, aus dem Bett zu kriechen und sich aufzustellen. Immer wieder knickte sie ein, im Knie stachen wahnsinnige Schmerzen, der Rücken zuckte und schien wie elektrisiert zu sein. Nach dieser Stunde lag sie völlig erschöpft im Bett, ließ sich das Zuggewicht wieder anlegen und schlief dann schluchzend ein.

Die Wirkung war verheerend. Als der Gips abgenommen wurde und Inken das erstemal mit Erlaubnis Professor Dahrfelds aufstehen durfte, spürte sie bei der Belastung des Beines, daß sie den Fuß nicht richtig aufsetzen konnte. Es schmerzte teuflisch. Was aber Professor Dahrfeld und auch Holgerson völlig kopflos machte, war eine unübersehbare Tatsache: Das Bein war kürzer als das nicht gebrochene.

»Unmöglich!« rief Professor Dahrfeld. »Der Bruch war fabelhaft gerichtet! Ich habe ihn ja eigenhändig unter Röntgenkontrolle eingegipst!«

Die sofortige Röntgenkontrolle bewies eine nicht mehr reparable Katastrophe: Das gebrochene Bein war kürzer, weil sich der Bruch im Gips verschoben hatte. Es gab nur noch eine Korrekturmöglichkeit – ein neuer, künstlicher Bruch und neues Richten –, aber davor scheute Dahrfeld zurück, denn die Gefahr einer Osteomyelitis mit einer Knochennekrose lag da sehr nahe; es würde sofortige Amputation des Beines bedeuten!

»Unbegreiflich!« schrie Professor Dahrfeld. »Ich verstehe das nicht!«

Reeder Holgerson verfluchte das Schicksal. »Ich werde alle Chirurgen der Welt mobilisieren!« schrie er. »Ich werde mich dagegen stemmen! Ich werde Inkens Lebensglück erkaufen, und wenn ich dabei in Konkurs gehe!«

Professor Dahrfeld hob die Schultern. »Wunder wiederholen sich nicht«, sagte er leise. »Wir sollten mit einem zufrieden sein.«

*

Einen Tag nach dem Begräbnis Suskins am Waldrand der Datscha Tasskans fegte ein Schneesturm über das Land und zwang Mensch und Kreatur, sich zu verkriechen und sich vor dieser wilden Natur der eigenen Erbärmlichkeit bewußt zu werden.

»Das geht jetzt mindestens eine Woche so«, sagte Tasskan. »Und wenn es hart auf hart kommt, schneien wir völlig ein und sind zwei Monate ans Haus gefesselt. Aber was macht's? Wir haben Vorräte genug, können uns zusätzlich etwas zusammenschießen, und Anfim versteht es, Fallen zu stellen. Verhungern werden wir nicht.«

Trotz des heulenden Schneesturms, der an der Palisade der

Datscha Berge von Schnee aufhäufte und die Windseite der Häuser mit Eis überzog, wurde an dem Film weitergedreht. Man kurbelte die Drehbuchseiten herunter, die Innenaufnahmen enthielten, und aus dem Herrenhaus wurde ein zwar primitives, aber doch arbeitsfähiges Atelier. Vor allem der große Speisesaal diente als Drehhalle. In ihm baute Tasskan einen Salon auf, einen Hoteleingang, eine Kirgisenstube und das Boudoire einer Dirne. Da der Film viel Folklore enthielt, reichten die einfachen Mittel aus, stimmungsvolle und »echte« Bilder einzufangen.

Amalja und Tasskan boten das Bild eines verliebten Taubenpaares. Sie verbargen ihre Zuneigung nicht mehr vor den anderen, und Amalja bekam diese Liebe gut; sie blühte auf, die Spuren der vergangenen Wochen verwischten sich aus ihrem Gesicht. Sie war eine glückliche Frau, die zum erstenmal in ihrem Leben empfand, daß die Liebe urgewaltig sein konnte wie die unendlichen Wälder der Taiga. Jedenfalls sagte sie so etwas.

Abels glaubte ihr nicht. Für ihn war sicher, daß Betty diese Episode nur aus Verzweiflung durchstand. Daß sie nur ihr Leben retten wollte und es sich bloß einredete, Tasskan, der ihretwegen einen Menschen erschlagen hatte, wirklich zu lieben. Er, Abels, selbst kümmerte sich wenig um die Filmleute, ging vor allem Marfa Umatalskaja aus dem Weg und beschäftigte sich mit dem Abrichten eines Hundes.

Tasskan hatte ihm einen Wolfshund gegeben, von denen auf der Datscha sechs Stück herumliefen. Es war ein großer, kräftiger Hund mit einer spitzen Schnauze und gewaltigen Fängen, einem dichten Fell und einer breiten, gewölbten Brust.

»Er ist ein guter Läufer!« sagte Tasskan. »Sehen Sie nur die Läufe und diese Brust. Welch ein Atem wohnt darin! Welche Ausdauer! Und diese Kraft, diese Muskeln! Ich möchte wetten, daß er vor seinen Ahnen, den Wölfen, keine Angst hat und daß er sie besiegt, wenn es zum Kampf käme!«

Abels dachte weiter. Ein guter Hund ist der beste Gefährte für die Wanderung in den Norden. Er hatte das bei den Turganows gelernt und zugesehen, wie Anuschka die Hunde abrichtete. Im Winter waren sie unersetzlich. Sie fanden die verschneiten Fallen und verbellten sie, sie gruben die Schlingen aus dem Schnee und stöberten das Wild auf, hetzten es durch den Wald und trieben es auf den Jäger zu. Ein Hund kann einem Menschen so das Leben retten. Die Einsamkeit verliert ihren Schrecken und ihre Grausamkeit, wenn ein guter Hund mit dem Menschen geht.

Und so richtete Abels den großen Wolfshund Akja ab, meistens im Stall, wo er ihm das Anspringen beibrachte, das Apportieren, das Gehorchen auf Pfiff, das Ignorieren von Schüssen, und er machte es so wie der alte Turganow in Torusk.

Als er spürte, daß der Hund ihn als seinen Meister anerkannte, schlief er mit ihm unter einer Decke, aß mit ihm das gleiche Essen, ließ ihn immer um sich sein und stärkte von Tag zu Tag das Gefühl des Zusammengehörens.

Zweimal nahm er ihn dann mit, wenn Anfim die Fallen kontrollierte. Akja bewies, was er gelernt hatte . . . er jagte einen Fuchs bis an die Datschapalisaden, wo ihn Anfim mit einem Knüppel erschlug.

An einem Abend war es unmöglich, Marfa Umatalskaja weiter auszuweichen. Abels kam in sein Zimmer, Akja knurrte leise, und als er Licht machte, saß Marfa am Ofen und sah ihn aus ihren großen, schwarzen Augen an. Sie trug wie damals Amalja nur ein dünnes Nachtgewand, allerdings mit vielen Spitzen; es war das gleiche Kleidungsstück, das sie in ihrem neuen Film als Dirne tragen mußte.

»Sie werden sich erkälten, Marfa«, sagte Abels grob und schloß die Tür. Akja kroch an das Bett, legte sich und beobachtete die Umatalskaja aus grünschillernden Augen.

»Sie haben Wärme genug, Nikolai Stepanowitsch. Wer Tiere so liebt wie Sie, ist ein guter Mensch. Ich mag gute Menschen.« Und plötzlich sprang sie auf, lief auf ihn zu, warf sich an ihn und umklammerte seinen Nacken. »Warum weichen Sie aus . . .«, stammelte sie, und es war, als glühe ihr zarter Körper wie die Holzkloben in dem Ofen. »Warum laufen Sie vor mir weg, Nikolai? Kann man vor dem Schicksal weglaufen? Sie wissen, was ich fühle, und ich weiß, was Sie fühlen . . . Ihre Flucht ist sinnlos, glauben Sie es mir! Alles in uns ist stärker als der Wille, es nicht zu tun . . . O Gott, wie stark Sie sind! Wie herrlich groß und stark! Was sehe ich denn, Nikolai? Helden, die nur im Film heldisch sind, aber sonst weiche Memmen, die sich vor jedem Luftzug fürchten. Aber Sie sind Erde, Nikolai, Sie sind Kraft, die aus dem Sturm geboren wurde . . . Nikolai . . . flüchten Sie nicht mehr . . . ich werfe mich Ihnen an den Hals . . . ich werde zur Dirne in Ihren Armen . . . ich verleugne alle Scham, ich spucke auf die Moral . . . ich will nur spüren, was Leben ist, wahres Leben . . . Ich will Sie, Nikolai!«

Abels versuchte, sich aus ihrer wilden Umklammerung zu befreien. Aber je mehr er mit ihr rang, um so fester umfaßte sie ihn. Er spürte ihren weichen, warmen Körper unter seinen Händen, er hörte, wie das dünne Nachtgewand zerriß, sie hing an ihm und drückte seinen Kopf herunter, und ihre Wildheit war so stark, daß er zu taumeln begann und rücklings auf das Bett fiel. Sie lag über ihm, eine leichte, aber nicht abzuschüttelnde Last; ihre schmalen Hände umfaßten sein Gesicht; die langen schwarzen Haare flossen über ihn, und unter diesem dunklen Schleier näherten sich ihre geöffneten, feuchten, rotglänzenden Lippen.

»Marfa!« keuchte Abels und versuchte den Kopf wegzudrehen. »Wir können nicht wahnsinnig werden! Sie wissen nicht, wer ich bin!«

»Du bist ein großer, starker Mann, ein Bär, ein Tier aus dem Urwald . . . mehr will ich nicht.« Ihre Stimme war rauh und hatte keine Ähnlichkeit mehr mit ihrer Filmstimme, die glockenhell klang. »Und wenn du der Satan wärst . . . ich sehne mich nach dem Teuflischen!«

Sie preßte ihre Lippen auf seinen Mund, ihr Körper wand sich auf ihm wie ein Schlangenleib, und Abels spürte, wie die Natur in ihm nachgab und er die Seligkeit zu empfinden begann, wehrlos in diesem heißen Wind zu liegen.

Neben dem Bett, mit grünschillernden Augen, böse und beobachtend, lag Akja, der Wolfshund.

Es geschah ganz plötzlich, lautlos und mit der Schnelligkeit eines unerwarteten Windstoßes.

Marfa Umatalskaja schrie auf und wälzte sich von Abels weg. Ein Schatten war neben ihr ins Bett gefallen, ein massiver, greifbarer Schatten, der mit harten Tatzen gegen ihre Schultern stieß, seine spitze Schnauze zwischen ihr und Abels' Gesicht schob und mit heißem Atem und spitzen Zähnen nach ihrer Kehle zielte.

Marfa sprang vom Bett und deckte beide Hände über ihre aus dem zerrissenen Nachthemd heraussehenden Brüste. Ihr zarter, schmaler Körper zitterte wild.

»Nimm den Hund weg!« schrie sie. »Nikolai, nimm die Bestie weg! Ich werde sie umbringen, ich werde sie erschlagen, ich . . . ich . . .« Sie suchte nach Worten und fand keine, die ihren Haß ausdrücken konnten.

Abels wälzte sich zur Seite. Er atmete auf. Mein guter Akja, dachte er. Du hast eben mehr gerettet als einen Zipfel Moral. Ich war dabei, Anuschka zu verraten. Aber nun kann ich sie offen anschauen, kann ihren Leib, ihre schlanken, rehhaften Beine, ihr aufgelöstes, wildes, leidenschaftliches Gesicht mit den großen Augen betrachten, ohne mich schämen zu müssen.

»Nimm das Aas weg, Nikolai«, zischte Marfa Umatalskaja. Sie ließ die Hände fallen und stand da in ihrer betörenden Schönheit, die Fetzen des Hemdes um den weißen Körper, bebend vor Wut und Enttäuschung und sich belügend, daß es weitergehen würde. Nicht zugeben wollte sie, daß der Bann gebrochen, daß die Lust zerstoben war wie ein Nebel aus einem Zerstäuber.

Abels rutschte vom Bett und strich sich die zerwühlten, schweißigen Haare aus der Stirn. Er ging zwei Schritte bis zu einem Stuhl, nahm einen Morgenmantel, der auf dem Sitz lag, trat damit zu Marfa und legte ihn ihr um die Schultern. Mit einer unbeherrschten, einer trotzigen Bewegung warf sie den Mantel wieder ab und faßte Abels vorn ans Hemd. Ihr kleiner, rotglühender Mund zuckte, als jagten elektrische Stöße durch die Lippen.

»Du wirfst mich weg?« sagte sie leise. »Du nimmst mich nicht?«

»Marfa –«

»Du behandelst mich wie eine ausgelaugte Hure? Du treibst mich durch einen Hund aus dem Bett? Du wirfst mich weg, wenn ich mich dir anbiete . . . Nikolai . . .« Ihre Stimme sank zu einem heißen Flüstern ab. »Nikolai, du weißt nicht, was du tust. Wer einer Frau so etwas antut, muß sterben. Begreifst du das? Das überlebt keine Frau. Das ist ihr seelischer Tod, und der Mörder muß sterben . . .« Ihr wildes, aufgelöstes Gesicht war ganz nahe vor ihm. Ihre Augen brannten; es war ihm, als sengten sie Löcher in seine Haut. »Nikolai . . . zum letztenmal: Nimm mich!«

»Marfa . . . begreif es doch . . .« Abels versuchte, ihre in seinem Hemd festgekrallten Finger zu lösen. Aber je härter er an ihren Händen zog, um so fester gruben sie sich in den Stoff.

»Ich töte dich . . . oder ich lasse dich töten«, flüsterte sie. »Ich werde dich anzeigen. Ich liefere dich der Miliz aus. Mir ist alles, alles recht. Ich will nur dich! Dich!« Ihr Mund kam ganz nahe, ihre Zähne bleckten plötzlich weiß zwischen dem Rot der Lippen, das Gebiß einer Raubkatze, bevor sie zubeißt. »Stoß mich jetzt nicht zurück, Nikolai – umfaß mich, trag mich auf das Bett, reiße die letzten Fetzen von meinem Körper . . . aber nimm mich . . . nimm mich!«

Akja, der Wolfshund, sprang vom Bett und stellte sich leise knurrend neben Marfa. Sie starrte zu ihm hinunter, und ihr Haß war so groß, daß sie nach Atem rang und Abels sie auffangen mußte, weil sie, den Kopf nach rückwärts werfend, sonst umgefallen wäre.

»Jag ihn weg, Nikolai!« stammelte sie. »Ich sterbe, wenn ich ihn sehe. Er ist ein Teufel!«

Dann brach sie plötzlich zusammen. So eruptiv ihre Wildheit gewesen war, so rätselhaft vergehend war sie jetzt. Sie lag quer über dem Bett, Arme und Beine von sich gestreckt. Erschreckt beugte sich Abels über sie. Sie atmete kaum, die hellroten Lippen hatten sich violett gefärbt, um die Augen bildeten sich dunkle Schatten. Als er eine Decke über ihren nackten Leib warf, sah er, daß ihre Schenkel zuckten, das einzige pulsierende Leben in dem langgestreckten Körper.

Da lief er aus dem Zimmer, suchte Tasskan und fand ihn in der Bibliothek. Er schrieb an einer neuen Szene des Filmes.

»Bitte, kommen Sie mit, Wassilij Petrowitsch!« rief Abels. »In meinem Zimmer . . . Marfa . . . Sie ist ohnmächtig.«

Tasskan lächelte, winkte und wies auf einen der bequemen Ledersessel. »Nehmen Sie Platz, Nikolai Stepanowitsch. Trinken wir einen Wodka zusammen?«

»Marfa . . .«

»Ach was, mein Freund! Sie hat heute ihren erotischen Tag! Dem Kalender nach, man sieht ihn ja nicht, müssen wir bald Neumond haben. Da ist es immer so mit ihr. In Moskau hat sie sogar einen Kanalarbeiter vergewaltigt; dreckig, von der Straße weg, so wie er war, nach Kloake stinkend, hat sie ihn ins Bett gezogen. Sie müssen das erst kennen, Nikolai Stepanowitsch, um ruhig zu bleiben. Marfas Neumond ist berühmt in Kollegenkreisen. Im Theater spielt man Karten darum, und wer verliert, muß es über sich ergehen lassen.« Tasskan lachte hell, goß Wodka ein und hob das schlanke Glas. »Trink, Brüderchen!« rief er fröhlich. »Da Sie ihr entwichen sind, wird es jetzt vielleicht der Kutscher Fedja sein oder der arme Wassja, unser jugendlicher Komiker. Er ist dann immer zwei Tage lang krank. Ist ja auch noch ein zartes Jüngelchen, der Wassja!« Er lachte wieder und trank.

Abels schluckte den Wodka in kleinen, vorsichtigen Zügen. Er dachte an Anuschka, an ihre Reinheit, an ihre Unkompliziertheit, an ihre stille, verströmende Liebe, an ihre Tränen des Glücks, wenn sie sich voneinander lösten, an ihre weiche Hand, die ihn streichelte, an ihre Lippen, die an seinem Ohr flüsterten: »Ich danke dir, Martin. Ich danke dir . . . daß die Welt so schön ist.« Und dann Marfa, das wilde Tier mit dem Körper einer zerbrechlichen Porzellanpuppe, die drohte, ihn zu töten, wenn er sie nicht nahm. Er schluckte, weil er spürte, wie rauh es ihm im Halse wurde. Er trank sein Glas leer und stellte es auf den Tisch zurück.

Tasskan beobachtete ihn. Er schien Gedanken lesen zu können.

»Wann werden Sie weiterziehen, mein Freund?« fragte er.

Abels sah verwundert und betroffen zugleich auf.

»Wohin?«

»Bitte, keine Komödie. Die schreibe und inszeniere ich

selbst. Amalja – oder soll ich sie Betty nennen? – hat mir alles erzählt. Bitte, wundern Sie sich nicht. Betty und ich haben etwas entdeckt, was selten geworden ist: Wir lieben uns. Nicht von heute bis morgen, vom Dunkelwerden bis zur Dämmerung, sondern so unmodern wie möglich – mit dem ganzen Herzen. So sehr mit dem Herzen, daß ich meinen Kommunismus verrate. Begreifen Sie nun, wie ernst es ist? Anstatt in treuer Pflichterfüllung dem Vaterland den Fang einer Spionin des Kapitalismus zu melden und anzusehen, wie man sie erschießt, schließe ich sie in meine Arme, schweige und bin sogar glücklich. Ich, der Leninpreisträger Tasskan!« Er stand auf und ging vor Abels mit kleinen Schritten hin und her. »Ich weiß schon wieder, was Sie denken, Nikolai. Ich nenne Sie so, weil ich Ihren wahren Namen nicht kenne. Sie denken jetzt: Welch ein Komödiant. Erst bringt er seinen Schauspieler Suskin um . . .«

»Ja, das habe ich gedacht«, sagte Abels ehrlich.

Tasskan blieb stehen. »Suskin wollte Betty nicht nur als Frau mißhandeln. Er hatte einen Verdacht. Bettys russische Sprache klingt wie Ukrainisch, aber der amerikanische Dialekt ist nicht ganz verschwunden. Ein geübtes Ohr hört es . . . und Suskin konnte es hören. Er war drei Jahre lang in New York am Theater.« Tasskan hob beide Hände. »Gestehen Sie mir das Recht zu, daß ich Suskin Bettys wegen töten mußte. Es gab keinen Ausweg mehr. Es bleibt zwar ein Mord, aber – wenn Sie so wollen – aus edlen Motiven!« Und plötzlich, wieder sachlich, alle Sentimentalität wegwischend: »Wann wollten Sie weiter, Nikolai Stepanowitsch?«

»Sobald der Schneesturm vorbei ist.«

»Das ist in zwei Tagen. Ich habe die Wettermeldungen aus Sibirien gehört. Dort ist schon Ruhe.« Tasskan blieb vor Abels stehen und sah lange auf ihn hinab, stumm, nachdenklich. Dann sagte er: »Nikolai, erlauben Sie mir ein Wort.«

»Aber bitte, Wassilij Petrowitsch.«

»Ist es wirklich das Mädchen Anuschka?«

»Ja.«

»Kein politischer Auftrag?«

»Ich schwöre Ihnen, Wassilij Petrowitsch . . .«

»Das sagte auch Betty. Aber Sie verstehen, man wird mißtrauisch. Zwei Fremde illegal bei uns, der eine Deutscher, die andere Amerikanerin, davon das Mädchen garantiert eine Agentin ... glauben Sie mir, sosehr ich Betty liebe: Ich würde Sie nicht aus meiner Datscha weglassen und würde Sie der Miliz übergeben, wenn ich Ihnen nicht vertrauen würde.« Tasskan winkte mit beiden Händen ab, als Abels aufsprang. »Keine Sorgen, mein Freund. Sie ziehen in zwei Tagen weiter, und wir vergessen, daß wir uns kannten. Übrigens: Betty bleibt hier, wissen Sie das?«

»Ich ahnte es.«

»Ihr Vaterland hat sich hundsgemein benommen. Sie soll in Rußland ein neues Vaterland bekommen.« Tasskan legte beide Hände auf die Schultern Abels'. »Ich werde mich Ihnen dankbar erweisen, daß Sie mir Betty brachten und daß Sie mir das Leben retteten vor den Wölfen. Ich werde Sie mit allem versorgen, was Sie für Ihre Wanderung nach Torusk brauchen. Ich werde Ihnen ein Pferd geben und einen Schlitten ...«

Durch Abels zog ein ungeheures Glücksgefühl. Ein Pferd. Ein Schlitten. Das bedeutete, daß er nicht mehr zweitausend Kilometer zu laufen brauchte, zweitausend Kilometer auf Skiern, durch Wälder und Gebirge, zweimal die Strecke Hamburg bis Königsberg, allein durch ausgestorbenes Land, in dem ein Mensch so selten war wie Gnade bei den Wölfen. Ein Pferd und ein Schlitten – das bedeutete den Sieg über die sibirische Weite.

»Wie ... wie soll ich Ihnen danken, Wassilij Petrowitsch«, sagte Abels stockend.

»Indem Sie mich vergessen, Nikolai Stepanowitsch.« Tasskan setzte sich und starrte vor sich auf den mongolischen Kamelhaarteppich, der den Boden der Bibliothek bedeckte. »An Ihnen habe ich einen Schwur verraten, wissen Sie das?« sagte er leise.

»Nein.«

»Ich hatte geschworen, zwei Dinge im Leben zu hassen: die Unfreiheit – und die Deutschen.« Er wischte sich über die Augen. »Mein Vater fiel in den Pripjetsümpfen, meine Mutter wurde auf der Landstraße zwischen Kursk und Dmitrijew als angebliche Partisanin erschossen. Mein Bruder starb in einem Gefangenenlager in Deutschland an Entkräftung. Meine Schwester ist verschollen, bis heute. Es kann mir keiner übelnehmen, wenn ich die Deutschen nicht liebe.« Er sah zu Abels, der vor ihm stand, mit bleichem, verzerrtem Gesicht. »Aber Sie haben mir das Leben gerettet und Betty gebracht . . . damit haben Sie meine Schwachheit Ihnen gegenüber aufgewogen.«

Es klopfte. Bevor Tasskan eine Antwort geben konnte, sprang die Tür auf. Marfa Umatalskaja kam in die Bibliothek, angezogen, in einem wollenen Kostüm, mit ordentlichen Haaren, rehhaft im Gang wie immer, mit einem Lächeln um die Lippen, lebensfroh und unbefangen. Nur die Schatten um die Augen verrieten die Glut der vergangenen Stunde. Sie nickte Abels zu, als sei nichts geschehen, setzte sich neben Tasskan in einen der Ledersessel, schlug die schönen Beine übereinander und suchte auf dem Tisch nach der Zigarettendose.

Tasskan blinzelte Abels zu.

»Mein Täubchen«, sagte er und bot ihr eine seiner süßlichen chinesischen Zigaretten an. »Ausgetobt?«

Marfa fand diese Frage weder frivol noch unpassend. Sie lachte, warf den Kopf in den Nacken und sah dabei Abels an.

»Er hat es dir erzählt?« lachte sie.

»Er machte sich Sorgen, der arme Nikolai Stepanowitsch. Er rief mich um Hilfe. Denk dir, er hatte den Eindruck, daß man dir anders helfen könne als durch einen Mann.« Tasskan tätschelte ihre Hand, als sie die Zigarette aus dem Etui nahm. »Wer war denn dran?«

»Wer sonst? Wassja . . .«

»Der Arme!« Tasskan wandte sich zu Abels. »Sagte ich es nicht? Der Junge ist eine tragische Gestalt. Nun hat er wieder Bauchschmerzen und läuft wie ein bleicher, unreifer Käse herum. Was gäbe ich darum, wenn die Natur den Neumond überschlagen könnte.«

Wortlos, angewidert, mit Ekel in der Kehle, verließ Abels

die Bibliothek und ging auf sein Zimmer. Das Bett war noch zerwühlt, der Geruch Marfas lag noch im Raum. Da riß er das Fenster auf und ließ den Eissturm durch das Zimmer heulen. Vor dem Bett lag wieder Akja, der Wolfshund. Seine grünen Augen waren halb geschlossen. Aber er beobachtete seinen Herrn, und es war sogar, als verstehe er ihn.

*

Wie es die Wetterwarten gemeldet hatten, ließ der Schneesturm wirklich nach zwei Tagen nach. Das ist etwas Seltenes, nicht daß der Sturm nachläßt, sondern daß eine Wetterwarte etwas richtig voraussagt. Tasskan lobte die Meteorologen, berief eine Drehbuchbesprechung ein und richtete alles auf eine Fortsetzung der Außenaufnahmen aus. Man wollte einige herrliche Waldszenen drehen, vor allem eine Szene mit Marfa, wie sie sich laut Drehbuch mit ihrem Geliebten im Schlitten verirrt und zwei Nächte in den Wäldern bleibt. Eine Liebesinsel in der Urnatur. Großaufnahme: Marfa mit ihrem Liebhaber in inniger Umarmung unter einer Felldecke. Nicht nur das Wetter war günstig, auch die Vorbedingung für eine intensive Liebesszene war gegeben: Marfas Neumond-Koller. »Ein Idealfall!« jubelte Tasskan. »Brüderchen, bei diesen Aufnahmen schmilzt uns das Zelluloid im Kurbelkasten!«

Am dritten Tag brach Martin Abels nach Norden auf. Tasskan hatte sein Wort gehalten. Der Knecht Anfim hielt alles bereit, was eben nur denkbar war: ein Pferd, einen Schlitten, vier dicke Decken, einen Wolfspelz, ein Gewehr mit 300 Schuß Munition, eine Pistole, zwei lange Messer, eine Säge, ein Beil, zwei Thermosflaschen für je zwei Liter, Schinken, Hartwurst, Salzfleisch, getrocknete Kartoffelscheiben, Hirse, Mehl, Salz, Grieß, Sonnenblumenöl, Büchsen mit Sojabohnen in Tomatensoße, Fisch in Remoulade, Trockenfisch, Brot, Maismehl, getrockneten Weißkohl, Graupen, eine Büchse Honig, Zucker, Schmalzfleisch, gepreßten Harttee, grüne Erbsen, Bohnen, Sago, Nudeln, Puddingpulver, Trockenmilch ... drei große Säcke, prallvoll, wurden auf den Schlitten geladen und in die Decken eingewickelt.

Tasskan hatte sich nicht verabschiedet, und er gab Abels auch keine Gelegenheit, ihm zu danken. Er war mit seinem Aufnahmestab südlich in die Wälder gezogen, um die Außenaufnahmen zu machen. Nur Amalja Semperowa war zurückgeblieben und reichte Abels beide Hände, als er auf dem Schlittenbock saß und Akja, der Wolfshund, neben ihm auf den Sitz sprang.

»Alles, alles Gute!« sagte Amalja. Da sie allein waren, sprachen sie englisch. »Und –«, sie stockte, »denken Sie nicht zu schlecht von mir, Martin.«

»Es blieb Ihnen keine andere Wahl, Betty. Außerdem lieben Sie Tasskan wirklich.«

»Ja. Ich hätte es nie für möglich gehalten. Einen Russen!«

»So kann man sich irren.« Abels lachte und beugte sich vom Bock. Er küßte Amalja auf die Stirn und schlug über sie das Kreuz, wie es die alten Bäuerinnen tun, wenn ihre Söhne wegziehen aus dem Dorf in die Stadt, um etwas Besseres zu werden als Muschik. »Werden Sie glücklich, Betty.«

»Ich bin es schon.«

»Um so besser.« Sie gaben sich noch einmal die Hände und hielten sie eine Zeitlang fest. Sie wußten, jeder von ihnen, daß es ein Abschied für immer war. Ihre Lebensbahnen hatten sich gekreuzt, waren eine kurze Zeit gemeinsam verlaufen, trennten sich jetzt – so, wie sich im Weltall zwei Sternschnuppen begegnen und dann weit voneinander entfernt wieder irgendwo verglühen.

»Grüßen Sie Anuschka«, sagte Amalja leise. »Sie soll so glücklich werden wie ich.«

»Danke.« Abels nahm die Zügel. Das struppige Panjepferdchen scharrte im Schnee und wieherte leise. Es war gut genährt, das beste und stärkste Schlittenpferd Tasskans. Im Schlitten lagen noch zwei Ballen Heu und ein Sack Hafer; Luxusnahrung für einen Panjegaul, der sich sonst das Gras aus dem Schnee scharrt oder das Stroh von den Dächern frißt, wenn es nichts anderes gibt.

»Noch etwas, Betty!«

»Ja, Martin?«

»Wenn ich durchkomme, wenn ich Europa wieder erreiche

– soll ich irgend etwas bestellen? Nach den USA? An Ihre Mutter? An jemanden, den Sie lieb hatten?«

»An meine Mutter –« Amalja senkte den Kopf. »Wenn sie dann noch lebt. Schreiben Sie ihr, daß es mir gutgeht. Weiter nichts. Sie wird nicht fragen.«

»Dann geben Sie mir die Adresse.«

Amalja lief ins Haus und kam dann mit einem Zettel zurück, auf den sie mit Bleistift die Adresse ihrer Mutter geschrieben hatte: Mrs. Joan Cormick, Cody, Nebraska, 14, Harper Street, USA.

Abels las ihn, las ihn mehrmals und zerriß ihn. Dann sagte er aus dem Gedächtnis die Adresse her, und Amalja nickte zustimmend. Sie verstand. Nichts Schriftliches, was verdächtig sein konnte.

»Hoj! Hoj!« rief Abels und schnalzte mit der Zunge. Er ließ die Zügel locker, das Pferdchen schüttelte den Kopf, schnaubte, hob die Nüstern und begann anzulaufen. Die Schlittenkufen knirschten, Akja, der Wolfshund, knurrte zufrieden, und dann glitten sie über den Innenhof und aus der Palisadeneinfahrt hinaus aufs freie Land. Amalja lief neben ihnen her bis zum Ausgang, dann stand sie an dem hölzernen Zaun und winkte, bis Abels in der Waldschneise verschwunden war.

Am Abend kam Tasskan mit seinem Filmtrupp zurück. Er war zufrieden. Marfa hatte eine Liebesszene gespielt, die selbst abgebrühten Filmhasen die Haarwurzeln kribbeln ließ.

»Ist er weg?« fragte er Amalja nach dem Begrüßungskuß.

»Ja. Heute morgen um zehn Uhr.«

»Tut es dir leid?«

»Ja«, sagte sie ehrlich. »Glaubst du, daß er bis Torusk kommt?«

»Nein.«

Das war eine klare Antwort. Keiner hatte sie anders erwartet.

*

Martin Abels nahm den geraden Weg nach Norden zur Lena. Auf alten Landstraßen und Bauernpfaden, auf Nomadenwegen und durch Waldschneisen, manchmal quer durch den Wald, manchmal über vereiste Steppengebiete versuchte er, den großen Nebenfluß der Lena, die Olekma, zu erreichen. Von dort aus ging es leichter. An der Olekma entlang erreichte er die bekannte Faktorei Jenjuka, den großen Sammelplatz der Pelzjäger, wo der staatliche Fellkonzern seine Aufkäufer und Fellschätzer sitzen hatte und wo sich die Nomaden, Jäger und Fallensteller für die Monate der Einsamkeit in den sibirischen Wäldern versorgten.

Zehn Tage war er unterwegs, ohne etwas anderes zu sehen als Wälder, Hügel, Felsen, vereiste Sträucher, Wolfsspuren, huschende Füchse, über den Schnee schnellende Hermeline, Krähen und ab und zu die großen Schatten wilder Rentiere. Dann saß Akja, der Wolfshund, mit gespitzten Ohren neben Abels, sah ihn aus seinen grünen Augen an und fragte stumm, warum er auf dem Schlittenbock sitzen bleiben mußte.

Viermal in diesen zehn Tagen schoß Abels sein Essen und schonte seine Vorräte. Er erlegte zwei Hasen und zwei Krähen. Einen Teil des Hasenfleisches ließ er einfrieren. Die Krähen briet er über dem offenen Feuer, das er mit den von Tasskan geschenkten Spiritustabletten schnell entzünden konnte, selbst wenn das Holz feucht war. Er hatte es in der Gefangenschaft gelernt, Krähen zu essen. Sie schmeckten wie gut genährte Tauben oder Perlhühner, vor allem, wenn man sie mit Salz und Salbei gut einrieb und sie knusprig braten ließ. Nach Jägerart briet er das Fleisch rundum nur dunkel und ließ es dann in der glühenden Asche garen. So blieb es saftig und zart, ein Küchenchef würde sagen: Krähe, englisch gebraten.

Nachts suchte er sich geschützte Plätze. Im Windschatten eines Hügels, in einer Waldsenke, einmal in einem Gewirr vom Sturm entwurzelter Bäume. Dort kochte er, kroch dann unter die Decken und das Fell, nahm Akja, den Wolfshund, neben sich unter die Decke. Auch dem Pferdchen legte er eine Decke über; es schlief meist im Stehen, an einen Baum gelehnt. Aber am fünften Rasttag legte es sich ebenfalls hin, wälzte sich in den Schnee, drehte sich dort ein paarmal und lag dann still. Das zottige, dicke Fell schützte vor Kälte. Morgens, wenn Abels die Decke von dem Pferd nahm, dampfte es richtig aus dem Fell, so viel Wärme strömte es aus.

Am zehnten Tag – sie fuhren durch einen lichten Wald, dem man ansah, daß vor zwei Jahren etwa eine Holzschlagkolonne ihn durchgerodet hatte – wurde Akja unruhig. Er spitzte die Ohren, stieß mit der spitzen Schnauze Abels mehrmals an und begann, tief unten in der Kehle leise zu singen. Ein unterdrücktes Heulen, das letzte Erbe seiner fernen Ahnen, der Wölfe.

Abels hielt den Schlitten an und legte das Gewehr schußbereit auf die Knie. Er lauschte, und als ob es das Pferd begriff, war es ebenfalls still, scharrte nicht und schnaubte nicht.

Akja sprang in den Schnee, den Kopf hoch, schnuppernd, eine Witterung aufnehmend, aus einem Urinstinkt heraus unruhig und bis in die Flanken zitternd.

Abels stieg ab und nahm das Gewehr unter den Arm. »Was ist denn, Akja?« fragte er leise. »Mein Junge, was ist denn mit dir?«

Wölfe sind es nicht, das wußte er. Vor einem Wolf nahm Akja keine Witterung auf, vor einem Wolf zog er die Lefzen hoch und war kampfbereit. Hier ahnte er etwas anderes ... ein verwundetes Tier, einen Menschen ... aber keine Gefahr.

»Los! Such!« sagte Abels.

Akja senkte die Schnauze, warf den Schnee hoch und lief dann langsam, damit Abels mitkommen konnte, los. Er lief seitlich in ein hügeliges Waldstück hinein, in ein durchfurchtes, langsam wieder verfilzendes Gelände. Kleine Schluchten durchzogen es, Einschnitte und Hohlwege, die zum Teil mit dornigem Gebüsch gefüllt waren.

Nach etwa fünfzig Metern blieb Akja stehen, sah auf einen Gegenstand im Schnee, gab einen hellen, klagenden Laut und sah zurück zu Abels, der wartend zwischen zwei mächtigen

Kiefern stand. Dann setzte sich Akja, als habe er die Pflicht, hier nicht mehr wegzugehen.

Abels entsicherte sein Gewehr und stapfte näher. Zwischen zwei Baumstämmen, vor einem erloschenen Feuer, lag ein Klumpen aus Wattekleidern und Fuchspelz. Erst nach mehrmaligem Hinsehen unterschied er Arme, Beine, einen Rumpf und einen Kopf, der, in einen Fuchspelz gewickelt, im Schnee lag.

Der Mensch lebte. Ja, er sah Abels aus weiten, fieberglänzenden Augen an, sein Mund bewegte sich, aber es kam kein Ton von seinen Lippen als ein Seufzen, so leise, das nur Akja es vernahm, denn er spitzte die Ohren und antwortete mit einem Knurren.

Abels kniete neben der verkrümmten Gestalt und schob seine Hände unter den Kopf des Fremden. Der Mann glühte vom Fieber, er schwitzte, und seine Lippen waren geplatzt und dick geschwollen.

»Können Sie mich hören, Genosse?« fragte Abels und strich den Fuchspelz von dem Kopf des Mannes. Die verfilzten Haare waren naß von Schweiß. »Können Sie mich sehen und hören?« fragte er nochmals.

Ein Senken der Lider. Der Fremde verstand. Abels nestelte seine Feldflasche vom Gürtel und wollte sie ihm an die Lippen setzen. Tee mit Wodka, das stärkt, das weiß jeder Russe. Aber der Mann drehte mit einer ungeheuren Kraftanstrengung seinen Kopf zur Seite. Sein geschwollener Mund riß auf, und aus der fieberglühenden, ausgedörrten Kehle brach ein Röcheln.

»Brjucho ...«, verstand Abels. »Brjucho ... slepaja kischka ...« (Bauch ... Bauch ... Blinddarm).

Abels fragte nicht lange. Er drehte die verkrümmte Gestalt auf den Rücken, öffnete die Wattekleidung, schob ein altes, schmutziges, grünes Hemd hoch und drückte auf den prall gespannten Leib. Der Mann wimmerte laut, schloß die Augen und ballte die Fäuste. Er war ein dünner, schmächtiger, halb verhungerter Mensch, und als Abels ihn genau ansah, erkannte er, daß das grüne Hemd Bestandteil einer Lagerkleiderkammer war.

Plötzlich fiel ihm ein Buch ein, das er einmal gelesen hatte. An Bord eines Robbenfängers hatte ein Matrose ebenfalls eine akute Blinddarmentzündung bekommen, und bis man eine Station anlief und er operiert werden konnte, hatte man seinen Leib mit Eis belegt. Und so machte es jetzt auch Abels. Er schaufelte mit beiden Händen den verharschten Schnee, knetete ihn zu einem Ballen und legte ihn auf den gespannten, trommelartigen Bauch. Er verstand nicht viel von Medizin oder Sanitätswesen, er hatte sich nur um seine Fabriken und um Kugellager gekümmert – aber längst vergessene Situationen aus dem Krieg wurden plötzlich wach. Da durch die Körperwärme und das Fieber der Schneeballen schnell schmolz, packte er weiterhin einige Hände voll auf den Leib und sah, wie der Mann sich streckte, wie es ihm guttat und wie seine Augen sich schlossen und der Atem leiser wurde. Er war ohnmächtig geworden.

Eine akute Blinddarmentzündung, ein bereits so dick aufgetriebener Leib bedeutete in dieser sibirischen Einsamkeit den sicheren Tod. Der nächste Arzt saß vielleicht auf der Faktorei Jenjuka, aber die war noch hundert Kilometer weit entfernt. Hier, in diesem Waldstück, gab es nichts als Wildnis, und ein Kreuz aus sturmgebogenen Ästen, wenn die Qual des Fremden zu Ende war.

»Was nun?« fragte Abels und sah dabei Akja, seinen Hund, an. »Nehmen wir ihn mit?«

Es war ein Entschluß, der ebenfalls nicht weiter führte als eine Wegstrecke ins Nichts. Aber Abels widerstrebte es, einen Sterbenden einfach liegenzulassen. Er ist ein Mensch, dachte er. Er hatte einmal Vater und Mutter, vielleicht hat er auch eine Frau und Kinder. Er hat beten gelernt und ist auf seinen Beinen dreißig oder vierzig Jahre über diese Erde gestampft. Wie alt er ist . . . man kann es nicht mehr feststellen. Wer durch Sibirien irrt, verliert sein natürliches Gesicht. Er wird wild und zeitlos wie die Bäume der Taiga.

Abels bückte sich, schob die Arme unter den Körper und versuchte, ihn hochzuheben. Er war leichter, als er gedacht hatte; er ließ sich hochnehmen wie ein Kind. Taumelnd, den Pfotenspuren des Hundes nach, der wieder vorauslief, kehrte

Abels mit seiner Last zum Schlitten zurück, legte den Todkranken in die Decken, breitete das Fell über ihn, sprang auf den Bock und zog die Zügel an.

Wohin, dachte er. Eine dumme Frage eigentlich. Geradeaus, wie immer. Irgendwohin. Immer nach Norden. Zur Lena. Zur Faktorei Jenjuka, wenn es möglich ist. Aber dort sind die staatlichen Aufkäufer, dort ist eine Kompanie Miliz stationiert, dort ist das Auge Moskaus, wie überall, wo es einen Natschalnik oder einen Dorfsowjet gibt.

Das Pferd trottete weiter durch den Schnee, über eine Hochebene, hinunter in ein Tal, durch das ein jetzt vereister Wildbach floß. Und hier, zwischen den Wipfeln des Waldes, sah Abels eine dünne, helle Rauchfahne in den Himmel steigen. Auch Akja witterte sie. Er spitzte die Ohren und raunzte. Das Panjepferdchen fiel in einen leichten Trab. Leben, Menschen, Wärme . . . es war wie ein Magnet, der sie hinunterzog ins Tal. Es dauerte noch eine Stunde, ehe sie durch den Wald glitten und Stimmen hörten. Abels hielt den Schlitten an und blickte zurück zu dem Kranken. Er war noch immer besinnungslos, sein Gesicht war wie aufgeblasen.

Akja an seiner Seite, stapfte Abels den Stimmen und dem Feuer entgegen. Er fand eine Gruppe von fünf Jägern, riesige, in Pelze gehüllte Gestalten, die an einem Spieß ein halbes Ren brieten und Wodka aus Kunststoffbechern tranken. Abels zögerte. Er stand hinter einem dicken Baum und sah zu den Männern hinüber. Es waren breitgesichtige Jakuten, rauhe Kerle, die weder Sturm noch Frost fürchten und im harten Winter Hunderte Kilometer durch Sibirien ziehen, um die Hermeline, die Zobel und die seltenen sibirischen Tiger zu erlegen.

Abels wagte es. Er trat hinter seinem Baum hervor, und Akja gab einen klagenden Wolfslaut von sich. Die Jäger drehten die Köpfe. Da es ein Mensch war, der aus dem Wald an ihr Lager trat, erschraken sie nicht. Sie winkten, einer von ihnen kam Abels entgegen, zwei drehten weiter den Spieß mit dem halben Ren.

»Gott mit euch, Brüder!« sagte Abels. »Ich bin glücklich, daß ich euch finde. Ich habe einen Kranken im Schlitten.«

Der Jakute betrachtete Abels stumm. Dann schien es, als erkenne er, daß alles richtig sei, er wandte sich um und rief in jakutischer Sprache einige Worte. Ein anderer Jäger trat auf Abels zu, ein Mann mit einem gelben Gesicht, ein Halbmongole.

»Ein Kranker? Was hat er?«

»Blinddarmentzündung, Genosse.«

Die Jäger sahen sich an. Was auch Abels wußte, lag stumm in ihren Augen. »Führ uns hin, Genosse«, sagte der Halbmongole.

Im Schlitten untersuchte er den Ohnmächtigen, winkte, sie hoben ihn aus den Decken und trugen ihn zum Feuer. Dort legte man ihn auf einen Bärenpelz, zog ihm die Hosen aus und betrachtete den geschwollenen Leib.

»Ich habe schon viele geschnitten«, sagte der Halbmongole. »Einem Hund habe ich schon einen Stein aus dem Magen geholt und einem Pferd ein Geschwür am Hals. Aber ein Mensch . . .« Er sah auf den aufgetriebenen Bauch. Wer sein Leben in der Wildnis verbringt, hat keine Angst und kann sich helfen. Uralte Zauberformeln sind ebenso wirksam wie ein scharfes Messer. Hier hatte es keinen Sinn, mit dem mongolischen Spruchschatz die Geister wegzubeten. Hier konnte man nur dabeistehen und auf den Tod warten. Aber auch das war nichts Besonderes. Was ist der Tod schon, wenn man mit ihm auf du und du lebt?

Der Halbmongole, schweigsam wie alle um das Feuer, holte aus einem Lederkasten ein langes, gebogenes, scharfes Messer. Er steckte die Klinge in die feurige Asche und ließ sie rotglühend werden. Dann kühlte er das Messer kurz ab, indem er es in den Schnee stieß. Zischend schmolz um das Messer herum der Schnee.

»Haltet ihn fest«, sagte der Halbmongole zu den anderen. »An Beinen und Armen, Brüder, und einer setzt sich auf die Brust.«

Was dann geschah, vergaß Martin Abels nie. Der Halbmongole setzte das Messer auf den prallen Leib des Kranken, und so wie man ein Schaf absticht, trieb er die Spitze des Messers in das Fleisch und schnitt schnell die Bauchdecke in einer Länge von fünfzehn Zentimetern auf. Die Wunde klaffte auseinander, Blut und Eiter quollen heraus und liefen über den nackten Unterleib in den Schnee. Mit seinen Händen griff der Jäger in die Wunde, erweiterte sie und verursachte so einen starken Blutfluß, der den Eiter mißriß und den gespannten Leib zusammensinken ließ wie einen angestochenen Ballon, dem die Luft entweicht.

Der Halbmongole ließ die Wunde offen. Womit sollte er sie auch schließen? Er legte einige Lagen Zellstoff, die er in dem Sanitätskästchen verwahrte, darauf, wickelte stramm einige Binden um den schmächtigen Körper und deckte ihn dann mit dem Bärenfell zu. Als er sich erhob, glänzte sein Gesicht wie das eines Chirurgen nach einer gelungenen schweren Operation.

»Er wird ruhig sterben«, sagte er, streckte die Hände, die voller Blut und Eiter waren, in den Schnee und wusch sie. »Er wird nicht mehr zerplatzen. Mehr, Brüder, konnte man nicht tun. Ihr habt es doch gesehen.«

Die anderen nickten. Auch Abels nickte. Nein, mehr konnte man hier in der sibirischen Einsamkeit nicht tun. Man hätte auch in Jenjuka nicht mehr tun können, denn der Kranke wäre nie lebend dorthin gekommen.

Während die anderen das gebratene Ren aßen und Abels wortlos ein großes Stück abgaben, saß er neben dem Sterbenden. An einer Drehung des Kopfes merkte er, daß dieser aus der Ohnmacht erwachte und nach seinem Leib tastete. Er erkannte, was mit ihm geschehen war, und über sein Gesicht, das langsam verfiel, huschte ein dankbares Lächeln.

Abels beugte sich über seine Lippen.

»Ich bin Maxim Fjodorwitsch Groschew«, sagte der Sterbende kaum hörbar. »Maxim Groschew... kennen Sie mich?«

»Nein«, sagte Abels und tupfte den Schweiß von Groschews Stirn.

»Professor Groschew, Genosse... Literatur... Universität Moskau ... Vor sechs Jahren nach Karaganda ... dann Babuschkin ... dann Woroschilowa ... Lebenslänglich ... Ich habe aber die Wahrheit gesagt ... nur die Wahrheit, Genosse . . .« Groschew stöhnte und legte beide Hände auf den aufgeschlitzten Bauch. »Es tut nicht weh«, sagte er plötzlich mit klarer Stimme. »Ihr habt mir den Bauch geöffnet?«

»Der Genosse dort.« Abels zeigte auf den kauenden Halbmongolen.

»Ich weiß, daß alles zu Ende ist.« Groschew tastete nach der Hand Abels'. »Daß ihr es mir leichter macht, mag euch die Mutter Gottes lohnen.« Er seufzte. Es war eine Lüge, daß er keine Schmerzen mehr hatte, aber sie waren erträglicher geworden. Der Leib hatte Luft, der Eiter floß ab, aber mit ihm floß auch das Leben des ehemaligen Professors Groschew in den Schnee.

»Wo ziehen Sie hin?« fragte der Sterbende.

»Ich will nach Torusk. Das ist ein Dorf hoch oben im Norden.«

»Mit einer Poststation?«

»Jede Woche einmal kommt ein Genosse aus Taragaisk, der nimmt sie mit und bringt sie.« Ob es heute auch noch so ist, dachte Abels. Damals, vor acht Jahren, war es so. Aber der Genosse Postträger holte nur Post von uns Gefangenen ab. Wer konnte in Torusk schon schreiben? Die Alten nicht, nur die Jugend, wie Anuschka, die in Taragaisk in die Schule gegangen war. Aber auch sie schrieben nicht. Was soll man auch berichten? Daß es schneit? Daß es friert, daß im Sommer einen die Mückenschwärme auffressen? Daß im Sumpf die Riesenfrösche quaken? Es lohnt sich nicht, aus Torusk zu schreiben, auch wenn das Land so schön ist, daß man tausend Seiten schreiben könnte. Man wird still in der Weite. Man fühlt, daß man Gott näher ist als jeder andere.

»Ich habe eine Frau«, stammelte Groschew. Seine Augen verdrehten sich bereits. Er röchelte beim Atmen. Es ging schnell dem Ende zu. »Ljubja Groschewa, Moskau, Wassili-Prospekt 19 . . . Schreiben Sie ihr, Genosse?«

»Ja«, sagte Abels heiser.

»Schreiben Sie, ich sei fröhlich gestorben . . . das macht auch sie froh . . . Ich . . . ich war immer ein fröhlicher Mensch, Genosse . . . Im Lager sagten sie immer: Da kommt

Väterchen Frohsinn... Es war Galgenhumor, mein Freund ... es war die letzte Kraft, die ich hatte ...«

Groschew schwieg. Sein offener Mund zuckte wild. Mit beiden Händen hielt er den offenen Bauch fest, seine Beine zuckten und scharrten den Schnee unter sich weg.

»Oh!« schrie er plötzlich. Es war ein ganz klarer, heller Schrei. »Oh! Mutter! Oh!«

Er schlug mit beiden Händen in sinnloser Wut auf den Schnee, riß den Bärenpelz von seinem Körper. Seine Augen starrten auf Abels, und der Blick war unbeschreiblich in seiner Qual und seinem inneren Kampf gegen den Tod.

»Oh!« brüllte er noch einmal. »Hilfe, ihr Brüder! Hilfe!«

Dann war es vorbei. Er sank in den Schnee zurück, die Augen brachen, die Stiefelspitzen kippten um, Speichel tropfte aus seinem Mund und gefror sofort zu kleinen gelben Klumpen.

Der Halbmongole erhob sich, beugte sich über den Toten und legte das Fell über den Kopf Groschews.

»Wer war's?« fragte er Abels.

»Ein Professor. Ein Strafgefangener aus Woroschilowa. Er ist geflüchtet. Weiß Gott, wohin er wollte. Er hatte nichts anderes als Sehnsucht nach der Freiheit –«

»Und du?« Es war die erste Frage, die man an Abels stellte.

»Ich bin Nikolai Stepanowitsch Arkadjef und will hinauf nach Torusk.«

»Torusk?« Einer der Jäger am Feuer sah sich um. »Ich kenne es.«

Durch Abels lief ein heißer Strahl. Er kennt es. Er wird die Turganows kennen.

»Du warst dort? Wann, Brüderchen?« rief Abels atemlos.

»Vor einem Sommer.« Der Jäger schnitt sich ein Stück Fleisch aus der Rentierlende. Er kaute genußvoll und leckte sich über die fettigen Lippen. »Wen willst du da besuchen?«

»Turganow. Kennst du Turganow, Genosse?«

Der Jäger dachte nach. »Pawel Andrejewitsch?« fragte er dann.

»Ja! Er ist es! Er ist es!« Abels' warf die Arme hoch. Die Freude riß ihn mit. »Sag, wie geht es ihm? Was tut er? Lebt . . . lebt Olga, sein Weibchen, noch?«

»Turganow.« Der kauende Jäger nickte mehrmals. »Natürlich. Jäger und Bauer. Und sein Weibchen ist noch da. Er hatte damals einen guten Fang gemacht, der Gute. Unjeski lobte ihn . . .«

»Unjeski, der Fellhändler, lebt auch noch?« Abels hielt den Atem an. »Und Turganows Tochter? Anuschka –«

Der Jäger sah auf sein fetttriefendes Messer, nahm einen Schluck Wodka und rülpste laut. »Ein Mädchen?« Er hob die Schultern. »Habe niemand gesehen, Brüderchen. Von einer Anuschka haben wir nie gesprochen.«

»Nie?« Abels' Stimme versagte.

»Nie, Brüderchen. Bei einem Fellhandel geht es um Häute, nicht um Weiber.« Er winkte mit dem Messer. »Komm, setz dich her! Nimm dir noch ein Stück!«

Langsam trat Abels an das Feuer. Er hat nie etwas von Anuschka gehört, dachte er erschrocken. Seltsam. Wenn keiner es tut – Turganow spricht von ihr, denn er ist stolz auf sein Mädchen.

Er setzte sich, aber er kaute an dem Stück zarter Rentierlende wie auf Gummi. Auch der Wodka spülte sie nicht hinunter.

Sie lebt nicht mehr, dachte Abels. Anuschka lebt nicht mehr. Jeder, der Torusk kennt, würde sie sonst beschreiben können. Was ist Torusk ohne Anuschka? Ein Rosenstrauch ohne Blüten.

Und er, der Jäger, sagt, er habe diesen Namen nie gehört.

Das ist nur möglich, wenn es Anuschka nicht mehr gibt.

*

Die Verlobung zwischen Benno Fahrenkrug und Inken Holgerson fand wirklich statt.

Aber es war nur eine Komödie, ein bittersüßes Spiel, das man dem alten Holgerson servierte, weil Inken sah, wie glücklich der alte Herr war, wenn auch sie es war. So spielte sie die glückliche Braut, empfing an ihrem Krankenbett die Gratulanten, ließ das Zimmer zu einer Blumenausstellung werden und versicherte jedem, der es hören wollte – und die Bremer Gesellschaft wollte es hören –, daß sie selig sei und Benno wirklich liebe.

Nach dem Sturm, nach dem Sektfrühstück, das Reeder Holgerson im Krankenzimmer mit Billigung von Professor Dahrfeld abhielt, nach den vielen hohlen Redensarten und gesellschaftlichen Phrasen waren sie endlich allein. Das junge Brautpaar. Die beneideten jungen Leute, auch wenn das Gerücht ging – und Gerüchte laufen in Gesellschaftskreisen schneller als Taifune –, Inken Holgerson werde zeit ihres Lebens ein Krüppel bleiben, und Benno Fahrenkrug habe sein Eheversprechen nur eingelöst, weil er ein Ehrenmann war.

»Ich danke dir, Benno«, sagte Inken müde und ließ den Blick über die riesigen Blumenarrangements gleiten. »Du hast dich tapfer gehalten.«

»Tapfer? Aber Kleines!« Er setzte sich auf das Bett und küßte Inken. »Für mich ist das alles Wirklichkeit.«

»Wir waren uns einig, Benno, daß . . .«

»Ich weiß, ich weiß, Kleines. Aber ich habe die große Hoffnung, daß wir in unsere Rolle hineinwachsen und später gar nicht mehr anders können, als so weiterzuleben.« Benno Fahrenkrug streichelte Inkens blasses Gesicht. »Ich muß dich leider auf Raten lieben . . . jeden Tag ein Schrittchen näher an dein Herz heran . . .«

»Benno.« Inken schloß die Augen. »Wäre der Unfall nicht gekommen . . . es könnte so schön sein.«

»Es ist schön, Inki! Es wird nicht lange dauern, und du hast diesen Schock überwunden. Ob du neben mir gehen kannst, oder ob ich dich herumfahre, mein Gott, du bleibst doch du!« Er richtete sich auf und sah an die weißgetünchte Wand. »Es sei denn, du liebst mich nicht, Inki . . .« Er zögerte weiterzusprechen, aber dann sagte er es doch. »Spukt dieser Martin Abels noch immer herum?«

»Nein.« Inken Holgerson öffnete die Augen. »Das ist vorbei, Benno. Endgültig vorbei.«

»Na also!« Er sprang auf und breitete die Arme aus. »Was hindert uns dann noch, wirklich glücklich zu sein?«

Und Inken Holgerson lachte.

Es war ein hoffnungsvolles, freies Lachen.

*

Zwölf Tage zogen sie nun gemeinsam durch die Wildnis Sibiriens, bis sie die Lena erreichten.

Es hatte sich herausgestellt, daß die fünf Jäger nicht auf dem Weg nach Süden, sondern wie Abels nach Norden waren. Es waren keine seßhaften Fallensteller, sondern Nomaden, die im Winter über ganz Sibirien ausschwärmten und sich im Sommer – wie eine riesige Familie – an der Lena bei Turij-Wswos trafen. Dort, wo der Strom sich mächtig verbreitert, wo man kaum das andere Ufer sieht und breite, flache Inseln, Sand- und Steinbänke in den gurgelnden Wassern liegen. An einer Stelle, nördlich der Mündung des Aldan in die Lena, wird sie über fünf Kilometer breit. Ein Strom von 5000 Meter Uferferne . . . na, ist das nicht ein gewaltiges Schauspiel der Natur, Genossen? Ist das nicht ein herrliches, ein einmaliges Land? Wird einem da nicht das Herz weit vor Freude darüber, Gottes Geschöpf zu sein?

In den zwölf Tagen ihrer gemeinsamen Wanderung nach Norden umgingen sie die Faktorei Jenjuka, denn der Halbmongole hielt nicht viel von Staatsfunktionären, von Papierkontrollen und langen Fragen. »Wir sind freie Menschen«, sagte er. »Wir kennen das Land seit Jahrhunderten. Was will er denn, der Faktoreikommissar? Er soll sich um die Weiber kümmern, aber uns in Ruhe lassen.« Das war keine gute bolschewistische Rede, aber wen wundert's? Wie kann Lenins Gedanke klar und rein in den Urwald kommen, von dem drei Fünftel noch jungfräulich sind?

So erreichten sie bei grimmigem Frost das von Gott und den Tieren und erst recht von den Menschen verlassene Land zwischen Lena, Olekma und Tolba, eine riesige Waldfläche, flach wie ein Tisch, am Horizont eingerahmt von Bergen, durchheult vom Sturm, der hier wie durch einen Trichter zur

Lena blies und von der Grausamkeit des Väterchens Frost sang.

»Hier werden wir zwei Wochen bleiben«, sagte einer der Jäger zur Verwunderung Abels'. »Es ist nötig, sich auszuruhen, ehe wir weiterziehen.« Er sah Abels mit vorgewölbter Unterlippe an, als müsse er nachdenken, ob man den Unbekannten auch jetzt noch weiter mitnehmen durfte.

»Glaubst du an Gott?« fragte der Jäger. Abels nickte.

»Ja, Brüderchen«, antwortete er erstaunt.

»Und wie steht's mit deinem Kommunismus, Nikolai Stepanowitsch?« fragte der Halbmongole.

»Man muß ihn haben, Genossen. Ihr wißt doch ...«

»Wir kennen dich noch nicht gut genug.«

»Ich suche den Norden wie ihr, Brüder.«

»Torusk?«

»Ja.«

»Turganow?«

»Ja. Und ein Mädchen Anuschka. Die Tochter Turganows.«

Die Jäger sahen sich an. Er mag sein Geheimnis haben, dachten sie. Wir alle haben das unsrige. Schweigen wir darüber. Was geht's uns an, warum er nach Torusk will. Politisch ist es nicht. Das Mädchen Anuschka, o Brüderchen, wer soll das glauben? Aber ein guter Kerl bist du. Du hast's bewiesen ... bei dem toten Groschew, dem du ein Grab im steinharten Boden geschaufelt hast, sogar mit einem Kreuz darüber, bei dem Marsch der zwölf Tage, auf dem du deine Freßsäcke mit uns geteilt hast wie ein Bruder. Du bist ein guter Mensch, Nikolai Stepanowitsch.

Der Halbmongole nickte. »Also gehen wir zu Vater Matwej, Brüder«, sagte er. »Es wird sich alles finden ...«

Die nächsten Stunden wurden grausam.

Sie fuhren an der Lena vorbei, immer am Uferstreifen, auf vereisten Wegen, durch Dschungel und Wälder, über klirrende Sümpfe und durch dorniges Gebüsch. Das Pferdchen Abels' scheute ein paarmal, die Gefahr ahnend. Auch Akja, der Wolfshund, der meist vorauslief, blieb öfter stehen und starrte auf Stellen, die sie später überfuhren. Vorweg lief auf seinen Schneeschuhen der Halbmongole, weit ausgreifend. Wie eine Maschine waren seine Beine, die Werst nach Werst unter sich wegfraßen.

»Noch eine Stunde«, sagte einer der Jäger, »dann sind wir bei Väterchen Matwej.«

Abels ahnte, daß sie jetzt ein weites Sumpfgebiet durchfuhren. Im Frühjahr und Sommer war es unbegehbar, im Herbst ein lauernder Tod, und nur im Winter gab es Wege, die tief genug gefroren waren, um sie zu befahren. Aber wer vom Frühling bis zum Herbst nicht diesen Sumpf durchstreift, wird auch im Winter keine Sehnsucht haben, den Tod herauszufordern.

Kurz vor dem Ziel – so schien es, denn der Halbmongole wurde schneller in seinen Schritten wie ein Gaul, der die Krippe ahnt – brummte es über ihnen am fahlblauen Himmel. Ein Hubschrauber kreiste über der zugefrorenen Lena, deren Eisschollen sich meterhoch übereinandergeschoben hatten; bizarre Berge aus erstarrtem Wasser, manchmal von einer künstlerischen Schönheit, vor allem dann, wenn die Sonne darauf schien und das Eis blauweiß leuchtete und die Schollentürme wie von innen zu flammen schienen.

Als der Hubschrauber über ihnen kreiste, drückten sie sich in den Wald und wurden eins mit Eis, Schnee und Kiefernwipfeln. Der Halbmongole hatte ein hartes Gesicht bekommen.

»Sie suchen Väterchen Matwej«, sagte er. »Sie geben nicht auf. Man sollte sie am Himmel explodieren lassen.«

In diesem Augenblick klapperte es laut in der eisigen Luft, der Hubschrauber schwankte, ging tiefer, versuchte, von der Lena zu entkommen, aber es gelang nicht mehr, die Heckpropeller drehten sich nicht, er rutschte, fiel und fiel und kam den aufgetürmten Eisschollen immer näher.

»Der große Geist hat meinen Fluch gehört!« schrie der Halbmongole wild. Er tanzte auf seinen Schneeschuhen, er heulte und klatschte in die Hände, er vollführte ein Spektakel wie ein Irrer.

Der Hubschrauber bäumte sich noch einmal auf. Man hörte es kreischend heulen, mit aller Kraft drehten sich die vorderen Propeller – und dann fiel er vom Himmel, wie ein Stein, sag' ich euch, krachte auf das Eis der Lena und überkugelte sich wie ein weggetretener Ball. Aus der zerbrochenen Glaskanzel krochen jetzt zwei dunkle Gestalten über das Eis, auf Händen und Knien, schwankend, zusammenbrechend, sich aufrichtend und weiterkriechend. Schwarze Insekten auf dem bläulich schimmernden Lena-Eis.

Aber sie blieben nicht allein. Aus dem Sumpfwald am Ufer brach eine Horde Männer in zotteligen Pelzen, Äxte und Eisenstangen schwingend, und vor ihnen her rannte ein Riese von Mensch über das Eis, den beiden kriechenden Piloten entgegen. Ein Mann wie ein Urweltbär, ein Gewehr in der Hand, mit einem weißen Bart, der ihm beim Laufen über die Schultern flatterte.

»Väterchen Matwej!« schrie der Halbmongole. »Er ist's. Er lebt noch! Väterchen Matwej! Gesegnet sei diese Stunde!«

Und dann rannten sie alle auf das Eis des Stromes, rannten den beiden kriechenden, taumelnden Wesen entgegen, die aus dem abgestürzten Rieseninsekt geschleudert worden waren.

Martin Abels blieb am Ufer zurück. Auch Akja blieb und setzte sich neben ihn, obwohl er vor Jagdlust wimmerte und weinte.

Was ist das, dachte Abels. Sein Herz stockte vor Aufregung. Wohin bin ich geraten? Wer ist dieser Vater Matwej, dessen weißer Bart neben ihm herweht wie eine Fahne? Wie können hier, in dieser wilden Einsamkeit, so viele Menschen leben?

Er sah, wie man die abgestürzten Piloten vom Eis riß und wegtrug wie Holzstücke.

Er wartete einige Minuten im Schutz des Waldes, hörte aus der Ferne die lauten Stimmen der Menschenhorde und hatte Mühe, Akja zu beruhigen, der auf seinem Platz herumtrampelte und große Lust hatte, über das Eis und zu den anderen Männern zu jagen.

Dann kam der Halbmongole zurück, mit glänzendem Gesicht, über das der Schweiß rann, er lachte, ruderte mit den

Armen durch die eisige Luft, und es fehlte nicht viel, er hätte getanzt.

»Zwei Soldaten!« schrie er. »Brüderchen Nikolai! Zwei Stück! Sie haben Vater Matwej gesucht, aber dann froren ihre hinteren Propeller ein – und hui, lagen sie auf dem Eis. Nun werden sie getötet werden, es bleibt gar keine andere Wahl.«

»Wo sind wir denn hier?« fragte Abels.

»Du wirst es sehen. Komm mit! Sie wissen, daß ein Fremder kommt.«

Der Halbmongole nahm das Panjepferdchen vorn am Halfter und stapfte durch den Wald. Abels blieb auf dem Schlitten, Akja lief bellend neben dem Pferdchen her. Und plötzlich kamen sie auf einen in die Wildnis geschlagenen Weg, zwischen den Bäumen sahen sie Erdbunker, vor deren Eingang bewaffnete, langbärtige Männer standen und zu ihnen herüberstarrten.

Sie brauchten etwa zehn Minuten, bis sich Abels eine völlig neue Welt auftat. Blockhütten, errichtet auf einem Kahlschlag mitten im Urwald, standen eng beieinander und bildeten ein Dorf. Eine kleine Kirche mit dem russischen Doppelkreuz auf dem First stand mitten unter ihnen. Erdbunker und Unterstände, Vorratslager und Kartoffel- und Kohlmieten durchzogen den gerodeten Wald wie Buckel. Auf einem großen, freien Platz standen jetzt Frauen und Kinder und starrten auf die beiden abgestürzten Flieger. Sie lagen vor der Kirche im Schnee, gefesselt und wie Bündel zusammengeschnürt. Vom Eis der Lena hörte man laute Stimmen. Dort war ein Trupp Männer an der Arbeit, das Hubschrauberwrack zu zerlegen und in den Wald zu bringen. Es schien gefährlich zu sein, Spuren zu hinterlassen.

Der Riese mit dem fliegenden weißen Bart kam Abels entgegen, als der Schlitten auf dem Dorfplatz hielt und der Halbmongole dem Pferdchen auf den Hals klopfte.

»Gott segne dich, Fremder!« sagte der Riese. Die Pelzmütze aus Bärenfell verlängerte seinen Körper ins Unförmige. Aus dem breiten Gesicht sahen graue Augen forschend auf den unbekannten Eindringling. Abels senkte den Kopf und schlug das Kreuz, wie es ein guter gläubiger Russe tut. Der bärtige Riese musterte ihn weiterhin stumm.

»Ich bin Vater Matwej«, sagte er dann mit tiefer Stimme, die an den Tonfall eines Popen erinnerte. Er nestelte an seinem Pelzmantel und holte ein goldenes Kreuz von der Brust. Mit ausgestrecktem Arm hielt er es Abels vor, und dieser beugte das Knie und küßte es. Vater Matwej schien zufrieden zu sein. Ein Bolschewist tut das nie, das wußte er. Hier war ein Freund gekommen.

»Du bist jetzt in der Gemeinschaft der ›Wahrhaft rechtgläubigen fahrenden Christen‹, mein Bruder«, sagte er und steckte das Kreuz wieder weg. »Du kommst aus dem Land des Antichristen und wirst Frieden finden als Kind Gottes.« Er griff noch einmal in seinen Mantel, holte aus einer Tasche ein Stück glitschiges Brot hervor und zerbrach es. »Hier, iß, was Gott gesandt hat. Er ist unsere Stärke, er ist unser Hort, er gibt den Tag, er gibt den Tod. Wir liegen in seiner Hand wie Samenkörner und wachsen nach seinem Willen.«

Abels zerkaute das saure, matschige Brot, schluckte es tapfer hinunter und nahm seine Fellmütze ab.

»Ich heiße Nikolai Stepanowitsch Arkadjef«, sagte er höflich.

»Du trägst einen wilden, nach Hölle riechenden Namen. Bei uns wirst du Bruder Minja heißen.« Er breitete die Arme weit aus, und Abels wußte, daß er jetzt den Bruderkuß empfangen sollte. Er trat vor, hob das Gesicht und küßte Vater Matwej auf beide Wangen.

Das Geheimnis dieser seltsamen Männer mit ihren Frauen und Kindern, die mitten im Sumpf und Urwald lebten und nur von Gott redeten, erfuhr Abels am Abend, als er in einer der Hütten ein Bett erhielt und mit dem Jäger, der Torusk und die Turganows kannte, ein Zimmer teilte.

Schon vor dem Großen Vaterländischen Krieg gegen die Deutschen, ja, schon zu Beginn des Stalinismus in Rußland, zogen sich strenggläubige Gruppen in die unwegsamen Wälder der Taiga zurück, um hier, fern aller Zivilisation, dem Zugriff der Partei und der bolschewistischen Ideologie entzogen, ein freies, ein im wahrsten Sinne des Wortes vogelfreies

Leben zu führen. Sie zahlten keine Steuern, sie stellten keine Soldaten, sie erfüllten kein Plansoll, sie kümmerten sich nicht um Paßvorschriften oder Bürgerpflichten; sie lebten nur dem großen Ziel, Gott gefällig zu sein, suchten die Schätze des Himmels im Gebet und gründeten in der Taiga eine Kolonie, von der niemand etwas wußte und die nie in einer Zeitung erwähnt wurde. Man verschwieg sie, weil es nach Ansicht der Regierung in Moskau eine Pestbeule am Körper der Volksrepublik war.

Jahrelang versuchte man, die Schlupfwinkel der Sekte zu entdecken. Den Geologen und Bautrupps, den Holzschlagkolonnen und Forschern gab man den Auftrag, auf diese Männer und Frauen zu achten und sofort dem nächsten Kommissariat Meldung zu machen, wenn man in den unendlichen Wäldern auf verwilderte, menschenähnliche Wesen stieß. Über zwanzig Jahre lang durchkämmte man Sümpfe und Dschungel, fing bärtige Männer wie Luchse, verhörte und verprügelte sie, steckte sie in die Keller der NKWD und unterzog sie einer Gehirnwäsche. Meistens stellte sich heraus, daß die Gefangenen harmlose Jäger waren. Nur zehnmal in den zwanzig Jahren griff man wirkliche Mitglieder dieser Sekte auf, als sie im Begriff waren, Nachschub für ihre Dörfer zu holen – Verwandte, Bekannte, Freunde, denen man vorpredigte, wie adlergleich das Dasein in den Wäldern sei und wie nahe man Gott sei und dem ewigen Leben. Worte, die einem Russen ins Herz gehen, in dieses große, herrliche, gläubige Herz, in denen die Gesänge aus den Kathedralen widerklingen und die baßtiefen Chöre der Popen die Seele umkleiden wie ein purpurner Mantel.

Aber auch diese zehn sprachen nicht. Man zerschlug ihre Körper, man brach ihnen die Knochen, man stellte sie mit nackten Füßen auf Metallböden, durch die man elektrische Stromstöße jagte, man bespritzte sie mit Wasser und stellte sie so lange in die klirrende Kälte, bis sie zu Eisblöcken gefroren waren; ja, man griff zu asiatischen Methoden und schob kleine Holzstücke unter die Fingernägel, zündete sie an und ließ sie abbrennen. Es half alles nichts. Die Verhörten schrien zwar unter den Foltern, sie riefen Gott um Hilfe an, und sie starben wie die Christen in der Arena des Kaisers Nero, heroisch, betend und – ohne Verrat. Die heimlichen Dörfer der Sekten wurden nie bekannt. Sie sind Geheimnis bis zum heutigen Tag und werden Geheimnis bleiben; vielleicht eine der letzten Inseln wahren Glaubens in unserer von Gott sich lösenden, materialistischen Welt.

Martin Abels hörte diese Erzählungen des Jägers Dimitrij mit atemlosem Staunen. »Was wird mit den beiden Fliegern geschehen?« fragte er danach.

»Man wird sie hinrichten, Bruder.« Es war so selbstverständlich, daß Dimitrijs Stimme völlig gleichgültig klang.

»Aber ihre Religion . . .« Abels starrte gegen die Balkendecke. Gras und Moos wuchsen zwischen den Ritzen, der gemauerte Ofen in der Ecke strahlte glühende Wärme aus. Draußen war die Temperatur auf minus 30 Grad gesunken.

»Es geht um ihre Entdeckung.« Dimitrij lachte leise. »Auch Väterchen Matwej ist kein Heiliger, wenngleich er so aussieht. Um Gott zu dienen, muß man sich schützen vor dem Teufel. Für Matwej sind die Flieger Teufelchen.«

Daß es sich tatsächlich so verhielt, erfuhr Abels am nächsten Morgen. Die ganze Sekte war in der Kirche versammelt. Wer keinen Platz mehr bekommen hatte, stand draußen im festgestampften Schnee, vermummt in Fellen und Wattemänteln. Vor allem waren es Frauen und Kinder; die Männer saßen in der Kirche, getreu dem patriarchalischen Gedanken, daß der Mann Gottes Ebenbild sei und die Frau nur ein Stück aus seinem Rippenbogen.

Väterchen Matwej las erst eine Messe, ehe der politische Teil kam. Auf zwei Bahren wurden die beiden abgestürzten Flieger hereingetragen und vor den Altar gestellt. Sie sahen schrecklich aus, nicht durch ihren Absturz, sondern durch die Behandlung, die sie hinterher erlitten hatten. Da sie mit Eissplittern überzogen waren, schienen sie in einem ungeheizten Raum gelegen zu haben. Es war ein Wunder, daß sie überhaupt noch lebten, daß ihre Augen sich bewegten, daß ihre Finger sich in das Holz der Bahren krallten, daß sie versuchten, den Kopf zu heben, daß ihre Lippen sich mühten, einen Laut hervorzulassen. Mit starren Augen bemerkten sie die Kerzen, die man aus reinem Bienenwachs zog, sahen auf den weißen Bart des Riesen Matwej und auf das Meer der bärtigen Köpfe im Kirchenraum. Auch Martin Abels starrten sie an. Er stand neben dem Halbmongolen seitlich des Altars; ein Ehrenplatz, den ihm Vater Matwej gegeben hatte.

Hinter dem Altar, den man umschreiten konnte, begann ein dumpfer Chor zu singen. Es waren herrliche Stimmen, dunkle Bässe und jubelnde Töne, aber das Lied, daß sie sangen, war eine Totenklage und tönte wie aus einer offenen Gruft.

Dann sprach Vater Matwej, pastoral, mit tiefer Stimme, die Hände gefaltet über dem mächtigen Leib, den weißen Bart wie eine Stola darübergelegt. Er erzählte eine Geschichte. Die Geschichte der »Wahrhaft rechtgläubigen fahrenden Christen«, die sich aus der Welt des Ungeistes gelöst hatten und die Menschen verdammten, die aus Kirchen Wodkafabriken und aus Klöstern Sowchosen gemacht hatten. Er erzählte von den Märtyrern ihrer Gemeinschaft; von der Jagd, wie man sie nicht schlimmer auf reißende Wölfe macht; von der Kraft Gottes, die sie hierher an die Lena geführt hatte, und von dem Willen, weiterhin ein Pfahl im Fleische des Bolschewismus zu sein.

»Es ist Gottes Wille, uns zu verteidigen«, sagte Vater Matwej und blickte auf die beiden halbtoten Soldaten zu seinen Füßen. »Aber wir haben geschworen, Brüder, nie eine Hand zu heben, um einen Bruder zu töten! Wir sind zum Opfer bereit, aber wir opfern nicht. Gott hat uns die Welt gegeben, Gott wird uns von ihr nehmen. Und so soll Gott auch gnädig sein mit den beiden verirrten Menschen, die über uns hinwegflogen, um uns zu verraten und zu vernichten.« Er winkte. Vier bärtige stumme Männer hoben die Bahren auf und schritten mit ihnen den Mittelgang entlang, langsam, feierlich, als trügen sie ein Heiligtum zur Prozession. Hinter dem Altar begann der Chor wieder zu singen, diesmal jubilierender, lobpreisend und dankend. Die Stimme Matwejs, mächtig wie ein Orgelton, übertönte den Gesang. »Wir geben sie in Gottes Hand!« rief er. »Er sei ihnen gnädig.«

Abels wandte den Kopf zu dem Halbmongolen und flüsterte ihm ins Ohr. »Was geschieht mit den beiden Fliegern?«

»Man legt sie zurück auf das Eis der Lena, dort, wo sie abgestürzt sind.«

»Und dann?«

Über das breitknochige Gesicht des Halbmongolen lief ein Grinsen. »Gott sei ihnen gnädig. Väterchen Matwej hat es gesagt. Sie kamen unwillkommen ... niemand hat sie zu Gast geladen.«

Nach der Feier – und alles, was in dem Dorf geschah, war eine Gemeinschaftsarbeit und wurde eingebettet in einen gottesdienstähnlichen Kult – trafen sich die Männer hinter der Kirche und rauchten. Dimitrij, der Jäger, klopfte Abels auf die Schulter.

»Na, war das nicht typisch Vater Matwej, Nikolai Stepanowitsch?« lachte er rauh. »So kann man sich die Finger sauberhalten und doch zwei Menschen töten.«

In der Nacht verließ Martin Abels seine Hütte. Dimitrij schlief fest. Er schnarchte wie ein vollgefressener Bär. Auch seine Gastgeber schliefen auf dem Ofen. Zusammen mit Akja lief er hinunter zur Lena, kletterte über die aufgetürmten Eisschollen, rutschte, schlug hin, kroch über das blanke Eis, hielt sich am zotteligen Fell Akjas fest, der mit seinen Krallenpfoten besser Halt fand als er.

Zwischen zwei Eisschollen fand er die Flieger. Sie lagen auf dem blanken Eis, so wie sie abgestürzt waren, in ihren Uniformen, schutzlos und zerschlagen.

Es dauerte zwei Stunden, bis Martin Abels Leben in die starren Gestalten brachte. Aus seiner Feldflasche träufelte er ihnen heißen Tee mit Wodka zwischen die Lippen, er rieb ihre Arme und Beine, klopfte ihre Brust, schüttelte sie, ohrfeigte sie minutenlang, bis das Blut in die Haut zurückkehrte. Dann zog er sie einzeln zum Ufer, trug sie in den Wald und zwang sie, weiter von dem heißen Tee zu trinken.

»Danke ... danke ... Genosse ...«, stammelte nach zwei Stunden der erste von ihnen und hielt Abels' massierende Hand fest. Er war ein junger Soldat, mit blonden Haaren und dem Gesicht eines Lausbuben. Der andere, älter als er, war breitgesichtig und grober.

»Ich gebe euch Tee und Essen für drei Tage mit«, sagte Abels und drückte dem Jungen einen kleinen Fellsack zwischen die Knie. »Mehr kann ich nicht tun. Wenn ihr am Ufer der Lena entlanggeht, kommt ihr aus dem Dschungel hinaus. Jetzt ist der Sumpf vereist, er trägt euch.«

Der Junge nickte. Er winkte schwach, als Abels zur Lena zurücklief, warf dann den Sack mit der Verpflegung weiter in den Wald hinein, packte seinen noch schwächeren Kameraden und zog ihn kriechend in die Dunkelheit der Bäume.

Am Morgen, Abels schlief noch, kam Dimitrij in die Hütte zurück. Er hatte sich im Magazin Speck geholt, um ihn als Frühstück zu braten.

»Nikolai!« rief er und schüttelte Abels. »Nikolai, sie sind weg!«

»Wer?« fragte Abels schlaftrunken.

»Die beiden Piloten! Väterchen Matwej wird einen Dankgottesdienst veranstalten. In der Nacht haben Wölfe oder Tiger sie vom Eis geholt, anders ist es nicht möglich.«

»Es waren Wölfe«, sagte Abels und drehte das Gesicht zur Wand. »Einsame Wölfe.«

Dimitrij hörte es nicht mehr. Er verhandelte mit Susska, der Hausfrau, über die leihweise Überlassung einer Bratpfanne.

*

Drei Wochen blieben sie im Dorf der Sekte, als Gäste Vater Matwejs. Es war ein seltsames Leben. Morgens, mittags und abends wurde gebetet. Dazwischen zogen die Männer auf das Eis der Lena, hackten Löcher in die dicke Eisdecke und fischten mit Netzen oder Angeln. Das war die Zusatzverpflegung. Normales Essen bestand aus Hirsebrei, gesäuertem Kohl, Mehlsuppen mit getrockneter Fischeinlage, Dörrobst mit Grieß und Salzfleisch mit Bohnen.

Niemand im Dorf besaß einen eigenen Vorrat. Alles, was man erntete, war Gemeingut, lagerte in Bunkern und Mieten,

Magazinen und Ställen und wurde dreimal wöchentlich ausgegeben, genau nach Kopfzahl. Vater Matwej und vier andere Brüder führten Buch und verteilten. In langer Schlange stand man an, mit Körben und Beuteln, Kisten und Taschen und holte sich seinen Anteil, den Gott wachsen und gedeihen ließ, auf daß wir leben, wie Matwej sagte. So gab es nie Streit, nie Neid, nie Armut des einen und Völlerei des anderen, nie Diebstahl und Mord, nie Gehässigkeit oder Mißgunst ... sie waren alle gleich arm oder reich, wie das Jahr eben gewesen war mit Aussaat und Ernte und nach eigenem Fleiß. Jeder wußte, was der andere hatte, denn er hatte genausoviel wie man selbst. Und so waren sie alle zufrieden in diesem Dorf an der Lena, lebten in Frieden und waren wahrhaft Brüder und Schwestern. Vater Matwej nannte es »Das Paradies«. Und er hatte nicht ganz unrecht damit, soweit man nicht weiter denkt als bis an die Lena und an den Wald.

Abels zog überall mit dorthin, wo die Sekte arbeitete. Er fällte Bäume und baute neue Häuser, er fischte im Eisloch und suchte nach eßbarem Wild. Einmal sagte Vater Matwej zu ihm: »Bruder Minja, du bist ein guter Mensch. Ich wäre glücklich, wenn du bei uns bliebest.« Und da er wußte, wohin Nikolai wollte, fügte er hinzu: »Hol deine Anuschka und komm zurück zu uns. Gründe hier ein neues Leben. Du kommst von draußen aus der Welt der Sünde ... gesteh, daß hier der wahre Friede ist.«

Abels gestand es, was blieb ihm anderes übrig? Aber Vater Matwej spürte, daß er log. Doch er ließ es sich nicht anmerken. Er betete nur für Nikolai Stepanowitsch in der Kirche und bat Gott, mit ihm eine neue Seele in die Gemeinschaft zu führen.

Zu Beginn der vierten Woche, in einer undurchsichtigen Neumondnacht, wurden die Außenposten der Sekte, die bewaffneten, bärtigen Männer in den Erdbunkern, von sowjetischen Kommandotrupps überwältigt und unschädlich gemacht. Nicht ein Schuß fiel dabei, so schnell und aus dem Dunkel stürzend fielen die Soldaten über die Wachen her. Ein Stöhnen, ein Schrei zerflatterten in der Nacht. Sie drangen nicht bis zum Dorf, das ahnungslos in tiefem Schlaf lag, vertrauend auf die Wachen, auf die Einsamkeit, den Frost, den Sumpf, die Lena und auf Gott.

Mit militärischer Präzision, lautlos, unter Führung zweier Leutnants, huschten die Rotarmisten von Haus zu Haus und vollzogen ihren Auftrag mit den Kolben der Maschinenpistolen. Es war ein leichtes Arbeiten; die Köpfe lagen auf den Öfen oder auf den Bettstellen wehrlos und entspannt vor ihnen, wie Rüben, die man nebeneinanderlegt, um mit einem Haumesser das Laub von ihnen zu trennen. Bum, ging das, und bum und immer wieder bum . . . ein Schlag mit dem Kolben, der Körper streckte sich . . . ob Männer, Frauen, Kinder oder Greise, es gab keinen Unterschied.

Auch Dimitrij und Martin Abels bekamen ihren Hieb, sie merkten es gar nicht; ihr tiefer Schlaf ging einfach nach einem Aufzucken in Besinnungslosigkeit über.

Nur Väterchen Matwej machte Schwierigkeiten. Er kniete vor dem Altar und betete. Das tat er jede Nacht. Er brauchte wenig Schlaf, der alte Riese. Er kam mit drei Stunden Ruhe aus. In dieser Nacht war er besonders stolz. Aus den Trümmern des Hubschraubers hatte man den Altar verschönert. Vor allem die Glaskanzel bildete einen gläsernen Schrank, in dem jetzt ein großes, bronziertes Kreuz stand.

Als die beiden Leutnants und vier Rotarmisten die Kirche betraten und die Kerzen auf dem Altar durch den plötzlichen Windzug flackerten, sah sich Vater Matwej um. Er brauchte keine Bedenkzeit, er kannte die Uniformen. Wie ein verwundeter Riesenbär sprang er auf und brüllte heiser, sein weißer Bart wehte um seinen Kopf, er ergriff einen der Leuchter, hob ihn hoch über den Kopf und schleuderte ihn gegen die beiden Offiziere.

»Satan, weiche!« schrie Väterchen Matwej. »Gott, sieh herab!«

Dann knatterten zwei Maschinenpistolensalven. Matwej, der Riese, brach in die Knie, faltete die Hände, Blut stürzte aus seinem Mund und rann wie ein roter Bach über den weißen Bart, seine Augen sahen zur Decke der Kirche, und während er noch immer betete, trommelten die Stiefelspitzen auf den Steinboden und zitterte der Riesenleib, als schüttele Gott ihn selbst durch. Darauf sank er nach vorn, fiel auf das Gesicht, und so starb er, kniend, mit der Stirn auf der Erde, in der demütigsten Haltung, in der ein Mensch diese Welt verlassen kann.

Es waren die einzigen Schüsse, die in dieser Nacht fielen.

Als der Morgen dämmerte, zogen zwei Kolonnen durch den Wald. Frauen, Kinder und Greise in der einen, bärtige, finster dreinblickende Männer in der anderen. Neben ihnen gingen mit schußbereiten Maschinenwaffen die Rotarmisten. Auch Abels war unter der Männerkolonne, die durch den Wald tappte, über den Sumpf, hinaus in eine Welt ohne Gnade. Neben ihm lief Akja, der Wolfshund. Die Rotarmisten ließen ihn laufen und lachten darüber. »Er wird dich bald ausscharren können, du Volksfeind!« schrien sie Abels zu.

Hinter ihnen färbte sich der Himmel rot, hörten sie das Prasseln haushoher Flammen, das Krachen zusammenstürzender Balken.

»Das Paradies« verbrannte. Bis zur Lena flogen die Funken und verlöschten zischend auf dem Eis.

Die Welt hat keinen Platz mehr für den Frieden.

Nach sechs Stunden Marsch durch eisige Kälte und hüfthohen Schnee erreichten die beiden dunklen Kolonnen das Ausgangslager der sowjetischen Truppen. Dicke Winterzelte mit Schlitzen, aus denen die dampfenden Ofenrohre ragten. Auf einem festgestampften Platz stand ein Hubschrauber, einer wie jener, der über der Lena abgestürzt war.

Martin Abels hob den Kopf. An der Glaskanzel lehnte ein junger Soldat, blonde, kurze Haare, ein Gesicht wie ein Lausbube. Die Kolonne marschierte an ihm vorbei, gesenkten Hauptes, verbissen noch jetzt in ihrem Widerstand gegen die Antichristen, denen sie nun ausgeliefert war.

Abels drehte den Kopf zur Seite. Sein Blick kreuzte sich mit dem Blick des jungen, blonden Piloten. Sie erkannten sich sofort, sie sahen sich groß an . . . der eine forschend, bittend, der andere kühl, unbeteiligt. Dann wandte der junge Soldat den Kopf, drehte sich um und machte sich an der Glaskanzel zu schaffen. Abels senkte den Blick und trottete weiter in der verlorenen Kolonne.

Den Besiegten kennt man nicht, dachte er.

Wie dumm, zu hoffen, daß der Mensch sich ändern könnte.

*

Zwei Tage dauerten die Verhöre.

Man nahm es sehr genau mit diesen Sektierern. Aus Jakutsk war ein Kommissar gekommen, Iwan Timofeijewitsch Iswarin. Er war berühmt für seine Verhöre, denn bei ihm gestanden Schuldige, die es nie getan hatten. Kommissar Iswarin sah gemütlich aus, er trug ein schwarzes Bärtchen auf der Oberlippe, was direkt westlich-dekadent aussah, aber wenn er den Mund auftat, war kein Eissturm kälter als seine Stimme. Sie fuhr ins Mark und jagte Angstschauer über das Herz.

Der Tatbestand war klar. Er reichte aus, um alle Mitglieder der Sekte lebenslänglich in die Verbannung zu schicken; nach Workuta, wo sie an der Eismeerstraße verrecken würden, oder nach Karaganda, wo sie in den Kohlengruben verheizt wurden. Es gab kaum einen Paragraphen der Volksschädigung, den sie nicht verletzt hatten. Aber man betrachtete sie als Halbirre, als Fehlgeleitete, als Opfer eines religiösen Wahns. Schlimmer lag es bei den Jägern, mit Dimitrij und dem Halbmongolen. Sie waren vollwertige Bolschewisten und hatten trotzdem geschwiegen. Sie hatten bei der Sekte gewohnt, sie kannten sie seit Jahren. Kommissar Iswarin tobte, schlug mit der Faust auf den Tisch, brüllte: »Ihr Hundesöhne! Ihr feigen Affen! Ihr Verräter am Sozialismus! Ihr Hurengezücht!« und drohte mit Aufhängen. Auch Martin Abels wurde so behandelt. Er wurde als einer der Jäger angesehen, und er schwieg dazu, denn die Wahrheit wäre noch ärger gewesen.

Sie wurden abgesondert von der Sekte. Während die Brüder Vater Matwejs auf Lastwagen abgefahren wurden, blieben die Jäger und mit ihnen Abels im Truppenlager, in Einzelhaft, in Zelten, auf deren Gummiboden sie lagen, ungefesselt, denn es wimmelte ja von Soldaten.

Akja, der Wolfshund, war verschwunden. Bis zum Militärlager war er treu neben Abels durch den Schnee getrabt, aber als er die Zelte sah, die Uniformen, die vielen Soldaten, blieb er stehen, mit vorgestreckten Ohren, wandte sich dann um und lief in den Wald zurück. Er war ein kluger Hund. Wo Uniformen sich versammeln, entsteht selten etwas Gutes. Fast nie. Wirklich, man sollte den Menschen ein bißchen Hundeverstand wünschen! – Habe ich recht, Brüderchen?

Um das Folgende zu verstehen, muß man wissen, daß ein guter Russe zwei Dinge haßt wie den Satan: einen schlechten Wodka und einen Wolf. So friedlich er sonst sein kann, bei diesen beiden Plagen fährt er aus der Haut und vergißt, ein Christenmensch zu sein. Er rennt bis in die Hölle, um sich zu rächen, er kommt außer sich, er wird blutrünstig wie Iwan der Schreckliche.

In der dritten Nacht umheulte ein Wolfsrudel das Lager. Wenigstens schien es so, als habe ein hungriges Rudel die Zelte umstellt und mache sich bereit, die Unterkünfte der Rotarmisten zu stürmen. Bald heulte es rechts, bald links, bald an anderer Stelle, und der Ton war so schaurig, das langgezogene Jammern und Heulen so zermürbend, daß Hauptmann Dronow, der Kommandeur, sich entschloß, eine große Jagd auf diese Wölfe zu machen. Er ließ Alarm geben, und sogar Kommissar Iswarin schloß sich der Treibjagd an. Er wäre kein Russe gewesen, würde er sich nicht am Kampf gegen den Wolf beteiligt haben.

Mit Scheinwerfern und in Gruppen zu vier Mann zog die Truppe aus dem Lager. Sternförmig schwärmten sie aus, und Hauptmann Dronow, der etwas von Jagd verstand, wies auf eine Menge Spuren im verharschten Schnee.

»Ein Riesenwolf führt die Herde«, sagte er zu Kommissar Iswarin. »Sehen Sie hier, Genosse. Das sind fast schon Tatzen.«

Als das Lager leer war und die Soldaten durch die verfilzten Wälder streiften, ertönte ein dumpfer, dröhnender Knall. Dann folgte eine Explosion, die den Boden erzittern ließ. Wilde Schreie und Flüche zerrissen die Nacht, eine Alarmsirene gellte auf, Kommandos ertönten über Lautsprecher.

Abels sprang auf und versuchte sein Zelt zu öffnen. Es gelang nicht sofort, der Eingang war mit einem Schloß gesichert. Doch plötzlich wurde der dicke Stoff von außen aufgezogen. Abels prallte mit einem Rotarmisten zusammen. Eine Taschenlampe flammte auf.

»Los, raus hier«, befahl eine Stimme. Und dann erkannte Martin das Gesicht des Soldaten. Ein junges Lausbubengesicht mit kurzen blonden Haaren.

»Du hast mich also doch nicht . . .«

»Halt's Maul!« zischte der Rotarmist. »Komm raus, Mensch. Nun mach doch schon!«

Sie traten ins Freie. Der Himmel über dem Lager leuchtete grellrot. Aus einer Baracke schlugen hohe Flammen. Funken flogen, Munition explodierte, Soldaten rannten durcheinander. Zehn Männer versuchten verzweifelt, den Hubschrauber wegzuschieben, der in bedrohlicher Nähe des Feuers stand. Und immer noch heulte die Alarmsirene hell und klagend durch das Inferno.

Der junge Soldat drückte Abels einen großen Beutel in die Hand.

»Hier, meine Notverpflegung«, sagte er. »Nimm sie! Lauf, so schnell du kannst.« Er zögerte, dann grinste er breit und fügte hinzu: »Ein zweites Mal kann ich nämlich kein Feuerwerk für dich veranstalten . . .«

»Du hast . . .«

»Hau doch endlich ab, Brüderchen.«

Abels murmelte ein Dankeswort. Dann rannte er in langen Sätzen davon, auf den Waldrand zu. Niemand hielt ihn auf, niemand merkte, daß er einer der Gefangenen war. Aber die Angst hetzte ihn vorwärts wie mit Peitschenhieben. Seine Lungen keuchten, sein Herz hämmerte. Er rannte und rannte im Zickzack durch das Lager, an Zelten und Fahrzeugen vorbei, zwischen schreienden Soldaten hindurch. Dann, endlich, hatte er das schützende Dickicht erreicht. Schwer atmend lehnte er sich an einen Baumstamm und schloß die Augen.

Ein Geräusch hinter ihm ließ ihn herumfahren. Er hörte ein dumpfes Knurren, spürte einen weichen, drängenden Stoß am Knie . . . und hätte vor Freude fast aufgeschrien.

Akja stand bei ihm. Akja, der treue Kerl. Wie ein Gespenst war er aus der Nacht aufgetaucht. Sie hatten sich wiedergefunden. Martin Abels beugte sich hinunter und griff zärtlich in das struppige Fell des Tieres. Akja leckte seine Hand und winselte leise.

»Mein Lieber«, sagte Abels gerührt und drückte Akja an sich. »Mein Treuer. Wie kann ein Hund so klug sein? Sag, kannst du denken?«

Dann gingen sie zusammen weiter, hinein in die Wildnis, weg von der Feuerlohe, die immer noch als rötlicher Schein hinter ihnen über dem Lager stand. Akja lief voraus, und Abels folgte ihm blindlings. So kamen sie an die Lena und überquerten noch in der Nacht den riesigen zugefrorenen Fluß. Neuer, undurchdringlicher Wald nahm sie auf, und diesmal das ferne Geheul wirklicher hungriger Wolfsrudel.

Erst am Morgen wurde das Verschwinden des Gefangenen Nikolai Stepanowitsch Arkadjef bemerkt, nämlich erst dann, als man ihn zum neuen Verhör holen wollte. Hauptmann Dronow, wütend über den Mißerfolg der nächtlichen Wolfsjagd, rannte zum Zelt und starrte auf das leere Lager.

»Ein Idiot!« schrie er. »Nun wird er verhungern. Er hat ja nichts bei sich als seinen Hintern, und selbst der wird arbeitslos.«

Kommissar Iswarin sah die Sache anders. Er brüllte von Schlamperei und politischer Dummheit. Aber das mußte er – er war ja Kommissar und verantwortlich für die bolschewistische Lebensart des Volkes.

Um diese Zeit, gegen 9 Uhr, saß Martin Abels im dichten Wald und aß das rohe Fleisch eines Schneehasen, den Akja gehetzt und geschlagen hatte.

∗

Die Hochzeit zwischen Inken Holgerson und Benno Fahrenkrug war auf das nächste Jahr verschoben worden. Zwei Gründe waren dafür maßgebend, die von der Bremer Gesellschaft akzeptiert wurden: Fahrenkrug junior mußte für drei Monate nach Westafrika, um dort eine Filiale des elterlichen

Exporthauses einzurichten sowie die neuen afrikanischen Mitarbeiter einzuweisen, und jeder hatte Verständnis dafür, daß der alte Fahrenkrug das nicht selbst machte, denn er war herzkrank und vertrug das Tropenklima nicht. Zum zweiten reiste Holgerson mit Inken von Knochenspezialist zu Knochenspezialist, um alle medizinischen Möglichkeiten auszuschöpfen.

Überall wurden die Röntgenbilder eingehend betrachtet, wurde konferiert, traten mehrere Chirurgen zusammen und versuchten dem Reeder Holgerson in vielen wissenschaftlichen Worten zu erklären, daß eine Operation die Gefahr in sich schloß, das ganze Bein zu verlieren.

Dickköpfig, wie ein Holgerson eben ist, reiste der Alte weiter. Nach Berlin, nach Köln, nach Bochum, nach London, Brüssel und Paris, nach Turin und Warschau und sogar, nach langen Verhandlungen mit der Botschaft in Rolandseck, nach Moskau zu Professor Demichow. Aber auch hier, im Mekka der modernen, wegweisenden, alles wagen den Chirurgie, zog man die Augenbrauen hoch und hob die Schultern.

»Laß es so, wie es ist, Paps«, sagte Inken, als auch in Moskau die Hoffnungslosigkeit in umschreibenden Worten erklärt wurde. »Finden wir uns damit ab, daß ich ein weiblicher Toulouse-Lautrec werde. Man kann zwar ein zu langes Bein verkürzen, aber ein zu kurzes nicht mehr verlängern.«

Der alte Holgerson schlug sich an die Stirn. »Das ist es!« rief er. »Inken! Daß darauf noch niemand gekommen ist! Wir werden dein gesundes Bein verkürzen lassen, dann kannst du wieder normal gehen.«

»Nein!« Dieses Nein war laut, hart und endgültig. »Ich habe genug von diesem Krankenhausleben. Ich will nicht mehr operiert werden. Bisher bin ich mit dir durch die Welt gereist, weil ich wußte, daß es keine Hoffnung für mich gibt. Aber ich sah, wie du dich an die großen Namen der Medizin geklammert hast . . . ich . . . ich wollte dir nicht weh tun.« Sie warf den Kopf zurück, und diese Bewegung kannte Holgerson an seiner Tochter. Es war müßig, weiter mit ihr über dieses Thema zu sprechen. »Laß uns nach Hause fahren, Paps.

Aber wenn du noch etwas für mich tun willst, hätte ich eine Bitte.«

»Du weißt, daß ich dir nichts abschlagen kann, Inki«, sagte der alte Holgerson mit unsicherer Stimme.

»Wir sind jetzt in Moskau. Bitte erkundige dich, ob es eine Anuschka Turganow in Torusk gibt.«

»Aber Kind!« Holgerson sprang auf. »Wie stellst du dir das vor? Als ob man in Mokau jeden der zweihundert Millionen Russen kennt.«

»Wir bleiben noch acht Tage hier. Es ist genug Zeit, um in Jakutsk anfragen zu lassen . . .« Sie lächelte, und es war ein schmerzliches Lächeln. »Ja, ich habe mich genau informiert. Die Verwaltung in Jakutsk ist zuständig. Man braucht dort nur telefonisch anzufragen. In ein paar Stunden kann man es wissen. Du mußt zum Innenministerium gehen, Paps.«

»Inki!« Holgerson wischte sich den Schweiß von der Stirn. »Das geht doch nicht. Was soll ich denn sagen? Wir könnten uns mit dieser Nachfrage in große Gefahr bringen.«

»Du mußt es versuchen, Paps.« Inken hob bittend beide Hände und legte sie aneinander wie ein bettelndes Kind. »Ich muß wissen, ob diese Anuschka noch lebt.«

Verwirrt, innerlich aufgerissen verließ Holgerson das Krankenhaus, fuhr in das Moskauer Staatshotel und besprach die ganze Angelegenheit mit dem sowjetischen Dolmetscher, den man ihm zur Verfügung gestellt hatte. Er war immer um Holgerson herum, um ihm zu helfen. Nie ließ er den Verdacht aufkommen, daß er gleichzeitig jeden Schritt überwachte. Er war ein freundlicher junger Mann, der mit fünfzehn Jahren nach Deutschland gebracht worden war zur Zwangsarbeit.

»Ich würde es nicht raten, mein Herr«, sagte er zu Reeder Holgerson. »Ganz davon abgesehen, daß das Innenministerium solche Fragen von Ausländern grundsätzlich nicht beantwortet. Außerdem würden die Turganows Schwierigkeiten bekommen. Man hielte es für merkwürdig, wenn sich ein Westmensch für Leute aus Sibirien interessiert. Vergessen wir das alles, mein Herr.«

»Gut. Vergessen wir es.« Holgerson atmete auf. Moskau

ist eine herrliche Stadt, dachte er. Die schönste Stadt, die ich nach Kopenhagen gesehen habe. Die Menschen sind freundlich, ohne Ressentiments, hilfsbereit und sichtbar glücklich mit ihrem Leben. Und doch ist es immer, als starre jemand in den Nacken, als hänge ein Mikrofon hinter einem Bild oder als gehe ein Unsichtbarer ständig neben einem her. Es ist ein Druck, eine nicht greifbare Angst, die man selbst dann nicht ablegt, wenn man abends ins Bett geht.

Inken hatte nichts anderes erwartet, als ihr Vater am nächsten Tag berichtete, daß es unmöglich sei, das Innenministerium zu bemühen. Sie lächelte schwach und legte die Hand auf Holgersons Arm. »Schon gut, Paps. Ich glaube es. Wenn ich laufen könnte – ich hätte es erfahren.«

»Inki –« Holgerson streichelte über ihre langen braunen Haare. »Ist das denn mit diesem Martin Abels noch immer nicht vorbei . . .«

»Nein, Paps.« Sie wandte den Kopf zur Seite und starrte gegen die Wand. »Ich glaube, es wird nie vorbei sein. Man kann es nur unterdrücken – aber es bleibt, es bleibt immer.«

Zwei Tage später flogen sie nach Deutschland zurück.

＊

Der Weg Martin Abels' führte nach seiner Flucht aus der Gefangenschaft geradlinig nach Norden. Es war, als habe er mit diesem Ausbruch aus dem Militärlager die letzte Barriere genommen, die Menschen errichten konnten; als habe er sich damit das Recht freigekämpft, ungehindert nach Norden zu ziehen. Nur die Natur war noch sein Feind, und sie war grausam und allgegenwärtig. Vor ihr konnte man nicht flüchten. Sie ließ sich nicht überlisten oder bereden. Sie war eine Faust, die zuschlug und die kein Betteln und kein Flehen zurückhielt.

Abels erreichte nach neun Tagen mühsamer Wanderung die alte Karawanenstraße von Mjakindja nach Chomustach am Fluß Wiljuj. Sie führte mitten durch die völlige Einsamkeit des urwaldähnlichen mittelsibirischen Berglandes, jenes von Lena und Wiljuj umarmten Gebietes, das selbst auf den

Karten der Geologen noch manche weiße Flecken aufwies. Von Chomustach bis Torusk waren es dann nur noch 300 Werst. Gott im Himmel, was sind 300 Werst nach dem Weg, der hinter Abels lag! Ein Sprung nur, ein Hüpferchen, über das man gar nicht spricht. In Sibirien schrumpfen Entfernungen und Zahlen zusammen. Was einem Europäer grenzenlos erscheint, ist für einen Jakuten die nächste Nachbarschaft.

Nördlich des Jägerdorfes Mjakindja traf Abels auf eine fröhliche Schlittenkolonne. Mit klingelnden Glöckchen auf den Kumtgeschirren glitten sie über den Schnee, und die Männer in den Decken und Fellen sangen und waren voller Wodkalaune.

»Steig ein, Brüderchen!« schrien sie, als sie neben Abels hielten. »Nimm ein Schlückchen. Heute ist ein Feiertag. Sieh einmal nach hinten, in den Schlitten von Illarion! Na, was siehst du, Brüderchen? Ha, da staunst du, da bleibt dein Maul offen stehen, da wackelt dir die Hose vor Begeisterung. Komm, trink einen mit und steig ein mit deinem Köter!«

Martin Abels kletterte in den Schlitten und nahm einen langen Zug aus der Flasche. Im Schlitten lagen drei wunderschöne Tigerfelle, weißgrundig fast mit dicken schwarzen Streifen. Eistiger, wie sie der Sibiriake nennt, wertvolle Felle, die einen hohen Preis erzielten. Da soll man nicht lustig sein, Genossen! Prost, ihr Lieben! Der Wodka ist ein guter Freund. Der beste, er verjagt den Winter.

So blieb das Glück dem einsamen Wanderer Nikolai Stepanowitsch Arkadjef treu. Diese Schlittenkolonne war auf dem Wege nach Taragaisk, jawohl, zu jenem Taragaisk, in dem der mächtige Victor Pawlowitsch Unjeski regierte, der größte Fellhändler zwischen Eismeer und mongolischer Steppe. Zwar war auch er nur ein staatlicher Aufkäufer, so wie alles dem Staat gehört, was mit Geschäften zusammenhängt, aber er ließ es nie fühlen wie andere Gauner, die mit politischen Reden drohten und an das Vaterlandsgefühl appellierten und selbst die so herausgeschlagenen Rubelchen einsteckten. Er war immer väterlich und ein guter Freund der Jäger. Er zahlte gute Preise. Er hatte Ahnung von den vorgelegten Fellen und feilschte nicht herum wie ein Orientale.

Nein, er sagte: »Genosse, dafür kriegst du zehn Rubel!« Und das war ein Wort. Wer dagegen opponierte, flog aus dem Magazin. Aber bisher hatte noch niemand die Redlichkeit Victor Pawlowitschs angezweifelt, denn in seinem Magazin gab es den besten Wodka, direkt aus der staatlichen Brennerei von Moskau. Und wer davon vier Gläschen getrunken hat, gibt Unjeski immer recht.

Martin Abels brauchte eine Zeitlang, um sein unverschämtes Glück zu fassen. Von Taragaisk bis Torusk . . . er kannte diesen Weg durch den Hochwald wie den Inhalt seiner Taschen. Man tritt aus dem Wald in die Lichtung von Torusk, und das erste Haus am Weg ist das der Turganows. Ein großes Blockhaus mit zwei Ställen, von denen einen die Baukolonne der deutschen Plennys unter Martin Abels' Leitung gebaut hatte. Zwischen Scheunen und Wohnhaus die Banja, davor der große Holzstapel mit Brennholz, halbmeterlange Scheite, die Anuschka und Olga den ganzen Sommer über hackten, sägten und zu Pyramiden aufschichteten, denn Holz war der einzige Wärmespender in Torusk. Wenn es im Ofen prasselte, konnte draußen der Schneesturm heulen. Was tat's? In dem großen Zimmer konnte man im Hemd sitzen und schwitzte trotzdem.

Akja lief nicht mehr neben den Schlitten her. Sie waren zu schnell, die Pferdchen waren kräftig und gut genährt und hatten eine Freude, mit den singenden Kerlen zu fahren. So sprang er also hinten auf Abels Gastschlitten, legte die spitze Schnauze auf den Schoß seines Herrn, kniff die grünen Augen zu und schlief. Zum erstenmal seit Wochen schlief er wirklich – so fest, daß er nicht einmal aufwachte, als im ersten Schlitten jemand übermütig in die Luft schoß, »Heij! Heij!« brüllte, und die anderen mit Grölen antworteten.

Abels deckte den struppigen Kopf Akjas mit einem Fell zu, drückte den im Schlaf leicht zitternden Hundekörper an sich und war glücklich. Drei Tage bis Taragaisk, dachte er. Und dann nur noch einen Tag bis Torusk. Und dann . . .

»Ja, was dann?«

Er lehnte sich in die Decken zurück, zog die Pelzkappe ins Gesicht und verkroch sich in die Wärme des Schlittens.

Dann würde er vor der Hütte der Turganows stehen, er würde anklopfen, und Olga Turganowa kam heraus oder gar der alte Pawel Andrejewitsch selbst. Staunen würden sie, mit offenem Mund, sprachlos, wie einen Waldgeist würden sie ihn anstarren und es nicht glauben. Ja, er ist es wirklich. Martin, unser Plenny, unser Freund, unser Wohltäter, unser zweiter Sohn. Willkommen, mein Junge, willkommen in Torusk. Gut siehst du aus. Viel kräftiger als damals. Aber nun ist ja auch Frieden, du kommst aus der Freiheit. Was stehst du draußen im Schnee? Tritt ein, Martin, nimm den Pelz ab, Söhnchen, wärme dich am Feuerchen und iß eine Pfanne Speck mit Bohnen. Du weißt doch: Olgas Speck ist fast so gut wie ein Frauenkuß ... Und dann lachte er, der alte Turganow.

Und er würde in der Hütte stehen, sich umsehen, warten, hoffen, innerlich beten, und wieder warten und dann leise fragen, ganz schamhaft, so völlig nebenbei: »Sagt, ihr Lieben, wo ist Anuschka ... ich sehe sie nicht.« Und Turganow würde sich auf die Schenkel schlagen und rufen: »Unser Täubchen, unser Sonnenschein, unser Vögelchen? Oh, die lebt in Pjeltorask, weißt du, fast am großen Baikalsee. Verheiratet ist sie, drei süße Kinderchen hat sie schon. Ihr Mann Jefim Maximowitsch Farafonow ist Geologe. Weißt du, Söhnchen, so einer, der das Land vermißt. Und Anuschka hat er auch vermessen und für richtig befunden, haha!« Und wieder würde Turganow lachen und sich wiegen im Großvaterstolz. Und Olga, das Mütterchen, würde ein paar Bilder holen und sie Martin zeigen. Anuschka im Brautkleid, Anuschka mit dem ersten Kind, mit dem zweiten, mit dem dritten, und Farafonow, der Geologe, stolz wie ein siegreicher Hahn, immer daneben. Und die Augen Anuschkas würden traurig sein und wie in weite Ferne blicken. Das Leben war weitergegangen, aber ihr Herz war stehengeblieben ...

Martin Abels spürte, wie sein Herz bis zum Hals schlug und Atemnot sich seiner bemächtigte. Er warf die Decken von sich und hielt seinen glühenden Kopf in den Fahrtwind. Akja erwachte und leckte seinem Herrn die Hand.

»Ja, dich habe ich noch«, sagte Abels mit zitternder

Stimme. »Mein Guter, mein Bester ... du wirst immer bei mir bleiben.« Aber der Stachel des Zweifels blieb, und er drang immer brennender ins Herz, je näher sie Taragaisk kamen. Am dritten Tag, kurz bevor die Siedlung aus dem Schnee auftauchte – zuerst waren es nur helle Rauchwolken über Schneehügeln –, wurde es besonders schlimm. Unjeski würde wissen, was mit Anuschka war. Sagte er, daß sie nicht mehr in Torusk war, würde die Reise in Taragaisk enden. Warum noch weiter nach Torusk? Warum noch sehen, wo sie gelebt hatte? Warum das Rad des Lebens zurückdrehen und noch einmal alle Wege gehen, die er mit ihr gegangen war... die Waldschneisen, in denen sie sich küßten; das Schilfufer der Lindja, wo sie zum erstenmal wußten, daß niemand sie mehr trennen konnte; die Scheune neben der Banja, wo sie im Stroh gelegen hatten und von der Zukunft träumten.

Dann waren sie in Taragaisk. Wie die Kriegshorden Tamerlans jagten sie mit ihren Schlitten durch das Dorf, brüllend und singend, umfuhren die Höfe, fuhren Karussell um das Magazin Unjeskis und vollführten einen Krach, als sei das Ende der Welt gekommen und man wolle sich noch einmal austoben. Dann zeigte man den staunenden Dorfbewohnern die drei riesigen Tigerfelle und ließ sich feiern als die größten Jäger. Freunde, war das ein Spaß.

Victor Pawlowitsch Unjeski war nicht zu Hause. Er war in die umliegenden Dörfer gefahren, um die Kleinfelle abzuholen, vor allem Luchse und Marder. Es hieß, er komme erst in drei Tagen wieder. Den Jägern mit den Tigerfellen war es recht. Wer solche Felle bei sich hat, bekommt überall Kredit für Essen und Trinken. Sie stellten ihre Schlitten an der einzigen Herberge des Ortes ab und forderten die besten Zimmer für sich. Man gab sie ihnen gern, denn die Rubel, die Unjeski ihnen für die Tiger geben würde, blieben in Taragaisk. Man kannte das.

Martin Abels aber zog am nächsten Morgen weiter. Er hatte von den Jägern ein Paar alte Skier bekommen und Proviant für einen Tag. Auch Akja war gefüttert worden. Die Innereien eines frisch geschlachteten Rentieres waren eine besondere Delikatesse für ihn. Prall gefressen und zufrieden

lief er vor Abels her, und da es zwischen Torusk und Taragaisk nur die eine ausgefahrene Waldschneise gab, war ein
Verlaufen nicht mehr möglich.

Zehn Werst vor Torusk übernachtete Abels noch einmal in
einer Erdhöhle. Er fand sie sofort wieder; sie war unverän-
dert, als seien keine acht Jahre darüber hingegangen. In dieser Erdhöhle hatte er einmal mit Turganow einem Bären auf-
gelauert, drei Tage und vier Nächte lang. Einem riesigen Bären, der im Winter blutrünstig geworden war und in die
Ställe einbrach. Vier Schafe und zehn Hühner hatte er gerissen. Die Bauern von Torusk jammerten und rangen die
Hände. Sie hatten den Bären endlich bekommen, Turganow
und der Plenny Martin. In der vierten Nacht kam er an ihrer
Erdhöhle vorbei, auf dem Weg ins Dorf. Und sie schossen
fünfmal in das riesige Tier hinein, bis der Fleischberg zusam-
mensank.

Abels legte sich auf den Boden und starrte gegen die nasse
Wand der Höhle. Wie lange ist das her, dachte er. Wirklich
schon acht Jahre? War es nicht gestern oder vorgestern . . .
war es nicht gerade jetzt . . . wartete er nicht, während Turganow noch einmal die Umgebung nach Spuren absuchte, nach
frischem Bärenkot, nach abgeschabten Baumstämmen? Wie
Jahre schrumpfen können, wie wenig das Leben an Erinnerung bietet . . . es ist unheimlich.

Die letzten zehn Werst bis Torusk waren die schwersten
von allen zweitausend, die hinter ihm lagen. Es war nun
Mitte Dezember, aber die Natur meinte es gut an diesem Tag.
Sie beglückwünschte den einsamen Wanderer mit Sonne, mit
einem blauen Himmel, mit einem eisigkalten, klaren Tag, so
kalt, daß selbst die Stimme klirrte, als er ein paarmal nach
Akja rief.

Immer langsamer glitt er auf seinen Skiern durch den
Wald. Die einsame hohe Kiefer ist noch da, dachte er und
hielt an. Sie hatte als einzige einen Wirbelsturm überlebt und
stand mitten auf einem Kahlschlag. Alles ist noch da . . . der
Hohlweg, durch den die Stämme im Sommer von den Pferden ins Dorf gezogen werden; die Habichte, die über den
Wipfeln kreisen; der Bach, jetzt vereist und tot – aber im

Sommer hatte er dort Forellen gefangen, mit der Hand, gegen den Strom unter die abgeschliffenen Steine fassend, wo sie standen. Alles noch da ... auch Anuschka?

Abels blieb stehen, als er den Waldrand fast erreicht hatte. Akja war vorausgelaufen, hatte Torusk gerochen und nun gesehen und blieb schweifwedelnd stehen.

»Hierher!« rief Abels mit heiserer Stimme. »Komm hierher, Akja!«

Nun, am Ziel, nach zweitausend Werst durch die Hölle, hatte er Angst, die letzten zwanzig Schritte zu machen, hinauszukommen aus dem Wald und das Haus der Turganows zu sehen. Er wußte genau, wie es aussah. An der Schmalseite des Hauses war das Dach heruntergezogen, und in diesem windgeschützten Winkel hingen an Haken die erbeuteten Felle und trockneten in der Luft. Jetzt, am Morgen, würde Turganow sie besichtigen und drehen ... er tat das jeden Wintermorgen.

»Wir sind da, Akja«, sagte Martin Abels leise, als der Hund sich neben ihm in den Schnee setzte. »Du hast schon auf das Haus gesehen ... hast du ein Mädchen gesehen, Akja?«

Wie kann ein Hund eine solche Frage beantworten? Aber es war gut, mit ihm zu sprechen, es löste den inneren Druck, es befreite. Es gab Mut, weiterzugehen.

Wer kann ermessen, was Abels empfand, als er diese letzten zwanzig Schritte vorwärts tat? Erinnerung und Gegenwart vermischten sich zu einem Ganzen ... er war nicht mehr der Fabrikant Martin Abels aus Bremen, sondern er war nur noch der Martin, den ein Mädchen, das Anuschka hieß, zärtlich Tinja nannte.

Tinja. Mein Gott, wie nahe das wieder ist! Acht Jahre hatte er dieses Wort, diesen Klang voll Zärtlichkeit und Liebe nicht mehr im Ohr gehabt. Tinja! Wenn Anuschka es aussprach, war es wie ein Lied, wie ein Seufzen des Frühlingswindes in den noch winterharten Zweigen.

Der Waldrand.

Das Dorf.

Torusk.

Das Haus der Turganows.

Aus dem Schornstein rauchte es, unter dem überhängenden Dach pendelten die getrockneten Felle. Auch aus dem Kamin der Banja qualmte es. Sie haben große Wäsche. Olga schrubbt die Hemden und Unterhosen und schlägt die nassen Wäscheteile gegen ein Riffelbrett. Klatsch . . . klatsch . . . der Dampf wallt um ihren Kopf und zerzaust die Haare.

Martin Abels trat aus dem Waldschatten ins Freie. Akja neben ihm hob die spitze Schnauze und bellte.

Zwischen Banja und Scheune, dort, wo die Holzstapel lagen, trat eine Gestalt ins Freie. Auf beiden Armen trug sie aufgeschichtete Scheite, um sie in das Haus zu bringen.

Sie hatte Fellstiefel an, lange Wattehosen, eine Wattejacke, um den Kopf ein Wolltuch. Aber unter dem Tuch hervor wehten die langen schwarzen Haare, und dunkle, mandelförmige Augen starrten gegen den Wald, aus dem ein Mann mit einem großen Hund trat.

Abels' Herz zersprang unter einem stummen Freudenschrei. »Anuschka –«, stammelte er. »Anuschka –« Er blieb stehen und streckte die Arme nach ihr aus.

Und da erkannte auch sie den Fremden. Das Holz fiel aus ihren Armen und rumpelte in den Schnee, ihre Augen rissen auf und wurden so weit, so weit, daß ihr schönes, schmales Gesicht fast nur noch Augen waren – und dann schrie sie, hell, wie ein sterbender Schwan, schrie und warf den Kopf zurück, versuchte zu rennen und war doch gelähmt, streckte die Arme aus und taumelte.

»Tinja! Tinja!«

Wie Betrunkene taumelten sie aufeinander zu, fielen, als sie sich erreicht hatten, voreinander in den Schnee, umarmten sich kniend und weinten und küßten sich und begriffen nicht, daß es soviel Seligkeit auf dieser Welt gab.

Es war Akja, der Wolfshund, der das Wiedersehen abkürzte, aber anders als bei Marfa Umatalskaja – er sprang nicht dazwischen, sondern lief voraus zum Haus der Turganows. Olga Turganowa, das fleißige Mütterchen, kochte gerade einen Kascha und briet dazu Speck in der Pfanne, was Akja roch und ihn mutig machte. Er sprang gegen die Klinke, öffnete sich so die Tür zur Hütte und lief hinein.

Olga, am Herd stehend und den Speck in der Pfanne drehend, riß den Mund auf, denn was da hereinkam, sah ganz so aus wie ein ausgewachsener Wolf. Ein graues Fell, struppig und mit vereisten Haarspitzen. Eine aufgerissene Schnauze mit langen, spitzen Zähnen. Eine rote Zunge, hechelnd und pendelnd. Grüne, starre Augen, die auf den Herd blickten und auf das Mütterchen, das unbewegt die Pfanne in der Hand hielt.

Wenn er springt, schlage ich zu, dachte sie. Heilige Mutter Gottes, es wird das erstemal sein, daß man einen Wolf mit der glühenden Bratpfanne erschlägt. Und dann schrie sie, grell und schrill, schrie »Pawel! Väterchen, komm schnell! Pawelitsch!« Und hielt die Pfanne gegen Akja, als sei sie ein Dreizack.

Der Hund blieb stehen, setzte sich dann und hob die rechte Pfote. Das war neu bei einem Wolf, fand Olga Turganowa. Bei Gott, ein freundliches Tier, aber doch eine Bestie. »Pawel!« schrie sie noch einmal. »Komm her! Komm her!«

Pawel Andrejewitsch Turganow schlurfte aus dem Flur, der Haus und Stall miteinander verband, und blieb stehen, als er Akja mitten im Zimmer sitzen sah, in demütiger Haltung, die Schnauze hoch und schnuppernd. Das glaubt mir auch wieder keiner, dachte er sofort, ehe er mit kleinen, schleichenden Schritten zurückwich, um an sein Gewehr zu gelangen, das an einem Nagel an der Wand hing. Ein Wolf, der darum bittet, erschossen zu werden. Der mitten in der Stube sitzt, wie ein Dackelchen, das Pfötchen hebt . . . o Mist verdammter, man würde ihn wieder auslachen und sagen: »Alterchen, laß das Spinnen. Wir sind selbst Jäger und kennen solche freundlichen Lügen.«

Pawel Andrejewitsch griff nach hinten. Ein Ruck, das Gewehr lag in der Hand. Er riß es nach vorn, schob mit dem Daumen den Sicherungsflügel zur Seite und legte an. Aber der Wolf schien das zu kennen; im gleichen Augenblick, in dem Turganow das Gewehr vom Nagel riß, machte er einen Satz zur Tür und verschwand. Pawel Andrejewitsch schoß trotzdem, die Kugel schlug in die Wandbohlen der Hütte, Pulvergeruch und Qualm durchzogen den Raum, und Olga

ließ endlich die Pfanne fallen, um das längst fällige Sichbe-
kreuzen nachzuholen.

»Ihm nach!« brüllte Turganow und rannte aus der Hütte.

Dort, vor der Tür, fesselte ihn ein neues Bild. Im Schnee
kniete sein Täubchen Anuschka und küßte und herzte einen
bärtigen, struppigen Mann, der ebenfalls auf den Knien lag.
Und hinter dem Mann, in guter Deckung, stand der Wolf
und winselte.

Pawel Andrejewitsch Turganow stellte die Flinte auf seine
Stiefelspitzen und überzeugte sich so, daß er weder träumte
noch daß der Wodka Unjeskis, den er vorgestern einge-
tauscht hatte, schlecht gewesen war und ihm Halluzinationen
herbeizauberte. ·

»Hoij!« brüllte er mit seiner mächtigen Stimme. »Auseinander! Was soll das? Anuschka! Bist du verrückt?«

Nun erschien auch Olga in der Tür, erfaßte das Bild ihrer
küssenden Tochter und schlug die Hände über dem Kopf zusammen.

»Er ist gekommen!« rief sie, und plötzlich weinte sie sogar.
»Er ist wieder da! O Gott! O Maria! O mein Herz!«

Turganow sah seine Olga dumm an und bewies damit, daß
Frauen schneller denken als Männer. Er begriff nicht, er er-
kannte nichts und war erschrocken über das Geheul, das
Olga aus tiefster Seele anstimmte, wobei sie ihre Schürze an
die Augen drückte. Immer wieder jammerte sie: »Er ist da! O
Maria! O Mutter Gottes! Mein glückliches Vögelchen!«

»Wer ist da?« schnauzte Pawel Andrejewitsch und nahm
seine Flinte wieder hoch. »Wer ist der Kerl, der Anuschka an-
faßt? Kennst du ihn etwa? Ich brenne ihm eins aufs Fell.«

»Tinja ist's, du Idiot!« weinte Olgaschka, das Mütterchen.
»Martin, unser Martin, du Esel!«

Turganow wurde es weich in den Knien. Wer weiß, was in
den vergangenen Jahren alles in Torusk geschehen war, kann
das verstehen. Neunmal hatte sich ein Freier für Anuschka
eingestellt, dreimal hatte Turganow selbst einen mitgebracht.
Kräftige, anständige Kerle, die einen guten Nachwuchs ga-
rantierten, prächtige Jäger und Fallensteller, ehrbare Kerle.
Aber immer hatte Anuschka gesagt: »Nein, Väterchen. Ich

warte. Tinja kommt wieder, ich weiß es genau.« Und Pawel hatte zuletzt gebrüllt: »Ein altes, runzeliges Weib wirst du werden! In der Ecke sitzen und Sonnenblumenkerne spukken, das wird dein Leben sein! O Himmel, womit habe ich solch eine Tochter verdient. Wartet auf einen Deutschen! Acht Jahre lang schon. Man sollte sich die Haare einzeln rausreißen vor Kummer. Kann so gut heiraten, kann ein Haus bekommen, tausend Rubel Mitgift, kann Kinderchen gebären, eins zwei, drei, vier . . . und will nicht! Es ist zum Heulen!«

Und nun war er da. Martin Abels, der deutsche Plenny. Kniete im Schnee neben dem Holzstapel und herzte Anuschka. Und beide weinten vor Freude und Glück und umklammerten sich, als wollten sie gemeinsam im schmelzenden Schnee ertrinken. Und Olga neben ihm schluchzte wie ein Schwein in der Kolik, und der Wolf war nur ein großer Hund, der schweifwedelnd neben Abels stand und ihm den Nacken leckte, als wolle er sagen: »Aufhören, mein Lieber! Ich bin auch noch da. Und da sind welche, die gucken zu und wollen auch was sagen . . .«

Anuschka sah zur Seite, und ihr schmales Gesicht mit den breiten Backenknochen und den leuchtenden roten Lippen war ein einziger Strahl des Glücks. »Er ist gekommen!« rief sie, und sie hatte keine menschliche Stimme mehr. So singt eine Nachtigall, dachte Turganow, obgleich er noch nie eine Nachtigall gehört hatte. So jubelt eine Lerche bei der ersten Frühlingssonne. O Gott, mir wird es weich ums Herz, ich heule gleich. Daß doch der Mensch so voller Seele ist, verflucht ist das. Er lehnte sein Gewehr an die Tür, gab der noch immer heulenden Olga einen Stups in den Rücken und ging mit ausgebreiteten Armen auf Abels zu.

»Willkommen, Tinja!« rief er schon beim Gehen. »Willkommen in Torusk . . . in deiner Heimat!«

Und so war es wirklich. Es schien Abels, als sei er heimgekehrt.

*

Die größte Freude, das schönste Glück, die seligste Liebe sind nichts wert, wenn sie verhungern und verdursten müssen.

Das ist keine sibirische Weisheit, sondern eine Alltagserfahrung. So wurden denn auch in den ersten Stunden nach der Rückkehr Martin Abels' Fleisch und Speck, Bohnen und Kraut, Würste und Schmalz, Brot und Kuchen aus dem Wintervorrat herbeigeholt, es wurde gebraten und gesotten, gekocht und gedämpft. Pawel entschloß sich, eine gehütete Flasche Krimwein aus einem Versteck zu holen, und Olga machte eine Pfanne voll Eierkuchen mit Speck.

Anuschka half in dieser Stunde nicht. Sie saß neben Tinja auf der Holzbank, hielt seine Hände fest, sah ihn mit leuchtenden Augen an, lehnte das Köpfchen an seine breite Schulter und hatte keine anderen Worte und keine anderen Gedanken als nur das eine Wort: »Du! Du! Du!« Braucht man mehr, um glücklich zu sein? Die Welt schrumpft zusammen zu diesem einen Wort, denn in ihm ist alles, was sonst tausend Dichter in tausend Büchern zu sagen vermögen.

Nach dem Essen und Trinken, bei dem Pawel Andrejewitsch soviel Hochrufe ausbrachte und danach das Glas bis zum Grund leertrinken mußte, bis er einen hellroten Kopf bekam und Äuglein wie ein jagender Falke, ging Turganow hinaus, um, wie er sagte, vor der Nacht noch seine Fallen nachzusehen. In Wahrheit lief er durchs Dorf und verkündete die freudige Heimkehr des Deutschen. Und eine Überraschung brachte er mit. Als er zurückkam, folgte ihm ein großer, dicker, auf einem steifen Bein hinkender Mann, der – als er die Pelzmütze abnahm – einen billardkugelblanken Glatzkopf enthüllte. Bevor Martin Abels etwas sagen konnte, brüllte der Mann schon von der Tür her:

»Plenny 39267 . . . es ist zum Kringelscheißen! . . . Wieso kommst du ohne Anmeldung hierher?«

»Hauptmann Samsonow . . .«, sagte Abels gerührt. Er sprang auf und rannte dem ehemaligen Kommandanten des Waldlagers Torusk entgegen. Sie fielen sich in die Arme, sie umarmten sich, sie küßten sich auf beide Wangen und drückten sich an sich wie kämpfende Bären. »Jossif Nikolajewitsch,

Sie haben sich nicht verändert. Sie sind der gleiche Schreihals geblieben.«

Das Wiedersehen war beglückend. Samsonow war einer der wenigen Menschen gewesen, die auch in einem Kriegsgefangenen einen Bruder gesehen hatten. Einen Menschen, der nicht dazu geboren worden war, um in der Wildnis zu verrecken. Sein Waldlager Torusk galt im weiten Umkreis der Kriegsgefangenenlager als Erholungsstätte. Wer zu Samsonow versetzt wurde, zog ab wie zu einer Sommerfrische, beneidet von den Zurückbleibenden. Natürlich sprach sich so etwas herum. Hauptmann Samsonow wurde angemeckert, zuerst von seinem Major, dann von seinem Oberst, schließlich vom Kriegsgefangenen-Distriktkommissariat in Jakutsk, das ihm Weichheit und Schlappheit vorwarf. Und Jossif Nikolajewitsch Samsonow hatte immer geantwortet: »Ich habe mein Bein fürs Vaterland gelassen. Ich bin Träger dreier Tapferkeitsmedaillen. Genosse Generalissimus Stalin hat mir selbst die Hand gedrückt. Wenn ihr meint, Genossen, ich sei zu schlapp, so meldet das nach Moskau.« Das tat man nicht, aus Angst, sich zu blamieren. Man drückte beide Augen zu und ließ Samsonow im Lager Torusk unbeschränkt herrschen.

Und in Torusk blieb er auch, als die letzten Gefangenen abtransportiert waren. Er kaufte sich ein Haus in dem Dorf, bezog eine Staatspension, groß genug, um nicht vor Hunger zu schreien (woran man sieht, daß sich in diesem Punkt Ost und West wie Zwillinge gleichen, wenn's um den Dank des Vaterlandes geht!), machte einen Kleiderhandel auf und versorgte als Unterhändler Unjeskis, der das Monopol hatte, die Jäger im Winter und die Nomaden im Sommer mit Unterhosen und Socken. Seine größte, eine geradezu zivilisatorische Tat war es, daß er in Torusk den Büstenhalter einführte. O Freunde, das war eine Revolution wie im Oktober 1917. Aufgrund seiner Freundschaft mit Turganow war's ausgerechnet die dralle Olga, die den ersten Büstenhalter in Torusk herumtrug. Was früher Masse war, war nun gebändigt und geformt zu zwei runden, abstehenden, prallen, harten, fast unter dem Kinn beginnenden Hügeln, auf die der witzige Pawel Andrejewitsch zur Demonstration eine Wodkaflasche stellte und rief: »Seht! Sie fällt nicht herunter!«

Der Erfolg war durchschlagend. Hauptmann a. D. Samsonow machte das Geschäft seines Lebens mit Büstenhaltern – von der zarten Größe 2 bis zu Dimensionen, die die Haltbarkeit und Güte des verarbeiteten Stoffes unter Beweis stellten. Im weiten Umkreis wurde Samsonow bekannt unter dem Namen »Jossif, die Brust«, was ihm zwar mißfiel, aber sein Geschäft ankurbelte. Es sprach sich rum von Jäger zu Jäger: »Genossen, geht nach Torusk. Dort haben die Weiber so stramme Brüste, daß selbst die Flöhe ausrutschen wie auf Glatteis.«

Warten wir es ab, Freunde. Vielleicht setzt man Samsonow in Torusk noch einmal ein Denkmal. Viel unwichtigere Personen haben schon einen Gedenkstein bekommen.

Bis spät in die Nacht hinein wurde erzählt und gelacht, wurden Erinnerungen wach und kam es zu stillem Gedenken. Dann schwankte Hauptmann Samsonow nach Hause, Olga räumte den Tisch auf, Anuschka schlief halb an der Schulter Abels', und Turganow, das glückliche Väterchen, sah die bitterste Stunde seines Lebens auf sich zukommen, nämlich die große Frage: Wie schläft man jetzt?

Freunde, man ist Mensch, nicht wahr? Man versteht, daß es unmöglich ist, ein Weibchen, das acht Jahre lang auf diese Stunde des Wiedersehens gewartet hat, von dem Geliebten zu trennen, nur weil es unschicklich ist und der Pope und der Kommissar noch nicht gesagt haben: Nun seid ihr Mann und Frau. Acht lange Jahre Sehnsucht nach einer Umarmung, und nun darf's nicht sein? Wer kann verantworten, zu sagen: Auseinander! Du schläfst auf dem Ofen und du im Stall!

Pawel Andrejewitsch, das Väterchen, seufzte und sah seine Olga hilfesuchend an. Aber auch Olga seufzte in die Töpfe hinein, scheuerte die Pfanne und wußte nicht, was man tun sollte. Es ist eine merkwürdige Situation, wenn Eltern im voraus wissen, was gleich mit ihrer Tochter geschehen wird, und man es nicht ändern kann, weil man eben Mensch ist und weiß, wie schön die Liebe ist und wie nötig zum glücklichen Leben, zum roten Bäckchen und zum strahlenden Blick. O joij, wie schwer wird ein Vaterherz bei solchen Gedanken.

Pawel Andrejewitsch löste das Problem auf eigene Art. Er knuffte seiner Olga in das Hinterteil, nickte zum Stall und ging aus der Stube. Olga folgte ihm, deckte die Flamme im Herd zu und sandte noch einen langen Blick auf die mit geschlossenen Augen träumende Anuschka. Dann schlug sie ein Kreuz, betete schnell für das Seelenheil des Mädchens und eilte Pawel nach, der schon im Stroh lag und an die Decke starrte.

»Es ist schwer, Vater einer Tochter zu sein, Olgaschka«, sagte er leise und mit schwankender Stimme. »Aber es ist gut, daß es Tinja ist. Wer mein Täubchen so liebt, darf es auch haben.«

Dann lagen sie nebeneinander, die beiden Alten, Arm in Arm, als gingen sie liegend spazieren, und Olga sagte nach einer Weile der vollkommenen Stille:

»Es wird schön sein, Pawel Andrejewitsch, wenn wieder ein Kindchen in der Wiege liegt.«

Und Turganow nickte stumm. Sie war eben ein richtiges Mütterchen, seine Olgaschka.

*

In der Nacht, irgendwann einmal, ohne auf die Uhr zu sehen, wachte Martin Abels auf und beugte sich über Anuschka. Da sah er, daß sie die Augen offen hatte. Ihr warmer Körper zitterte leicht.

»Ich bin so glücklich, Anuschka«, flüsterte er und legte seinen Kopf auf ihre kleine, feste Brust.

»Es ist der Himmel, Tinja.«

»Erinnerst du dich . . . das Schilf an der Lindja . . . ein Sommernachmittag war's . . .«

»Es war gestern . . . gestern . . . Tinja . . .« Ihre Lippen saugten an seinen Ohren, sie wanderten über die Schläfen, die Stirn, die Nasenwurzel, die Augen, suchten seine Lippen und legten sich warm und weich auf seinen zuckenden

Mund. Er erschauerte unter diesem Kuß, er fror und glühte zugleich vor Glück und Seligkeit und umfaßte den schlanken, biegsamen Leib, der sich ihm zudrängte, schlangengleich und glatt.

›Tinja –«

»Ja, Anuschka.«

»Ich wußte, daß du wiederkommst –«

»Ich weiß. Ich habe es immer gespürt.«

»Ich wußte, daß du kommst und für immer bei mir bleibst.«

Da schwieg er. Betroffen, voll plötzlichem Schuldgefühl, ihr noch nicht gesagt zu haben, daß er nicht in Torusk bleiben, sondern sie aus Sibirien weg in eine andere Welt holen wolle.

»Tinja?«

»Ja, Anuschka.«

»Liebst du mich?«

»Es gibt keine Worte mehr für diese Liebe.«

»Wir sind jetzt ein Mensch, spürst du das? Ein Körper, eine Seele . . . der eine wird nicht mehr leben können ohne den anderen . . . man kann nicht mit einem halben Herzen leben, nicht wahr?«

»Nein, das kann man nicht.«

»Ich bin du und du bist ich.«

»Ja, Anuschka –«

So schliefen sie wieder ein, Haut an Haut, Lippe an Lippe, Herzschlag an Herzschlag.

Draußen schneite es. Am Morgen würde sich der Schnee einen Meter hoch vor der Haustür türmen.

Akja, der Wolfshund, lag vor dem Ofen, zusammengerollt, satt und zufrieden. Er hörte und roch seinen Herrn und er wußte, daß er nun noch eine Herrin bekommen hatte. Er legte die Schnauze auf die Vorderpfoten und starrte ins glimmende Feuer.

Auch ein Hund fühlt, wie schön das Leben ist.

*

Alle Dinge haben zwei Seiten. Eine Münze, ein Pfannkuchen und auch der Mensch sieht hinten anders aus als vorn. Die Freude Pawel Andrejewitsch Turganows, die er durch Torusk getragen hatte und mit der er Hauptmann Samsonow, genannt »Jossif, die Brust«, alarmiert hatte, machte auch Leute aktiv, die eigentlich nichts Freundliches im Sinn hatten.

Da gab es in Torusk einen Mann namens Nikolka Ippolitowitsch Litowka, den man den »Roten« nannte, nicht weil er Fahnenträger bei den Komsomolzen gewesen war, sondern weil er brandrotes Haar hatte. Das ist eine Seltenheit in Sibirien. Keiner wußte, wie Nikolka an diese roten Ziegel kam. Seine Mutter Anna schwieg beharrlich darüber. Aber man munkelte, daß ein Soldat aus der Ukraine diesen Rotschopf hinterlassen hatte, als Manöverandenken. Genossen, man kennt ja die Soldaten. Aus dem kleinen Rotvögelchen war mittlerweile ein kräftiger Jäger Nikolka geworden, fünfunddreißig Jahre alt, mit krachenden Muskeln und wie ein Auerhahn in Anuschka verliebt.

Es war eine unglückliche Liebe, man weiß das. Und so sehr Nikolka im Laufe der vergangenen Jahre Anuschka mit Geschenken verwöhnte – einmal brachte er sogar aus Jakutsk eine goldene Kette mit einem Anhänger aus geschliffenem Jade, die Anuschka aber nicht annahm und die Nikolka dann vor Wut in die Jauchegrube der Turganows warf, wo Olga sie nachts bei Petroleumschein wieder herausfischte –, nie war es weiter gekommen als bis zu einer Ohrfeige, die Nikolka sich einhandelte, als er Anuschka seine breite Hand auf die Brust legte.

Nun war es bekanntgeworden: Anuschkas Freier war da. Das Rätsel, auf wen das schönste Vögelchen Torusks gewartet hatte, war gelöst. Auf einen ehemaligen deutschen Plenny. Ein Pfui über dieses volksvergessene Weibsstück.

Nikolka Ippolitowitsch Litowka brüllte am nächsten Morgen nach der Ankunft Martin Abels' in der einzigen Wirtschaft von Torusk seine Wut und seine Enttäuschung gegen die Bohlenwände.

»Ist das eine Art?« schrie er und soff Wodka aus einem

Wasserglas. »Einen anständigen Kommunisten verschmäht sie, und einem Westler, einem Bourgeois, einem Kapitalistenhund, einem Ausbeuter der Arbeiterklasse wirft sie sich an den Hals. Jawohl, ich sage es jedem: Ein Hurchen ist diese Anuschka. Nicht nur im Bett, auch in der Gesinnung. Sie verrät unseren Arbeiter- und Bauernstaat, sie tritt Sibirien mit Füßen, sie schläft mit der Despotie. Steinigen sollte man sie, die heiße Füchsin.«

Der Wirt verhielt sich still, aber er schickte einen Burschen zu den Turganows, um ihnen von den aufrührerischen Reden des »Roten« zu berichten. Pawel Andrejewitsch machte sich sofort, ohne Olga oder die glücklich Verliebten zu unterrichten, auf den Weg, stapfte mit seinen breiten geflochtenen Schneeschuhen durch die tief verschneite Straße und trat in den Schankraum just in dem Moment, in dem Nikolka brüllte:

»Dieses deutsche Schwein steche ich ab! Wetten wir, Genossen? Wenn er mein Messer sieht, wird er winseln und sich in die Hose pissen! Sieh ihn dir an, Anuschka, werde ich dann rufen. Schon jetzt, wenn ich nur das Messerchen zeige, stinkt er wie ein Sumpfbiber!«

Turganow blieb an der Tür stehen. Der Wirt sah ihn groß an, dann räumte er schnell einige Flaschen weg und ging hinaus in die Hinterstube. Dort saß sein Weib Larissa und stickte. »Hol den Verbandkasten«, seufzte der Wirt und setzte sich schwer. »Und stell einen Eimer zurecht . . . man wird das Blut aufwischen müssen.«

Der »Rote« schloß den Mund, als er Pawel Turganow in der Tür erkannte. Er hieb nur noch einmal mit der Faust auf die Theke und bekräftigte so seine Absicht, den deutschen Plenny zu zermalmen.

»Ei, ei«, sagte Turganow ernst, und sein breitflächiges Jakutengesicht hatte alles Grinsen verloren. So sieht man einen Wolf an, bevor man ihn abschießt, dachte der »Rote« und lehnte sich mit dem Rücken an die Theke. Er hatte keine Angst, aber unangenehm war's ihm doch, man sah's ihm an, wie er mit den Augen blinkerte und wie es um seine Mundwinkel zuckte.

»Habe ich nicht recht?« schrie er etwas leiser und heiserer. »Anuschka war mir versprochen.«

»Einen Dreck war sie«, antwortete Turganow und kam näher.

»Jetzt hat sie einen Dreck! Einen Deutschen! Einen Feind unserer Nation!«

»Halt's Maul, du Mistkäfer!« sagte Turganow laut. »Liebe hat mit der Politik nichts zu tun. Das sind zwei ganz verschiedene Dinge. Was schreist du so, du rote Wanze?«

Nikolka Ippolitowitsch Litowka senkte den Kopf. Was zuviel ist, ist zuviel, man muß das einsehen. Alles hat seine Grenze, und die war nun erreicht bei der roten Wanze. Daß sein Haar nicht schwarz und strähnig war wie das der anderen in Torusk, war nicht seine Schuld. Er hatte sich seinen Vater nicht aussuchen können. Fünfunddreißig Jahre lang hatte er es zu hören bekommen, und in seinem Herzen hatte sich das eingefressen wie Rost, der den Panzer der Selbstbeherrschung langsam, aber stetig, zerfraß. Nun platzte die letzte Hülle, er seufzte tief auf, ballte die Fäuste und stürzte sich auf Pawel Andrejewitsch.

Der Zusammenprall war dumpf. Turganow wich nicht einen Fußbreit aus, im Gegenteil, er stemmte sich dem »Roten« entgegen, als springe ein Bär ihn an. Und dann krachten die Fäuste auf die Schädel und Schultern, ein Schnaufen und Prusten war im Raum, als wälzten sich Walrösser im Schlamm. Einmal schrie der »Rote« auf, als die Faust Turganows seine breite Nase traf und ein Blutstrom aus seinen Nasenlöchern quoll. Der Wirt lugte schnell aus dem Hinterzimmer, winkte seiner Frau und flüsterte: »Es ist soweit. Hol den Eimer«, und dann hieben sie weiter aufeinander los, Fuß an Fuß, breite, muskelstarke Gestalten in dicken Jacken und Fellstiefeln. Ein Genuß war's, ihnen zuzusehen.

Schließlich ließ der »Rote« die Fäuste sinken und trat zurück. Er sah nichts mehr, das Blut stürzte aus seiner Nase, ein Auge war zugequollen, auf der Stirn begann sich eine Beule zu heben.

»Genug!« sagte er keuchend und lehnte sich wieder an die Theke. »Mit dir habe ich ja nichts, Pawel Andrejewitsch.

Warst immer ein guter Kommunist und Jäger, warum sollen wir uns schlagen? Aber diesem Deutschen drehe ich den Hals um wie einer lahmen Gans.«

»In Ruhe läßt du ihn!« schrie Turganow. »Er ist mein Schwiegersohn!«

»Man wird dich dafür in Jakutsk zur Partei bestellen. Wer hat ihn überhaupt hereingelassen? Hat er einen Paß?«

»Was kümmert's dich?« Turganow trat ebenfalls an die Theke, und während der »Rote« sich das Blut vom Gesicht wischte, klopfte er mit der Faust auf das Holz. »Mischa! Verdammter Halsabschneider! Mischa! Ich habe Durst! Ein Gläschen von deinem Teufelstrank bring her!«

Der Wirt schoß aus dem Hinterzimmer hervor. Es ging schneller, als man erwartet hatte, dachte er. Sie bringen sich nicht um. Aber zu Ende ist's auch noch nicht, das ahnte er. So etwas schwelt weiter wie Glut in der Asche, und man braucht nur mit einem Stöckchen zu schüren, und hui, ist die helle Flamme da. Es würde noch unruhig werden in Torusk; einen langweiligen Winter gab's in diesem Jahr nicht.

Turganow und der »Rote« tranken ein Gläschen Wodka zusammen, dann gingen sie auseinander, jeder zu seinem Haus. Und Turganow wußte, daß man von jetzt an vorsichtig sein mußte.

*

Zwei Monate gingen so dahin.

Was in ihnen geschah, ist kaum berichtenswert. Stunden, Tage und Wochen sind bei Verliebten immer gleich: man liebäugelt sich an, man geht umschlungen herum, man küßt und herzt sich, man redet dummes Zeug, träumt von der Zukunft und vergißt die Gegenwart, man findet die Welt herrlich und ist ohne Sorge.

Das soll nicht heißen, daß im Hause Turganows nun das Leben stillstand. Im Gegenteil, Mütterchen Olga brachte auf den Tisch, was im Vorratslager sich stapelte. Pawel Andrejewitsch ging zur Jagd, und oft begleitete ihn Abels mit Akja, seinem Hund, der eine besondere Gabe hatte, wilde Rentiere aufzuspüren und sie auf die beiden schußbereiten Jäger hinzuhetzen. Anuschka aber begann, getreu einem alten Brauch, ihr Hochzeitskleid selbst zu nähen. Zu diesem Zweck hatte Pelzhändler Unjeski in Taragaisk (auch er kam eine Woche nach der Rückkehr Abels' nach Torusk, in einem feudalen, mit Fellen ausgelegten Schlitten, und umarmte den Deutschen wie seinen eigenen Sohn) vorgesorgt: Er ließ weiße Seide aus dem Süden kommen und weiße Spitzen und weißen Tüll, bunte Bänder und glitzernde Glasperlen. Nach einem eigenen Entwurf begann dann Anuschka das Kleid zu nähen . . . in einer kleinen Seitenkammer, in die sie sich einschloß. Ein Hochzeitskleid sieht der Bräutigam erst am Tag der Trauung, so war's der Brauch. Nur Olga half ab und zu, wenn Anuschka aus dem Tüll kleine Rosen drehte und sie auf den Schleier nähte.

Das Glanzstück besorgte Hauptmann a. D. Samsonow, genannt »Jossif, die Brust«. Er ließ sich, in genauer Kenntnis der Obermaße Anuschkas, aus Jakutsk nicht einen Büstenhalter, sondern ein Korselett schicken, ein zartes Ding aus weißem, glänzendem Stoff mit breiten Spitzen, in denen die Brüste wie in einem Blumenkorb ruhten. Anuschka mußte es sofort anprobieren, und als sie zurückkam aus der Kammer, schlank, langbeinig, wohlgeformt, schlug Hauptmann Samsonow die Hände über dem Glatzkopf zusammen und schrie: »Wie gemeißelt! Wie gemeißelt! O Freunde, ist das eine Wonne!«

Es war, wie gesagt, schon immer klar: Samsonow wirkte in Torusk zivilisatorisch.

Und eines war sicher: Anuschka würde die schönste Braut sein zwischen Jenissej und Lena, zwischen Eismeer und Baikalsee.

Pawel Andrejewitsch Turganow aber machte sich, als der Schneefall nachgelassen hatte und Ruhe in die Wälder einzog, mit seinem Schlitten und zwei Pferdchen auf, um den wichtigsten Gang seines Lebens zu gehen: Er fuhr nach Schigansk an der riesigen, zugefrorenen Lena. In Schigansk saß in einem Steinhaus Borja Grigorjewitsch Amganow, der Distriktsowjet und Gebietskommissar. Er war ein guter Bekannter Turganows. Man hatte vor zehn Jahren einmal einen Lehrgang zusammen besucht, auf dem man viel von der Planwirtschaft im Wald erzählte – aber der Mann, der darüber sprach, kam aus Ulan-Ude und hatte keine Ahnung. Später war dann Amganow in die Verwaltung gegangen, da er immer ein Beamtentyp gewesen war, so einer, wißt ihr, Freunde, der in den Verfügungen nachliest, wie lange ein Bediensteter sich auf dem Lokus aufhalten darf. Nun saß er in Schigansk, verwaltete einige tausend Quadratkilometer Urwald und Taiga, kontrollierte die verstreut in der Wildnis liegenden Faktoreien, staatlichen Pelzstationen und Holzschlaglager, ja, sogar zwei Straflager unterstanden ihm, mit je 4000 Männern, die in der Taiga rodeten und Schmalspurbahnen durch den Urwald legten.

Zwei Tage brauchte Turganow bis Schigansk. Erstarrt fast vor Frost, stampfte er in das Büro Amganows, nannte den Sekretär, der ihn im Vorzimmer aufhalten wollte, mit der Frage: »Sind Sie angemeldet, Genosse?«, einen triefäugigen Bettnässer, und betrat das Zimmer des Distriktkommissars just in dem Augenblick, in dem Amganow an seinem Schreibtisch ein großes Stück Käse mit der Messerspitze aß.

»Wohl bekomm's, Brüderchen!« sagte Turganow. Dann schlug er dem Sekretär die Tür vor der Nase zu und verschloß sie.

Amganow ließ den Käse in der Schublade verschwinden, denn er erkannte den vereisten Eindringling nicht sogleich. Doch als er losbrüllen wollte, nahm Turganow seine Pelzmütze vom Schädel, und dann lachten sie sich an, küßten sich nach alter Sitte und schüttelten sich wie Arzneiflaschen.

Zehn Minuten später war die fröhliche Wiedersehensstimmung vorbei. Borja Grigorjewitsch Amganow stützte den Kopf in beide Hände und starrte auf ein Rundschreiben aus Jakutsk, das er vor einer Woche bekommen hatte und das sich mit dem Eissprengen an der Lena beschäftigte.

»Das ist ein schwerer Fall, Pawel Andrejewitsch«, erklärte er dumpf. »Ein verdammt schwerer Fall.«

»Darum bin ich ja hier, Freundchen«, sagte Turganow.

»Ein Deutscher, der heimlich zu uns kommt, wegen

Anuschka. Dafür gibt es keine Bestimmungen und Gesetze. Da, lies nach!« Er zeigte auf eine Reihe blau eingebundener Bände, die auf einer Konsole standen. »Keinen Ukas gibt es darüber. Und es ist eine alte Weisheit, Pawel Andrejewitsch: Worüber es keine Gesetze gibt, das existiert nicht.«

»Aber Anuschka ist da. Und Tinja auch. Man kann doch nicht sagen, es gibt sie nicht. Und sie lieben sich, Borja Grigorjewitsch.«

»Es ist nur eines möglich«, sagte Amganow und kratzte sich die Nase, »daß ich Abels verhaften lasse.«

»Bist du verrückt?« rief Turganow.

»Es gibt einen Ukas über illegale Einwanderer.«

»Und sonst nichts?«

»Nein.« Amganow sah Turganow traurig an. »Ein Gesetz ist nicht so blöd wie ein Mensch, Pawel Andrejewitsch. Wer denkt daran, daß jemand aus Deutschland kommt, um in Sibirien zu heiraten?«

»Aber sie wollen heiraten. Das ist eine Tatsache.«

»Es wird nicht gehen. Tinja ist kein Russe. Er ist sogar heimlich hier. Das beste, was ihm passieren kann, ist seine Verhaftung.«

»Unmöglich!« schrie Turganow. »Bist du mein Freund, Amganow?«

»Ja, aber auch Beamter. Es wird schwer sein, als Beamter zu vergessen, daß in Torusk ein Illegaler lebt. Aber das ist das einzige, was ich kann. Vergessen. Wir haben uns gesehen, gut. Wir haben geplaudert, gut. Aber von einem Deutschen bei dir weiß ich nichts. Verstanden? Ich werde erst etwas von ihm wissen, wenn irgendein anderer ihn anzeigt. Dann bin ich Vertreter der Obrigkeit, Pawel Andrejewitsch, und kann dir nicht mehr helfen.«

Turganow nickte. Gebe Gott, dachte er, daß der »Rote« sein Maul hält. Und mit der feierlichen Hochzeit wird's auch nichts geben. Zum Kotzen ist's. Immer diese Gesetze, immer die Fessel des Ukas. Ist man ein freier Sowjetbürger oder nicht? Darf man als freier Mensch nicht lieben, wen man will? Warum muß da ein Paragraph stehen wie ein Milizsoldat auf dem Roten Platz von Jakutsk? Ist die Liebe zu regeln wie ein

Autoverkehr? Du ab nach links, halt, du ab nach rechts, Straße frei für geradeaus... Wie kompliziert man das menschliche Leben macht, und es könnte doch alles so einfach sein, wenn man ein bißchen mehr Hirn besäße. Vor allem da oben, wo die Gesetzesmacher sitzen.

Unbefriedigt fuhr Turganow nach Torusk zurück. Was er zu Hause erzählen sollte, wußte er noch nicht und grübelte auf dem zweitägigen Heimmarsch angestrengt darüber nach. Kurz vor Torusk traf er auf Hauptmann Samsonow und Martin Abels. Sie saßen vor einem Lagerfeuer und hatten zwei Weißfüchse geschossen. Nun kochten sie einen Tee und aßen Honigbrote.

»Alles in Ordnung, mein Söhnchen!« rief Turganow, und die Lüge kam glatt von seinen Lippen. »Genosse Amganow – er kennt dich noch vom Lager her – ist einverstanden. Das nötige Papierchen kommt in den nächsten Wochen nach.«

In den folgenden Tagen entwickelten Turganow, Unjeski und Hauptmann Samsonow eine rege, aber stille Tätigkeit. Sie holten einen alten, seit zwanzig Jahren nicht mehr amtierenden Popen, der einsam und verbittert wie in der Verbannung lebte, nach Taragaisk und machten ihm klar, daß es seine Pflicht sei vor Gott und den Menschen, Anuschka und Martin Abels nach altem Ritus zu trauen. Man versprach, daß es niemals bekanntwerden würde. »Ich schütze Sie, Väterchen, mit dem Ruhm meiner Soldatenlaufbahn«, sagte Samsonow sogar. »Wir wissen alle, daß Gott abgeschafft wurde, aber es beruhigt, ihn doch noch einmal zu bemühen. Betrachten wir es als eine historische Theateraufführung.«

Das war ein Weg. Hoch dem Hauptmann Samsonow. Er war nicht umsonst der geistige Mittelpunkt von Torusk.

In aller Stille wurde die Hochzeit vorbereitet.

Eine Woche vor dem Fest jagte eine traurige Nachricht eine Gänsehaut über die Rücken der Torusker: In der Umgebung, keine sieben Werst weit entfernt, hatte ein Tigerpaar einen Schlitten überfallen. Alle Insassen, es waren vier Fellhändler, waren zerrissen worden. Von einem fand man nur noch einen blutigen Stiefel.

Die Torusker Männer zogen in den Urwald, die beiden gestreiften Mörder zu jagen. Auch Martin Abels zog mit, und der »Rote« ebenfalls. Turganow wurde sehr nachdenklich. Er ahnte Übles.

*

Auch im Hause des Reeders Holgerson wurden Hochzeitsvorbereitungen getroffen. Der renommierteste Modesalon Bremens wurde beauftragt, ein Modellkleid zu entwerfen. Der alte Holgerson stellte Listen zusammen, wer erstens eine Vermählungsanzeige bekommen sollte und wer zweitens zur Feier eingeladen werden mußte. Das war eine sehr diffizile Angelegenheit, denn niemand, der in der Bremer Gesellschaft eine Rolle spielte, durfte vergessen werden. Wer zu dieser Hochzeit nicht eingeladen wurde, würde als nicht salonfähig betrachtet werden. Daran können in einer Hansestadt mit alter Tradition sogar Familien und blühende Geschäfte zugrunde gehen. Es galt also, die richtigen Namen herauszusuchen. Reeder Holgerson kam nach der ersten Übersicht auf über 120 Gäste, was bedeutete, daß man die Hochzeit nicht zu Hause, sondern in einem großen Hotel feiern mußte.

Der Bräutigam, Benno Fahrenkrug, weilte noch in Südafrika. Inken Holgerson hatte sich von allen Freundinnen distanziert und keine Veranstaltungen mehr besucht. Einsam hinkte sie in der schloßähnlichen Villa ihres Vaters herum. Oft sah man sie, eingehüllt in dicke Kamelhaardecken, auf dem Balkon in der Sonne liegen und über das verschneite Land blicken.

Ihr Schicksal war endgültig. Die letzte Reise nach Moskau hatte es bestätigt. Auch Professor Demichow, der das Unmögliche in der Chirurgie wagte, hatte sich zwar zur Operation bereit erklärt, aber auch er konnte keine Garantie übernehmen, daß der Eingriff gelang. Wer konnte das schon?

Inken hatte es daraufhin abgelehnt, sich auf den OP-Tisch zu legen, ja, sie hatte bestimmt: Das war die letzte Reise. Ich will nicht mehr durch die Welt hetzen.

Die Verlobung mit Benno Fahrenkrug war im Grunde eine

bittere Komödie. Gewiß, Benno liebte sie wirklich, und auch sie empfand Sympathie zu dem netten, weltaufgeschlossenen, höflichen und fürsorglichen Mann. Aber mehr auch nicht. Sie konnte es ihm nicht sagen, und sie konnte es vor allem ihrem Vater nicht antun, nun wieder mit einem harten Nein alles wegzudrücken, was der alte Holgerson in den vergangenen Wochen aufgebaut hatte. Sie sah, wie froh ihr Vater war, daß sie die Affäre mit Martin Abels überwunden hatte, und daß es jetzt wirklich um die Ehre der Familie Holgerson ging, mit einer Heirat innerhalb des exklusiven Kreises den Namen Abels ein für allemal wegzuwischen. Einen Namen, den sowieso niemand mehr nannte, nachdem man wußte, daß Martin Abels irgendwo in der Mongolei verfault war, ein Opfer seiner Wahnidee, einem russischen Mädchen nachzujagen. Das Ende eines Spinners, wie man wenig höflich flüsterte. Er war der Beweis, daß ein Außenseiter in Bremens Gesellschaft untergehen mußte.

Weihnachten und Silvester gingen still vorüber. Inken klagte über Schmerzen im Bein und im Hüftgelenk, und der Arzt verschrieb Schlaftabletten und schmerzstillende Mittel. Inken nahm sie nicht ein, denn ihre Schmerzen waren simuliert. Sie sammelte die täglich verabreichten Tabletten in einer Schachtel, die sie unter ihrer Wäsche im Schrank versteckte. Als sie dreißig Tabletten beisammen hatte, ließen die Schmerzen nach. Reeder Holgerson freute sich und atmete auf. Eine Knochenentzündung, die möglich hätte sein können, war vorbeigegangen. Sie hätte die Amputation des Beines nach sich ziehen müssen. Er ahnte nicht, daß eine weit größere Gefahr im Schrank von Inkens weißem Schleiflackzimmer lauerte, verborgen unter hauchzarten französischen Kombinationen.

Wann Inken auf diese dreißig Tabletten zurückgreifen wollte, wußte sie selbst noch nicht. Sie wußte nur, daß es einmal sein mußte, daß es keinen anderen Ausweg mehr gab aus der für sie grauenhaften Situation: für immer ein hinkender, entstellter Krüppel zu bleiben.

Nur einmal deutete sie es an, als der Pfarrer zu ihr auf ihre Zimmerflucht kam und mit ihr die Hochzeitsfeier besprach.

»Ich habe ein Buch gelesen«, sagte sie beiläufig. »Ein schreckliches Buch, und ich möchte Ihre Ansicht hören, Herr Pastor. Da wird ein junger Mann geschildert, der in einer für ihn ausweglosen Situation Selbstmord begeht. Was hält die Kirche davon?«

»Nichts, Inken.« Der Pastor legte die Hände zusammen. »Selbstmord ist eine Flucht vor dem Leben. Es ist das Wegwerfen eines Gottesgeschenkes, denn das Leben ist ein Geschenk des Herrn. Es ist eine Beleidigung Gottes, sich davon zu trennen, so, als ob man eine alte Hose wegwirft oder ein zerrissenes Hemd. Keine Verzweiflung kann so groß sein, daß man sein Leben weggibt. Es geht im Leben immer weiter, und es kommen immer neue Möglichkeiten, an die man früher nie gedacht hat. Wer Hand an sich selbst legt, ist ein schwacher Mensch, ein Feigling. Er ist bis in die Seele hinein dumm. Es sei denn, er ist krank im Gemüt. Dann ist er ein armer Mensch, dem Gott verzeihen wird.«

»Danke, Herr Pastor«, sagte Inken Holgerson und schwieg darauf. So bin ich also allein, dachte sie. Ganz allein. Was heißt das: Es geht immer weiter. Wie kann es weitergehen, wenn man sich selbst nicht mehr sehen kann? Wenn man sein Spiegelbild haßt? Einmal kommt der Augenblick, wo man den Spiegel zerschlägt ... und dann sich selbst. Und dann wird Ruhe sein. Unendliche Ruhe.

Kommt nicht die Ruhe auch von Gott?

∗

Zehn Werst hinter Torusk fanden sie die ersten Tigerspuren. Mächtige Tatzen waren es, und Turganow, der erfahrene Jäger, kratzte sich das Eis von den Brauen und sagte zu allen: »Aufpassen, Genossen! Das ist ein gefährliches Pärchen! Wenn die Tiger so groß sind, wie ihre Tatzen anormal sind, dann werden wir Felle erbeuten, die ins Museum nach Jakutsk kommen. Seid vorsichtig, denn die Tiger sind tükkisch und lauern uns auf. Bleibt immer in Rufweite voneinander, damit wir uns gegenseitig helfen können.«

So zogen sie durch den Urwald, auf Skiern, eine weit auseinandergezogene Schützenkette, fast wie im Krieg. So etwas kannten sie alle noch, denn sie waren, vor allem die Älteren unter ihnen, einmal alle Soldaten gewesen. Nur Nikolka Ippolitowitsch Litowka, der »Rote«, hatte seinen eigenen Kopf. Er wollte zeigen, welch ein Kerl er sei und daß Anuschka besser daran tat, ihn zu heiraten als diesen deutschen Plenny, der sich einbildete, das Schicksal nach seiner Mütze drehen zu können.

Also ging der »Rote« abseits von den anderen, durchkämmte allein ein sumpfiges Gebiet und pfiff sich eins, denn er war fröhlich, daß er so mutig war. Außerdem hatte er ein Schnellfeuergewehr bei sich. Das gab ihm Sicherheit, denn einmal oder zweimal konnte man in der Aufregung danebenschießen, aber nicht zehnmal hintereinander.

Keiner weiß, wie später alles gekommen ist, denn es war ja keiner dabei. Plötzlich jedenfalls hämmerten abseits der Schützenlinie einige Feuerstöße durch den stillen Wald, dann – nach einer lähmenden Stille, denn alles blieb stehen und lauschte – vernahm man einen hellen Schrei und dann, undeutlich, verschwommen, das Doppelgebrüll des Tigerpaares.

»Jop twoje madj!« schrie Turganow und schlug sich an die Stirn. »Nikolka, das Rindvieh, hat sie aufgestöbert. Leute, beeilt euch! Wenn's nicht schon zu spät ist ...«

Es war noch nicht zu spät, aber man kam zur rechten Zeit. Als die Torusker Jäger sich vorsichtig, aber schnell der Stelle näherten, aus der in kleinen Abständen immer wieder der Schrei: »Hierher! Hierher!« ertönte, sahen sie Nikolka Ippolitowitsch auf einem dicken Ast einer zerzausten Kiefer sitzen, und unter ihm, auf den Hintertatzen, den Stamm hinauffauchend, standen die beiden Tiger und versuchten, ihm nachzuklettern. Am Fuße des Stammes lag das Schnellfeuergewehr im zerstampften Schnee.

Der erste, der schoß, war Martin Abels. Sein Schuß traf den männlichen Tiger unterhalb des Kopfes in den Halswirbel. Mit einem dumpfen Schrei schnellte das riesige Tier herum, sah die Linie seiner Feinde, wollte vorwärtsspringen, aber seine Vorderläufe knickten gelähmt ein, und er rollte in den Schnee. Der nächste Schuß traf ihn genau ins rechte Auge. Er streckte sich und starb. Mit Abels zusammen schossen zehn andere Torusker auf die Tigerin. Ihr herrlicher, schwarzweiß-braun gestreifter Kopf wurde zu einem Sieb, aus dem das Blut und das Hirn herausstürzten. O Himmel, hatten die Jäger eine Wut. Sie sprangen, kaum daß die Tiere verendet im Schnee lagen, hinzu, traten sie mit den Füßen und schrien: »Ihr Mörder! Vier Menschen habt ihr umgebracht! Stückweise hätte man euch töten müssen! Ihr Schufte, ihr!«

Der »Rote« kletterte von seinem Baum und senkte den Kopf. Aus der Hand Abels' nahm er sein Schnellfeuergewehr zurück, und wenn auch niemand ein Wort sprach – daß es ausgerechnet der Deutsche gewesen war, der den Tiger schoß und die Waffe zurückgab, war etwas, das er nie vergessen würde.

»Das Fell des Weibchens ist hinüber«, sagte Turganow. »Aber das andere, Freunde, das gibt einen guten Preis. Vielleicht auch kann Unjeski das Weibchenfell ausflicken und die Löcher verdecken. Ist ja ein großer Gauner, unser Victor Pawlowitsch.«

Sie lachten alle, banden dicke Seile um die Hälse der Tiger, vier Mann spannten sich vor die Kadaver, und dann zog man die Tiere durch den Schnee und den Wald bis zu den Schlitten, die auf einer Lichtung warteten. Dann trank man einige Flaschen Wodka leer, denn man war durchgefroren, nur der »Rote« saß finster abseits, trank nicht mit, und es sprach ihn auch keiner an. Ein Torusker Jäger, der auf einem Baum sitzt! Der sein Gewehr wegwirft! O Freunde, das Auge wird beleidigt, wenn man so etwas ansieht.

Am Abend feierte man ausgelassen in der Wirtschaft, und Martin Abels erhielt von Hauptmann Samsonow die schwarzen Ohrbüschel des männlichen Tigers als Siegespreis.

Am nächsten Morgen war der »Rote« aus Torusk verschwunden. Und wieder ahnte Turganow nichts Gutes.

*

Drei Tage nach der denkwürdigen Tigerjagd kam Hauptmann a. D. Samsonow zu den Turganows. Er wählte einen guten Zeitpunkt. Um ehrlich zu sein: Er hatte es so abgepaßt, denn Abels und Anuschka waren nach Taragaisk gefahren, um Mehl zu kaufen.

Olga, das Mütterchen, kochte einen starken Tee und briet eine Scheibe Speck, und Turganow, mit dem Ausschaben eines Fuchsfelles beschäftigt, bot Machorka und seine Pfeife an.

Samsonow streichelte seine Riesenglatze, starrte an die verräucherte Balkendecke des Zimmers und streckte sein steifes Bein weit in die Gegend.

»Es ist alles Scheiße, meine Lieben!« sagte er gedankenschwer. »Ich war in Taragaisk. Ihr wißt, Unjeski hat das einzige Telefon in der Gegend. Ich habe mit dem Genossen Distriktkommissar Amganow gesprochen. Nikolka ist bei ihm und hat eine Anzeige gemacht. Ein Spion der Deutschen soll in Torusk sein. Ein schriftliches Protokoll hat der Sauhund anfertigen lassen, eine offizielle Anzeige, die man nicht in der Schublade verschwinden lassen kann. Sie muß weiter nach Jakutsk, und viel schlimmer: Da es heißt Spion, muß sie zum Militärkommandanten. Zu General Wyschewskij. Ich kenne ihn. Wenn er Spion hört, läuft er rot an und bekommt einen Rappel wie ein Stier in der Arena. Was soll er tun, unser guter Freund Amganow? Er kann die Anzeige zwei, drei Tage lang liegenlassen. Aber dann muß sie weg, sonst kommt er selbst in ein Straflager. Das weiß Nikolka, dieses Riesenschwein. Und er sitzt jetzt vor der Distriktkommandantur wie eine Spinne vor der Fliege und wartet auf das Militär.« Hauptmann Samsonow sah in die entsetzten, sprachlosen Gesichter der Turganows. »Ja, so ist es. Ich habe mit Amganow gesprochen. Er läßt Tinja und Anuschka zwei Tage Vorsprung – mehr kann er nicht tun.«

»Vorsprung? Wofür?« fragte Olga etwas dümmlich. Sie war eben eine Mutter und keine Politikerin. Pawel Andrejewitsch dagegen verstand den Hauptmann zu gut. Er seufzte und hieb dann mit der Faust in ohnmächtiger Wut gegen sein Knie.

»Ich bringe ihn um!« schrie er. »Ich reiße dem Roten die Haare einzeln aus! O Mutter Gottes, hätten die Tiger ihn doch gefressen!«

»Da dies nicht geschehen ist, können wir auf solche Wunder nicht hoffen«, sagte Samsonow, der Realist. »Zwei Tage, das ist nicht viel. Und wohin?«

»Wieso wohin?« fragte Mütterchen Olga wieder. Sie begriff noch immer nicht.

»Zu Unjeski?« fragte Turganow.

»Nein. Wenn Militär kommt, quartiert es sich dort ein. Auch in der Umgebung ist kein Platz. Bei Spionen setzen sie Hubschrauber ein. Ihr kennt die Furcht vor Spionen. Sie müssen in diesen zwei Tagen verschwunden sein. Einfach weg!« Samsonow trank seinen Tee und schwitzte stark. »Und auch du wirst Schwierigkeiten bekommen, Pawel Andrejewitsch. Man wird dich verhören und fragen: Warum hast du als guter Bolschewist nicht diesen deutschen Staatsfeind gemeldet, als er auftauchte. Uns alle wird man danach fragen. Es wird eine harte Zeit kommen.«

Und jetzt verstand auch Olga, worum es ging. Sie schrie auf und schlug jammernd die Hände über dem Kopf zusammen.

»Ich lasse mein Täubchen nicht wegziehen!« schrie sie immer wieder. »Ich lasse sie nicht in die Fremde! Ich gebe sie nicht her! Gibt es denn kein Mitleid mehr? Haben die Menschen kein Herz?«

»Ab heute denkt man in Schigansk politisch, Olga Turganowa«, sagte Hauptmann Samsonow dumpf. »Und Politik und Herz, das paßt nicht zueinander. Ein Wolf sieht aus wie ein Hund, ist er deshalb ein Hund? So ist's auch mit der Politik. Was ist ein Mensch? Ein Staubkorn. Nur wenn man ihn in eine Uniform steckt, avanciert er. Dann wird aus einem Nichts eine Zahl. Aber mehr auch nicht. Und diese Zahl streicht man in den Listen wieder durch, wenn der Mensch getötet wird und wieder Nichts wird. So einfach ist das mit der Politik. Nicht umsonst bemühen sich so viele, Politiker zu werden. Es ist ein besonderer Reiz darin, mit Menschen und Zahlen zu spielen, man kann beseligt davon werden wie in einer Trunkenheit. Mitleid, Olga Turganowa? Mitleid ist für einen Politiker eine Infektion, an der er zugrunde geht.« Samsonow seufzte wieder. »Es bleibt kein anderer Weg . . . Tinja und Anuschka müssen weit weg sein, bevor sie aus Schigansk zu uns kommen.«

Am Abend, als Anuschka und Abels aus Taragaisk zurückkehrten, fanden sie eine weinende Olga und einen halb betrunkenen Samsonow vor. Turganow saß am Ofen und grübelte.

»Es ist etwas geschehen, Kinder«, sagte er, als Anuschka nach dem Begrüßungskuß zu Mütterchen Olga lief und dort mit dem Schrei: »Mein armes Vögelchen!« empfangen wurde. Martin Abels sah auf den schwankenden und stierblickenden Samsonow und begriff.

»Man hat mich angezeigt?« fragte er heiser.

»Ja, Tinja.«

»Nikolka!«

»Ja.«

»Und was nun?«

»In zwei Tagen wird Amganow kommen und dich abholen. Verstehst du? In zwei Tagen!«

Abels nickte. Wir haben Anfang März, dachte er. In Sibirien wird der Winter noch anhalten, aber unten im Süden, in der Steppe, in der Mongolei, bei Chingai-Butu und Burkja und Onkel Churu wird in drei Wochen der warme Frühlingswind wehen und werden die Krokusse aus der Erde stechen. Zweitausend Kilometer wieder zurück, den gleichen unendlichen Weg, durch die Wälder, über die Lena, durch die Sümpfe, ins Gebirge, in die Steppe und den Dschungel . . . jetzt kam ihm dies unmöglich vor, wenn er die zarte Anuschka ansah, die mit ihm wandern mußte, zweitausend Kilometer zu Fuß. Und doch war es von Anfang an so geplant worden. Eine Rückkehr nach Europa mit Anuschka, seiner schönen Frau aus Sibirien. Nur zu plötzlich kam es, zu schnell, man hatte kaum Atem geschöpft von der Hinfahrt . . . und es würde wieder eine Flucht sein, ein gnadenloser Kampf gegen die Zeit.

»Es gibt keine andere Möglichkeit, Tinja«, sagte Hauptmann Samsonow. »Du kennst unser Land, unsere Menschen, unsere Behörden. Es ist umsonst, auf Gnade zu hoffen. Du mußt gehen.«

Martin Abels nickte. Ein Blick Anuschkas verriet ihm, daß sie genauso dachte wie er. Er brauchte nicht zu fragen.

»Wir werden sofort alles Nötige packen«, sagte er hart. »Freunde, helft uns!«

»Ich gebe dir hundert Rubel und meinen Schlitten«, sagte Samsonow. Er hatte Tränen in den Augen.

»Und von mir bekommst du Sasja, mein Pferdchen!« sagte Pawel Andrejewitsch Turganow.

In der Ecke am Herd heulte Olga auf. Ihr Mutterherz zersprang fast. Sie umklammerte Anuschka und hielt sie fest, als könne sie damit das Schicksal wie einen wild gewordenen Gaul anhalten.

In Pawel Turganows Hütte wurde in diesen drei Tagen mehr geweint und geflucht als in den letzten zehn Jahren zusammen.

Hauptmann Samsonow war der erste, der daran dachte. In der Aufregung hatte man es völlig vergessen: die Hochzeit und der bestellte Pope. In vier Tagen sollte sie sein. Anuschka war bei den letzten Nähstichen des Brautkleides. Der einzige Gastwirt in Torusk hatte bereits Kalkulationen angestellt und sich ausgerechnet, daß diese Hochzeit – so unkommunistisch sie auch sein würde und ein Beweis, daß die Bourgeoisie auch in Sibirien noch nicht ausgerottet war, nein, im Gegenteil, noch immer spukte die verdammte Zarenzeit in den Gehirnen – ein gutes Geschäft sei, denn Turganow war wohlhabend, nach Torusker Begriffen. Und der Pope saß in Taragaisk, putzte seine Meßgefäße aus Messing und Silber, flickte seinen goldbestickten Priesterrock, und kämmte den weißen Bart, den er in den vergangenen Jahren resignierend vernachlässigt hatte.

»Was sollen wir machen?« klagte Hauptmann Samsonow. »Ich habe ihm schon zehn Rubel Vorschuß gegeben.«

»Herholen!« sagte Turganow wild. Er schüttelte die Fäuste, rannte in der Hütte herum, verfluchte den »Roten«, drohte ihm die schrecklichsten Rachetaten an und brüllte Olga, sein

Weib, an, weil es heulte und jammerte und immer wieder rief: »Jetzt fliegt mein Vögelchen weg! Jetzt ist mein Leben zu Ende. Ich bin ein armes, elendes Mütterchen.«

»Es bleibt uns nichts anderes übrig«, sagte Turganow zu Hauptmann Samsonow. »Nicht wegen der zehn Rubel Vorschuß, die könnte man sich noch teilen. Aber Anuschka soll als Frau mit Tinja in die Welt ziehen. Ordnung muß sein. Laß den Popen sofort kommen. Wir machen eine Hochzeit hier im Haus.«

Ein Schlitten mit zwei der besten und schnellsten Rentiere davor holte den Popen aus Taragaisk. Er jammerte und klagte, denn er glaubte, man habe die heimliche Feier verraten und hole ihn jetzt zum Verhör des Kommissars. Erst als er Hauptmann Samsonow sah und ins Haus der Turganows geführt wurde, beruhigte er sich, ließ seinen vereisten weißen Bart auftauen, setzte sich an den Ofen, trank vier große Tassen Tee mit Schnaps, aß einen Teller Bohnensuppe und übte dann mit tiefer Stimme den Eröffnungschoral des Gottesdienstes. Es klang wie eine alte, rostige Orgel. Dennoch faltete Olga sofort die Hände über der Schürze und senkte das Haupt. Wie schön, dachte sie. Wie feierlich. O Gott, wenn die Welt doch anders aussähe und die Menschen nicht so grausam wären.

Im Nebenzimmer, wo Anuschka das Brautkleid genäht hatte, war Pawel Andrejewitsch Turganow damit beschäftigt, seiner Tochter den Brautkranz und den Schleier auf das lange schwarze Haar zu stecken. Das ließ er sich nicht nehmen, obgleich es die Aufgabe der Mutter war, die Braut zu schmükken. Samsonow und der Pope bauten in einer Ecke des großen Raumes einen Altar auf – eine Ikone stellten sie auf einen Tisch, daneben zwei silberne Leuchter mit Kerzen. Olga Turganowa schmückte den Tisch mit getrockneten Blumen, dann legte sie einen Laib Brot daneben, ein tönernes Gefäß mit Salz und das abgeschnittene Ohr eines Fuchses, den Turganow bei der Rückkehr von der Tigerjagd in einer seiner Fanggruben gefunden hatte.

Martin Abels saß auf der Ofenbank und starrte vor sich hin. Er trug schon die Reisekleidung: Fellhosen, Pelzstiefel, ein Wollhemd. Die dicke Pelzjacke aus Fuchsfell, innen mit Hundefell gefüttert, hing an einem Nagel neben der Tür. Im Stall belud Victor Pawlowitsch Unjeski, der Großhändler aus Taragaisk, der als Trauzeuge gekommen war, den Schlitten mit Säcken und Kartons, Flaschen und Büchsen. An der Krippe stand das Pferdchen Sasja und fraß sich voll. Zum erstenmal bekam es reinen Hafer und geschnittene Rüben. Ab und zu hob es den kleinen Kopf, sah Unjeski an und wieherte. Was ist los, du Mensch, sollte das heißen. Hafer und Rüben? Was habt ihr mit mir vor?

In der Hütte bimmelte eine Glocke. Unjeski warf einen Sack mit Mehl ins Stroh und rannte ins Haus.

Der Pope stand vor dem Altartisch und hatte die Hände gefaltet. Er sah wie ein Wesen aus einer anderen Welt aus. Das lange, goldene, reich bestickte Gewand vergrößerte seine Gestalt ins Riesenhafte, auf dem Kopf trug er die perlenbesetzte Kamilawka und um die Schulter das breite Phelonion. Dieses Gewand hatte er aus besseren Zeiten gerettet; zusammengefaltet lag es unter zwei losen Dielenbrettern und hatte einige Razzien der Miliz überlebt. Anders war es mit den kreuzverzierten Handbinden seiner Priestertracht, den Epimanikionen. Die hatte er eingebüßt, und nun hatte er ein Handtuch zerschnitten, sich die Handbinden daraus genäht und mit Tusche zwei Kreuze darauf gemalt.

Olga und Pawel Andrejewitsch kamen aus dem Nebenzimmer. In ihrer Mitte führten sie Anuschka, die Braut, herein. Der Schleier bedeckte ihr schönes Gesicht, sie hielt den Kopf gesenkt und die Augen halb geschlossen. Abels kam ihr entgegen. Sein Herz brannte vor Erschütterung. So ist also unsere Hochzeit, dachte er. Acht Jahre haben wir darauf gewartet, tausend Träume haben sich um diesen Tag gerankt, unzählige Gedanken haben ihn herbeigewünscht ... und nun ist es so, daß man sich mit den Fäusten gegen die Brust schlagen möchte und schreien: »O Gott, was ist aus uns geworden? Warum müssen wir Russen, Deutsche, Franzosen, Chinesen, Amerikaner, Bolschewisten, Demokraten, Republikaner, Royalisten sein – statt Menschen, nichts weiter als Menschen, das, als was du uns gemacht hast: dein Ebenbild?!«

Stumm legte Pawel Andrejewitsch Turganow die Hand Anuschkas in die Hand Martin Abels'.

Olga Turganowa weinte wieder. Der Pope am Altar begann zu singen. Seine Greisenstimme hallte durch den großen Raum, sie zitterte in den hohen Tönen und orgelte tief in den Bässen. Dann erbat er Gottes Segen für Anuschka und Martin und erzählte vom Erzengel Michael, dem Heiligen der Deutschen, wie er beiläufig einfließen ließ.

Die eigentliche Trauzeremonie begann. Samsonow und Unjeski stellten sich neben das Brautpaar und hielten ihre Fellmützen über die Köpfe der beiden. Früher hatte man dazu goldene Kronen genommen. Aber wer hatte schon eine goldene Krone in Torusk?

So traute der Pope Martin und Anuschka im Namen Jesu Christi. Er küßte die Braut, küßte den Bräutigam, segnete ihren Bund und sang noch ein Lied von der allmächtigen Liebe Gottes.

Dann trat Turganow an den Altar. Er zerbrach das Brot, streute Salz auf die Stücke und reichte sie mit beiden Händen hin. »Nimm, Tinja«, sagte er zu Abels. »Von Brot und Salz kann ein Mensch leben. Es möge euch nie ausgehen.« Dann nahm er das Ohr des Fuchses, heftete es mit einer Nadel an die Brust Martins und sagte: »Und sei ein guter Jäger, Tinja. Es möge keinen Tag geben, an dem du mit leerer Tasche nach Hause kommst. Das ist das Höchste, was wir dir hier wünschen können. Und nun werdet glücklich.«

Anuschka und Abels aßen ihre Brotstücke mit dem Salz, dann umarmten sie Olga und Pawel Andrejewitsch, küßten Samsonow und Unjeski, die Zeugen, auf beide Wangen und sahen sich dann in die Augen. Zum erstenmal als Mann und Frau.

Unjeski trat von einem Bein auf das andere.

»Es wird Zeit, Freunde«, mahnte er. »In zwei Tagen könnt ihr euch ansehen, solange ihr wollt. Aber jetzt heißt es, viele Werst hinter euch zu bringen. Morgen schneit es, der Wind wird eure Spuren auslöschen. Die besten Hunde der Politruks werden die Fährte nicht mehr aufnehmen können. Nur müßt ihr jetzt aufhören, weiter Hochzeit zu feiern.«

»Ich habe einen Braten im Ofen!« rief Olga entsetzt. »Was ist eine Hochzeit ohne Braten?«

»Den essen wir noch, Olgaschka! Aber erst müssen sie weg.« Hauptmann a. D. Samsonow hatte es plötzlich auch eilig. Man konnte nie wissen, ob Kommissar Amganow sein Wort hundertprozentig hielt. Man hatte schon zuviel erlebt mit der Partei. Da wurden große Worte gemacht, und was blieb nachher? Ein Dreck. Nicht mal erinnern wollten sich die Burschen. Und so sehr Amganow auch ein Freund und Mensch war – der rote Litowka saß ihm auf der Pelle und drängte. Und so fest sitzt keiner im Sattel, als daß nicht eine Beschwerde bei der vorgesetzten Behörde ihn vom Stuhl fallen lassen könnte. Wenn Minister zu Gasanstaltsleitern degradiert werden, bitte schön – was ist da schon ein kleiner Gebietskommissar?

Anuschka löste den Schleier vom Haar und gab ihn ihrer Mutter. Dann gingen sie in den Nebenraum, und diesmal war es Abels, der seiner Frau aus dem Brautkleid half und die dicken Reisekleider hinhielt. Er zog ihr die langen Fellstiefel an, band ihr langes schwarzes Haar hoch und steckte es unter die Pelzmütze. Sie küßten sich, und Anuschka drückte das Gesicht gegen seine Brust und zitterte.

»Ich habe Angst, Tinja«, stammelte sie.

»Angst? Wovor?«

»Nicht vor der Reise. Aber . . . aber wir werden nie mehr zurückkommen nach Torusk . . .«

»Das ist möglich«, sagte Abels leise.

»Vater und Mamaschka werden sterben, ohne daß ich bei ihnen bin.«

»Ja, Anuschka.«

»Du wirst mich in ein fremdes, fernes Land bringen. Nach Deutschland. Niemand wird mich dort verstehen, sie werden mich anstarren, sie werden mich auslachen, sie werden mich hassen.«

»Aber, Anuschka. Warum sollen sie dich hassen?«

»Ich bin eine Russin.«

»Niemand wird dich beleidigen, weil du es bist. Das behauptet nur eure Propaganda. So steht es in euren Zeitungen, so reden die Parteiredner zu euch. Du wirst sehen: Mit offenen Armen werden sie uns in Deutschland empfangen. Wir werden mehr gute Freunde haben als Torusk Einwohner.«

»Ich sehe anders aus als eure Frauen.«

»Du bist die schönste Frau von allen.«

»Ich habe schwarze, schiefe Augen, und meine Haut ist nicht weiß, sondern bräunlich-gelb.«

»Sie werden um dich stehen und dich bewundern.«

»Wie ein Tier aus dem Urwald.«

»Vielleicht. Aber sie werden sich wünschen, auch solch ein Tier zu haben oder zu sein.« Er preßte sie an sich und dachte plötzlich an die Bremer Gesellschaft. Mein Gott, wie unendlich weit lag Bremen. Vier Monate lang war dieses Wort aus seinem Gedächtnis verschwunden gewesen, nun tauchte es wieder auf. Bremen. Die Geldaristokratie. Die Großkaufleute und Reeder. Der Adel des Bankkontos. Eine festgefügte, durch Interessen und Einheirat zusammengeschweißte eigene Welt. In sie hinein setzte er jetzt Anuschka, das Mädchen aus Torusk, die Tochter eines jakutischen Fallenstellers und Jägers. Ein Hauch Sibirien und Taiga wehte durch die Salons an der Unterweser. Wie würden sie es aufnehmen, die Nachkommen von Kommerzienräten und Senatoren?

»Ich bin bei dir«, sagte er und wußte in diesem Augenblick, daß Anuschka das Richtige fühlte. »Du brauchst vor keinem Angst zu haben.«

An die Tür klopfte es. Unjeski, der Ungeduldige, rief: »Aufhören mit dem Heiraten! Ihr müßt fahren!«

Anuschka schlüpfte in die dicke Felljacke. An Lederschnüren hingen Pelzhandschuhe um ihren Hals. Martin Abels nickte. Es war soweit. Der Abschied. Die Flucht zurück in ein geordnetes Leben begann. Geordnet, dachte Abels. Wie anmaßend das klingt. Er erschrak vor sich selbst, daß er jetzt völlig unbewußt wieder in die westliche Denkart glitt. Jetzt schon, dachte er. Und ich stehe noch mitten im einsamsten Sibirien. Vor acht Jahren, als man ihn als einen der letzten Plennys gewaltsam aus der Taiga holen mußte, hatte er geglaubt, durch die Liebe zu Anuschka und zu diesem wilden, gefürchteten, verfluchten, gehaßten und doch so wunderbaren Land ein Russe geworden zu sein. Und als er vor zwei Monaten aus dem Wald trat und Torusk wiedersah, war es ihm gewesen, als sei die Zeit stillgestanden und er wäre gerade von einer Jagd gekommen. Er dachte, er fühlte, er handelte, er sprach wie die Sibiriaken. Hier ist meine Welt, hatte er gedacht. Jeder Mensch ist auf der Suche nach dem Land seiner Träume. Ich habe es gefunden. Zweimal.

Jetzt war das plötzlich anders. Jetzt erkannte er die großen Gegensätze und die Unmöglichkeit, seine westliche Welt völlig zu vergessen und ein Jakute aus Torusk zu sein. Er dachte an das Leben, das Anuschka in Bremen in der weißen Villa des Fabrikanten Abels führen würde. Sie brauchte keine Stiefel mehr anzuziehen, um an dem Brunnen Wasser zu holen. Sie brauchte kein Holz mehr zu hacken, und das Waschen der Wäsche in der Banja, wo man die heißen Stücke über gerillte Bretter schlug und schrubbte, nahm eine blinkende Maschine ab, die nach einem Knopfdruck zu denken begann. Es gab kein Felleschaben mehr, kein Kartoffelschälen, kein Ausgraben des sauren Kohls aus den Mieten, kein Flicken zerrissener Pelze, kein Entkernen von Sonnenblumen, kein Pflügen im steinigen Acker, kein Kochen über dem offenen Feuer im gemauerten Herd. Statt auf der Plattform des heißen Ofens würde sie auf einer Schaumgummimatratze unter weißen Damastbezügen schlafen, und morgens weckte sie kein Stoß in die Seite, sondern sie würde erwachen können, wann sie wollte, und ein Hausmädchen zog die Rolläden hoch und sagte: »Gnädige Frau, das Frühstück ist heute auf der Terrasse bereitgestellt.«

Alles war wieder gegenwärtig, jetzt, hier, in Sibirien, an der Lena, im einsamsten Land der Erde, von dem die Sage erzählt, einmal sei hier ein Tiger weinend vor Einsamkeit gestorben.

Martin Abels wischte sich über die Augen.

»Was hast du, Tinja?« fragte Anuschka.

»Wir müssen aufbrechen«, sagte Abels rauh.

Als sie aus der Kammer traten, reisefertig, unförmig in den Fellsachen und Steppanzügen, standen Turganow und Olga allein im Zimmer. Unjeski und Hauptmann Samsonow waren beim Schlitten, und auch der Pope war dort, umkreiste das Gefährt und Sasja, das Pferdchen, und segnete sie.

Stumm umarmte Turganow zum letztenmal seine Tochter. Er sagte kein Wort dabei, er küßte sie, streichelte ihr schmales, zuckendes Gesicht und blickte ihr tief in die Augen.

Leb wohl, mein Täubchen, hieß dieser Blick. Mögest du in das große Glück deines Lebens fahren ... für mich bist du mit dieser Stunde wie gestorben. Ich sehe dich nie wieder. Nie!

Olga Turganowa, die Mutter, war sprachlos vor Weinen. Immer wieder umarmte sie Anuschka und Martin Abels, wollte etwas sagen, öffnete den Mund, aber es war nur ein Stöhnen und helles Wimmern, das von ihren Lippen kam.

Samsonow steckte den Kopf durch die Tür und winkte.

»Zeit wird's, Genossen!«

Anuschka riß sich aus den Armen der Mutter los und rannte aus dem Haus. Abels ging noch einmal zurück zu Turganow.

»Anuschka ist mir mehr wert als mein Leben«, sagte er ernst. »Das weißt du, Pawel Andrejewitsch. Es wird immer so bleiben.«

»Ich verliere mein Vögelchen«, sagte Turganow ganz klein, wie ein greinendes Kind. In ihm zerbrach etwas, der Sinn seines Lebens war zerstört. Von einer Stunde zur anderen, das spürte er nun, war er ein Greis geworden.

»Wir werden euch besuchen«, sagte Abels und wußte, daß es unmöglich sein würde. Pawel Andrejewitsch lächelte schwach und faßte Abels unter. So gingen sie hinaus vor das Haus und zum Schlitten. Anuschka saß schon, in Decken gewickelt, neben den Proviantsäcken und Kisten, über die Knie ein Gewehr, das ihr Unjeski gegeben hatte. Olga hielt das Pferd am Zügel und weinte, und ihre Tränen gefroren sofort und kullerten als Eistropfen über die kälteroten Wangen. Samsonow und der Pope hatten einen Streit angefangen. Es ging darum, wie Abels am sichersten fahren sollte. Samsonow schrie: »Über Taragaisk kommt er schneller weg!«, und der Pope, der sich jahrelang in den Wäldern versteckt gehalten hatte, als die große Razzia auf die Priester stattgefunden hatte, schrie zurück: »Gott strafe dich, Hauptmann! Wenn er quer durch den Wald fährt und über die Lindja, ist er sicherer. Niemand wird ihn dort suchen!«

Abels setzte sich vor Anuschka in den Schlitten und nahm die Zügel. Sasja, das Pferdchen, hob den struppigen Kopf. Eis hing an seiner Mähne wie dicke Silberfäden.

»Gott mit euch!« sagte Turganow und hob beide Hände. Olga, das Mütterchen, klammerte sich an Turganows Pelz fest, sie wäre sonst umgefallen vor mütterlichem Schmerz. Ich sehe sie nie wieder, schrie es in ihr. Sie geht aus der Welt! Ich habe Anuschka verloren. Ich habe kein Kind mehr. Ich bin allein.

Martin Abels beugte sich vor, nachdem er einen dicken Wolfspelz über sich gezogen hatte. Noch einmal drückte er die Hände von Unjeski, dem Großhändler, und von Hauptmann Samsonow, dem Offizier mit dem steifen Bein, der einmal sein Lagerkommandant in der Taiga gewesen war.

»Lebt wohl, Freunde!« rief er mit bebender Stimme.

»Vergiß uns nicht, Tinja!« sagte Samsonow heiser. Er stand hoch aufgerichtet im Schnee, er war Offizier, er mußte sich beherrschen. Mochte jetzt auch der harte Turganow heulen wie ein junger Hund ... er legte die Hand an die Fellmütze und grüßte, als stehe er bei einer Parade. Auch ihn würgte es im Hals, als er Anuschka ansah, das schmale, kleine, zarte, zuckende Gesichtchen im Fellrahmen des Fuchspelzes. Aber er schluckte mannhaft die Tränen hinunter und biß die Zähne zusammen, daß man sie knirschen hörte.

»Hoij! Hoij!« schrie Abels und schnalzte mit den Zügeln. Sasja, das Pferdchen, wieherte auf, die kleinen, harten Hufe stemmten sich in den Schnee, die Schlittenkufen knirschten, verharschter Schnee zersprang wie Glas, langsam glitt der Schlitten an und fuhr davon.

»Anuschka!« schrie Olga Turganowa. Pawel Andrejewitsch hielt sie fest, sie hätte sich sonst vor den Schlitten geworfen. »Anuschkaschka! Oh! Oh!« Sie stieß um sich, boxte ihren Mann ins Gesicht, spuckte Samsonow an, als er Turganow zu Hilfe eilte und sie festhielt. Wie von Sinnen war sie, ihr Herz blutete aus, und sie hatte keine Gewalt mehr über sich. »Laßt mich!« schrie sie. »Laßt mich sterben, unter ihrem Schlitten, bindet mich an und laßt mich mitschleifen! Anuschka! Bleib! Bleib!« Und als sie sah, daß sie gegen vier starke Männer nicht ankam, daß Kratzen, Schlagen, Treten und Spucken nichts half, riß sie den Mund weit auf und brüllte: »Du verdammter Deutscher! Du Hundesohn! Du Mörder! Du kapitalistischer Hund! Du deutsches Schwein!«

Samsonow nickte Unjeski zu. Sie schleiften Olga in das Haus zurück, preßten sie auf die Ofenbank und hielten die Tobende so lange fest, bis ihre Kraft weggeschrien war und sie zusammenfiel wie ein leerer Hafersack.

Allein stand Pawel Andrejewitsch Turganow im Schnee, der stämmige, krummbeinige jakutische Jäger, und winkte einsam seiner Tochter nach. Anuschka winkte zurück, solange sie die dunkle Gestalt im Schnee sehen konnte ... sie winkte, bis es nur noch ein Punkt war ... und dann sah sie nur noch die letzten Hütten von Torusk, im Schnee versunken, zugeweht, umgaukelt von den weißen Schwaden des Rauchs aus den Kaminen. Dort, das große Haus, das war die Wirtschaft und Station. Daneben die Stolowaja, der Versammlungssaal, in dem die Partei tagte. Etwas weiter, als höchstes Gebäude, der Wasserturm, die einzige Quelle Torusks in den kurzen, aber glühendheißen Sommern. Dort, das Haus der Kriwows ... die Stallungen der Jassenskis ... das Lager des Holzsägers Anikin ... Lebt wohl! Lebt wohl! Leb wohl für immer, du schöne Welt der Taiga, du Land an der Lena, du einsamstes Land der Erde, du herrlichste Heimat ...

Der Wald nahm sie auf. Der Schlitten holperte über vereiste Schneewehen. Sasja, das Pferdchen, schnaubte und blies weiße Wolken aus den Nüstern. Torusk war im Schnee versunken. Die schier grenzenlose Weite war um sie und ein Ziel, so unendlich entfernt, daß es schwer war, sich diese Strecke vorzustellen. Von Torusk nach Bremen, von der Lena zur Weser – man könnte auch sagen: Von Torusk bis zum Mond. Das Unmeßbare blieb sich gleich.

Anuschka kroch nach vorn neben Abels. Sie kuschelte sich

an ihn, kroch unter seinen Pelz und legte den Kopf an seine Brust. Das Pferdchen trabte weiter, zügellos, unter den hohen Kiefernbäumen, zwischen uralten, rissigen Birkenstämmen hindurch. Es gab keinen Weg mehr, es gab nur noch eine Richtung: Süden!

Anuschka schloß die Augen. Abels spürte, wie ihr Körper zitterte. Es ist nicht leicht, einen Abschied für immer zu überstehen, eine Wegfahrt ohne Hoffnung auf eine Wiederkehr.

»Jetzt habe ich nichts mehr«, flüsterte Anuschka und schlang die Arme um Abels' Hals. »Jetzt bist du alles, Tinja!«

Es begann zu schneien. Gott verwischte die Spuren.

＊

Etwas früher an diesem Tag geschah etwas in Schigansk, das weder Unjeski noch Samsonow ahnten. Auch Kommissar Amganow hatte keine Möglichkeit, Nachricht zu geben. Die einzige Fernsprechverbindung bestand zu Unjeski, und der war in Torusk. Dreimal rief Amganow an, aber immer meldete sich nur ein Gehilfe, ein dämlicher Mensch, der nicht telefonieren konnte und in die Muschel schrie: »Keiner da! Ende!« und abhängte.

Folgendes war in Schigansk geschehen:

Nikolka Ippolitowitsch Litowka, der »Rote«, hatte die Geduld verloren, vor dem Kommissariat auf die Ankunft der Miliz zu warten, die den deutschen Spion in Torusk gefangennehmen sollte. Fünfmal suchte er den Kommissar Amganow auf und wurde angebrüllt, daß die Wände wackelten.

»Was bildest du dir ein, du rote Wanze?« schrie Amganow beim letztenmal. »Ich habe es gemeldet! Soll ich die Soldaten aus meiner Hose schütteln! Es liegt jetzt am Kommandeur! Geh hin, du Mißgeburt, und frag den Genossen Major, warum er nicht marschiert! Wenn man dir dann den Schädel einschlägt, tut man ein gutes Werk! Ich habe meine Pflicht getan!«

Da hatte Litowka genug. Er entwickelte eine Tätigkeit, die Amganow mit großem Mißtrauen überwachen ließ: Er verkaufte drei wertvolle Silberfüchse, vier Hermeline und die

Stinkdrüse einer Fuchsfähe, mit der man die männlichen Füchse anlocken konnte über zehn Werst hinweg. Mit dem Erlös kaufte sich Nikolka, der »Rote«, einen kleinen, schnellen Schlitten und zwei Zugrentiere. Dann packte er seine Sachen in den Schlitten, beschimpfte in der Herberge den Gebietskommissar als westlichen Knecht und fuhr ab.

Borja Gregorjewitsch Amganow war sich darüber klar, was Litowka wollte. Mit seinem schnellen, wie ein Pfeil über den Schnee fliegenden Schlitten war er dreimal schneller als der Pferdeschlitten, mit dem Martin Abels die Flucht nach Süden versuchte. Ein Vorsprung machte dann nichts mehr aus, in zwei Tagen würde er aufgeholt sein.

Wieder rief Amganow in Taragaisk bei Unjeski an. Und wieder war der blöde Mann am Apparat, brüllte: »Keiner da! Ende!« und legte auf. Amganow fluchte in den wildesten Tönen und überließ es nun dem Schicksal, was daraus werden würde. Er benachrichtigte notgedrungen jetzt erst den Militärkommandanten und sagte atemlos: »Genosse Major ... in Torusk soll ein Deutscher sein! Jawohl! Wahrscheinlich ein Spion! Ich mache sofort Meldung nach Jakutsk. Sie marschieren in einer Stunde? Fabelhaft, wie das klappt, Genosse Major. Selbstverständlich komme ich mit. Ich muß den deutschen Hund doch verhören!«

Eine Stunde später begann es zu schneien. Amganow rieb sich die Hände und machte einen kleinen Tanz um den Eisenofen in seinem Büro. Prompt rief der Major wieder an und klagte sein Leid.

»Schneesturm, Genosse Kommissar. Die Wagen fallen also aus. Wir müssen mit den Schlitten nach Torusk fahren. Das verschlingt viel Zeit. Ein Trost ist, daß auch der Deutsche bei diesem Wetter nicht weiter kann.«

»Wirklich, das ist ein Trost, Genosse Major«, antwortete Amganow. »Sie holen mich ab?«

»Ich hole Sie ab.«

Als die Milizkolonne beim Gebietskommissariat hielt, dunkelte es bereits. Da es noch immer schneite, beschloß man, erst am nächsten Morgen weiterzufahren. Sibirien ist groß, es ist zeitlos. Ob ein Mensch einen oder zwei Tage länger lebt, wen kümmert es?

Der »Rote« dachte anders. Ihn trieb ein urgewaltiger, unnennbarer Haß vorwärts. Er jagte mit seinem Rentierschlitten in gerader Richtung nach Süden, umfuhr Torusk, das er gegen Mittag erreichte, zwei Stunden, nachdem Abels und Anuschka in die Wälder gezogen waren, und nahm wie ein von der Natur begnadeter Spürhund die Fährte auf. Obwohl es schneite, erkannte er noch im verharschten Schnee die Kufenspuren und die Abdrücke der kleinen Pferdehufe. Man hat ihnen Sasja mitgegeben, dachte Nikolka. Turganows Lieblingspferd. Und einen leichten Schlitten haben sie, die Spuren graben sich nicht tief ein, trotzdem er sehr beladen sein muß. So einen modernen Schlitten hat nur Hauptmann Samsonow! O ihr Hunde, ihr Verräter der Arbeiterklasse, ihr Kapitalistensklaven, ich bin schneller als er. Viel schneller! Ich kann fliegen mit meinen Tierchen.

»Vorwärts!« rief er seinen Zugrentieren zu. »Vorwärts, ihr Lieben, ihr Guten, ihr Braven! Wir müssen sie fangen!« Er schnalzte mit der Zunge, ließ die Zügel frei und hielt sich fest, weil der leichte Schlitten über die vereisten Schneebukkel sprang wie ein kleines Boot über die tobenden Wellen des Meeres.

An diesem Tage erreichte er den Schlitten Martin Abels' nicht mehr. Nikolka übernachtete im Wald, baute für seine Rentiere eine Laubhütte aus dicken Kiefernästen, verkroch sich in seinem Schlitten unter die Felldecken und schlief bis zum Morgendämmern. Nur dreißig Werst von ihm entfernt schliefen auch Anuschka und Martin im Wald.

Es war ihre Hochzeitsnacht. Und sie verschliefen sie, aneinandergepreßt, zum Umfallen müde, sich verkriechend unter die Decken und dennoch die eisige Kälte spürend, die auch der dichteste Pelz nicht abhalten konnte.

Sasja, das Pferdchen, hatte sich neben zwei vom Sturm entwurzelte Bäume gelegt. Zwischen ihren kurzen, struppigen Beinen lag, zusammengerollt wie ein Muff, der Wolfshund Akja. Der Pope hatte versucht, ihn in Torusk festzuhalten, er hatte ihn angebunden, und Akja hatte getobt wie Olga Turganowa. Mit einem gewaltigen Ruck hatte er sich losgerissen, die Schnur zerfetzte wie billiger Hanf. Der Pope, mutig trotz seines hohen Alters, wollte zugreifen, wurde in die Hand gebissen und heulte auf, schüttelte die blutende Hand und rief den Satan herbei, daß er diesen Hund verschlinge ... Akja aber, die Nase tief im Schnee, hetzte dem Schlitten nach und erreichte ihn nach drei Stunden. Vor Freude bellend und winselnd sprang er neben ihm her, und Abels hielt an, sagte: »Komm rein, Akja!« und umarmte den großen grauen Hund, als er mit einem gewaltigen Satz in den Schlitten sprang und seine eisige Nase an dem Gesicht seines Herrn rieb.

Nun lag er am Bauch Sasjas und schlief. Aber er war unruhig. Immer wieder hob er den Kopf, lauschte in die Ferne und winselte leise. Sein Wolfsinstinkt ahnte die Gefahr, die aus einem dreißig Werst entfernten Rentierschlitten drohte.

Am Mittag des nächsten Tages sah Nikolka durch sein Fernglas den Schlitten des Deutschen. Der Verfolger stand auf einer Anhebung, konnte die Ebene überblicken und bemerkte den schwarzen Punkt auf der Schneefläche.

»Am Abend ist alles vorbei«, sagte er heiser vor Aufregung und Freude. »Am Abend wirst du eine Leiche sein, mein Freundchen, und Anuschka wird mir gehören ... neben deinem toten Körper werde ich sie im Schlitten zwingen, mich zu lieben.«

Wirklich, sein Haß war grenzenlos. Er fraß sein Herz auf.

In einem weiten Bogen überholte er mit seinem fliegenden Schlitten das trägere Gefährt, suchte sich, nach Überquerung der Ebene, im Wald einen guten Platz aus und wartete.

Nikolka hatte einen guten Ort gefunden. Ein Pfad, den der Schlitten des Deutschen fahren mußte, denn dieser Teil des Waldes war noch unberührt, mit Unterholz verfilzt, Holzschlagkolonnen hatten nur einen einzigen Weg gerodet, er führte an einem fast kreisrunden Platz vorbei, auf dem wohl vor Jahren eine motorisierte Geologengruppe gerastet hatte; sie hatten den Platz für ihr Lager freigeschlagen. Noch heute standen ein paar Holzstapel an den Rändern, sauber geschnitten – mit Motorsägen, wie der »Rote« sachverständig feststellte. Hinter einen der Stapel führte er den Schlitten und die Rentiere, hinter einem anderen Stapel versteckte er sich wie ein Jäger, der auf einem Anstand dem ahnungslosen Wild auflauert.

Nikolka wartete geduldig eine Stunde, rauchte in der hohlen Hand drei Papirossy, blies den Rauch sofort auseinander, damit man ihn nicht als Wölkchen sehe, trank vier Schlucke Wodka aus der Feldflasche und fühlte sich stark, mutig und rachegeladen.

Der erste, der auf den runden Platz im Wald lief, war Akja, der Wolfshund. Er war etwa zweihundert Meter vor dem Schlitten hergejagt, hatte eine Witterung aufgenommen und stand nun am Waldrand, starrte mit seinen grünen Augen zu den Holzstapeln und hob die spitze Schnauze. Er bellte kurz, laut und warnend.

Nikolka schob sein Gewehr zwischen die Stämme und drückte die Fellmütze aus der Stirn.

Mist, dachte er wütend. Wenn ich den Hund, dieses Teufelsaas, erschieße, ist er gewarnt. Schieße ich nicht, warnt ihn der Hund. Wie man es jetzt macht, wird es falsch sein. Am besten ist's, erst abzuwarten.

Der Schlitten kam. Sasjas Hufe klapperten über den verharschten Schnee, die Stahlkufen knirschten laut. Akja begann zu heulen und lief zum Wald zurück. Nikolka, der lauernde Schütze, stampfte wütend in den Schnee, verließ sein Versteck, das sinnlos geworden war, und stellte sich auf den kreisrunden Platz.

Duellieren wir uns, dachte Nikolka. Ich bin ein schneller Schütze. Und mit meiner Kugel fliegt der Haß. Sie wird immer treffen.

Der Schlitten glitt auf den Platz. Abels riß die Zügel an, als er die dunkle Gestalt erkannte, Sasja hob sich auf die Hinterbeine, der Schlitten prallte gegen ihre Kruppe, das Pferd brach, als es wieder stand, in die Vorderbeine ein und wieherte entsetzt, als stehe es einem Wolf gegenüber. Anuschka verlor das Gleichgewicht, rollte über die Seitenlehne und fiel in den Schnee. Nikolka, der »Rote«, lachte laut und höhnisch.

»Nicht einmal einen Schlitten anhalten kann er, der deutsche Prahler!« schrie er. »Und so etwas will Anuschka entführen aus unserem Land! Man sollte ihn zu den Kindern in die Schule stecken, aber nicht ins Ehebett!«

Martin Abels sprang vom Schlitten, half Sasja aus dem Schnee und lief zu Anuschka. Sie war wieder aufgesprungen, hatte in den Schlitten gegriffen und das Gewehr, das ihr Unjeski gegeben hatte, an sich gerissen. In ihren schwarzen Augen stand wilde Entschlossenheit. Die Mitleidlosigkeit ihres asiatischen Erbes zeichnete ihr schönes Gesicht. Es war eine Maske geworden, die keinerlei Regung mehr widerspiegelte.

Akja, der Wolfshund, stand vor Nikolka und fletschte die Zähne. Der »Rote« hatte den Lauf seines Gewehres auf den Hundekopf gerichtet und den Zeigefinger am Abzug gekrümmt.

»Nimm den Hund weg, Deutscher!« sagte er heiser. »Oder er ist der erste, der in den Schnee fällt!«

»Und wer wird der zweite sein?« tönte die plötzlich harte Stimme Anuschkas. Nikolka schielte zu ihr hin. Das Gewehr in ihrer Hand bedeutete mehr Gefahr als der Hund oder der Deutsche, der eine Pistole aus dem Pelzmantel gezogen hatte. Er wußte es genau, daß Anuschka in der Gefahr die Kälte der jakutischen Jäger besaß, die mit dem Messer gegen Wölfe angingen, wenn es notwendig war.

»Was willst du hier?« fragte Anuschka und trat aus dem Schatten des Schlittens. Nikolka grinste breit.

»Ich jage, mein Mädchen.«

»Hier ist kein Torusker Revier mehr.«

»Ich habe einen großen Fang verfolgt. Was kümmern mich die Reviere? Das Land ist für jeden da – aber manchmal gibt es Menschen, die zuviel sind auf dieser Welt. Sie stören die Ordnung. Man muß sie ausmerzen! Das ist ein Gesetz, mein wildes Mädchen.« Nikolkas Gesicht wurde ernst, ja fast traurig. »Der Miliz konntet ihr entkommen, weil Amganow ein Verräter ist. Oh, ich weiß, was in Schigansk geschehen ist. Ein jeder Kommunist sollte ausspucken davor. Wie gut ist es, daß es Männer gibt, die ihr Vaterland noch lieben. Und so bin ich geflogen mit meinen Tierchen, um euch einzuholen. Mir seid ihr nicht entkommen!«

»Du erbärmlicher Heuchler!« sagte Anuschka verächtlich. »Geh aus dem Weg!«

Nikolka hob das Gewehr gegen Martin Abels. Auch Anuschka legte an . . . so standen sie ein paar Sekunden und warteten, wer zuerst schoß.

»Bist du zu feig?« schrie Nikolka, der »Rote«. »Auch wenn du triffst, ich habe Kraft genug, abzudrücken und diesen deutschen Hund mitzunehmen!« Aber er schoß nicht zuerst, ein dumpfes Gefühl der Angst hinderte ihn daran. Auch mochte er denken: Was habe ich davon, wenn er stirbt und ich mit ihm? Nur als Überlebender ist es schön – mir ist nicht damit gedient, wenn ich hier irgendwo im Wald verscharrt werde.

In diesem Augenblick sprang Akja vor. Lautlos, von der gefrorenen Erde abfedernd, hetzte er hoch und sprang Nikolka an den Hals. Aber noch ehe er zubeißen konnte, schoß der »Rote«, die Kugel traf Akja zwischen die Augen, er heulte auf, warf die Vorderläufe vor und fiel mit seinem vollen Gewicht gegen Litowka. Eine Sekunde hinterher schoß Anuschka. Sie hatte auf das linke Bein Nikolkas gezielt, der Einschlag riß es nach hinten. Nikolka warf die Arme hoch und stürzte zusammen mit dem toten Akja in den Schnee. Dort drehte er sich wimmernd, als ringe er mit dem Hundekörper, wälzte sich zwei Meter weiter und blieb liegen.

Abels kniete neben Akja und hielt die blutende Schnauze hoch. Die schönen grünen Augen waren gebrochen, die Lefzen waren hochgeschoben vom letzten Bellen und gaben die herrlichen Zähne frei. Das Loch zwischen den Augen war klein und blutete kaum, und doch hatte es das treue Leben ausgelöscht.

Abels ließ den Kopf Akjas in den Schnee sinken und stürzte zu dem wimmernden Nikolka. Der lag auf dem Rükken, preßte beide Hände gegen den linken Schenkel und seine Augen quollen über vor Schmerz und Angst.

»Du hast Akja erschossen!« stöhnte Abels und spürte, wie alles Menschliche von ihm abfiel, wie er nur noch Rache war,

Blutdurst und Mordgier. Er riß den tatarischen Dolch aus dem Gürtel und setzte die Spitze auf Nikolkas Hals. »Wer tötet, soll getötet werden! Du kennst das Gesetz der Wälder! Du hast meinen besten Freund gemordet!«

Nikolka keuchte und krallte die Finger in den gefrorenen Schnee. Sein Blick ging zu Anuschka, die auf sie zutrat. Sie hielt das Gewehr unter dem Arm, aber er sah, daß es entsichert und schußbereit war.

»Nicht, Tinja«, sagte sie leise. »Er wird uns nicht mehr verfolgen. Das ist genug.« Abels richtete sich auf, er bebte am ganzen Körper, als er hinübersah zu Akja, auf diesen graubraunen Fellhügel, auf dem die dicken Schneeflocken wie herabgestreute Blütenblätter liegenblieben.

»Erschießt mich!« schrie Nikolka. »Ich will nicht mehr leben.«

»Komm!« Anuschka faßte den Arm Martins. »Laß uns fahren.«

»Und der da?«

»Laß ihn liegen, Tinja.«

Nikolka richtete sich auf. Er versuchte, aufzustehen, aber sein angeschossenes Bein versagte, es knickte ein, hing leblos an der Hüfte. Gleichzeitig jagte ein brennender Schmerz durch seinen Körper, hinauf bis unter die Schädeldecke.

»Tragt mich zu meinem Schlitten!« schrie er.

Anuschka schüttelte den Kopf. »Du hast den Weg allein hierhergefunden – find ihn auch wieder zurück.«

Sie schob Abels, der zögerte, vor sich her, stieg in den Schlitten und deckte sich mit den Fellen wieder zu. Abels sah noch einmal zurück auf den runden Platz.

»Wir sollten Akja begraben, Anuschka.«

»Das dauert eine Stunde, Tinja. Die Erde ist gefroren, zwei Meter tief. Aber jede Stunde ist wichtig für uns.«

»Und Nikolka? Er wird erfrieren!«

»Ist es unsere Schuld?«

Abels stieg in den Schlitten. Er schauderte innerlich. Jetzt ist sie eine Asiatin, dachte er. Die liebliche Seele der Anuschka ist plötzlich härter als der Frost. Wehe der Bremer

Gesellschaft, die sie einmal beleidigen könnte. Die Menschen in Deutschland kannten die sibirische Kälte nicht, die hier im Osten im wärmsten Herzen schläft...

Er nahm die Zügel, Sasja wieherte, die Kufen knirschten im Schnee.

»Hilfe!« brüllte Nikolka grell. »Habt Erbarmen! Seid doch Menschen, Genossen! Denkt an die Mutter, die mich geboren hat, wie eure Mutter euch geboren hat!«

Abels hielt den Schlitten an. Da spürte er wieder die Hand Anuschkas auf seiner Schulter.

»Fahr weiter, Tinja«, sagte sie laut.

»Wir können ihn nicht liegen und verfaulen lassen«, sagte Abels. »Zu seinem Schlitten könnten wir ihn tragen.«

»Er wollte dich töten, Tinja. Wer dich töten will, ist für mich tot. Du allein bist alles, was ich noch habe auf der Welt. Er wollte es mir nehmen. Er muß sterben.«

»Aber nicht so.«

»Er wird nicht lange allein bleiben.«

»Wölfe –« Abels hob schaudernd die Schulter.

»Nein. Hier gibt es keine Wölfe. Er wird sich selbst helfen und nach Torusk zurückkommen. Fahr, Tinja ... es ist unsere Zeit, die wir verschenken.«

Abels ergriff wieder die Zügel. Er packte sie so fest, als lenke er nicht mit ihnen, sondern als schleiften sie ihn durch den Schnee. Hinter sich hörten sie Nikolka heulen und schreien, fluchen und verdammen. Aber auch diese Laute versanken schnell in der vollkommenen Stille der Wälder, und dann war nur wieder das Klappern von Sasjas Hufen um sie und das Knirschen der eisernen Kufen und ab und zu ein Knistern und dumpfes Klatschen, wenn der verharschte Schnee von den Bäumen fiel und die von der weißen Last befreiten Zweige emporschnellten.

Anuschka behielt recht, sie kannte ihr Land ja.

Zwanzig Minuten brauchte Nikolka, bis er auf dem Bauch hinter den Holzstapel gekrochen war und seinen Schlitten erreichte. An ihm zog er sich hoch, ließ sich in die Felle gleiten, holte seinen Verbandkasten heraus und verband den Einschuß im Bein. Dann lag er erschöpft und vom beginnenden

Fieber erschlafft unter seinen dicken Pelzen, schwitzte und glühte und hoffte auf ein Wunder.

Das Wunder kam nicht, aber der Tod.

Das Ende in Gestalt Pawel Andrejewitsch Turganows.

Am Abend nach der Hochzeit, als Unjeski endlich wieder in Taragaisk war, erreichte Kommissar Amganow den Freund. Was er berichtete, veranlaßte Unjeski, am Abend noch mit einem Rentierschlitten wieder zurück nach Torusk zu rasen und Turganow von der Gefahr zu unterrichten, in der Anuschka schwebte.

Es gab kein Halten mehr. Während Unjeski bei Olga blieb, machten sich in der Nacht noch, trotz Schneewindes und klirrenden Frostes, Turganow und Hauptmann Samsonow auf. Sie fanden die Spur des »Roten« und folgten ihr beim Schein einer Batterielampe. Die ganze Nacht hindurch suchten sie, verloren die Spur, fanden sie wieder, kamen an den Rastplatz Anuschkas, stöberten das Nachtquartier Litowkas auf und erreichten am Nachmittag den runden Kahlschlag im Wald.

Das erste, was Turganow sah, als er aus dem Schlitten sprang, war der erschossene Akja. Da blieb sein Herz stehen, er wagte nicht, weiterzugehen, sah sich hilfesuchend nach Samsonow um und kaute an der Unterlippe. Er hatte Angst, irgendwo im Wald den Schlitten zu finden, mit der toten Sasja im Geschirr und mit den leblosen Körpern Anuschkas und Tinjas im Inneren. Das hätte ihn umgebracht vor Schmerz, das hätte ihn wahnsinnig werden lassen, und deshalb blieb er stehen.

Samsonow verstand ihn. Allein ging er zu den Holzstapeln und traf dort auf den kleinen Rentierschlitten. Er sah Nikolka wach zwischen den Fellen liegen, deckte ihn auf, sah die Verwundung und deckte ihn wieder zu.

»Gut, daß Sie gekommen sind, Genosse Hauptmann«, sagte Nikolka freudig.

Samsonow antwortete nicht. Ein Soldat bleibt stumm, wenn er dem Tod ins Auge blickt. Dreimal in seinem Leben war er gezwungen, Wehrlose hinzurichten. Es war ein Befehl aus Moskau, und dagegen gibt es nichts. Dreimal hatte er befohlen: »Feuer!« und seine Soldaten hatten geschossen ...

zweimal auf deutsche Saboteure, einmal auf einen Mörder, der im Lager einer Handvoll Sojabohnen wegen zwei Menschen erdrosselt hatte. Nun war es das viertemal.

Er wandte sich ab, stampfte durch den Schnee zu dem wartenden Turganow und nickte mit dem Kopf zu dem Holzstapel. »Es ist deine Aufgabe, Pawel Andrejewitsch«, sagte er mit rauher Stimme. »Gott wird es nie verzeihen – aber wo ist Gott? War er schon bei dir?«

»Nein.« Turganow lud sein Gewehr. »Die Partei ist unser Höchstes!«

»Also brauchen wir auch nicht Gott, um zu sagen: Verzeih mir!« Samsonow wandte sich um und ging. Über die Schulter rief er: »Ich kümmere mich um das Werkzeug, Pawel Andrejewitsch. Der Boden ist steinhart.«

Turganow ging langsam auf den Holzstapel zu. Als Nikolka ihn sah und erkannte, verzerrte sich sein Gesicht zu einer schrecklichen Grimasse. Pawel Andrejewitsch riß die Felle weg und wies auf den Boden.

»Stell dich hin!« sagte er dumpf. »Ich mag keine liegenden Memmen!«

Er half Nikolka aus dem Deckenlager und stellte ihn an den Holzstapel. Mit weiten Augen, in die Schweiß rann, starrte der »Rote« Turganow an.

»Sie sind in Sicherheit . . .« stammelte Nikolka. »Pawel Andrejewitsch, Freundchen, Genosse, Kamerad . . . keiner wird ihnen mehr etwas antun . . .«

Turganow schwieg.

Hauptmann a. D. Samsonow hatte im Schlitten Hacke und Schaufeln gefunden und wuchtete sie auf seine Schulter. Er zuckte nicht einmal zusammen, als am Waldrand ein einzelner Schuß fiel. Ein helles Bellen war's nur, ein Blobb wie der müde Hieb eines Spechtes.

Gerechtigkeit ist ein gutes Wort. In Sibirien ist es hart wie das Eis der Lena. Was ist ein Mensch in den Urwäldern der Taiga? Man vermißt ihn gar nicht.

*

Im Hause des Reeders Holgerson ging man wie auf Filzpantoffeln. Niemand wagte es, die Nachricht nach oben in die Räume Inkens zu bringen. Selbst der alte Holgerson saß unten in seinem Arbeitszimmer, starrte in den frühlingerwachenden Garten und über die Beete, aus denen die Tulpen, Narzissen und Hyazinthen hervorbrachen, drehte das Telegramm zwischen den Händen und wußte nicht, wie es nun weitergehen sollte. Eine Situation, der er in seinem langen Leben noch nie gegenübergestanden hatte. Immer war es möglich gewesen, einen Ausweg zu finden – aus Finanzkrisen, aus dünnen Auftragsdecken, aus Kollegenintrigen, aus Unglücksfällen, aus familiären Disharmonien. Heute gab es keine Hintertür mehr; es gab nur noch zu überlegen, wie und wann man es Inken sagen konnte.

Aus Südafrika war ein langes Telegramm gekommen. Das deutsche Konsulat berichtete darin über einen Vorfall, der gegenwärtig noch geheimgehalten wurde und in der Presse noch nicht nachlesbar war. Man nahm Rücksicht auf die wirtschaftlichen Interessen beider Staaten und suchte einen Weg, um das Geschehene als Unglück hinzustellen.

Benno Fahrenkrug, so berichtete das Konsulat, war am vergangenen Freitag mit einem Jeep in den Busch gefahren, um eine Rinderfarm, zweihundert Kilometer landeinwärts, zu besichtigen. Die Farm gehörte einer deutsch-englischen Gruppe und umfaßte ein Gebiet so groß wie der ganze Bayerische Wald. Sieben Stationen lagen in diesem riesigen Farmgebiet; mit farbigen Rinderhütern, die eine Herde von gegenwärtig 17 000 Stück Großvieh betreuten und überwachten.

Auf eine dieser Stationen, die Station V mit Namen Umlele, wurde in der Nacht zum Sonntag ein Überfall fanatisierter Farbiger verübt. Während die Kuhhirten nur verprügelt wurden, riß man die Weißen, es waren sieben Mann, aus den Betten, schleifte sie auf den Viehplatz und zerstückelte sie mit den langen Buschmessern. Bis zur Unkenntlichkeit wurden sie zerhackt. Dann verschwanden die Mörder – deren Motive rein politisch waren, denn die Station wurde nicht geplündert – wieder in der Steppe. Anhand des zurückgebliebenen Gepäckes identifizierte man die zerhackten Leichen. Unter ihnen war auch Benno Fahrenkrug.

Reeder Holgerson war nicht in der Lage, dieses Telegramm nach oben zu seiner Tochter Inken zu tragen.

Erst dieser Martin Abels, jetzt Benno Fahrenkrug, der Bräutigam – kein Mensch, vor allem, wenn er selbst vom Schicksal gezeichnet war, konnte das noch ertragen. Und doch war es nicht zu verschweigen. Man konnte ein paar Tage vergehen lassen ... die Wahrheit wurde sichtbar, sobald die Presse unterrichtet war.

Holgerson ließ zunächst Professor Dahrfeld kommen und zeigte ihm den Bericht aus Südafrika. »Das ist ja furchtbar«, sagte Dahrfeld und legte das Telegramm zurück. Er mußte einen Kognak trinken, um sein inneres Gleichgewicht wiederzuerlangen. »Weiß es Inken?«

»Um Himmels willen, nein!« Holgerson sprang auf und rannte erregt im Salon auf und ab. »Was soll ich tun? Sie müssen mir helfen, Herr Professor! Können Sie es nicht meiner Tochter sagen?«

»Ich? Nein!« Dahrfeld hob abwehrend beide Hände. »Ich gelte in den Augen Inkens sowieso als eine Art Todesengel. Ihr Bein kann ich nicht reparieren, und nun das noch. Muß sie es überhaupt wissen?«

»Benno war immerhin ihr Bräutigam. Das Aufgebot ist bestellt. Wir warteten nur noch seine Rückkehr ab; sie sollte in drei Wochen sein.«

»Und sie liebte ihn wirklich?« fragte Dahrfeld gedehnt.

»Zuletzt ja.« Reeder Holgerson nickte mehrmals. »Ich weiß, geben wir uns keinen Illusionen hin: Sie hing an diesem Martin Abels mit einer unverständlichen Liebe. Aber nun war das überwunden. Abels ist verschollen, nach Expertenaussagen tot, erschlagen irgendwo in der Mongolei. Das ist etwas Endgültiges. Inken fand sich langsam damit ab und begann Benno zu lieben. Gott sei Dank, dachten wir alle. Und nun das. Von Eingeborenen zerstückelt. Der Rassenpolitik wegen. Was ist aus unserer Welt geworden?«

»Sie war nie anders, Holgerson. Jede Zeit, jede Generation hat die ihr zustehenden Grausamkeiten. Mal waren es die

Hugenotten, mal die Sklaverei, einmal hieß es Napoleon, das andere Mal Hitler, Attila jagte über die halbe Welt, heute erwachen die farbigen Völker und wir, die wir hingemordet werden, haben ihnen vorher auch noch die Waffen dazu geliefert.« Professor Dahrfeld schüttelte den Kopf. »Lieber Holgerson, wundern wir uns nicht. Schlucken wir es wie bittere Medizin – nur hat man mit solcher Medizin noch nie die Politik geheilt. Ein Politikergehirn leidet unter einer besonderen Entzündung, deren Virus wir noch nicht kennen.«

»Sarkasmus hilft uns auch nicht mehr!« rief Holgerson. Er nahm das Telegramm vom Tisch und stopfte es in die Tasche. »Vier Tage trage ich es mit mir herum . . . ich bitte Sie, Herr Professor, kommen Sie mit mir hinauf zu Inken. Lassen Sie es uns ihr gemeinsam sagen –«

Sie kamen zu spät. Eine Stunde zu spät.

Sie hatten nicht daran gedacht, daß Inken ein Radio auf ihrem Zimmer hatte. An diesem Vormittag hatte sie einen englischen Sender eingestellt, der Musik wegen, aber dann verpaßte sie das Umschalten und hörte die Nachrichten. Ihre englischen Sprachkenntnisse waren so gut, daß sie alles verstand, auch die Tragödie im Busch und die Namen der Toten.

Benno Fahrenkrug. – Sie blieb ganz ruhig. Sie schaltete das Radio ab, zog sich aus, holte die unter der Wäsche versteckte Schachtel mit den gesammelten Tabletten aus dem Schrank, ließ ein Glas Wasser vollaufen und schüttete die Tabletten alle hinein. Es dauerte über fünf Minuten, bis sie sich aufgelöst hatten, das Wasser war milchig-trübe und schmeckte nach bitteren Mandeln, als sie das Glas austrank. Dann legte sie sich ins Bett, faltete die Hände und spürte nach einigen Minuten, wie sie wegglitt in das Dunkel.

Ich werde bei dir sein, dachte sie noch. Gibt es ein Wiedersehen, so werden wir uns jetzt finden. Guten Tag, Martin, oder sagt man besser gute Nacht?

Sie dachte »Martin«, nicht Benno. Und sie lächelte glücklich, als Professor Dahrfeld und Reeder Holgerson in ihr Zimmer kamen.

Minuten später fuhr mit heulender Sirene und Blaulicht der Krankenwagen vor.

*

Nach acht Tagen Schlittenfahrt, nach Überquerung der vereisten Wiljuj, Lena und Tolba, nach einer Übernachtung in der Faktorei Jenjuka – die Abels auf der Hinfahrt vermieden hatte, jetzt aber aufsuchen mußte, weil der Schneesturm eine Weiterfahrt zum Selbstmord werden ließ –, nach acht Nächten im Freien und acht Tagen Unendlichkeit in weißer, blendender Wüste, kamen sie ins Hochland, stolperte die todmüde Sasja über die Saumpfade, erreichten sie am neunten Tag, vor der Abenddämmerung, die Datscha des Filmregisseurs Tasskan.

Es war ein schneefallfreier Tag, die Sonne schien, und Abels und Anuschka jubelten auf, als sie von weitem die rosagestrichenen Holzhütten der Datscha sahen, die Ställe, die Palisaden, das doppelstöckige Herrenhaus, den Park.

»Du wirst sehen, wie sie sich freuen!« schrie Abels und gab Sasja die Zügel frei. Sie trabte an, warf die müden Beine vor und schaukelte auf den Eingang zu, der weit geöffnet war, als habe man sie erwartet.

Mit Hallo und lauten Rufen fuhr Abels in den Innenhof. Dann stutzte er, hielt Sasja an und blickte sich um.

Die Läden des Herrenhauses waren zugeklappt. Vor der Tür staute sich der hereingewehte Schnee. Niemand hatte sich mehr die Mühe gemacht, den Hof freizuschaufeln, wie es geschehen war, als Tasskan hier wohnte.

»Hallo!« rief Abels. Eine unheimliche Beklemmung würgte ihm die Stimme ab. »Hallo!«

Aus dem Stall kam eine gebückte Gestalt. Sie blinzelte zu dem Schlitten, hob die Hand gegen die Augen, denn der Schnee blendete in der Abendsonne, dann erkannte er die Fremden und eilte mit lahmen Beinen näher. Es war Anfim, der Knecht.

»Willkommen, Nikolai Stepanowitsch!« rief er mit zittriger Stimme. »Steigen Sie ab. Im Stall ist noch Platz.«

Abels legte die Zügel hin. »Wo ist Tasskan?« fragte er.

Anfim, der Knecht, senkte den Kopf. Sein struppiger Bart zuckte heftig.

»Sie haben Wassilij Petrowitsch verhaftet«, sagte er heiser. »Sein bester Freund war's, Fjodor Konstantinowitsch Alajew! Ein Hund ist er! Nach Tschita haben sie den Herrn gebracht!«

»Verhaftet!« Das Herz Abels' stand einen Schlag lang still. »Und . . . und Amalja Semperowa?« fragte er stockend.

»Das Fräulein haben sie auch mitgenommen. Sie ist es ja, die man anklagt. Denken Sie sich, Nikolai Stepanowitsch: Amalja soll eine Spionin sein. Eine Amerikanerin.« Der Knecht Anfim schlug die Hände über dem Kopf zusammen. »Hat man jemals schon etwas so Idiotisches gehört, Brüderchen?« Er nahm die Zügel und strich Sasja über die vereisten Nüstern. »In Tschita macht man ihnen einen Prozeß. In zehn Tagen soll es sein. Schön blamieren werden sie sich, die dikken Bonzen. Aus Moskau ist extra ein Ankläger gekommen. Was soll man da noch sagen?«

Mit steifen Beinen kletterte Abels aus dem Schlitten. Aber es war weniger die Kälte, die seine Glieder lähmte, als das Entsetzen, das ihn eisig durchzog. Er half Anuschka aus den Decken und Fellen und sah auch in ihren Augen die große Traurigkeit und den stummen Schmerz. Anfim wischte sich über den vereisten Bart und schneuzte sich.

»Ein Brief ist da«, sagte er. »Bevor sie das Fräulein abholten, hat sie ihn mir gegeben. Einen dicken Brief. Wenn Nikolai Stepanowitsch wieder hier durchkommt, hat sie gesagt, so gib ihm diesen Umschlag. Vergiß es nicht, lieber Idiot.« Anfim lächelte breit. »Lieber, hat sie gesagt. Es war ein so gutes Fräulein. Und nun machen sie ihr den Prozeß, die Hunde!«

»Wo ist der Brief?« fragte Abels heiser. »Bei mir, im Stall. Unter der Futterkiste. Da sucht ihn keiner. Kommt mit, Freunde.«

Im Stall war es warm und gemütlich. In einer leeren Pferdebox hatte sich Anfim ein Zimmer eingerichtet. Man braucht wenig am Rande der Taiga, um glücklich zu sein. Ein gutes Lager aus Stroh, ein paar Pferdedecken, eine Petroleumlampe, einen Tisch und zwei Stühle, eine Flasche Wodka, drei Nägel in der Wand, an die man seine Kleidung aufhängt, und einen besonders guten Nagel, an den man ein Bild Lenins hängt – nicht weil er ein schöner Mann war, sondern wegen der Kontrollen von Partei und Politkommissaren, die es als defaitistisch ansehen, wenn Lenins strenges Antlitz nicht in jedem Wohnraum die Atmosphäre von gutem Kommunismus verbreitet. Auch Anfim hatte Lenin über der ungebrauchten Krippe hängen, aber daneben hing auch ein Abbild einer Ikone, ein aus einer illustrierten Zeitung ausgeschnittenes Buntdruckbild. Die Illustrierte hatte Tasskan einmal aus dem Ausland mitgebracht, und er hatte Anfim das Bild geschenkt. Er hütete es wie seinen Augapfel und betete jeden Abend davor sein Nachtgebet. Er war eben ein alter Mann und nicht mehr umzuerziehen. Kann man einen hundertjährigen Baum umbiegen, Freunde? Na also.

Abels riß mit zitternden Fingern den großen gelben Umschlag auf, den ihm Anfim unter der Futterkiste hervorholte. Ein Bündel Geldscheine fiel auf das Stroh, und Anuschka bückte sich und sammelte sie auf. Erschüttert las Abels die wenigen Zeilen, das letzte, was von Betty Cormick in dieser Welt übriggeblieben war:

»*Mein lieber Nikolai Stepanowitsch – zum letztenmal rede ich Sie so an. Ich weiß, daß trotz Liebe und dem Willen zum Glück mein Leben auf einer Illusion aufgebaut ist. Es läßt sich nicht geheimhalten, wer ich bin. Dieses Land hört mit den Bäumen und dem Gras, den Tieren und den vorbeiziehenden Wolken. So unheimlich schön es ist, so unheimlich grausam ist es auch. Ich weiß, daß man mich eines Tages abholen wird. Fjodor Konstantinowitsch Alajew, der Gebietskommissar, war noch zweimal hier, und beide Male starrte er mich fragend an und machte dunkle Bemerkungen. Ich weiß, daß er etwas ahnt. Als ich damals absprang, hatte man mir 1000 Rubel mitgegeben. Ich lege sie Ihnen bei als Wegzehrung in die Freiheit, die es für mich nicht mehr gibt. Werden Sie glücklich, Martin – Sie und Ihre sicherlich wunderschöne Anuschka. Gott (ich führe ihn selten im Mund!) möge Ihnen helfen!*

Ihre Amalja Semperowa,
die es nicht mehr gibt, wenn Sie diese Zeilen lesen.«

»Tausend Rubel«, sagte Anuschka leise. Sie hatte das Geld gezählt, während Abels den Brief las. »Ich habe noch nie soviel Geld auf einmal gesehen, Tinja . . .«

»Gelobt sei Jesus Christus!« sagte Anfim, der Knecht, und bekreuzigte sich. »Wie gut war das Fräulein! Und nun werden sie es töten, diese Schweine!«

»Wo ist Amalja Semperowa jetzt?« rief Abels und zerknüllte den Brief.

»In Tschita, Nikolai Stepanowitsch.«

»Seit wann?«

»Seit drei Wochen.«

»Und der Prozeß?«

»Ich weiß es nicht. Niemand ist mehr hierhergekommen, seit man den Herrn auch abgeholt hat. Das große Haus haben sie abgeschlossen, zehn Milizsoldaten, und haben über die Schlösser Papier geklebt und ein Siegel darauf gedrückt. ›Hör zu, du Wanze‹, haben sie zu mir gesagt, ›wenn wir wiederkommen und ein einziges Siegel ist beschädigt, hängen wir dich an der nächsten Tanne auf oder ersäufen dich in der Kloake!‹ So haben sie gesprochen, und seitdem laufe ich jeden Tag dreimal zum Haus und sehe nach, ob alles richtig an seinem Ort ist.«

Die Nacht auf der Datscha Tasskans war kurz.

Anfim erzählte noch vieles, auch, daß man entdeckt habe, daß der Komiker Suskin nicht von einem Bären getötet worden war, sondern ermordet von einem Menschen. Die Entdeckung war denkbar einfach gewesen. Ein fremder Kommissar aus Ulan-Ude, er war extra wegen Betty Cormick herbeigeflogen worden, zusammen mit den zehn Milizsoldaten aus Tschita, hatte Wassilij Petrowitsch Tasskan eine Stunde lang allein verhört. Es half nichts, daß sich Tasskan einen Freund hoher Regierungsbeamter nannte – ein paarmal hörte man aus dem Bibliothekszimmer ein grauenhaftes Geheul, so, als ob jemand mit glühenden Zangen gezwickt würde, dann war wieder Stille, bis erneut der Schrei aufgellte und Anfim sich bekreuzigte. Nach dieser Stunde wankte Tasskan mit hohlen Augen und zuckendem Mund aus dem Zimmer und fiel in der Diele ohnmächtig in die Arme Anfims. Seine

Hände bluteten. Zufrieden kam der Kommissar von Ulan-Ude aus dem Zimmer, winkte seinen Soldaten und sagte breit grinsend: ›Es gibt einfach keine stummen Menschen, Genossen! Jeder kann sprechen.«

So hatte man erfahren, wie Suskin starb. Das Leben Tasskans hatte nicht mehr den Wert einer Kopeke. Es ist eben ein großer Unterschied, ob man heldische Filme dreht oder selbst ein Held sein muß, Freunde. Es ist schon sehr schlimm, die Fingerspitzen von einem Nußknacker zerquetscht zu bekommen.

»Was soll nun werden?« fragte Anuschka, als Anfim endlich schlief und sie allein nebeneinander im Stroh lagen. »Wie geht es weiter, Tinja?«

»Wir fahren zurück bis Tygdinsk. Von dort nehmen wir die Bahn bis Tschita.« Abels legte die Hände hinter den Nacken und starrte gegen die rohe Balkendecke des Stalles, deren Fugen mit Lehm und Stroh ausgestopft waren. »Wir haben tausend Rubel . . . das öffnet uns den Weg bis zum Meer.«

»Und dann, Tinja?«

»Dann fahren wir nach Japan.«

»Und dann?«

»Nach Europa. Nach Bremen. In deine neue Heimat.«

»Wie weit ist Bremen, Tinja?«

»Wie weit?« Abels zog den schmalen Körper Anuschkas an sich. »Wenn ich sage fünftausend Werst oder zehntausend Werst, was bedeutet das? Es ist unendlich weit. Aber es war nicht weit genug, um dich zu suchen. Und ich habe dich gefunden.«

»Mein lieber Tinja . . .« Anuschka schloß die Augen. Sie küßten sich, und der Hunger nach Zärtlichkeit ließ Ort und Zeit vergessen. Einmal schraken sie auf: Nebenan röchelte Anfim, der Knecht, und sprach im Traum. »Hunde!« murmelte er und schlug um sich. »Oh, ihr Hurenhunde!« Er träumte von den zehn Milizsoldaten, die ihn eine Wanze genannt hatten. Man muß zugeben, daß dies auch kein netter Name ist.

Früh am Morgen, beim ersten Lichtschein über den Felsen und Wäldern, brachen Abels und Anuschka wieder auf.

Sasja, das Pferdchen, hatte sich sattgefressen und vollgesoffen, wieherte und stampfte in den Schnee, daß er aufstob wie Mehl, in das man hineinbläst. Anfim packte noch einige Dinge zu der Verpflegung, die er für nötig hielt. Vor allem Eier und Salzfleisch. Dann gab er Anuschka und Abels die Hände, seine Augen füllten sich mit Tränen, er schneuzte sich wieder, blies zwischen Daumen und Zeigefinger der rechten Hand seinen Nasenschleim in den Schnee, leckte seine wulstigen Lippen, und ärgerte sich, daß man seine Erschütterung an dem Zucken seines Bartes erkennen konnte.

»Gott mit euch!« sagte er feierlich.

»Und was wird aus dir?« fragte Abels.

»Wenn kein neuer Pächter kommt . . . ich weiß es nicht, Nikolai Stepanowitsch. Ich werde dort hinten in meinem Stall verfaulen. Was tut's? Was bin ich denn wert auf der Welt?«

Er stand lange am Palisadentor und winkte dem Schlitten nach, bis er in den Wäldern unterging und die schneeschweren Zweige hinter ihm zuklappten wie eine Schleuse. Da ging er zurück in den Stall, sah auf das Bild Lenins und dann auf den Buntdruck der Ikone, atmete tief auf, spuckte aus und warf sich wieder in das Stroh.

Was soll ein alter, einsamer Mann auch anderes tun als schlafen, vor allem, wenn draußen vor dem Stall 40 Grad Frost sind.

*

Bis Tygdinsk brauchten sie mit dem leichten Schlitten und dem kleinen, aber kräftigen Pferdchen Sasja nur vier Tage. Oft sah Abels über das Land und erinnerte sich daran, wie er diese ganze Strecke durch Schnee, Eis und Gebirge zu Fuß, auf den Skiern gelaufen war, neben sich Betty Cormick, die keine Müdigkeit kannte, die Krähen schoß und am offenen Feuer briet und ihm den Tee servierte, unter einem Blätterdach und mit dem dunklen Humor der Verlorenen: »Mein Herr, es ist serviert. Five o'clock! Nehmen Sie Zucker und Sahne zum Tee?«

Damals . . . wie lange war es her? Wirklich erst fünf Monate? Manchmal hatte er das Gefühl, daß es erst gestern gewesen sei, dann wieder kam ihm die Zeit unendlich weit vor, als lägen Jahre dazwischen. In dieser Weite des Landes, in dieser vollkommenen Einsamkeit verliert man einen Zeitbegriff. Man kann die Zeit nur fühlen, und so schrumpfen die Tage oder dehnen sich ins Unermeßliche, ganz wie das Erleben war. Gegenwärtig bleibt nur das Gefühl, ein Nichts zu sein in dieser grenzenlosen Welt, die aus Wind und Eis besteht, aus Schnee und Frostnebel, aus Himmel und Erde, die eins werden und ineinander übergehen, als fräßen sie sich gegenseitig auf.

Sie erreichten Tygdinsk, den Endpunkt der Bahn, gegen Mittag. Der Wasserturm war wieder der markante Orientierungspunkt. Sie glitten an den Bahngleisen entlang, an den ungezählten Holzstapeln, den rangierenden Güterwagen und den pfeifenden und schimpfenden Arbeitern. Neu waren lediglich große Kolonnen von Frauen, in ihren Wattejacken wie Klöße mit Füßen aussehend. Sie schleppten die Rundhölzer zu den Waggons, schichteten neue Stapel auf und reinigten die vielen Rangiergleise mit Besen, Schaufeln und brennenden Karbidlampen von Eis und Schneeverwehungen. Ab und zu sah man zwischen den Frauen einen Uniformierten stehen, die Maschinenpistole vor der Brust. Er stampfte hin und her, fror erbärmlich und verfluchte sicherlich seinen stumpfsinnigen Dienst.

»Das sind Strafgefangene aus dem Frauenlager«, sagte Anuschka leise, als könne man sie hören, wenn sie gegen das Ohr Martins sprach. »Ich kenne das. In Torusk waren auch einmal Frauen. Im Sommer. Sie mußten im Wald roden. Hauptmann Samsonow hat sich erkundigt, was sie verbrochen haben. Weißt du, was die Posten geantwortet haben? ›Frag nicht, Genosse! Sie helfen mit am Aufbau des Staates – ist das nicht genug?‹ Und Samsonow hat auch nicht weiter gefragt.«

Im Hause von Stepan Michailowitsch Felkanow, dem sowjetischen Bahnarbeiter aus Bückeburg, der einmal Stefan Feldmann geheißen hatte, war dessen Frau Njuschka gerade dabei, einen blauen Sonntagsanzug auszubürsten. Felkanow saß in der Unterhose vor dem Ofen, als Abels eintrat und rief: »Da sind wir wieder, mein Lieber!«

»O Gott!« sagte Stepan Michailowitsch. Er deckte seine breiten Hände über seinen Schoß, als er den Kopf Anuschkas in der Tür auftauchen sah, und klemmte die Knie zusammen. »Ein anständiger Mensch klopft an!«

»Ich wollte dich überraschen, mein Freund.« Abels lachte und schob Anuschka in die warme Stube. Njuschka kam mit der Hose, erkannte Abels wieder und ließ das ausgebürstete Kleidungsstück vor Schreck auf den Boden fallen, wo es wieder staubig wurde.

»Er ist hier«, stammelte sie und starrte ihren Mann an. »Er weiß noch gar nichts! O Gott! O Gott! Wir werden alle in Karaganda enden.«

Felkanow angelte nach seiner Hose, überwand sich und stieg hinein. Wenn das Anuschka ist, die er gesucht hat, brauche ich mich nicht zu zieren, dachte er. Sie wird schon wissen, wie ein Mann in einer Unterhose aussieht, und noch manches mehr. Dieser Gedanke machte ihn fröhlicher, als er es wollte. Er knöpfte den Hosenbund zu und den Schlitz, strich zur Kontrolle noch einmal darüber und war zufrieden. Dann kam er auf Abels zu, umarmte ihn, küßte ihn nach russischer Art auf beide Wangen und tat das gleiche mit Anuschka, was ihm unvergleichbar besser gefiel. Ein schönes Mädchen, dachte er dabei. Ein herrliches Vögelchen. In ihren Augen schläft das Geheimnis der Unendlichkeit. Zum Verlieben ist sie, wahrhaftig. Man kann verstehen, daß ein Mann dafür durch Hölle und Sturm geht, auch wenn's im Grunde unbegreiflich ist. Aber was gibt es Unbegreiflicheres als die Liebe?

»Du kommst zu einer dunklen Stunde, Bruderherz«, sagte Felkanow und streckte die Arme nach hinten. Njuschka hielt ihm den Rock hin, und er schlüpfte hinein. »Ich habe eine Einladung erhalten. Wir alle von der Auswahlliste der Partei sind dazu eingeladen. Es soll interessanter werden als jedes Theaterstück von Gorkij. Morgen geht es los. Um neun Uhr. Im Saal des Parteihauses. Der große Prozeß gegen die Spionin Betty Cormick.«

»O Gott! O Gott!« jammerte Njuschka wieder. »Wenn sie erzählt, daß sie bei uns im Stroh geschlafen hat.« Sie weinte laut, schlug die Hände vor das Gesicht und setzte sich an den Ofen. Abels schüttelte den Kopf.

»Das wird sie nie aussagen, Njuschka Felkanowa.«

»Sie wissen nicht, was man alles aussagt, wenn man erst in den Händen der Kommissare ist. Einen ganz großen Ankläger haben sie extra aus Moskau kommen lassen. O Gott im Himmel, man wird uns deportieren! Sie haben uns Unglück ins Haus gebracht, Nikolai Stepanowitsch.«

»Es ist sinnlos, jetzt darüber zu jammern!« Felkanow band sich einen Schlips um, einen roten Schlips, auf den er besonders stolz war. Bei öffentlichen Anlässen trug er ihn immer, denn es kam darauf an, jedem deutlich zu machen, wie überzeugt er der roten Fahne nachlief und daß er tief in seiner Seele ein Bolschewist war. »Ich glaube vielmehr, sie wird über Nikolai Stepanowitsch reden. Wenn sie klug ist, erzählt sie ein Märchen, das man ihr glaubt. Ich habe gehört, vom Genossen Parteisekretär, sie soll berichtet haben, dieser Nikolai sei auf dem Weg nach Irkutsk gewesen, habe sich aber verirrt in der Taiga. Sechs Tage lang hat die Polizeihubschrauberstaffel von Tschita das Gebiet in den Udokal-Bergen abgesucht.« Felkanow lachte fett. »Vier geflüchtete Sträflinge hat man erwischt, aber nicht diesen Nikolai. Wie findest du das, Brüderchen?« Er stieß Abels in den Rücken und lachte schallend.

Martin Abels hatte Anuschka aus dem Pelz geholfen, sie saß nun bei Njuschka am Feuer und tröstete sie. Ein verwegener Gedanke kam ihm, er unterbrach das Gelächter Felkanows mit der Hand, indem er sie ihm einfach auf den Mund legte.

»Die Verhandlung gegen Betty ist öffentlich?« fragte er.

»Ja und nein. Es gibt Karten dafür. Aber sie sind alle vergriffen. Man rechnet mit einem Todesurteil. Seit der Revolution ist in Tschita keine Frau mehr hingerichtet worden. Es wird einen Volksauflauf geben!«

»Und du hast Karten?«

»Zwei. Aber Njuschka geht nicht mit.«

»Besorge noch eine, und Anuschka und ich gehen mit dir.«

Felkanow kratzte sich die Stirn. »Ich werde fragen, Martin.« Plötzlich sprach er deutsch, und Anuschka hob erstaunt den Kopf. »Wenn sie dich erkennt, das kann gefährlich sein.«

»Nein! Sie wird dann wissen, daß ich in Sicherheit bin und ihren Brief bekommen habe.«

»Ich hoffe im Parteibüro noch eine Karte zu bekommen. Wir müssen dann aber mit dem letzten Zug fahren.«

»Natürlich.«

»Und der Schlitten? Das Pferd?«

»Ich schenke dir alles, weil du nicht vergessen hast, was Kameradschaft ist.«

»Um Gottes willen, das geht nicht.« Felkanow hob abwehrend beide Hände. »In Rußland verschenkt man so etwas nicht. Es würde uns sofort verdächtig machen. Verkauf es heute noch. Irgendwo. Halt! Ich kenne einen Händler, der kauft alles, wenn es ein Geschäft ist, und sollten es sogar die Haare des Teufels sein. Natürlich wird er einen niedrigen Preis bezahlen. Er ist ein Lump und streicht für deine Notlage ein paar Rubelchen ab.«

»Soll er!« Martin knöpfte seinen Pelz wieder zu. »Wir könnten sofort gehen.«

»Wohin?« fragte Anuschka vom Ofen her.

»Ich gehe mit Stepan Michailowitsch, um Sasja zu verkaufen. Es ist notwendig, Anuschka.«

Sie nickte, erhob sich vom Schemel und ging mit den beiden Männern hinaus. Während Felkanow und Abels den Schlitten ausluden und die Lebensmittel in den Stall brachten, streichelte Anuschka die Nüstern Sasjas, küßte sie auf die Stirn und kraulte ihr das struppige Nackenfell.

»Mein Liebling«, sagte sie leise. »Mein treues Gäulchen. Du wirst es gut haben, glaube es mir. Genug gute Menschen gibt es, die ein Pferdchen lieben wie dich. Du warst immer ein treues Tierchen, ich danke dir, Sasjaschka.«

Der Händler Plastunow hatte sein Magazin in der Nähe des Bahnhofes. Das war nicht zufällig. Wer Waren hin- und herschiebt, muß in der Nähe von Schienen und Straßen sein, um schnell ab- und aufzuladen, vor allem nachts, wenn ehrliche Menschen schlafen und glauben, die Welt sei gut. Plastunow war ein dicker, gewichtiger Mann, dem man ansah, daß er gute Geschäfte machte. Durch Stiftungen für die Komsomolzenhalle von Tygdinsk hatte er sich abgesichert gegen alle Kontrollen. Seine Geschäftsbücher waren unverdächtig. Außerdem war er der Freund des Bürgermeisters von Tygdinsk. Was will man also mehr?

Plastunow umkreiste den Schlitten und Sasja, das Pferdchen, ein paarmal wie ein Geier, kratzte sich dann den Kopf, schob die Unterlippe vor und sagte: »Genossen, der Schlitten ist halb verfault, und das Pferd . . . hat man jemals schon eine so ausgemergelte Mähre gesehen wie diese? Wenn ich sie übernehme, müßt ihr noch etwas draufzahlen, Brüder!«

»Iwan Iwanowitsch«, sagte darauf Felkanow und entkorkte eine Taschenflasche Wodka. »Ihr Blick ist noch nicht klar. Wir wollen die Augen reinwaschen.«

Stumm tranken sie ein paar Schlucke reihum, sahen sich forschend an und erkannten, daß sie alle aus dem gleichen Holz geschnitzt waren und es sinnlos war, Gaunereien zu versuchen. Plastunow seufzte tief und ehrlich erschüttert.

»Gut denn«, sagte er brummend. »Für alles fünfzig Rubel!« Er hob beide Hände, ehe eine Antwort ertönte, und rief mit bebendem Kinn: »Genossen, das ist ein großer Preis! Was ist schon ein Pferd? Wenn es gute Reiserentiere wären! Aber ein Gäulchen! Bei Schneesturm legt es sich hin und haucht sein Seelchen aus. Fünfzig Rubel, und ihr habt das Geschäft eures Lebens gemacht.«

Und so wurde es auch. Martin Abels nahm Abschied von Sasja und gab ihr als letztes Zeichen seines Dankes eine dicke Rübe. Plastunow nickte düster.

»Verwöhnt es nur, Genossen. Gebt ihm Kaviar ins Heu! Es wird mir die letzten Haare vom Kopf fressen!« Dann zahlte er die fünfzig Rubel in die Hand Martins, griff Sasja am Halfter und führte sie mit dem Schlitten in den Geräteschuppen, wo ein Gehilfe die Neuerwerbung in Empfang nahm. Noch einmal hörte Abels das helle Wiehern Sasjas . . . dann schloß sich das hölzerne Tor hinter dem letzten Andenken an To-rusk.

Im Parteibüro gelang es Felkanow, tatsächlich noch eine Karte für den Sensationsprozeß in Tschita zu bekommen: Sie gehörte dem Genossen Streckenwärter, aber dieser hatte sich am Morgen beim Rangieren die Hand gequetscht, auf eine ganz dumme Art. Er hatte einen Waggon mit Wollsachen offen gefunden, und gerade als er kontrollieren wollte, ob auch Pullovergrößen für seinen Brustkorb vorhanden waren, knallte hinten ein anderer Waggon gegen die Puffer, die Schiebetür rollte zurück und nahm die Hand des Genossen Streckenwärters in die Zange. Er heulte und tanzte vor Schmerz, wurde verbunden und durfte nach Hause. Aus war's mit der Reise nach Tschita! Er bekam auch noch Fieber, mußte schwitzen und verfluchte es, daß er der Versuchung erlegen war. Felkanow aber bekam seine Eintrittskarte. Ab und zu findet auch ein blindes Schwein eine Eichel.

Am Abend, mit dem letzten Zug, fuhren sie nach Tschita. Njuschka war mit zum Bahnhof gekommen und weinte, denn sie hatte noch immer Angst, daß beim Prozeß die Mitwirkung der Felkanows am Staatsverbrechen ruchbar würde. Im übrigen war es, wenigstens in den beiden ersten Wagen, ein vornehmer Zug. Die Parteimitglieder aus Tygdinsk saßen sämtlich in ihren Sonntagsanzügen auf den Holzbänken, darüber die Pelze und auf den Köpfen die Fellkappen. Einige hatten sich sogar die Haare schneiden lassen und deshalb unter der Fellmütze noch einen Wollschal um den Kopf gebunden, denn ein kalter Hinterkopf ist lästig, Genossen!

Da es der letzte Zug war, fielen weder Anuschka noch Abels in dem Gedränge auf. Zwei Polizisten versuchten, Ordnung in die Menge zu bekommen, die in die Waggons quoll, daß die Federn und Achsen stöhnten. »Langsam, Genossen!« schrie ein Sergeant laut, nachdem man ihm ein Hosenbein aufgeschlitzt hatte. »Jeder kommt mit! Es ist Platz für alle da! Seid doch Menschen, Genossen! Nur Tiere drängen sich so in den Stall.«

Was nützte es? Man will keine Reden hören, sondern einen Sitzplatz haben. Als der Zug endlich abfuhr, hatte jeder einen Ort gefunden, auf dem er die Fahrt bis Tschita überleben konnte. Und dann war es wie immer: Man packte aus und aß. Wurst, Käse, Eier. Sonnenblumenkerne wurden durch die kalte Luft gespuckt. In der Gepäckablage gackerten die Hühner in den Flechtkörben, ja, sogar ein Ferkelchen quietschte und grunzte in einem Korb und gab den sich vermischenden Düften die letzte, abrundende Feinheit. Im Waggon Felkanows hielt ein Parteimitglied einen Vortrag über Spionage. Nebenan beschwerte sich jemand über einen unbekannten unhöflichen Menschen, der lautlos einen bestialischen Wind hatte streichen lassen. »Man erstickt ja, Genossen!« jammerte die Stimme. »Brüder, wie kann ein Mensch nur so stinken?« Aber die Fenster wurden nicht geöffnet, einesteils, weil es zu kalt dazu war, zum anderen, weil sie völlig vereist waren und sich nicht um einen einzigen Millimeter bewegen ließen.

Müde hatte Anuschka ihren Kopf auf die Schulter Martins gelegt. Nun schlief sie, ein erschöpftes, wie aus dem Nest gefallenes Vögelchen, zart und zierlich, zerbrechlich wie ein Porzellanpüppchen, ein Mensch aus göttlichen Zutaten: Haar, schwarz wie die nächtlichen Wälder der Taiga; Haut, so weiß wie die Schneesteppe; Lippen, so rot wie das Abendrot über Sibirien. Sie verschlief die ganze Fahrt von Tygdinsk bis Tschita. Als sie am Morgen auf dem großen Bahnhof des Eisenbahnknotenpunktes ankamen, wehte eine Frühlingsahnung über das Land. Von Süden her, aus der Mongolei, zog ein samtblauer Himmel heran, durchsetzt mit weißen Federwölkchen. Der erste blaue Himmel seit Wochen. Es war mild, als sie ausstiegen, ja, sie empfanden es direkt warm, und als Felkanow auf das große Bahnhofsthermometer schaute, riß er seinen Pelz auf, als ersticke er vor Hitze. »Wahrhaftig! Sieben Grad unter Null!« sagte er fröhlich. »Väterchen Frost ist besiegt. Das neue Jahr beginnt.«

Sie kamen gerade zur rechten Zeit. Vor dem Parteihaus standen die Leute Schlange, aber Felkanow und die anderen Genossen stellten sich nicht hinten an, sondern drängten sich durch die Mauer der stoßenden und sturen Körper, schrien: »Aus dem Weg. Hier kommen welche, die schon Karten haben! Macht doch Platz, Brüder! Was behindert ihr den Weg? Habt ihr so etwas bei den Schulungsabenden gelernt? Platz da! Die Abordnung der Partei von Tygdinsk will rein!« und schoben und stießen und eroberten schließlich den Eingang. Dort standen vier Milizsoldaten wie die Erzengel, kontrollierten die Eintrittskarten, nickten, rissen die Karten mittendurch und gaben die Tür frei.

Im großen Festsaal standen bis zur Mitte enge Stuhlreihen für die Zuhörer. An der Schmalwand war, etwas erhöht auf einem Holzpodest, der Richtertisch aufgebaut, bedeckt mit verschiedenen roten Fahnen. An der Wand stand eine riesige Gipsbüste Lenins. Sein strenges Gesicht schaute über den ganzen Saal, und noch in den hohlen Augen der Gipsplastik lag etwas Beherrschendes, das jeden zwang, den Blick zu senken, als habe Lenin ihn gerade angesprochen. Er, der große Vater der Revolution, der Einiger Rußlands, der Unvergessene, Unsterbliche, die nie versinkende Sonne der Sowjetrepubliken.

Felkanow erspähte drei freie Stühle in der zweiten Stuhlreihe und belegte sie für sich und seine Freunde. »Nahe genug?« flüsterte er.

Abels nickte wortlos. Er starrte auf den Platz, an dem in Kürze Betty Cormick stehen würde. Eine Holzbarriere mit drei Stühlen, kahl, schmucklos, wie ein zusammengezimmerter Käfig. Davor ein Tisch mit einem Flechtstuhl. Hier saß der Verteidiger, ein Mann mit dem Auftrag, am Ende zu sagen: »Betty Cormick, wir haben es alle gehört, bekennt sich schuldig. Trotzdem bitte ich um ein mildes Urteil, weil sie eine Frau ist und selbst ein Opfer ihrer kapitalistischen Auftraggeber –«

Pünktlich um neun Uhr wurden die Türen geschlossen. Wer noch draußen war, blieb murrend auf der Straße stehen. Dort übertrugen große Lautsprecher die Verhandlung. Eine Sprechprobe bewies, wie durchschlagend das war. »Genossen!« sagte eine Stimme, und sie gellte aus den Lautsprechern über halb Tschita. »In zehn Minuten beginnt die Verhandlung gegen eine Frau, die des scheußlichsten Verbrechens angeklagt ist: Spionage gegen die UdSSR.«

Auf dem weiten Platz vor dem Parteihaus verstummten die Gespräche. Wenn man auch nichts sah – vor dem geistigen Auge erlebte man gespannt mit, was der Sprecher nüchtern schilderte.

Die Angeklagte wird hereingeführt. Zwei Milizsoldaten setzen sich links und rechts von ihr. Die Kapitalistenknechtin sieht gut aus, eine hübsche Frau. Man erkennt, daß sie gut behandelt worden ist. Sie setzt sich. Ihr Gesicht ist starr wie eine Maske. Der Ankläger, Genosse Frolowski, nimmt Platz. Extra aus Moskau hat man ihn zu uns geschickt. Die Fernsehkameras und die Wochenschauen beginnen zu filmen, ihre Scheinwerfer erhellen den riesigen Saal und tauchen die Angeklagte in gleißendes Licht. Sie blinzelt mit den Augen. Ja, blinzle nur, Amerikanerin, es wird das letzte helle Licht sein, das du siehst. Das Gericht kommt. An der Spitze Generalleutnant Birjukow, in voller Uniform, mit allen Orden. Er ist »Held der Nation«, er hat eine Division bei Stalingrad geführt. Nun sitzen sie alle. Es spricht der Genosse Frolowski.

Betty Cormick sah in den Saal mit den vielen hundert Gesichtern. Sie empfand keine Angst. Als man sie von der Datscha abholte, hatte sie geglaubt, man würde sie jetzt foltern und sie zwingen, falsche Aussagen zu machen. Das Gegenteil war der Fall. Man hatte sie höflich behandelt, gab ihr ein gutes Essen, ein Matratzenbett mit einer Daunendecke, gab ihr Zeitungen und Bücher und verhörte sie nur zweimal mit einer verwunderlichen Galanterie. Man bot ihr Zigaretten an, servierte grünen Tee mit Sahne und Zucker, erkundigte sich, ob sie zufrieden sei und ob sie gestehe, eine amerikanische Spionin zu sein. Als Betty Cormick unbefangen und ohne zu zögern »Ja« sagte, war man sehr zufrieden. Auch als beim zweiten Verhör Ankläger Frolowski fragte, ob sie Namen nennen könne, nannte sie freimütig alle Namen, die sie aus ihrer Ausbildungszeit in Texas und Alaska her kannte. Nur Namen in Rußland konnte sie nicht nennen. Hier wußte sie Chiffren. Da dies gebräuchlich war, brach man das Verhör ab, weil es nichts weiter zu fragen gab. Nur Ankläger Frolowski blieb hinterher noch zwei Stunden mit Betty Cormick allein im Zimmer. Als er herauskam, nickte er dem General Birjukow zufrieden zu. »Es geht in Ordnung!« sagte Frolowski. »Sie ist eine kluge Frau. Ich glaube, wir haben einen ganz großen Fisch gefangen.«

Frolowski verlas jetzt die Anklageschrift. Er erwähnte dabei am Rande auch den Filmregisseur Tasskan. »Das Verfahren gegen Wassilij Petrowitsch Tasskan ist abgetrennt worden, da sich der Angeklagte eine Lungenentzündung zugezogen hat und nicht verhandlungsfähig ist. Der Prozeß gegen Tasskan wird daher zu einem späteren Zeitpunkt anberaumt werden.«

Die Menschen im Saal schwiegen. Jeder wußte, was das bedeutete. Man sah Tasskan nie wieder, es würde nie einen neuen Prozeß geben. Er war schon ein toter Mann, obwohl er noch in den Akten lebte. Vielleicht moderte er schon in einem unbekannten Grab, wer weiß es? Doch was kümmert's uns, Genossen? Wichtig ist allein die Amerikanerin.

Betty Cormick sah während der Verlesung der Anklage wieder in den Saal. Plötzlich zuckte sie zusammen, ihre Finger verkrampften sich ineinander und fielen in den Schoß zurück.

Sie hatte Martin Abels erkannt. Er saß mit einem schwarzhaarigen Mädchen neben sich in der zweiten Reihe und verstand, daß sie ihn bemerkt hatte. Er senkte langsam den Kopf und hob ihn wieder, es war ein Nicken und ein Gruß, eine Bestätigung und ein Dank zugleich.

Das also ist Anuschka, seine große Liebe, dachte Betty Cormick und sah das Mädchen neben Abels an. Sie ist hübsch, gewiß, sie muß auf einen Mann betörend wirken. Ihre dunklen, leicht geschlitzten Augen versprechen eine ganze Welt Glückseligkeit. Aber lohnt es sich, Martin Abels, dafür sein Leben aufs Spiel zu setzen? Ist ein Mensch das überhaupt wert? Überschätzen wir nicht alle die Größe eines Menschen? Sieh Tasskan an, Martin Abels. Er hat nach einer Stunde alles aus sich herausgeschrien, er hat mich verraten, mich, der er zuvor geschworen hatte, daß er sein Leben lassen würde für mich. Alles Geschwätz, mein Lieber, leeres Stroh, das immer und immer wieder gedroschen wird, und wir lassen uns von dem hohlen Klang einfangen, weil wir nur in Illusionen leben. Das Leben ohne Illusion ist die Hölle, Martin Abels. Ich habe sie durchstreift, diese Hölle, und selbst ich, nüchtern wie eine polierte Platte aus Chromnickelstahl, fiel schließlich in den Traum vom Glück. Es lohnt sich nicht, mein Bester! Man muß bezahlen für jede Stunde der Illusion! Nun hast du dein Mädchen Anuschka neben dir, die Flucht nach Deutschland mag dir vielleicht gelingen – und was dann? Hast du schon einmal darüber nachgedacht, was dieses Mädchen aus Sibirien in deiner Welt soll? Wie sie leben wird, wie sie sich zurechtfinden muß, ob sie nicht immer ein Außenseiter bleiben wird, bespöttelt von den anderen: Die Sibirierin! Die Halbasiatin! Sie weiß nicht einmal, was Cha-cha-cha ist oder daß Kandinsky verrückt wurde. Und Karajan hält sie für ein Bodenputzmittel, haha! Immer blank mit Karajan! Ist das ein Witz! So etwas heiratet er, der reiche Martin Abels. Der Junge ist verrückt. Ob sie zu Hause jetzt Rentierfleisch essen? Garniert mit Tannenzapfen. Was hat man da mal gelesen? Die Tataren legten das Fleisch unter den Sattel und ritten es gar. Steak tatar! Ob sie auch reiten kann? Ich meine, auf einem Pferd. Huhu! Eurasierinnen sollen leidenschaftlich sein! Der gute Martin Abels wird bald eine Reise buchen müssen. In ein Herzbad. Totaler Erschöpfungszustand. Die Steppe auf der Matratze – gut, was? Ein neuer Filmtitel der Neuen Welle.

So wird das sein, mein lieber Martin Abels. Die Welt ist grausam, sie ist kannibalisch; je reicher und gebildeter (was nicht immer zusammengehört!), um so kannibalischer!

Betty Cormick senkte ebenfalls den Kopf. Auf Wiedersehen, Martin Abels, hieß diese Bewegung. Mach's gut, mein Junge. Es war eine schöne Zeit, mit dir durch die Taiga zu ziehen. Es war eigentlich die schönste Zeit meines kurzen Lebens. Wir waren frei wie die Wölfe und Adler – wir werden nie wieder so frei sein. In Sibirien ist der Mensch ein Stück der grandiosen Natur. Was sind wir hier, in New York etwa oder in München, in London oder Paris, in Rio oder Tokio? Aufgezogene Puppen, in denen das Uhrwerk der Zivilisation abläuft. Wir haben unser Gesicht verloren, wir alle. Wir sind nur Masken lächelnder Verlogenheit. Und deshalb, kleine, schöne, traurig zu mir herblickende Anuschka, bedauere ich dich. Torusk war deine herrliche Welt; in Bremen wirst du wissen, daß die kleinen und großen Teufel der Märchen wir selbst sind.

Felkanow stieß Abels an. Er schrak hoch wie ein aus einem Traum Erwachender.

»Jetzt sagt sie aus«, flüsterte Felkanow. »Hat sie dich gesehen?«

»Ja.«

»Und?«

»Nichts. Wir wissen jetzt, daß jeder seinen eigenen Weg gehen wird.«

Betty Cormick hatte sich erhoben. Ankläger Frolowski begann das Verhör, auf das die Menge im Saal und auf den Straßen gespannt wartete.

»Amalja Semperowa – ich werde Sie jetzt so nennen, weil Sie unter diesem Namen unserem Volke geschadet haben –, bekennen Sie, eine Spionin der Amerikaner zu sein?«

Betty Cormick legte beide Hände auf die Brüstung ihrer Anklagebank. »Ja!« sagte sie mit lauter Stimme und in russischer Sprache. »Ich bin eine Spionin. Ich bin mit einem Fallschirm abgesprungen und hatte den Auftrag, im Büro der sowjetischen Kernforschungszentralstelle mir wichtig scheinende Papiere zu stehlen oder zu fotokopieren.«

Die Menschen im Saal und auf den Straßen Tschitas hielten den Atem an. Die auf den Straßen starrten zu den Lautsprechern empor. Sie erwarteten ein Wunder, denn vor so viel Ungeheuerlichkeit mußten die Lautsprecher auseinanderplatzen.

Ankläger Frolowski setzte sich lächelnd. Die Kameras von Film und Fernsehen nahmen jede Bewegung auf. Generalleutnant Birjukow räusperte sich.

»Ich verlese das Protokoll der Aussagen vor dem Untersuchungsrichter«, sagte er. »Sie, Amalja Semperowa, brauchen nur zu bestätigen, daß alles wahr ist, was Sie schon ausgesagt haben.«

Zwei Stunden dauerte der Prozeß. Dann redete der Verteidiger ein paar kurze Sätze: »Ich bitte um Milde, Genossen

Richter. Sie ist eine Frau, irregeleitet von ihren kapitalistischen Hintermännern. Diese gehören auf die Anklagebank – nicht Amalja Semperowa. Sie wollte ihre todkranke Mutter damit retten, und es ist bestialisch, daß Menschen die Todesnot eines anderen zu solch schmutzigen Geschäften ausnutzen.«

Drei Stunden lang beriet das Gericht. In dieser Zeit spielten die Lautsprecher flotte Marschmusik, gaben Nachrichten durch und sang der Chor der Tschitaer Komsomolzen alte Volkslieder und neue Parteichoräle. Drei dumpfe Gongschläge leiteten nach den drei Stunden die Urteilsverkündung ein. Das Leben auf den Straßen Tschitas erstarrte. Den Lautsprechern allein gehörte die Stadt.

»Das kombinierte Militär- und Volksgericht des Distrikts Tschita unter Vorsitz von Generalleutnant Birjukow, Held der Nation, hat beschlossen:

Alle, die den Frieden der Sowjetunion stören, die das werktätige Volk in die Gefahr eines neuen Krieges bringen, die durch Spionage für eine fremde Macht dem Volksvermögen unmeßbaren Schaden zufügen und die Werte des Friedens und des Aufbaues verraten, verdienen die Todesstrafe.

In Anbetracht der Reue von Amalja Semperowa und weil sie eine Frau ist, die gezwungen wurde, Niewiedergutzumachendes auszuführen, hat das Gericht sie der Gnade empfohlen und verurteilt sie zu fünfundzwanzig Jahren Zwangsarbeit –«

Auf der Straße wurde noch lange über dieses milde Urteil diskutiert. In den Wirtschaften hieben die Männer auf den Tisch und schimpften: »Natürlich, wo ein Rock flattert, da rutscht auch den Herren vom Gericht das Herz in den Hosenschlitz. Erschießen hätte man sie sollen, das wäre gerecht! Ach ja, es ist schon was mit der Gerechtigkeit, Genossen!«

»Fünfundzwanzig Jahre Zwangsarbeit«, sagte Anuschka betreten, als sie auf dem Vorplatz des Parteihauses standen und sich von Felkanow verabschiedeten. »Sie überlebt es nie! Sie tut mir leid. Aber ist es nicht gerecht? Sie war eine Spionin.«

Martin Abels schwieg. Was sollte er sagen? Anuschka war

eine Russin, für sie war Betty eine Verbrecherin. Und plötzlich sah er mit Erschrecken, wie anders ihr beider Denken war, wenn es nicht um Liebe ging und um Zärtlichkeit. Wie soll das in Deutschland werden, dachte er. Vieles wird sie einfach nicht verstehen, nicht begreifen oder anders sehen. Man wird sie wie ein Kind zu einem anderen Denken umerziehen müssen. Es war so einfach, zu sagen: Ich liebe Anuschka. Ich hole sie. Ich entführe sie aus dem einsamsten Winkel dieser Erde, aus Torusk, das ihr auf keiner Karte findet, denn es wäre ein kleinerer Punkt als ein Fliegendreck . . . Nun hatte er sie entführt, sie standen an der Schwelle der Freiheit. Aber war es die Freiheit auch für Anuschka? Hatte er nicht ein Raubtier gefangen und schaffte es jetzt in einen goldenen Käfig, der immer ein Käfig blieb, auch wenn man die Stäbe mit Brillanten besetzte?

»Woran denkst du, Tinja?« fragte Anuschka und berührte Martins Arm. »Sie tut dir leid, nicht wahr? Wenn du es willst, tut sie mir auch leid. Ich will alles tun, was du willst, mein Lieber.«

Da zog er sie an sich und küßte sie vor allen Menschen auf dem Platz. Sie glühte vor Scham, aber sie legte trotzdem die Arme um seinen Hals und erwiderte seinen Kuß.

Ich will alles tun, was du willst . . .

»Du bist ein Engel«, stammelte Abels und vergrub sein Gesicht in dem Fuchspelz, der ihr Gesichtchen einrahmte. »Du bist ein Irrtum Gottes . . . so etwas Herrliches wie du dürfte nicht auf dieser ekligen Erde leben –«

Am Abend nach dem Prozeß erschien bei General Birjukow und Ankläger Frolowski der amerikanische Konsul von Ulan-Ude. Er legte eine Regierungsbestätigung vor, daß er berechtigt war, ein amtliches Gespräch zu führen.

»Ich bitte Sie, meine Herren«, sagte der amerikanische Konsul, »den Vorschlag meiner Regierung nach Moskau weiterzuleiten, Miß Betty Cormick gegen einen in den USA verurteilten sowjetischen Agenten auszutauschen.«

General Birjukow nickte und lächelte verhalten. Ankläger Frolowski zündete sich eine süßliche Zigarette an.

»Wir haben diesen Vorschlag erwartet, Herr Konsul«,

sagte er, »und für diesen Fall aus Moskau bereits unsere Antworten mitgebracht. Ich kann Ihnen leider keine Hoffnungen in dieser Angelegenheit machen.«

»Wir bieten Ihnen den Agenten Jossif Alexandrowitsch Porwutkin als Tausch.«

»Daran haben wir auch gedacht. Leider ist Genosse Porwutkin für uns völlig uninteressant geworden. Käme er zurück, würde er sein Leben im Lager beschließen. Sie sehen, wir sprechen ganz offen.«

»Und warum lehnt man einen Tausch generell ab?«

Der amerikanische Konsul steckte sich mit nervösen Fingern eine Zigarette an.

»Eine Frau, meine Herren!«

»Amalja Semperowa will nicht!« General Birjukow lächelte mild. »Wir zwingen keinen Menschen, gegen seinen Willen in seine Heimat zurückzukehren.«

Der Konsul sprang auf. Es war ihm unmöglich, seine Erregung länger zu unterdrücken. »Darf ich mit Betty selbst sprechen?«

»Bedaure, sie lehnt es ab.«

»Aber wieso denn?«

»Amalja Semperowa ließ uns sagen: Wenn ein Amerikaner kommt, schickt ihn weg! Ich will vergessen, wer ich war!«

»Das glaube ich nicht«, sagte der Konsul heiser.

Ankläger Frolowski hob die Schultern und sah den Amerikaner ein wenig sarkastisch an. »Glauben, lieber Herr Konsul . . . wir haben nie vom Glauben gesprochen, seit fast fünfundvierzig Jahren nicht mehr . . . nur immer die kapitalistische Welt. Nun glauben Sie auch nicht mehr. Darf man das als eine Annäherung auffassen?«

Ohne Antwort, bleich und sich wie angespuckt vorkommend, verließ der Konsul das Parteihaus.

Es war ein warmer Abend. Es taute. Das Abendrot glühte über den weißen Bergkuppen.

In dem gleichen Zimmer, in dem vor wenigen Minuten noch der Konsul gestanden hatte, saß Betty Cormick und rauchte eine von Frolowskis süßlichen Zigaretten.

»Sie fliegen morgen schon nach Moskau«, sagte der Ankläger und blätterte in einigen Papieren. »Sie werden vier Wochen in unsere Nachrichtenmethoden eingeweiht werden. Hoffen wir, daß wir Sie dann so schnell wie möglich in Ihrem Land absetzen können. Sie wissen, daß Wassilij Petrowitsch Tasskan so lange in Gewahrsam bleibt, bis wir einige wichtige Unterlagen haben. Wo, meinen Sie, wäre ein Absetzen günstig?«

»In der Wüste von New Mexiko. Dort gibt es unterirdische Kernreaktoren.« Sie sah aus dem Fenster in das Abendrot. Bei uns im Garten blühen jetzt schon die Tulpen, dachte sie. Mit einer harten Bewegung strich sie sich die schwarzen Haare aus dem Gesicht. »Wer garantiert, daß Tasskan wirklich lebt?«

»Sie werden mit ihm über Kurzwellenfunk sprechen können.« Frolowski lehnte sich zurück und blies den Qualm seiner Zigarette an die Decke. »Warum lassen Sie sich eigentlich in solch schmutzige Geschäfte ein, Amalja Semperowa?«

»Warum?« Betty Cormick hob die Schultern, als fröre sie trotz der Ofennähe. »Ich weiß es nicht – vielleicht aus Haß. Ich habe niemanden gehabt, der mich liebte.«

»Aber ich bitte Sie!« rief General Birjukow und schlug die Hände zusammen. »Es gibt doch Männer genug in Ihrem Leben!«

»Männer!« Betty Cormick zog die Lippen herunter. »Nennen Sie Gier Liebe, General?«

*

Inken Holgerson wurde in letzter Minute gerettet. Man pumpte ihr den Magen aus, gab Kreislaufmittel, Vitamine und reinen Sauerstoff. Trotzdem schlief sie zwei Tage, der Puls war flach und die Atmung kaum hörbar. Reeder Holgerson saß diese beiden Nächte an ihrem Bett und hielt die Nachtwache.

Während Inken dem Leben entgegenschlief, war für Holgerson diese Nachtwache eine seelische Läuterung. Bisher hatte er immer geglaubt, Menschen seien Material, das man formen und aufstellen könnte wie etwa einen Schiffsmast oder ein Nebelhorn. Für ihn war nur Geld ein Begriff – alles andere war zweitrangig. Natürlich, seine Tochter liebte er abgöttisch, aber auch bei ihr hatte er zu praktizieren versucht, was ihm bisher kraft seiner Gefühlskälte immer gelungen war: Eine Inken Holgerson ist neben ihrem Menschsein auch ein Objekt, das ein hohes Kapital repräsentiert. Wenn man dieses Kapital irgendwo einsetzt – etwa in einer Ehe –, muß es ein Geschäft sein, das Zinsen trägt.

Das war kein neuer Gedanke. Königs- und Fürstenhäuser hatten seit Jahrhunderten so gehandelt, der Geldadel hatte sich auf wenige Namen konzentriert eben durch diese Hauspolitik. Nun, im Zeichen eines Konjunkturaufstieges, galt es, nicht abseits zu stehen und, wie weiland Österreich mit seinen Erzherzoginnen, nun mit Inken eine Dynastie Holgerson zu gründen.

Das alles war nun vorbei. Holgerson lief in diesen beiden Nächten durch das Fegefeuer eigener Anklagen, vor allem in der ersten Nacht, als eine Krise eintrat und Professor Dahrfeld in der vorsichtigen Art der Ärzte zu verstehen gab, daß man mit dem Schlimmsten rechnen müsse.

Holgerson hatte die Hände gefaltet und die Augen geschlossen. Laß sie leben, dachte er mit zitterndem Herzen. Laß sie aufwachen, und ich werde nur noch ein Vater sein, der seiner Tochter wegen lebt. Und wenn ich dabei zu einem Trottel werde – es ist mir alles recht. Nur laß sie weiterleben.

Am dritten Tag schlug Inken die Augen auf und sah in das Gesicht ihres Vaters.

»Warum habt ihr das getan?« war ihre erste Frage. Holgerson beugte sich über sie und küßte ihre kalte, bleiche Stirn.

»Was haben wir getan?« fragte er heiser. »Es ist so schön, daß du wieder bei uns bist.«

»Ihr habt mich gerettet.«

»Ja. Natürlich.«

»Ich wollte nicht mehr leben.«

»Aber Inki!« Holgerson würgte an einem Kloß, der ihm in der Kehle aufquoll. »Das Leben ist doch so schön.«

»Warum lügst du, Paps?« Sie wandte den Kopf weg, um nicht mehr in das zuckende Greisengesicht sehen zu müssen, in dem sie, aus dieser Nähe, nur noch mit Mühe ihren Vater erkennen konnte. »Martin ist tot . . . Benno wurde von Eingeborenen erschlagen . . . ich bin zeitlebens ein Krüppel. . . warum habt ihr mich nicht sterben lassen. Es ist so schön im Nichts . . .«

»Ich werde dir ein neues Pferd kaufen, Inki. Du sollst einen ganzen Bauernhof bekommen, in der Marsch, weißt du, mit einer Kutsche, da kannst du sogar vierspännig fahren. Wir werden durch die Welt reisen, wohin du willst, wohin man uns läßt . . . von mir aus auch nach Sibirien . . .« Holgerson atmete heftig. »Nur hab wieder Mut, Kind. Hab Freude am Leben! Was soll ich denn ohne dich? Was soll ich dir denn geben, damit du wieder fröhlich bist?«

»Guter Paps.« Inken lächelte schwach. »Ich bin innerlich wie leer. Wenn ich nach innen spreche, ist es, als halle meine Stimme in einer riesigen Höhle.« Ihr Lächeln erfror. Sie tastete nach der Hand Holgersons und umklammerte seine Finger. Ihr Griff war kalt wie der einer Totenhand. »Ich habe an nichts mehr Freude, Vater«, sagte sie leise. »Ich sehe die Sonne und denke nichts dabei. Ich sehe die Blumen und denke: Auch ihr verwelkt. Ich sehe die Wolken und denke: Ein Blitz wird euch spalten. Es ist alles so furchtbar, Paps.«

Das Sprechen strengte sie sehr an. Man sah es, wie ihre Augen zu flattern begannen, wie die Lider sich darüber senkten und der Mund lautlose Worte formte. Dann schlief sie wieder, und Holgerson ging hinaus, um sich Rat bei Professor Dahrfeld zu holen.

»Sie ist psychisch völlig darauf eingestellt, diesen Martin Abels wiederzusehen«, sagte Dahrfeld. Holgerson lief nervös im Zimmer auf und ab.

»Abels ist tot! Ich kann ihn nicht wieder lebendig machen!« schrie er. »Das muß sie doch begreifen!«

»Sie will es aber nicht. Sie hofft, daß er wiederkommt.«

»Nach fast sechs Monaten! Verschollen in der tiefsten Mongolei! Herr Professor, wenn die Krankheit meiner Tochter eine psychiatrische ist . . .«

»Eine seelische – das ist etwas anderes, Herr Holgerson.«

».. . wenn sie das ist«, schrie der Reeder, »dann hänge ich mich auf! Jawohl, sehen Sie mich nicht so an! Himmel noch mal, wie kann man einem Mann nur so nachtrauern?! Ich kenne doch diesen Abels zu gut! Nichts ist an ihm dran, gar nichts Besonderes.«

»Für Sie, Holgerson. Eine Frau sieht mehr. Was wir abscheulich finden, können sie anbeten. Das bleibt ein ewiges Rätsel. Wir lösen es auch nicht. Wir müssen uns damit abfinden und uns darauf einstellen.«

»Und was soll ich jetzt tun? Ich kann keinen Abels herzaubern.«

»Reisen Sie, Herr Holgerson. Lenken Sie Inken ab. Wie ich sie kenne, wird sie sich für keinen anderen Mann mehr interessieren. Aber sie wird das Leben an sich wieder schön finden, die fremden Länder, die Schönheiten der Landschaften, den Zauber exotischer Menschen.«

»Und dabei an Abels und seine dämliche Anuschka denken.«

»Das wird der Fall sein. Wir werden es nie ändern.« Professor Dahrfeld hob beide Hände wie ein Mann, der seine völlige Armut preisgibt. »Es gibt Wunden, die nie verheilen«, sagte er leise.

*

Die größte Sorge Martin Abels' – wie er aus Rußland wieder herauskam – schrumpfte zusammen zu einem lächerlichen Zeitproblem. Mit tausend Rubel in der Tasche war der Weg vorgezeichnet wie für einen Reisenden, der zu Hause am Tisch sitzt, seine Route genau kennt und nur die Anschlüsse aus dem Kursbuch noch zusammensuchen muß.

Felkanow half Abels, bevor er zurück nach Tygdinsk fuhr. Sie gingen zum Genossen Bahnauskunftsbeamten und trugen ihm ihr Leid vor.

»Mein Freund und seine junge Frau wollen nach Sachalin«, sagte Felkanow, der den Beamten gut kannte. »Ich weiß, eine lange Reise ist das, aber kann man es ihm übelnehmen, daß sein Mütterchen die neue Frau sehen will? Er ist ein braver

Sohn, der Nikolai Stepanowitsch. Man findet heute wenig solche Söhne, Genosse!«

Nach einer Stunde langen Studiums der Fahrpläne hatte man eine gute Strecke zusammengestellt. Sie führte von Tschita erst nach Norden bis Oldoij, dann zurück nach Süden bis Birakan im tiefsten Chabarowsk. Dorthin, wo die autonome jüdische Republik der UdSSR gegründet worden war. Ein Land an den Ufern des Amur, von dem die Welt noch nie etwas gehört hat. Von Birakan ging es dann nach Wolotschajewka, vorbei an den Amurseen und über das große neue Komsomolsk hinab zum Meer, nach Sowjetskaja Gawan – dem Hafen, von dem die Boote abgehen nach der Insel Sachalin.

»Eine schöne Reise«, sagte der Bahnbeamte und setzte die Mütze auf seine schweißigen Haare, denn in wenigen Minuten ging ein Zug nach Ulan-Ude ab. »Da seid ihr gute zehn Tage unterwegs. Und die Züge, Genossen, ich sage euch . . . bei uns haben wir schon keine guten Wagen, aber da unten darf man nicht auf den Boden stampfen, sonst muß man die Strecke mitlaufen.«

»Wir werden geduldig sein«, sagte Anuschka. »Und Zeit haben wir auch.«

Sie hatten wirklich Zeit.

Beim Abschied hatte Felkanow zum erstenmal nach langen Jahren Tränen in den Augen. Er flüsterte Abels beim Abschiedskuß ins Ohr: »Grüß mir die Heimat, Kamerad. Und wenn du mal durch Bückeburg kommst . . .« Da brach er ab, weil er heulen mußte, stülpte seine Fellmütze über die Ohren und rannte einfach weg.

Nicht zehn, sondern dreizehn Tage lang ratterten Abels und Anuschka durch Gebirge und Steppen, fuhren dem Frühling entgegen, der Wärme, dem Glück.

Dann standen sie am Meer, die Wellen peitschten gegen die Kaimauern von Sowjetskaja Gawan, die Sonne schien heiß, und sie warfen ihre Pelze auf die Erde, breiteten die Arme aus und fielen sich um den Hals.

Am Abend suchte Abels ein Motorboot, das seetüchtig war. Außerhalb des Hafens fand er einen Fischer, der einen

Motorkahn besaß, mit hoher Bordwand, einem Mastbaum und zwei Motoren für Dieselöl. Mißtrauisch musterte der Fischer den Fremden, der seinen Kahn so eingehend betrachtete, legte die Korkstücke weg, die er gerade in die Netze knüpfte, ergriff ein Beil und kam auf Abels zu.

»Was soll's, Genosse?« fragte er verwundert. »Was ist an meinem Boot so interessant?«

»Kannst du fünfhundert Rubel gebrauchen?« fragte Abels zurück.

»Fünfhundert Rubel?« Der Fischer, ein Halbmongole, packte das Beil fester. Fünfhundert sind fast ein Jahreseinkommen, dachte er. Ein armer Mensch, dieser sonst große und wohlgeformte Genosse. Er hat ein kleines, zerstörtes Hirn. »Geh weiter, Brüderchen«, sagte er mild. »Die frische Luft wird dir guttun.«

»Ich gebe dir fünfhundert Rubel.« Abels griff in die Tasche und hielt dem Fischer die Scheine unter die Nase. Es war, als habe er ihm eine Zwiebel hingehalten, so gingen ihm die Augen über.

»Wofür, Genosse?« stammelte der Halbmongole. »Das ist ein böser Scherz.«

»Ich möchte dich und dein Boot mieten.«

»Für fünfhundert Rubel?!«

»Du sollst mich und meine Frau nach Japan bringen.«

»Nach Japan?«

»Es ist von hier vierhundertfünfzig Werst weit entfernt.«

»Du bist wirklich verrückt, Genosse! Wir werden eine Woche lang auf der See sein.«

»Und wenn es zwei Wochen sind! Wann kannst du einfacher fünfhundert Rubel verdienen?«

Bis zum Morgengrauen überredete Abels den Fischer, dann hatte er ihn besiegt. Fast das halbe Boot füllten sie mit Dieselölkanistern, nahmen Verpflegung für fünfzehn Tage an Bord und fuhren am übernächsten Morgen, beim Morgendämmern, ab.

Sie brauchten sieben Tage, bis sie das japanische Cap Soja erreichten. Das Glück war mit ihnen, die See blieb ruhig, die gefürchteten Frühjahrsgewitter blieben aus. An einer einsamen Stelle des Caps setzte der Fischer sie an Land, nahm seine fünfhundert Rubel, sah Abels lange an und sagte dann zum Abschied: »Genosse, auch wenn du ganz vernünftig sprichst – ein Idiot bist du doch!« Dann ratterte das Boot zurück in die See, ein tanzender Punkt auf den Wellen, der bald am Horizont verschwand.

Zu Fuß, über steinige Gebirgsstraßen, erreichten Abels und Anuschka am späten Abend die Militärstation Tombetsu und meldeten sich bei dem Kommandanten, einem japanischen Oberst. Er hörte sich die Erzählung des Deutschen an, verbeugte sich höflich vor Anuschka und gab per Funk die unglaubliche Meldung durch: Am Cap Soja ist ein Deutscher gelandet, der aus Sibirien kommt.

Am Morgen wurden sie von einem Hubschrauber abgeholt und nach Otaru gebracht. Dort wartete eine Militärmaschine auf sie, die sie weiterflog nach Tokio.

Am Abend dann, nach mehrstündigen Verhören im Generalhauptquartier, wurden Anuschka und Martin Abels zur deutschen Botschaft gebracht. Todmüde, sich nach Ruhe sehnend, taumelten sie in das Gebäude und das Zimmer des Botschaftssekretärs.

Wie anders sie hier alle aussehen, dachte Anuschka und starrte den deutschen Diplomaten an. Weiße Hemden mit steifen Kragen tragen sie, und einen Schlips aus Seide daran. Und ihre Anzüge sind wunderbar geschnitten und so genäht, daß man gar keine Stiche sieht. Sie riß die Augen auf, betastete die Polstermöbel und wagte nicht, sich darauf zu setzen.

Abels sah das alles nicht. Er stand vor dem Tisch des Botschaftsrates und berichtete kurz, was er in den letzten Stunden ungezählte Male wiederholt hatte.

»Abels heißen Sie?« fragte der Botschaftsrat. »Martin Abels aus Bremen? Moment mal, da ist doch etwas . . .«

Er ging hinaus und kam nach einigen Minuten mit einer Akte wieder. Sein Gesicht war ernst und verschlossen.

»Ja, es stimmt«, sagte er hart. »Abels. Sie stehen hier auf deutschem Boden, mein Herr. Ich habe die Weisung, Sie zu inhaftieren und später nach Deutschland zu überstellen. Gegen Sie liegt ein Fahndungsersuchen des Bundesverfassungsschutzamtes in Köln vor.«

»Des was?« fragte Abels entgeistert. »Ich werde verhaftet? Aber, um Himmels willen, warum denn?! Ich komme doch aus Sibirien, ich habe Anuschka, meine Frau, geholt.«

»Sie sind verdächtig des Landesverrates«, sagte der Botschaftsrat steif. »Bitte, machen Sie keine Schwierigkeiten.«

Es war der Augenblick, wo Abels lachte. Er lachte so wild und ungebändigt, daß er sich krümmte und sich den Magen festhielt, weil es schmerzte, aber er konnte nicht anders . . . er lachte und spürte, wie aus dem Lachen schreiende Hysterie wurde, ein Ausbruch zerrissener Nerven, wie er fürchterlicher nicht sein konnte.

»Tinja! Was ist denn?!« rief Anuschka und umklammerte ihn, streichelte sein zuckendes Gesicht und versuchte, den Lachenden an sich zu pressen. »Was hast du denn? Tinja! Mein Tinja! Du bist ja ganz von Sinnen! So habe ich dich nie gesehen. Nie. Was ist denn, mein Gott?!«

Abels richtete sich auf und warf die Arme um Anuschkas schlanken Körper.

»Nichts, Anuschka!« sagte er laut und noch keuchend von seinem Lachkrampf. »Sie haben mich begrüßt, wie es bei uns üblich ist. Wir sind verhaftet, mein Kleines! Oder besser: Wir sind endlich zu Hause!«

Der Botschaftsrat stand konsterniert hinter seinem Schreibtisch und spielte nervös mit dem Aktenstück. Er tat nur seine Pflicht, er vollzog lediglich eine Amtshilfe, zu der er aus Deutschland gebeten worden war. Ob der Verdacht zu Recht bestand oder nicht, das durfte ihn nicht kümmern, das war Angelegenheit der bittenden Behörde in Köln. Wo käme man hin, wenn jeder Beamte seine Akten auf Richtigkeit prüfen wollte? Man würde ja nie fertig. Und die Presse würde wieder schimpfen über die Bummelei deutscher Bürokratie.

»Verhaftet?« fragte Anuschka und sah mit ihren großen schwarzen Augen den deutschen Botschaftsrat an. Sie bemühte sich, deutsch zu sprechen, sie suchte die wenigen Worte zusammen, die sie von der Schule her behalten hatte und die Abels sie gelehrt hatte. »Warum? Tinja ist gutter

Mann. Nix schlecht Tinja. Hier ist Freiheit, nicht? Saggen warum, Towarisch.«

Der Botschaftsrat setzte sich. Immer muß man die unangenehmen Dinge allein machen, dachte er. Mit gerunzelter Stirn blickte er zu Martin Abels. Dieser hatte sich in einen Sessel fallen lassen und kämpfte noch mit der Atemlosigkeit, die nach dem hysterischen Lachausbruch gefolgt war. Sein Gesicht war hochrot, er hatte sich das Hemd aufgerissen und lehnte den Kopf weit nach hinten. Seine Kleidung war schmutzig und an vielen Stellen eingerissen, mit Lehm und Staub verschmiert, die Schuhe hatten durchgelaufene Sohlen, ein drei Tage alter Bart sproß über das wie gegerbt aussehende Gesicht.

Er sah einem Landstreicher ähnlicher als einem Mann, der in Deutschland eine der bekanntesten Kugellagerfabriken besitzen sollte. Er mußte, so dachte jeder, der ihn jetzt sah, aus der Gosse kommen, aus den Slums von Tokio, vom Hafenviertel, wo er in den Lagerschuppen übernachtete oder unter den Brücken.

»Sie haben keinen Paß mehr?« fragte der Botschaftsrat mit deutlicher Reserve. Abels warf den Kopf nach vorn auf die Brust und starrte den eleganten Herrn hinter dem polierten Schreibtisch an.

»Doch. Eine sowjetische Kennkarte auf den Namen Nikolai Stepanowitsch Arkadjef.«

»Ich denke, Sie heißen Abels?« Der Botschaftsrat blätterte in dem Aktenstück. »Sie fuhren nach Japan, ließen sich gegen den Rat der Botschaft mit einem mongolischen Flugzeug in die Mongolei fliegen und wurden da vermißt. Uns wurde gemeldet, daß Sie kurz darauf der Aufsicht der mongolischen Regierung entflohen. Man nahm an, daß man Sie entweder getötet habe oder daß Sie im Auftrage eines östlichen Geheimdienstes . . .«

»Aber das ist doch Blödsinn!« schrie Abels. Er hatte keine Veranlassung, sich zu beherrschen. Er sprang auf und hieb mit der Faust auf den Tisch. »Ich bin illegal nach Sibirien gegangen, ich bin zu Fuß von der Mongolei bis zur Lena, bis nach Torusk, um Anuschka zu holen!«

Der Botschaftsrat lächelte leicht. »Das soll man Ihnen glauben?«

»Da steht sie ja, das Mädchen Anuschka! Ist das kein Beweis?!«

»Wer sagt, daß sie aus Torusk kommt?«

Die Verblüffung ließ Abels wieder in den Sessel zurücksinken. »Aber . . . aber woher soll sie denn sonst kommen?«

»Das weiß ich nicht. Haben Sie Beweise?«

»Beweise –« Abels schlug die Hände vor das Gesicht. »O Gott! Wie konnte ich in Sibirien vergessen, eine amtliche Abmeldebescheinigung für Anuschka zu holen. Mit Stempel und Unterschrift. Einwohnermeldeamt Schigansk.«

»Das wäre natürlich am besten gewesen.«

»Mein Herr! Begreifen Sie nicht? Ich habe Anuschka aus diesem Land herausgeholt. Wir sind geflüchtet aus Sibirien. Wir haben gedacht, unser weiteres Leben in der Freiheit genießen zu können. Freie Menschen in einer freien Welt! In einer Gemeinschaft, die so gern und so oft in alle Winde schreit: *Wir* sind die einzige freie Welt. Bei uns gilt das Menschenrecht! Darum sind wir Tausende Kilometer durch Taiga und Steppe gezogen, ohne amtliche Abmeldung, ohne den Segen einer Behörde, die uns von Torusk aus vielleicht nach Karaganda oder hinauf an die Eismeerstraße in ein Straflager verschickt hätte!« Abels holte tief Luft. »Aber ich sehe es ein, ich erkenne es ganz klar: Es war ein Fehler. Ein Beamter braucht einen Stempel und eine Unterschrift unter einem Vordruck. Ohne behördliche Bescheinigung ist man kein Mensch.« Und plötzlich sprang er auf, riß die verschüchterte Anuschka mit einem Ruck an sich und preßte sie hart an seine Brust. »Komm, Anuschka, mein Täubchen!« schrie er wild. »Wir gehen wieder zurück nach Torusk! Wir müssen den Genossen Distriktkommissar Borja Grigorjewitsch Amganow um eine Abmeldung bitten, sonst ist es schwer, einen deutschen Beamten von der Existenz eines Menschen zu überzeugen.«

Der Botschaftsrat lächelte sauer. »An dieser Rede erkenne ich Ihr Deutschtum, Herr Abels«, sagte er gepreßt. »Nirgends in der Welt ist der Behördenhaß so groß wie bei uns. Sie brauchen keinen Paß mehr – ich glaube Ihnen, daß Sie Abels sind.«

»Was sagt er, Tinja?« fragte Anuschka kläglich und verbarg ihren Kopf an Martins Brust.

»Er hat mich erkannt, Anuschka.« Abels sah über die schwarzen Haare Anuschkas hinweg auf den Botschaftsrat. »Bitte, senden Sie ein Blitztelegramm nach Bremen. An Rechtsanwalt Dr. Ludwig Petermann. Er hat in meiner Abwesenheit die Aufsicht über meine Werke übernommen. Telegrafieren Sie, daß ich hier bin und daß er mir und Anuschka das Geld für einen Rückflug überweisen soll.«

»Ein Telegramm ist bereits unterwegs.« Der Botschaftsrat schloß den Aktendeckel und erhob sich. »Nach Köln. Zum Verfassungsschutzamt. Es kann sein, daß Sie sogar auf Staatskosten reisen.« Er versuchte wieder sein entschuldigendes Lächeln, eingeübt für den Umgang mit den höflichen Japanern. »Ich tue nur meine Pflicht, Herr Abels. Ich kann eine erbetene Amtshilfe nicht einfach ignorieren, zumal der ganze anstehende Komplex sich meiner Beurteilung entzieht.«

»Das war ein schöner deutscher Beamtensatz«, sagte Abels ironisch.

Ohne Entgegnung verließ der Botschaftsrat das Zimmer. Immer wir Beamten, dachte er erbost. Wir Deutschen sind ein merkwürdiges Volk – Gewissenhaftigkeit wird als Sturheit angesehen. Nie würde einem Japaner so etwas einfallen. Für ihn ist der Beamte ein Diener des Staates, den er liebt. Ein Diener! Der Botschaftsrat blieb verblüfft auf der Diele stehen und drückte das Aktenstück an sich.

Diener, dachte er. Ein dummer Ausdruck. Schon der Alte Fritz sagte so etwas. Leben wir im Zeitalter des Alten Fritzen? Na also! Es wäre wirklich notwendig, daß die Menschen einsehen, daß ein Beamter der Träger und Wahrer öffentlicher Ordnung ist. Ein schweres Amt, das gar nicht hoch genug eingeschätzt werden kann. Aber Diener? Wir sind doch keine Lakaien.

»Was wird nun aus uns?« fragte Anuschka, als sie allein im Zimmer waren. Abels trat an das Fenster und sah hinaus in den Garten der Botschaft. Auf einer Wiese spielte eine junge, weißgekleidete Dame Federball mit einem Herrn in leuchtend weißen Shorts und einem gelblichen Polohemd. Unter einem bunten Sonnenschirm stand ein Tisch aus Flechtrohr, und auf ihm glitzerten Gläser und ein Siphon in der Sonne. Über dem Park, den Bäumen und den Hausdächern lag eine goldorangene Tönung. Der Tag versank im Meer, wie die Japaner sagen. Beim Anblick der Gläser bekam Abels einen unbändigen Durst. Er stellte sich vor, daß in diesem Siphon eisgekühltes Bier sei oder Orangensaft oder auch nur Sodawasser – aber es war kalt, es rann durch die Kehle, es erquickte, löschte das Brennen im Körper, kühlte das Blut, besänftigte das wild schlagende Herz. Trinken! Wann hatte er zum letztenmal getrunken? Im japanischen Armeehauptquartier, beim Verhör vor General Yonischaka. Er bot ihm Whisky an, mit Eiswürfeln, und er hatte das Eis in den Mund genommen und von Backe zu Backe gerollt, als käme er aus der glühenden Gobi und nicht aus Sibirien, aus der verschneiten, vereisten Taiga, aus 45 Grad Frost.

»Hast du keinen Durst, Anuschka?« fragte er mit spröder Stimme, als sei seine Kehle eingetrocknet.

»Nein, Tinja. Ich habe Angst.«

»Wovor?«

»Vor diesen fremden Menschen. Was machen sie mit uns? Ich denke, sie sind deine Freunde?«

»Das sind sie auch, Anuschka.« Abels zog sie an sich und küßte ihre flatternden Lider. »Hier ist nicht mehr Rußland, hier gibt es keinen Amganow und keinen Samsonow, keinen Unjeski oder Alajew. Bei euch kann man sagen: ›Genosse, sei nicht blöd!‹, und du kommst doch in kein Lager – hier kommst du hinter eine feste Tür, wenn du bloß sagst: Herr Regierungsrat, seien Sie nicht blöd.«

»Aber wenn er doch wirklich dumm ist, Tinja?«

»Das spielt keine Rolle. Bei uns darf man nicht alles sagen, auch wenn es wahr ist. Man muß höflich sein, und Höflichkeit besteht zu neunzig Prozent aus Lüge.« Abels lächelte bitter. »Du mußt vieles lernen, Anuschka. In Sibirien hattet ihr Angst vor der Politik, vor dem Politruk, vor den Befehlen aus Moskau, vor dem staatlichen Soll, vor der Gefahr, nicht sozialistisch, sondern bourgeois zu sein. Das alles gibt es bei uns nicht. Hier sind wir wirklich frei. Aber bei uns ist die größte Gefahr der Mensch, Anuschka, dein Nächster, dein Freund, dein Kamerad, dein Partner, dein guter Bekannter, der Fremde, mit dem du in Verbindung kommst. Alle werden dich irgendwann und irgendwie belügen, sie werden dich betrügen, zu übervorteilen versuchen, dich an die Wand drükken, dich diffamieren, Klatsch über dich erzählen und Gerüchte verbreiten. Sie werden dich umarmen und küssen, auf die Schulter klopfen und dich hochleben lassen, dich loben und preisen, dir recht geben und dir zuhören, als verkündest du ein neues Evangelium – und im Inneren werden sie denken: ›Diesen Kerl sollte man umbringen!‹, oder: ›Dieses Weibsbild müßte man vergiften!‹ Man wird deine Kleider loben und denken: ›Wie geschmacklos sie wieder herumgeht‹, und man wird vor Neid gelb werden und vor Mißgunst einen Gallenanfall bekommen und sagen: ›Ach, meine Liebe, meine dumme Migräne. Sicherlich ist Föhn – es wirft mich immer um. Ich war schon immer ein zartes Geschöpf.‹ Und du stehst inmitten dieser Lüge und dieses laufenden Betruges, weißt, daß man dich betrügt – und lügst mit, weil es eben nicht anders geht.«

»Ich werde nie lügen, Tinja. Nie! Ich habe noch nie gelogen.« Anuschkas schöne schwarze, schräge Augen blitzten auf. »Ich werde allen sagen, was ich denke.«

»O Himmel! Armes Bremen!« Abels lachte, aber Bitterkeit schwang in seiner Stimme mit. »Wir werden in die Heide ziehen müssen, in die völlige Einsamkeit.«

»Ich verstehe das nicht.« Anuschka setzte sich in den Sessel und schlug die Beine übereinander. Sie trug noch immer die blauen sibirischen Leinenhosen, wie man sie im Sommer anzieht, der Mücken wegen, die aus den Wäldern und Sümpfen kommen und jede nackte Hautstelle anfallen wie blutgierige Bestien. »Warum mögen sie die Wahrheit nicht? Gibt es Schöneres als die Wahrheit, Tinja?«

»Was soll ich darauf antworten?« Abels starrte wieder auf die Gläser und den Siphon im Garten. Der Abend war gekommen, eine bläuliche Dunkelheit zog über das Land, die

Federballspieler saßen neben dem Tisch in niedrigen Rohrsesseln und lachten miteinander.

»Wenn jemand häßlich ist, sagst du das?«

»Ja! Und in Torusk wird er antworten: Mein Täubchen, das weiß ich! An jedem Strauch gibt es taube Nüsse.«

»Verlange vom Westen nicht diese Selbsterkenntnis. Wenn du einer Dame sagst: ›Ihre Frisur ist aber scheußlich!‹, wird sie dir das bis zu ihrem Lebensende nie vergessen. Bei euch in der Taiga ist die Wahrheit so selbstverständlich wie das Wachsen der Bäume – bei uns ist die Wahrheit das Deprimierendste überhaupt, weil wir alle in der Wärme eines Selbstbetruges leben.«

Der Botschaftsrat kam zurück. Im Pressebüro hatte der Fernschreiber eine Meldung aus Deutschland aufgefangen. Mit dem aus dem Schreibkasten herausgerissenen Zettel in der Hand betrat der Beamte das Zimmer. Sein Gesicht war verändert – es glänzte vor Jovialität und Freundschaft. Abels war versucht, Anuschka anzustoßen und ihr zuzuflüstern: Hör ihm genau zu. Die große Lüge beginnt. Wir sind wieder in die Gemeinschaft aufgenommen.

»Ich freue mich, daß sich alles so schnell klärt«, rief der Botschaftsrat und schwenkte das Fernschreiben. »Ihr Rechtsanwalt bürgt für Sie, das Verfassungsschutzamt hat nichts dagegen, wenn Sie als Privatfluggast zurückkommen.«

»Wie nobel«, warf Abels bitter ein.

»Ihr Wiederauftauchen hat in der Heimat große Freude ausgelöst. Dr. Petermann muß außer sich gewesen sein. Sein Telegramm beginnt mit den Worten: Gratuliere! Gratuliere! Gratuliere!«

»Der gute Petermann«, sagte Abels. »Er freut sich wirklich.«

»Wir alle freuen uns, Herr Abels. Sie müssen ja eine tolle Odyssee hinter sich gebracht haben. Darf ich die gnädige Frau begrüßen?« Er kam auf Anuschka zu, hob ihre Hand zu den Lippen und hauchte den konventionellen Handkuß. Mit einem Erschrecken entzog ihm Anuschka die Hand und legte sie auf den Rücken. Und dann bewies sie, was sie unter Wahrheit verstand.

»Oh!« sagte sie unbefangen, »noch nix gewaschen Hand. Noch dreckig wie Mist.«

Der Botschaftsrat lächelte höflich und mokant, machte eine kurze Verneigung und sah dann Abels an. Es war ein Blick, der wie ein stummer Vorwurf war: Sie ist bildhübsch, gewiß ... aber was soll sie hier unter uns? So etwas kann man lieben ... aber man heiratet es nicht, mein Herr.

»Ihre deutschen Sprachkenntnisse sind noch unvollkommen«, sagte Abels genußvoll. Er hätte Anuschka an sich reißen und wie ein Irrer küssen können. »Sie spricht eine Art Landserdeutsch. Überbleibsel meiner Sprachkurse in Torusk, vor acht Jahren. Damals sagten wir lieber Scheiße als Fäkalien.« Abels trat vom Fenster weg und dehnte sich. »Da wir nun wieder Bürger einer geordneten Welt sind, hätte ich einige Wünsche, Herr Rat: Für jeden von uns ein Bier – das wäre das Wichtigste.«

»Ich soll Ihnen eine Einladung des Herrn Botschafters überbringen, Herr Abels. Er möchte das Abendessen mit Ihnen und Ihrer Gattin einnehmen.« Der Botschaftsrat schielte wieder zu Anuschka. Er dachte an die Tafelgespräche und an die Möglichkeit, daß aus diesem wunderschönen Mund die Worte kommen könnten: »Fleisch nix gutt! Zu hart. Mist!«

Er errötete schon im voraus.

»Sagen Sie dem Herrn Botschafter unseren herzlichen Dank. Aber so, wie wir sind?« Abels zeigte an sich hinunter. »Für einen Lumpenball reicht es. Ich bitte Sie, mir Geld zu leihen. Mein Anwalt hat ja gebürgt für jede Summe. Wir möchten uns zunächst neu einkleiden.«

»Aber selbstverständlich. In Tokio haben wir ja keine Ladenschlußzeiten. Sie können zu jeder Stunde ...«

»Ich weiß. Ich bin nicht das erstemal in Japan.«

Mit dem Bewußtsein, wieder Martin Abels aus Bremen zu sein, wuchsen in ihm auch wieder Haltung und Ausdrucksweise eines westlichen reichen Mannes. Der Martin Abels, der im Dschungel der mongolischen Grenze durch das Schilf kroch, der in der Taiga in Schneehöhlen schlief, der Wölfe und Tiger jagte und zweitausend Kilometer zu Fuß durch das einsamste Land dieser Erde zog, nur begleitet von Akja, dem

Wolfshund – dieser bärtige, durch den Schnee stampfende, in Pelzen vermummte Martin Abels, den sie Nikolai Stepanowitsch nannten, zerrann und löste sich auf in Erinnerungen. Der Botschaftsrat spürte es, sogar Anuschka starrte ihren Tinja mit großen, fragenden Augen an. Eine andere Stimme hat er, dachte sie. Und sein Körper ist anders, in der Haltung, in der Bewegung. Ganz fremd ist er plötzlich, und doch ist er Tinja, mein Geliebter, meine Welt, mein alles, was ich habe.

»Ihnen steht jede Summe zur Verfügung, Herr Abels«, sagte der Botschaftsrat mit größter Höflichkeit. »Wenn ich Ihnen einen unserer Attachés mitgeben dürfte. Die jungen Herren kennen die besten Ausstattungsgeschäfte in Tokio.«

»Das wäre mir lieb.« Abels knöpfte seine Jacke auf. Das Hemd darunter war durchgeschwitzt und schmutzig. Er hatte es angehabt von Tschita bis Sowjetskaja Gawan an der Küste. »In diesem Hemd habe ich einen Tiger geschossen«, sagte Abels und bohrte den Finger in ein daumengroßes Loch. »Alles, was ich jetzt anhabe, werde ich mitnehmen und zu Hause in einen Glaskasten hängen. Und immer, wenn ich es sehe, werde ich denken: Martin, vergiß Torusk nicht. An diesem einsamsten Ort der Welt hast du dir dein Glück geholt.«

»Die deutsche Romantik.« Der Botschaftsrat faltete die Hände über dem Bauch. »Ich beneide Sie um Ihre Gattin, Herr Abels.«

»Das ist gelogen.« Abels lächelte spöttisch zurück. »Ich weiß, was Sie in Wahrheit denken. Keine Angst, ich spreche es nicht aus. Ich bemühe mich ja schon, wieder westlich zu denken.«

＊

Am gleichen Abend kleideten sie sich unter Assistenz des Kulturattachés in einem der besten Tokioer Geschäfte neu ein. Abels kaufte einen Maßanzug, sechs Seidenhemden, Seidenschlipse, schmale, spitze Schuhe aus weichem Leder, atmungs- und hautsympathische Nylonunterwäsche, diskrete Strümpfe. Er erstand einen Trenchcoat mit ausknöpfbarem

Kamelhaarfutter, einen weichen Filzhut und ließ noch einen zweiten Anzug einpacken, etwas dicker im Stoff und dunkler. In Bremen wird es regnen, dachte er. Wir haben April. Da ist Deutschland trüb und windig. Aber die Osterglocken blühen schon längst und die Tulpen und Hyazinthen. Und die Forsythien leuchten golden in den Gärten, und wenn wir Glück haben und es waren vorher warme Tage, stehen die wundervollen Blütenkelche der Magnolien in voller Pracht.

Anuschkas Einkleidung vollzog sich ohne seine Anleitung in einem Modesalon, von dem der Kulturattaché vertraulich mitteilte, daß auch die Frau Botschafter hier ihre Garderobe beziehe. Es dauerte drei Stunden, bis Anuschka nach Ansicht der Direktrice alles besaß, was zu einer modernen, hübschen jungen Frau gehört.

Dann kam sie aus den hinteren Räumen nach vorn. Der Kulturattaché schnellte vom Sitz, Martin Abels blieb wie gelähmt sitzen.

Ein Bild war lebendig geworden, ein Traumbild; eine Schönheit war gegenwärtig, wie sie kein Zeichner darstellen, kein Wort beschreiben, keine Melodie besingen kann. Es gibt eine Grenze menschlicher Darstellungskraft – die Schönheit Anuschkas hatte sie übersprungen. Sie war vollkommen, und selbst das Wort vollkommen war zu klein geworden.

Sie stand allein in dem salonähnlichen Laden und blickte Abels aus ihren großen, schrägen Augen traurig an. Aber gerade diese Traurigkeit, diese Schwermut, eingebettet in ein unbegreiflich schönes Menschsein, gab ihr die letzte, stumm machende Faszination. Hinter ihr, in der Tür, lachte das breitflächige Gesicht der japanischen Direktrice des Modesalons. Sie war stolz, eine solch schöne Frau bekleidet zu haben.

»Ich komme mir vor wie ein Kleiderständer, Tinja«, sagte Anuschka kläglich, als niemand etwas sprach. »Wie sehe ich denn aus?«

»Man müßte beten: Gott, ich danke dir für diese Schöpfung«, sagte Abels leise.

»Du spottest, Tinja. Ich ziehe alles wieder aus.«

»Um Gottes willen! Nein! Du bist wunderbar, Anuschka.«

»Alles haben sie mir eingeschnürt. Sieh dir das an. Die Brüste, den Leib, die Hüften . . . Einen richtigen Panzer haben sie mir angelegt. Und sieh dir die Schuhe an. Die Absätze. Ich gehe wie auf Stelzen.«

»Deine Beine sind unwahrscheinlich schön.« Abels sah zur Seite. Der Kulturattaché starrte Anuschka an, als begriffe er noch immer nicht, daß ein lebender Mensch so herrlich sein kann. »Ich werde Angst haben müssen. Jeder Mann wird nicht anders können, als dich anzubeten.«

»Ist das wahr, Tinja?« Sie ging zu dem großen Spiegel an der Wand, etwas unsicher in den Stöckelschuhen hoppelnd, aber mit einer Grazie und einem natürlichen Schwingen der Hüfte, das einem Mann den Speichel in die Mundhöhle treibt. Sie drehte sich vor dem Spiegel, sah mit gerunzelten Augenbrauen ihr Bild an, hob das Perlonkleid mit dem großen Blumenmuster bis über die Knie hinauf, dehnte die Brust und strich darüber, griff dann in die langen schwarzen Haare, die man nach hinten gelegt hatte, schüttelte sie auseinander und ließ sie wild über die Schultern fließen, ungebändigt wie ihre Natur, geheimnisvoll und atemberaubend wie die Weite der Taiga mit ihren noch heute unerforschten Urwäldern.

»Armes Bremen!« sagte Martin Abels wieder. »Du wirst an Komplexen leiden.«

Das Abendessen beim deutschen Botschafter verlief in der gepflegten Atmosphäre eines kulturbewußten Mannes. Abels erzählte in großen Zügen von seiner Wanderung nach Torusk, und immer wieder sah man Anuschka an seiner Seite an, dieses Mädchen mit dem ungreifbaren Zauber asiatischer Grenzenlosigkeit. Sie lächelte verschämt, wenn sie die Blicke merkte, sprach kaum ein Wort, sondern antwortete, wenn man sie fragte: »Ich nix verstehn. Aber werde lärnen deitsch bestimmt.« Und dann war wieder ihr Lächeln da, von dem ein Japaner sagen würde, es gleiche der aufgehenden Sonne über dem Fudschijama. Etwas Schöneres gibt es nicht.

Man gab ihnen ein Zimmer im Gästehaus der Botschaft und sagte ihnen, daß ein Boy sie rechtzeitig wecken werde. Das Flugzeug flog um 7 Uhr früh von Tokio ab, mit Zwischenlandungen in Bangkok und Karatschi.

Über Tokio stand eine warme, helle Nacht, als Anuschka

ans Fenster trat und es weit aufriß. Blütenduft aus dem Park zog ins Zimmer, irgendwo zwischen den Büschen plätscherte ein Brunnen und zirpten Grillen in den Gräsern.

»Wie habe ich mich benommen, Tinja?« fragte Anuschka und drehte sich um. Martin Abels stand an der Tür und konnte den Blick von seiner schönen Frau nicht abwenden. Sie senkte den Kopf und ließ die langen schwarzen Haare wie einen Schleier über ihr Gesicht fallen. »Wenn du mich so ansiehst, Tinja, werde ich wieder verlegen. Du bist mein Mann, und ich tue alles, was du willst. Ich lüge auch –«

»Du hast dich fabelhaft benommen, Anuschka.« Abels ging auf sie zu und nahm sie in seine Arme. Er strich die Haare aus ihrem Gesicht und sah in ihre strahlenden, schwarzen, schrägen Augen. »Du darfst nie lügen . . . du sollst es dir gar nicht angewöhnen, Anuschka. Du sollst immer und überall nur die Wahrheit sagen.«

»Aber wenn es nicht gut ist, wie du sagst.«

»Was kümmert's uns? Wir leben sowieso in unserer eigenen kleinen Welt.«

»Und deine Freunde?«

»Sie werden sich umstellen müssen.«

»Und die anderen Frauen?«

»Sie werden es schlucken müssen.«

»Und wenn sie mich hassen?«

»Das werden sie bestimmt.«

»Dann mußt du mich trösten, Tinja.« Sie legte den Kopf an seine Schulter, und plötzlich zitterte sie, als friere sie. »Ich habe solche Angst vor Deutschland, Tinja«, flüsterte sie. »Du darfst mich in der ersten Zeit nicht allein lassen, nicht eine Stunde. Wenn du mich allein läßt, werde ich mich verkriechen wie ein gejagter Fuchs.«

In der Nacht wachte Abels auf. Anuschka lag in seinen Armen, und noch immer zitterte sie. Die Angst vor dem neuen Leben verfolgte sie bis in den Schlaf, bis in den Traum. Er küßte ihre ein wenig geöffneten, bebenden Lippen und spürte, wie kalt sie waren. Behutsam zog er sie näher zu sich, deckte sie zu, spürte, wie ihre Körper sich gegenseitig wärmten und wie Anuschkas inneres Zittern nachließ. Sie seufzte leise im Traum, bewegte den rechten Arm, griff im Schlaf nach Martin und legte die Hand auf seine Brust. So zärtlich, so selbstverständlich war das, als sei es nie anders gewesen.

»Für dich erwürge ich den Teufel«, flüsterte Abels ihr ins Ohr. Sie wachte nicht auf, sie schlief weiter, aber es war, als habe sie es doch gehört. Über ihre Lippen glitt ein Lächeln.

✳

Die Nachricht von der Rückkehr Martin Abels' wirkte in Bremen wie ein Deichbruch. Rechtsanwalt Petermann las zunächst das Telegramm aus Tokio mehrmals durch, dann unternahm er einen jugendlichen Kraftakt, indem er einen Luftsprung andeutete, was seiner Sekretärin sprachloses Erstaunen entlockte. Darauf rief er als erstes den gemeinsamen Stammtischfreund und Kriegskameraden, Metzgermeister Heinz Fernholz, an und sagte mit brüllender Begeisterung: »Heinz! Halt dich am Hauklotz fest: Martin ist wieder da! Er ist in Tokio. Mit seiner Anuschka!«

Eine Antwort wartete er nicht ab. Sie war auch nicht nötig, denn eine Viertelstunde später raste Heinz Fernholz mit seinem Wagen heran und stürzte in die Kanzlei Petermanns.

»Wo ist er?« schrie er. »In Tokio? Zurück aus Sibirien? Und er hat wirklich seine Anuschka mitgebracht, dieses Mädchen aus Torusk? Mensch, da wirste doch verrückt! Das ist das größte Abenteuer des Jahrhunderts! Unser Martin! Los! Telegrafiere zurück.«

»Schon geschehen. Geld ist unterwegs, eine amtliche Auskunft – der Knabe ist ohne jeden Paß gelandet, das heißt, er hat ein sowjetisches Papierchen auf den Namen Arkadjef.«

»Arkadjef? Das sieht ihm ähnlich!« Heinz Fernholz wischte sich den rinnenden Schweiß aus den Augen. Es war ein warmer Apriltag, der zweite nach einer langen kühlen Regenperiode. »Wann kommt er denn?«

»Ich nehme an, mit dem nächsten Flugzeug.« Rechtsanwalt Petermann hatte sein Büro geschlossen, ebenso wie Fernholz seine Metzgerei für heute seinem Gesellen überließ. »Ich habe sofort alles, was nötig ist, veranlaßt. Die Direktion der

Abels-Werke weiß Bescheid. Junge, die sind fast vom Stuhl gefallen! Die werden ihren Chef empfangen wie einen Auferstandenen. Und ja, Holgerson habe ich auch angerufen.«

»Warum denn das?« fragte Fernholz tadelnd.

»Ich hielt es für meine Pflicht.«

»Und was sagte er?«

»Wenig. Er war betroffen. Er bat mich als erstes, vor der Presse zu schweigen. ›Verhindern Sie bitte jede Sensation‹, sagte er wörtlich. ›Ich bitte Sie als Vater einer nervenschwachen Tochter um diesen Dienst.‹ Ich nehme an, daß er sich den Kopf darüber zerbricht, wie er es Inken beibringen soll. Der Mann tut mir leid, Heinz . . . und für Inken kommt jetzt die schwerste Stunde überhaupt. Ich weiß, daß sie immer im stillen geglaubt hat, daß Martin doch noch zurückkommt – aber allein, ohne Anuschka. Diese große Hoffnung hielt sie aufrecht. Nun ist es eingetroffen, aber Anuschka ist dabei. Für Inken bedeutet das den endgültigen Verzicht auf Martin.«

Ludwig Petermann setzte sich auf die Kante seines Schreibtisches und stieß den nachdenklichen Fernholz gegen die Schulter. »Du, sag mal, was ist eigentlich an Martin dran, daß die Frauen in ihm immer ihre große Liebe sehen?«

»Er ist eine Mischung von Manager und Romantiker.« Fernholz steckte sich eine Zigarette an und sah dem Qualm nach wie einem Schmetterling. »Er erweckt Bewunderung und Mutterinstinkte. Gegen eine solche Mischung ist eine Frauenseele einfach machtlos; sie schmilzt dahin wie Eis auf glühenden Kohlen.«

Petermann schwieg. Er starrte auf das Muster des Teppichs.

»Wie, glaubst du, sieht diese Anuschka aus?« fragte er dann.

Fernholz hob die Schultern.

»Auf keinen Fall wie eine Matka. Sie muß einen eigenwilligen Reiz haben. Ich stelle sie mir vor wie eine Halbasiatin. Vielleicht werden wir sprachlos sein, Ludwig.«

»Ich habe ein wenig Sorge darum.« Petermann ließ sich vom Schreibtisch auf den Boden gleiten und wanderte in seinem Büro unruhig hin und her. »Du bist Metzger, Heinz. Nichts gegen Metzger. Man mag deine Wurst, man kauft deine Steaks, man bestellt bei dir Kasseler und die Rippchen im Pökel. Und Weihnachten lieferst du Puten und polnische Gänse. Aber in die Gesellschaft riechst du nicht hinein.«

»Gott sei Dank. Ich wäre wie ein Stier vorm roten Tuch.«

»Martin aber gehört dazu. Er hat ein großes Werk, er ist Millionär, er hat gesellschaftliche Verpflichtungen. Geschäfte werden ab einer bestimmten Größenordnung nicht mehr im Büro, sondern bei Partys, Jagdessen, Reiterfesten, Jachtturnieren und Hausbällen gemacht. Ein Glas Portwein am flammenden Kamin oder eine Havanna auf der Terrasse während eines Gartenfestes kann Hunderttausende wert sein. Und nun stell dir vor: Zwischen den eleganten Roben steht das Taigaweibchen, dieses Mädchen aus Torusk. Eine Bemerkung, ein Blick, eine Bewegung nur kann Abels ein Vermögen kosten, denn die großen Männer der Industrie sind klein, wenn sie allein mit ihren Frauen sind.« Petermann blieb ruckartig stehen. »Verdammt, ich habe ernste Sorgen um Martin. Man kann nicht alles im Leben erzwingen. Jemand kann heimlich nach Sibirien wandern und wieder herauskommen, ein unwahrscheinliches Abenteuer gewiß, aber gefährlicher ist es, außerhalb der neuen deutschen Geldaristokratie zu stehen. Es ist leichter, bei fünfzig Grad Frost im Urwald zu übernachten, als den Eisberg aufzutauen, der sich hier um Martin bilden kann.«

Fernholz zerdrückte nervös seine Zigarette in einem der Aschenbecher aus Zinn, die überall bei Petermann herumstanden. »Martin ist kein Spinner!« sagte er. »Er wird Anuschka vorsichtig ›aufbauen‹, wie man so sagt. Er wird seine Taigaeroberung nicht wie eine Bombe in der Gesellschaft platzen lassen.«

Die Hoffnung wurde leider am späten Abend zerstört.

Noch aus Tokio kam ein neues Telegramm. Es war mit prägnanten Wünschen gefüllt:

Ankomme übermorgen 14 Uhr Flughafen Fuhlsbüttel stop Erwarte nur Dich dort stop Für kommenden Samstag Hausball vorbereiten stop Einladungen an alle maßgebenden Personen der Stadt stop Speisenfolge und Gesamtgestaltung mit dem Geschäftsführer des Atlantik-Hotels besprechen stop Sieben Lohndiener engagieren stop Ich verlasse mich ganz auf Dein Organisationstalent stop Martin

Petermann warf das Telegramm auf den Tisch und sah Fernholz entsetzt an. »Er ist verrückt geworden«, stammelte er. »Er will das Taigamädchen der großen Gesellschaft vorstellen. Vier Tage nach der Rückkehr. Das gibt eine Katastrophe.«

»Und Inken? Sie muß eine Einladung erhalten«, sagte Fernholz düster.

»Nicht auszudenken.« Rechtsanwalt Petermann nahm das Telegramm, zerknüllte es und warf es an die Wand. »Kaum aus der Hölle zurück, bläst er uns alle um. Aber so war er immer. Erinnerst du dich, wie wir nach Hause kamen? Ausgemergelt, froh, überhaupt zu leben, glücklich, in unseren Steppjacken herumlaufen zu können, frei, wohin wir wollten, ohne immer zu hören: ›Stoij! Obratno!‹ oder das widerliche: ›Dawai! Dawai!‹ Wir haben uns hingesetzt, die Hände in den Schoß gelegt und genossen, wieder Menschen zu sein. Und er? Er ist in seine elterliche Fabrik gegangen, am zweiten Tag, hat sich umgesehen und hat zu den Direktoren gesagt: ›Meine Herren, ich komme zwar aus Sibirien, aber ich habe gesehen, was dort los ist und was der Russe, verborgen vor den Augen der Welt, aufbaut. Einmal, wenn er den Vorhang zurückzieht, der noch über Sibirien liegt, wird die Welt nicht nur staunen, sondern erschauern vor der Macht, die da heimlich vor ihrer Tür entstanden ist. Und wodurch entstanden? Durch Arbeit! Meine Herren – auch wir werden in die Hände spucken! Nicht einmal, sondern dreimal!‹« Petermann ging zum Bücherschrank, klappte das Barfach herunter und goß sich und Fernholz einen Kognak ein. »Den letzten Satz wollte die Belegschaft schon in Goldbuchstaben in die Eingangshalle des neuen Verwaltungsgebäudes hängen. Martin war immer wie ein auf vollen Touren laufender Dynamo. Aber das jetzt, dieses Fest mit dem Mädchen aus Torusk, das gibt die größte Pleite seines Lebens. Hier verrennt er sich, hier sieht er seine Grenzen nicht mehr.«

»Und was willst du tun?« fragte Fernholz und schnupperte an dem Kognak.

»Tun, was er befohlen hat. Sich weigern wäre noch schlimmer. Hat er sich zurückhalten lassen, diesen Wahnsinnstrip nach Sibirien zu machen? Na also! Martin ist ein Mensch, den nur Schaden heilt. Er soll seinen Willen haben.«

Und Petermann begann unter Mithilfe Fernholz', eine Liste der Bremer Prominenz aufzustellen, die zur Begrüßung Anuschkas eingeladen werden sollte. Es waren zweiundvierzig Familien. Die Sahne der Gesellschaft, wie Fernholz später sagte. Und Petermann fügte hinzu: »Martin wird sie zu Butter schlagen statt zu Schlagsahne.«

Dann tranken sie die Flasche Kognak leer.

Männer mit Sorgen brauchen einen geistigen Ausgleich.

*

In einem so großen Haushalt wie dem des Reeders Holgerson ist es nicht nötig, auf Zeitungen oder Rundfunk zu warten oder die Stunde abzupassen, bis der Herr des Hauses die nötigen Worte findet. Inken erfuhr die Rückkehr Martin Abels' von der Köchin, und diese wußte es von dem Gesellen des Metzgers Fernholz, wo sie für das Abendessen Kalbsschnitzel geholt hatte.

Inken nahm die Mitteilung mit unbewegtem, aber plötzlich schneeweiß werdendem Gesicht auf. »Ist es sicher?« fragte sie mit erstaunlich gefaßter Stimme. »Ist das kein dummes Gerücht, Martha?«

Die Köchin Martha schüttelte energisch den Kopf. »Aber nein. Der Herr Fernholz ist doch von dem Rechtsanwalt Petermann angerufen worden. Und der Herr Dr. Petermann ist doch der Bevollmächtigte.«

»Ich weiß. Danke, Martha. Es war lieb von Ihnen, es mir gleich zu sagen.«

Niemand war dabei in den nächsten Stunden, die Inken allein auf ihrem Zimmer saß, vor dem Spiegel, stumm und mit gefalteten Händen. Dann ergriff sie ihren Stock und humpelte durchs Zimmer, immer an dem großen Spiegel vorbei,

der das Bild ihres ganzen Körpers zurückwarf. Es war ein Anblick des Jammers, wenn ihr Bild in der blanken Fläche auftauchte: Ein junges, hübsches Mädchen, schlank und wohl-
gewachsen, mit hochgesteckten goldbraunen Haaren, aber
hinkend und das Bein nachziehend wie ein gelähmter Hund,
wie Richard III., wie Talleyrand, wie der Glöckner von Notre-
Dame. Da warf Inken den Stock weg, schleuderte ihn mit aller Wucht gegen die Wand, schlug die Hände vor die Augen
und ließ sich hinterrücks aufs Bett fallen.

Eine ganze Weile lag sie so, nach innen schluchzend, unbeweglich, in einer unsagbaren Verzweiflung. Das Haustelefon
läutete. Die Hausdame meldete, daß Herr Holgerson gekommen sei und man in zwanzig Minuten das Abendessen servieren würde.

»Ja, ich komme!« sagte Inken mit gepreßter Stimme. »Ich
ziehe mich nur noch um.«

Sie tat es wirklich. Sie zog eines ihrer schönsten Kleider an,
in dem sie im vergangenen Sommer mit Martin Abels auf
Holgersons Privatjacht die Weser hinuntergefahren war bis
Imsum hinter Bremerhaven. Seit diesem Tage hatte sie es
nicht mehr getragen. In diesem Kleid hatte Abels sie zum erstenmal geküßt, und sie hatte gefühlt, daß es kein Flirt mehr
war, keine Sommerlaune, die verfliegt wie der Wind über
dem Meer, sondern ein echtes, tiefes Empfinden, das in den
Wunsch mündete: Ich möchte immer bei ihm bleiben. Ich
liebe ihn.

Jetzt stand sie wieder in diesem Kleid vor dem Spiegel. Es
paßte noch. Wenn sie stand, hatte sich nichts geändert, ja es
schien, als sei sie in diesen Monaten noch schöner geworden,
reifer und fraulicher. Nur wenn sie ging, zerfiel dieses Bild.
Es war, als klappe ein Mensch einfach zusammen.

Sie schloß deshalb auch die Augen, als sie vom Spiegel
weghinkte, um dieses schreckliche Bild nicht zu sehen. Bevor
sie hinunterging ins Speisezimmer, rief sie Dr. Petermann an.
»Martin ist zurückgekommen?« fragte sie ohne Einleitung.

Am anderen Ende der Leitung blieb es einige Sekunden
still. Dann sagte die Stimme Petermanns:

»Ja, Fräulein Inken. Wer hat es Ihnen gesagt?«

»Es stimmt also!« Inken Holgerson lehnte sich gegen die Wand. Das kleine bißchen Hoffnung, daß es nur ein Gerücht, ein Geschwätz gewesen sein könnte, war entschwunden. Martin kam zurück. Er lebte. Und sie mußte ihm gegenübertreten als ein Krüppel. Die schwerste Frage aber stand noch aus, und sie brauchte alle Kraft, um sie mit ruhiger Stimme zu stellen.

»Ist Martin allein zurückgekommen?«

Diesmal antwortete Petermann sofort. »Nein!« sagte er ohne Zögern.

»Er hat Anuschka gefunden?«

»Ja.«

»Danke, Doktor.«

»Noch eins, Fräulein Inken. Ich habe den Auftrag von Martin erhalten, eine Begrüßungsparty zu arrangieren. Darf ich Ihnen und Ihrem Herrn Vater auch eine Einladung schikken?«

»Warum nicht?« Inken schloß die Augen. Ich werde Anuschka sehen. Ich werde ihr gegenüberstehen, wir werden uns die Hände reichen, wir werden uns ansehen. Und ich werde denken: Das ist sie – und sie wird denken: Das war sie. Wir werden uns anlächeln und im tiefsten Herzen hassen. Vorher aber werde ich in Martins wunderschöne Halle hinken, und alle werden mir entgegenblicken, wenn ich am Stock von der Diele hereinhumpele.

Sie lehnte die Stirn gegen die Wand und schloß die Augen. O Gott, ich kann es nicht. Ich kann nicht ...

»Ich freue mich, daß Martin dieses große Abenteuer überlebt hat«, sagte sie dagegen laut in das Telefon. »Und natürlich bin ich neugierig, wie diese Anuschka aussieht. Lieber Doktor – wäre ich sonst eine Frau ohne diese Neugierde?«

Sie lachte trocken und legte auf. Petermann nagte an der Unterlippe, als auch er den Hörer zurücklegte. »Inken Holgerson war's.« Sein Blick traf den Metzgermeister Fernholz, der die Kognakflasche für sich beschlagnahmt hielt. »Sie war völlig unbefangen, ja sogar witzig.«

»Na also! Ist alles halb so schlimm, Ludwig!«

»Und trotzdem habe ich ein unheimliches Gefühl. Sie war mir zu gefaßt. Sie überspielt ihre wahre Regung.«

»Ihr Anwälte!« Fernholz trank noch einen Kognak. »Man kann es euch nie recht machen. Hätte sie geheult, wär's auch falsch gewesen.«

»Nein! Richtig! Das war es ja, was mir fehlte: Jegliche Regung.« Petermann sah auf das Telefon, als erwarte er noch einmal einen Anruf Inken Holgersons. »Sie sprach von der Rückkehr Martins wie von einem avisierten, aber verzögerten Päckchen, das irgendwo auf der Post herumgelegen hatte und nun gefunden worden war.«

Um die gleiche Zeit humpelte Inken die Treppe hinunter zum Speisezimmer, wo Reeder Holgerson schon am Tisch saß und die Abendzeitung las. Er winkte seiner Tochter zu, als sie eintrat, erhob sich, schob ihr den mit flämischem Gobelin bezogenen Stuhl unter, küßte sie auf die Haare und tätschelte ihre rechte Wange.

»Was hat mein Liebling heute gemacht?« fragte er. Dann sah er das Kleid und hob erstaunt die Augen. »Nanu! Seit wann hast du ein neues Kleid? War der Modesalon hier?«

»Das Kleid ist vom vorigen Sommer, Paps.« Inken faltete die Serviette auseinander und legte sie auf den Schoß. »Haben wir für kommenden Samstag schon disponiert?«

»Nicht, daß ich wüßte.« Holgerson dachte nach. »Samstag, nein. Willst du wegfahren?«

»Wir sind zu einer Party eingeladen.«

»Das ist schön.« Holgerson faltete erfreut die Zeitung zusammen und legte sie weg. Inken bekam Interesse an Hausbällen, das war ein großer Fortschritt. Sie kroch aus ihrer selbstgewählten Einsamkeit wieder heraus. Sie wollte fröhliche Menschen sehen. Es schien sich zu bewahrheiten, was Professor Dahrfeld gesagt hatte: Zeit lassen. Abwarten. Sie ist ein junger Mensch – einmal bricht die junge Natur doch durch. Es ist nicht das Wesen der Jugend, in Melancholie zu versinken. »Seit wann weißt du das?«

»Seit einer Stunde etwa, Paps.«

»Und wer gibt die Party? Konsul Hörlimann? Dr. Plath?«

»Nein.« Inkens Stimme war ganz ruhig. Sie griff zu dem

goldgelben Toast und zog die silberne Butterschale zu sich heran. Mit einem kleinen, vergoldeten Buttermesser legte sie sich eine Scheibe Butter auf den Tellerrand. »Bei Martin Abels.«

Holgerson klammerte sich am Tischrand fest, er bekam in diesem Augenblick keine Luft mehr. Mit weit aufgerissenen Augen starrte er seine Tochter an, er schluckte ein paarmal, dann konnte er wieder atmen, er holte tief Luft, was wie ein lautes, verzweifeltes Seufzen klang.

»Abels . . . ja . . . Kind . . . das ist doch . . .«

»Er ist wieder da. Er befindet sich gegenwärtig auf dem Flug von Tokio nach Hamburg. So wenigstens habe ich aus den Worten seines Freundes Dr. Petermann herausgehört.«

»Und warum verständigt man mich nicht zuerst?« rief Holgerson empört. Er sprang auf und zerknüllte in höchster Nervosität die Serviette. »Es gehört sich doch wohl, daß . . . Na, diesem Petermann werde ich etwas vorsingen!«

Er wollte zum Telefon, aber Inkens Stimme hielt ihn zurück.

»*Ich* habe Petermann angerufen, Vater. Ich erfuhr es von Martha.«

»Unserer Köchin?« Holgerson blieb ruckartig stehen.

»Ja. Und die hat es von Metzger Fernholz gehört. Ich dachte erst, es sei nur eines der dummen Gerüchte und rief bei Petermann an. Aber es ist wahr. Martin kommt zurück. Und er hat diese Anuschka bei sich.«

»Diese Anuschka.« Reeder Holgerson vermied es, in diesem Augenblick seine Tochter anzusehen. Es war weniger Mitleid als die Angst, in ihren Augen wieder eine Spontanreaktion zu ahnen. Tabletten hat sie nicht mehr, dachte er beruhigt. Jeden Tag, wenn sie im Park spazierengeht oder beim Friseur ist, durchsuchen zwei Mädchen die Zimmer. Es gibt kein mögliches Versteck mehr, das wir nicht auch kennen.

»Es ist unglaublich«, sagte Holgerson, »daß Abels das geschafft hat. Mitten aus Sibirien eine Frau zu holen, heimlich – das ist wirklich unglaublich.«

»Man kann alles, wenn man einen Menschen wirklich

liebt.« Inken sagte es gelassen, so wie man einen Aphorismus vorliest. Aber Holgerson wußte, welcher Schmerz in diesen Worten verborgen lag. »Gehen wir am Samstag hin, Paps?«

»Wenn du willst –«, antwortete er zögernd.

»Natürlich will ich. Wir müssen ihm doch gratulieren.«

»Ja, das müssen wir.« Holgerson riß sein Taschentuch aus der Ziertasche des Anzuges und tupfte sich den Schweiß von der Stirn. »Du weißt nicht, wann er in Fuhlsbüttel landet?«

»Nein, Paps. Wir sehen ihn doch am Samstag.« Inken hob den schönen, schmalen Kopf mit den traurigen Augen. »Komm, Paps, setz dich wieder. Der Toast wird ja kalt – und er ist gerade heute so wundervoll goldgelb.«

Gehorsam setzte sich Holgerson und griff zum Buttermesser.

*

Die Maschine kreiste dreimal über dem Flugplatz, ehe sie zur Landung ansetzte und über der Betonpiste einschwebte. Es war Bodennebel, vom Kontroll- und Leitturm aus wurde der schwere, metallene Vogel über Radar eingewiesen und zum Rollfeld dirigiert. Seitlich der Landebahn brannten die Bodenscheinwerfer, die Gepäckwagen, Tankwagen und ein Werkstattwagen rollten von den Schuppen heran und bauten sich in einem Halbkreis vor dem Platz auf, auf dem die Maschine stehen würde. In den Hallen des Flughafengebäudes wurde die Landung über Lautsprecher bekanntgegeben.

»Maschine XJ 356 Tokio–Bangkok–Karatschi–Ankara–Rom–Frankfurt–Hamburg hat Landeerlaubnis und wird in etwa zehn Minuten landen. Bitte den Ausgang Nummer drei benutzen.«

Rechtsanwalt Dr. Petermann und Metzgermeister Fernholz standen an der Zollabfertigung hinter einem weißen Gitter und stärkten sich mit einer Zigarette und einigen Schlucken Aquavit aus einer Taschenflasche. Ihre Spannung war nicht mehr zu überbieten. Sie hatten, wie es unter alten Freunden üblich ist, gewettet.

»Wetten«, hatte Fernholz gesagt, »wenn wir Anuschka sehen, halten wir Martin für verrückt.«

»Wette dagegen!« hatte Petermann gesagt. »Wir werden sprachlos sein. Ich kenne Martin. Er hat einen Blick für schöne Frauen, und der Kerl bekommt sie auch immer.«

»Maschine landet«, sagte einer der Zöllner, der aus einem Fenster zum Flugfeld sehen konnte. Er hatte die beiden Herren schon eine Zeitlang beobachtet und nickte ihnen kameradschaftlich zu. »Sie erwarten einen Freund, meine Herren?«

»Aus Sibirien«, sagte Fernholz.

»Ach! Spätheimkehrer? Umsiedler?«

»Nein, Bräutigam.«

Der Zollbeamte wandte sich brüsk ab. Das hat man nun von seiner Freundlichkeit, dachte er verbittert. Man wird verarscht, wie es fachmännisch unter Männern hieß.

Die Maschine rollte aus, die hohe Gangwaytreppe wurde angefahren, die verschraubten Türen öffneten sich, eine Stewardeß erschien als erste und sah sich um und bemerkte zwei Herren in Wettermänteln, die einsam am Fuße der Treppe standen. Kriminalpolizei, dachte die Stewardeß und zog sich in das Innere des Flugzeuges zurück. Haben wir denn einen schweren Jungen an Bord? Sie ließ schnell alle Gesichter der Passagiere an sich vorbeigleiten. Niemand war darunter, auf den die Polizei warten konnte. Höchstens der Türke, der in Ankara zugestiegen war. Er war immer etwas nervös gewesen. Bestimmt Rauschgiftschmuggel.

»Wir begrüßen Sie in Hamburg und wünschen Ihnen weiterhin alles Gute«, sagte die Stimme des Chefstewards durch das Bordmikrofon. »Bitte das Handgepäck für den Zoll bereithalten.«

Martin Abels und Anuschka waren die Vorletzten, die das Flugzeug verließen.

Anuschka hatte auf dem Flug viel geschlafen, dank der Beruhigungspillen und einiger Kreislauftropfen, die man ihr aus der Bordapotheke verabreicht hatte. Sie saß ja zum erstenmal in einem Flugzeug. Oft hatte sie über der Taiga und über Torusk die Militärmaschinen heulen sehen, vor allem im Sommer, wenn die Flugzeugstaffeln von Jakutsk ihre Übungen abhielten. Sie hatte nie richtig begriffen, wieso man solch schwere Maschinen schwerelos durch die Luft brausen lassen konnte, nur weil ein paar Propeller rasend kreisten oder einige Düsen heulend und krachend die Luft vorne ansaugten und hinten wieder hinausdrückten. Nun war sie selbst in solch einem Riesenvogel, saß in einem weichen Polstersessel, wurde angeschnallt, und dann spürte sie nur ein Zittern unter den Füßen, ein Gebrumm, und wartete, was noch weiter geschehen würde – aber als nichts weiter geschah, sah sie aus dem rechteckigen, dickglasigen Fenster und erkannte unter sich die Riesenstadt Tokio, den Hafen, das Meer. Da wurde ihr schwindlig vor Angst, und sie bekam ihre ersten Tropfen.

Das wiederholte sich bei allen Zwischenlandungen. Es war ihr unheimlich, das ein ganzes Haus, ja daß fünfundachtzig Menschen so einfach über den Wolken fliegen konnten und die Tausende von Werst zwischen Tokio und Europa zusammenschrumpften zu ein paar Stunden, in denen man sonst von Torusk aus nicht weiter gekommen wäre als bis Taragaisk.

Nun war es überstanden. Sie klammerte sich an Martin, als sie auf die Treppe trat und über das Flugfeld und die Flughafengebäude sah, auf das kreisende Riesenauge des Radar auf dem Dach des Kontrollturmes, auf die Leuchtschrift HAMBURG, auf die Gepäckwagen, die unter die Flügel der Maschine fuhren und aus den Ladeklappen die Koffer und Kisten übernahmen.

»Wir sind bei dir zu Hause, Tinja?« fragte sie leise.

»Noch nicht, mein Täubchen. Wir müssen noch ein Stück Autobahn bis Bremen fahren; aber dann sind wir in unserer kleinen Welt. Dann gibt es nur noch dich und mich.«

Er sah auf die noch immer wartenden Herren an der Gangway und lächelte schmerzlich. Natürlich, dachte er. Sie müssen dasein! Es geht nichts über die deutsche Gründlichkeit. Ich habe nur einen provisorischen Paß, ich stehe unter Beobachtung des Verfassungsschutzes, ich muß mich bei der Ankunft melden. Es wird lange dauern, bis ich allen Behörden klargemacht habe, daß es kein Märchen ist, wenn ein Mann heimlich nach Sibirien fährt, um die Frau zu holen, die er liebt. Man wird es unglaublich finden, denn es durchbricht die Norm, in der wir heute alle leben.

Langsam stieg er die steile Treppe hinunter und nickte den beiden Herren zu. »Hier bin ich, meine Herren!« sagte er unbefangen. Die Stewardeß oben an der Tür riß die Augen auf. Der? Dachte sie verblüfft. An den hätte ich am allerwenigsten gedacht. Wie man sich täuschen kann.

»Herr Abels?« Einer der Beamten zog höflich den Hut. »Wir haben den Auftrag, Sie durch den Zoll zu führen und durch die Paßkontrolle, da Sie mit einem provisorischen Ausweis reisen und Schwierigkeiten haben könnten.«

»Ihre Fürsorge erschüttert mich.« Abels faßte Anuschka unter, die wie verloren auf der Betonpiste stand und sich staunend umblickte. »Komm, Liebling! Der Bahnhof ist doch größer, als ich dachte.«

»Welcher Bahnhof, Tinja?«

»Ach, man sagt das so bei uns, wenn man von vielen Leuten erwartet wird.«

»Merkwürdig. Bahnhof . . .« Sie lächelte. »Bei uns würde man sagen: Sie riechen den Speck in der Pfanne.«

»Das trifft die Sache auch viel besser.« Abels lachte. »Komm, mein Kleines. Jetzt gehst du auf freiem Boden.«

»Freiheit? Was ist das?«

Sie sah sich um. Die Gebäude, die Betriebsamkeit, der Lärm erschreckten sie. Wie herrlich still sind die Wälder um Torusk, dachte sie. Wie weit ist der Himmel über Sibirien.

*

»Da sind sie!« schrie Petermann, als er die hohe Gestalt Martins aus einem Zimmer des Paßamtes kommen sah. Die beiden Kriminalbeamten hatten sich abgesetzt. Ihre Mission war erfüllt. Abels war planmäßig gelandet, hatte ein Protokoll unterschrieben, war amtlich in Deutschland wieder registriert. Das Weitere war Sache der Bremer Polizei und des Verfassungsschutzamtes in Köln.

»Und da ist sie ... Anuschka ...«, sagte Fernholz leise.

Sie starrten auf das Mädchen an der Seite Martins, auf diese unwirkliche Schönheit eines Menschen aus der Tiefe Sibiriens. Heinz Fernholz stand da mit hängenden Armen und halboffenem Mund. Rechtsanwalt Petermann stieß ihn in die Rippen.

»Ich habe gewonnen. Eine Kiste Sekt! Wir sind sprachlos.«

Dann warfen sie die Arme empor, brüllten: »Martin! Martin!«, liefen zum Ausgang und fuchtelten wie die Wahnsinnigen durch die Luft. Abels lachte ihnen zu, winkte, deutete auf sein auf einem Fließband heranschwimmendes Gepäck und wurde ohne Kofferkontrolle durchgelassen.

Wie drei Geschosse rasten die drei Männer aufeinander zu, prallten zusammen und umarmten sich. Es war sekundenlang ein Gewühl von Armen, von Schulterklopfen und lauten, unartikulierten Rufen. Fernholz, der eisenharte Metzgermeister, heulte plötzlich, Petermann rief immer wieder: »Mensch! Alter Junge! An dir ist ja noch alles dran! Junge! Junge!« Und dann brüllte man sich wieder an vor Freude ... man benahm sich also so, wie sich Männer benehmen in freundschaftlichem Glückstaumel.

Anuschka stand währenddessen abseits neben den Koffern und lächelte stumm. Tränen standen ihr in den Augen. Er hat gute Freunde, dachte sie. Das ist viel wert. Wie sagt man bei uns: Ein guter Freund ersetzt die halbe Welt. Tinja und ich werden nicht ganz allein sein, und das ist gut so. Ich liebe Tinja über alles – aber was gibt es Stärkeres als das Heimweh?

»Das ist Anuschka!« sagte Abels nach dem Begrüßungsgeschrei. Er nahm ihre Hand und führte sie zu Petermann und Fernholz. »Und das, Anuschka, sind meine Freunde. Sie gehen für mich in die Hölle wie Unjeski für Turganow.«

»Das ist schönnn!« sagte Anuschka leise und reichte ihre schmale Hand hin. Ihre schwarzen schrägen Augen leuchteten wie von einer inneren Sonne bestrahlt. »Sei auch gutter Freund für mich.«

Petermann und Fernholz verbeugten sich. Ihr Herz machte

einen heißen Hüpfer. Welche Frau, dachten sie in einem Atem. O Himmel, welche Frau! Wahrhaftig, Martin Abels, für sie wären wir auch nach Sibirien gefahren, wenn wir nicht solche Feiglinge wären.

»Sie sind das Herrlichste, gnädige Frau, was Gott erschaffen hat«, sagte Petermann und küßte Anuschkas Hand.

Und Fernholz stammelte: »Verdammt noch mal ... ich habe einfach keine Worte. Ich bin weg.« Und er drückte Anuschka die Hand mit einer so zärtlichen Bewegung, als streichle er eine Porzellanfigur.

»Was sagen sie, Tinja?« fragte Anuschka und sah zu Abels empor. Martin lachte und legte den Arm um ihre Schulter.

»Das ist schwer zu erklären, mein Täubchen. In Torusk würde man sagen: Brüderchen hat eine heiße Kartoffel im Mund!«

Das helle Lachen Anuschkas floß über Petermann und Fernholz wie ein güldener Regen. Sie waren mit Martin Abels glücklich.

Nach zwei Stunden Autobahnfahrt erreichten sie den Vorort Bremens, in dem die Villa Martins lag. Die Einfahrt war weit offen, auf der Treppe standen zwei Hausmädchen und vor ihnen, korrekt wie immer, in schwarzer Hose und gestreiftem Jackett, der Diener Alfons.

Er kam die Treppe herunter, als Abels und Anuschka ausgestiegen waren, würdevoll, mit der Majestät, wie im Theater die Helden große Treppen hinabschreiten. Seine weißen Handschuhe leuchteten in der Sonne. Vor Abels blieb er stehen, verbeugte sich, öffnete den Mund und wollte Begrüßungsworte sprechen. In diesem Moment aber verließ ihn die Haltung, es war, als klappe er zusammen, der Kopf fiel nach vorn auf den weißen gestärkten Kragen mit der schwarzen Fliege, die Lippen formten unverständliche Worte, Zuckungen liefen über das glatte Gesicht und wallten über die Schulter weiter.

Der Diener Alfons weinte.

»Gutter Mensch!« sagte Anuschka leise, trat auf ihn zu und strich ihm über die Haare. Für den Diener Alfons war es der glücklichste Tag seines Lebens.

Es war gut, daß sie allein waren, unter sich ... schon in dieser Stunde wäre Anuschka sonst in der Bremer Gesellschaft boykottiert worden.

Welche Dame streicht ihrem Diener über die Haare?

Unmöglich allein der Gedanke!

Es ist die Pflicht eines Dieners, sich zu freuen –

*

Der Hausball am Samstag galt als die geheime Sensation der Stadt. Nachdem die Presse seitenlange Berichte über Martin Abels gebracht und ihn den »Leander des 20. Jahrhunderts« genannt hatte, der seine Hero erreicht hatte – eine poetische Verbrämung einer ungeheuren Leistung, die ein Boulevardblatt schlicht »Ehemaliger Plenny holt sein Mädchen nach acht Jahren heimlich aus Sibirien« nannte –, war die Einladung wirklich ein Maßstab für die Gesellschaftsfähigkeit der einzelnen Familien. Petermann hatte keinen bekannten Namen ausgelassen, und so waren alle zufrieden, in Smoking und Abendkleid in der großen Halle oder auf der infrarot geheizten Glaserrasse der Abels-Villa zu stehen, das Glas Begrüßungssekt zu trinken und unverhohlen die neue Dame des Hauses, Anuschka Turganow aus Torusk in Sibirien, betrachten zu können.

Anuschka trug an diesem Abend ein enges, rotes schlichtes Kleid. Ihre langen schwarzen Haare flossen wie ungekämmt über ihre Schulter, und alle Herren waren sich ohne Absprache einig, daß dieses eine wertvollere Bedeckung der Schulter sei als jeder Saphir- oder White-Nerz. Sie war kaum geschminkt bis auf die Lippen und einen Augenstrich, der das Asiatische an ihr noch verstärkte. Martin wollte es so, und sie hatte es getan.

Als letzte Gäste fuhren Reeder Holgerson und Tochter vor. Die Gespräche brachen wie auf ein leises Kommando ab, als Diener Alfons meldete: »Herr Holgerson und Fräulein Tochter!«

Martin Abels nickte Anuschka zu. Er ging von ihrer Seite weg zur Tür, um Holgerson zu empfangen.

In der Diele stand Inken vor dem Spiegel und ordnete die Haare. Der Stock an ihrem Arm wirkte fremd, eine dunkle Stange an einem silberglänzenden Abendkleid im Empirestil. Das Kleid war tief dekolletiert und verriet viel von der sportlich-schlanken Figur Inkens.

»Willkommen in der Heimat!« rief Reeder Holgerson, als er Abels an der breiten Glastür zur Halle stehen sah. Mit ausgestreckten Armen kam er auf ihn zu. »Sie sind ja ein Teufelskerl, Abels! Und so etwas ist Industrieller! Und blendend sehen Sie aus! Sibirien scheint ein gesundes Klima zu haben!«

Martin Abels drückte Holgerson die Hand, dann wandte er sich Inken zu, die am Spiegel stand, den Stock am linken Arm hängend, unbeweglich, mit verschleierten Augen. »Inki!« sagte Abels laut.

Sie zuckte zusammen wie unter einem Schlag. Inki! Niemand konnte es so zärtlich aussprechen wie er. Inki . . .

Sie blieb stehen wie eine Statue, eine Frau in Silber. Martin Abels eilte auf sie zu. Von Petermann wußte er, welche tragischen Monate hinter Inken lagen. Als sei es selbstverständlich, als habe es nie etwas anderes gegeben, legte er Inkens schlaffen Arm in seinen Arm, küßte sie zart auf die Schläfe und sagte fröhlich:

»Nun kann das Fest beginnen! Komm, gehen wir. Den dummen Stock da wirf weg . . . an meinem Arm gehst du besser! Ich bin stärker als jeder Knüppel!«

Inken Holgerson schwieg, aber der Stock glitt aus ihrem Arm und polterte auf den Marmorboden. Diener Alfons hob ihn auf und trug ihn weg zur Garderobe.

In der Halle lag eine erwartungsvolle Stille. Der prickelnde Zauber einer kommenden Sensation lag über jedem der Gäste.

Mit einem verzerrten Lächeln ging Inken an der Seite Martins in die Halle. Sie humpelte, ihr verkürztes Bein tappte über den Boden, aber sein Arm hielt sie fest, glich den Unterschied aus, hob sie bei jedem Schritt über die fehlenden Zentimeter des zertrümmerten Beines.

Die Tür . . . die gläserne Halle . . . hundert erwartungsvolle Augen . . . Inkens Kopf hob sich, wie eine Königin war sie, ihr Körper straffte sich ... Wo ist sie, dachte sie. Wo ist diese Anuschka? Wo ist dieses Weib aus der Taiga?

Und dann sah sie sie plötzlich. Allein, umgeben von dem Halbkreis der Gäste, stand sie da, in ihrem flammend roten Kleid, mit den losgelösten schwarzen Haaren, mit den herrlichen schräggestellten Augen. Sie nickte Inken zu, und dann kam sie auf sie zu, gleitend, schwebend, unwirklich. Das Herz Inkens setzte einen Schlag lang aus, doch sie faßte sich schnell wieder. Wie schön ist diese Frau, durchfuhr es sie. Wie unwahrscheinlich schön. Sie spürte, wie sie am Arm Martins zitterte.

Und dann standen sie sich gegenüber.

Ihre Blicke kreuzten sich – wären sie eine Materie gewesen, hätte es wie das Aufeinanderprallen von Eisen geklungen. Aber dann lächelte Anuschka. Sie hob die Hand und streckte sie Inken mit einer fast rührenden Geste entgegen.

»Gutten Abendd!« sagte Anuschka unbefangen. »Schönn, daß gekommen. Martin viell erzällt ...« Zum erstenmal sprach sie den Namen Martin aus und benutzte nicht die Koseform Tinja.

Zögernd ergriff Inken die dargebotene Hand, es war kein Druck, als sich die Finger berührten, und sie zog sie auch sofort wieder zurück, als habe sie etwas Heißes oder widerlich Glitschiges berührt. So faßt man einen Frosch an, dachte Frau Dr. Faßler, die am nächsten stand und die Gruppe in der Tür zur Halle beobachtete wie ein Ringrichter.

»Hat er von mir gesprochen?« fragte Inken mit mühsam fester Stimme. Anuschka nickte. Ihre langen schwarzen Haare fielen in einigen Strähnen über das Gesicht. Aber es sah nicht verwildert aus, es paßte zu ihr, ja, es mußte so sein. Diese Frau kann sich alles leisten, dachte Inken und spürte, wie ihr Herz zuckte. Und wenn sie in Lumpen auf einem Esel reitet – man wird stehenbleiben und sie bewundern.

Reeder Holgerson kam aus der Diele.

»Sdrafsstwui, Milaja«, sagte er galant, beugte sich über Anuschkas Hand und küßte sie.

Sofort fiel Anuschka mit einem Schwall russischer Worte über den alten Herrn her. Sie hängte sich bei ihm ein, fragte ihn, ob er Russisch spreche, und freute sich wie ein Kind, in ihrer Muttersprache reden zu können.

Holgerson schüttelte lächelnd den Kopf. »Guten Tag, meine Liebe ... das sind die einzigen russischen Worte, die ich noch kenne. Ich habe sie oft als ganz junger Fähnrich im Ersten Weltkrieg zu einem schönen Mädchen in Bialystok gesagt.« Er sah ein wenig wehmütig vor sich hin.

»Davon hast du mir nie etwas erzählt, Paps«, staunte Inken. »Sieh mal einer an.«

»Ich hatte das alles tatsächlich längst vergessen. Es fiel mir erst wieder ein, als ich unsere reizende Gastgeberin sah.«

Anuschka hatte nicht alles verstanden. Martin übersetzte ihr die Jugenderinnerungen des alten Herrn. Sie lachte. Lauter, als es in der großen Gesellschaft schicklich war.

Aber sie steckte damit die beiden Männer an. Und auch Inken, die plötzlich erstaunt feststellte, daß sie sich wieder freuen konnte.

Das war die erste Sensation des Abends. Jedermann hatte erwartet, daß der stolze Reeder das Mädchen aus der sibirischen Wildnis übersehen, wenn nicht gar bewußt demütigen würde.

»Natürlich«, sagte Freifrau von Plessneck pikiert zu Frau Senator Pottbeck. »Ein Mann. Eine schöne Fratze. Ein halbwegs geschwungener Körper. Und schon liegen sie herum wie die Hypnotisierten. Aber das kann ich Ihnen sagen, meine Liebe – dieses Taigamädchen kann ich unmöglich zu meinen Soireen einladen. Der arme Abels dauert mich. Er wird isoliert werden.«

Anuschka war so klug, an diesem Abend Tinja nicht für sich zu beanspruchen. Sie verstand, warum er sich ausschließlich um Inken Holgerson kümmerte, warum er mit ihr lachte, ihr am kalten Büfett die Teller füllte und später mit ihr im Wintergarten saß, Hand in Hand, als seien sie das Liebespaar des Abends. Die Gesellschaft nahm es auch zur Kenntnis, aber mit anderen Gefühlen. Bewußt oft promenierte man am Wintergarten vorbei, warf einen Blick auf Abels und Inken, die unter zwei Fächerpalmen saßen, grüßte, lächelte breit, gab sich sehr wissend und konziliant. Man wird doch nicht etwa . . . dachte man und steckte die Köpfe zusammen. So etwas gibt es. Ein Dreiecksverhältnis. Vielleicht ist das in Rußland erlaubt . . . aber hier in Bremen? Auf keinen Fall wird es der alte Holgerson dulden. Früher, im Kaiserreich, da wurde um solche Dinge duelliert. Ja, das waren noch Zeiten. Da galten Mannesehre und Frauentreue – aber heute? Holt sich einer aus dem sibirischen Urwald eine Halbasiatin und wagt es, sie in das festgefügte Bürgertum einzuführen, und gleichzeitig demonstriert er den Wert einer alten Liebe. O Himmel, welche Zeiten!

Anuschka spürte noch nichts von der Welle des Mißtrauens und der Sensationsgier, die um sie herum wogte. Sie ließ Inken und Tinja im Wintergarten allein, weil sie sah, wie fröhlich Martin und das Mädchen waren, wie Inken begann, für ein paar Stunden ihr grausames Schicksal zu vergessen. Das ist schön, dachte Anuschka. Ich habe Mitleid mit ihr wie mit meiner eigenen Schwester. Es wäre anders, wenn ich nicht wüßte, wie sehr mich Tinja liebt.

Sie erinnerte sich an die Verhaltensregeln, die ihr Martin vor der Party gegeben hatte. »Nimm dir die Damen vor«, hatte er gesagt. »Überfahre sie mit deinem Charme. Mach sie sprachlos . . .«

Anuschka straffte sich und kam in den Salon zurück. Diener Alfons stand wartend an der Tür. Die Köpfe der Damen fuhren herum, als Anuschka eintrat. Frau Dr. Faßler wedelte mit einem parfümierten Taschentuch unter ihrer Nase, als stänke es irgendwo.

Mit einer großen Geste umfaßte Anuschka den Salon und warf den Kopf zurück. Die langen schwarzen Haare wehten wie eine Piratenflagge.

»Bittä, meine Dammen!« rief sie auf deutsch. »Alle dort in die Ecke.«

»Wie im Zirkus«, zischte Frau von Plessneck. Sie hatte Krampfadern und ging in Gesellschaft deshalb nur sehr ungern quer durch einen Saal. Sie wog überdies vierzig Pfund zuviel. Aber sie mußte gute Miene zum bösen Spiel machen und erhob sich ächzend vom Stuhl.

Anuschka bestand darauf, den älteren Damen ein Kissen

unterzuschieben oder den Sessel zu rücken. Dann nahte Diener Alfons. Auf seinem Tablett standen drei Flaschen. Gerade wollte er Frau Dr. Faßler fragen: »Cherry oder ...«, als Anuschka ihn unterbrach.

»Das machen ich.« Und schon hatte sie in jeder Hand eine Flasche und ging die Runde ab. Im Nu waren die Gläser gefüllt; die meisten ein wenig zu voll, einige sogar übergeschwappt.

Anuschka setzte sich. Sie strahlte. »Isch sehr gern habe Gäste. Bei uns man beginnt mit Gesundheit, Ihre Gesundheit!« Sie nahm ihr Glas, nickte in die Runde, trank – und verzog das Gesicht. »Phhh, nix gut. Zu stark. Ist gut für Mann. Frau davon wird dick und müde.«

Die eisige Stille der Damen fiel Anuschka noch immer nicht auf. Angestrengt suchte sie nach Worten: »Bei uns man bewundert deutsche Frau. Immer sauber, treu zu Mann, gut zu Kindern, kann Klavier spielen, gut in Küche und ist nicht leidenschaftlich.«

Die völlig humorlose Frau Senator Pottbeck unterbrach Anuschka. »Wieso nicht leidenschaftlich?« fragte sie spitz.

Anuschka war in ihrem Element. »Isch meine, deutsche Frau jetzt reiche Frau. Sie denkt zuviel an Villa, Auto, Schmuck. Aber arme Frau hat nichts im Leben als Liebe. Sie deshalb besser in Liebe. Mehr mit Herz.«

Frau von Plessneck lächelte geziert. »Das ist doch alberne Propaganda.«

»Nix Propaganda«, lachte Anuschka. »Sehen Sie, Rußland arm. Bei uns junge Menschen denken an Liebe, sagen Gedichte von Liebe, viele suchen Tod wegen Liebe. Deutschland ist auch arm gewesen. In Zeit von Goethe. Isch in Schule gelesen ›Werther‹. Das war noch Zeit für Liebe in Deutschland.«

Anuschka strahlte. Sie war stolz auf die vielen deutschen Worte, die ihr über die Lippen flossen. Sie freute sich, in Tinjas Sprache scherzen, ihre Gäste zum Lachen bringen zu können. Was sie sagte, entsprang ihrem Temperament.

Eine Weile war nun Stille. Diener Alfons, Böses ahnend, kam mit einem riesigen Tablett und servierte Mokka, nachdem der Aperitif verunglückt war und keine der Damen ihr Glas leergetrunken hatte. Er sah auf Frau Dr. Faßler und Freifrau von Plessneck, er bemerkte die innere Unruhe von Frau Senator Pottbeck und wußte, daß nun, nach dem ersten Anlauf Anuschkas, die Gegenoffensive der Bremer Gesellschaft stattfand. Gnadenlos, überlegen, geschult an vielen Partys und Kaffeekränzchen.

Die Damen hatten sich in einem weiten Kreis um einige Rokokotische gruppiert, saßen auf harten, aber vornehmen, gobelingepolsterten Stühlen, schlürften zur Aufmunterung einen Schluck glühheißen Mokka aus den winzigen Tassen und bemühten sich, die gewisse vornehme Steifheit zu demonstrieren, die jedem Kenner sagte, daß hier eine Phalanx saß, die zu durchbrechen selbst Hannibal mit seinen Elefanten nicht gelungen wäre. Die Unterhaltung ging zunächst über den Kopf Anuschkas hinweg und begann immer mit: »Haben Sie schon gehört, meine Liebe . . .« und endete mit: »Da haben Sie völlig recht, mein Herz.« Das sagte man immer, auch wenn man anderer Meinung war, aber es war höflich, dem anderen das Gefühl zu geben, auch einmal etwas Richtiges gesagt zu haben. Dann, ganz plötzlich, machte man Front gegen Anuschka. Es war, als habe jemand ein heimliches Kommando gegeben: Alle Waffen nach links! Stoßt zu! Vernichtet den Feind! Zum Angriff voran. Hurra! Hurra!

Freifrau von Plessneck begann die Attacke mit einer im säuselnden Ton gestellten Frage: »Meine Liebe . . . Sie, als Russin, kennen doch sicherlich Schostakowitsch. Ist seine Symphonie nicht himmlisch?«

Anuschka schüttelte den Kopf. »Isch nix kennen von Musik. Wir gesungen nur Komsomolzenlieder in Schigansk. Schönnes Lieder. Traurig und lustik.«

»Ach!« Frau Dr. Faßler hackte vor wie ein Geier, der die Eingeweide eines Aases riecht. »Sie waren Kommunistin?«

Anuschka sah sich mit großen Augen um. Welche Frage, dachte sie. Ich bin aufgewachsen in einer Volksrepublik. Ich habe nichts anderes gekannt als Lenin und Stalin und Chruschtschow. Ich habe gelernt: Jeder gute Mensch ist ein Kommunist. Ich habe gesungen: Die Partei hat immer recht. Ich habe in der Schule ein Gedicht aufgesagt: Die rote Fahne ist die Sonne unsres Volkes – Ich habe nie darüber nachgedacht, ob es etwas anderes geben könnte. Nur Mamuschka hat mir manchmal erzählt von ihrer Mutter, die in jener fernen Zeit lebte, als es noch einen Zaren gab, einen Ausbeuter, wie man jetzt sagt, einen Feind des tätigen Volkes. Damals hatte es in Moskau über hundert Kirchen gegeben und in Rußland hunderttausend Mönche. Sonntags ging man mit gefalteten Händen und gesenktem Haupt zur Kirche, wenn die Glocken dröhnend die Gläubigen riefen zum Gottesdienst, und selbst der Zar kniete vor dem Metropoliten und ließ sich segnen wie der einfachste Muschik aus seinem Blockhaus. Und Mamuschka kannte noch die alten Kirchenlieder. Manchmal sang sie sie vor, am Ofen sitzend oder in der Ecke, wo das Bild Lenins hing und nicht mehr eine Ikone. Pawel Andrejewitsch Turganow, das Väterchen, sah und hörte das nicht gern. »Laß das, Olgaschka«, brummte er dann. »Man kann es hören draußen. Die Zeit ist vorübergegangen an uns. Daß du nie begreifst, wie man die neuen Lieder singt.« Und er stellte sich hin, holte Luft, blies den Brustkorb auf wie einen Blasebalg und donnerte gegen die Decke mit tiefer, bärengewaltiger Stimme: »Die Partei hat immer recht . . .«

Und jetzt fragen sie mich, ob ich eine Kommunistin war. Wie kann man einen jungen Russen so etwas fragen?

»Isch nix war«, sagte sie fest und sah die gespannten Frauen an. Ihre Augen sind wie Schlangen, die ein Kaninchen sehen, dachte sie dabei. Sie wollen mich verschlingen! O hilf mir, Tinja! »Isch bin!«

Frau Senator Pottbeck zuckte zusammen, als habe man sie in den vorstehenden, durch Korsett und Stangen eingedämmten Busen gekniffen. »Sie sind es? Aber ich bitte Sie! Sie leben jetzt hier in einer Demokratie, in der man den Kommunismus verboten hat. Er ist staatsfeindlich! Und Sie bekennen sich dazu? Ich weiß nicht, was man da sagen soll.« Sie blickte sich empört zu den anderen Damen um. Der schwarze Engel der Entrüstung senkte sich über die Gesellschaft. Die Mokkatassen erkalteten. Es war unmöglich, eine bolschewistische Tasse anzurühren.

»Isch nix viel verstähen von Worte, was Sie saggen.« Anuschka hob die schönen Schultern. Und jetzt begriff man auch, daß das in den vergangenen Stunden bewunderte und beneidete rote Kleid eine Provokation bedeuten sollte, eine Kampfansage, eine Beleidigung des freiheitlichen Denkens und der EWG-Aufgeschlossenheit. Anuschka versuchte zu lächeln. Sie fühlte sich umgeben von Eisbergen. »Isch nix kennen anderes. Isch erzogen so bin. Isch erst vier Tagge in Germanja.«

Freifrau von Plessneck atmete hörbar kurz und schnell, als habe sie eine Pneumonie. Wieder sah sie sich empört um. Germanja ... ein echtes Russenweib, weiter nichts. Höllische Erinnerungen wuchsen in ihr auf und wurden zur Lawine. Ihre Flucht aus Ostpreußen ... die sowjetischen Horden, die mordend, brennend und schändend von allen Seiten in die Dörfer und über die Frauen herfielen, über die Schwestern des Klosters, die man nackt an die Kirchentüren nagelte, nachdem man sie bis zur Bewußtlosigkeit vergewaltigt hatte ... der Pfarrer, dem man sein Barett mit fünfzölligen Nägeln auf der Schädeldecke festnagelte ... die Zöglinge der Klosterschule, 14- bis 18jährige Mädchen, die man über die Kirchenstühle schnallte und schändete ... die Panzer, die mitten hinein in die flüchtenden Trecks fuhren und alles niederwalzten, und die mongolischen Reiter, die durch die Wälder streiften und Männer und Frauen aufhängten, nachdem sie sie gefoltert hatten. »Gibb Urri!« hatten sie geschrien, und wer die Uhr nicht sofort vom Handgelenk riß, dem wurde die Hand abgehackt ... Und jetzt saß hier solch ein Russenweib, in einem roten Kleid, sagte Germanja und gestand, Kommunistin zu sein.

Freifrau von Plessneck sprang plötzlich auf. »Ich verachte Sie!« rief sie mit hochrotem Gesicht. Die anderen Damen folgten ihrem mustergültigen Beispiel. Sie erhoben sich wie auf Kommando. Seide und Tüll raschelten, Perlen und Brillanten glitzerten. »Ihr Volk hat sich uns gegenüber benommen wie die Hunnen!«

»Isch nicht«, sagte Anuschka leise und blieb sitzen.

»Aber vielleicht Ihr Vater! Ihre Brüder! Pfui!«

Anuschka sah die Frauen wehmütig an. Warum seid ihr alle so, dachte sie. Ihr steht da vor mir, und wenn ihr es könntet, ihr würdet mich bespucken. Aber warum, um Jesu Leiden willen, warum? Mamaschka wollte keinen Krieg. Papaschka wollte ihn nicht. Keiner in Torusk wollte es. Plötzlich hieß es aus Schigansk: Man muß kämpfen! Der Große Vaterländische Krieg ist da. Die Deutschen marschieren auf Moskau. Und sie haben uns alles erzählt ... wie grausam sie sind, daß sie Kinder am Spieß braten, daß sie den Frauen die Brüste abschneiden und sie wie Schinken räuchern, daß sie die gefangenen Männer entmannen und ihnen die Augen ausstechen ... und wir haben es geglaubt, wir alle, ich auch ... ich war doch ein Kind, und was der Distriktsowjet sagte oder der Lehrer, das war Wahrheit. Denn sie waren ja große, ehrliche Männer. Sie waren in der Partei. Sie trugen Ehrennadeln. Sie waren unser Vorbild. Weiß ich, ob das alles wahr war, was sie erzählten? Später hat Tinja mir alles erklärt. Da habe ich ihm geglaubt. Wir Menschen glauben ja immer denen, die sich groß machen, die groß gemacht werden ... oder die wir lieben. Was wußten wir in der Taiga von Torusk vom Krieg? Ab und zu kam ein Mütterchen und weinte. Ihr Sohn war gefallen, oder der Bruder, oder der Mann. Und sie stellten sich hin, in den Schnee oder in die Sonne, hoben die Fäuste zum Himmel und verfluchten die Deutschen.

Wie war das damals mit Larissa Jampolewa? Das arme Täubchen verlor alles: den Mann, zwei Söhne, den Bruder, den Schwager. Ganz allein war sie plötzlich auf der Welt, ohne einen männlichen Schutz. Da hatte sie geschrien: »Gott! O Gott! Schicke die Pest über die Deutschen! Strafe sie, o Jesus! Lasse einen Stern auf sie herunterfallen, o Maria, Gebenedeite. Vernichte sie, die Deutschen. Was wollen sie bei uns, warum ermorden sie unsere Männer? Was haben wir ihnen getan?«

Damals antwortete niemand auf ihren Schrei, aber in unsere Seele drang es ein. Krieg ist Mord! Jeder Bruderhaß ist Mord, denn wir Menschen sind ja Brüder. Warum aber verstehen sie es nicht, die Menschen? Warum morden sie weiter? Warum können sie nicht sein wie die Bäume der Taiga?

Nebeneinander aufwachsen, groß und stark werden, jedem Sturm trotzen, jedem Frost, jeder Hitze – ein riesiger, unendlicher Wald, an dem sich die Natur die Zähne ausbeißt? Ein Wald aus Menschen ... o Gott, warum erkennen sie es nicht?

»Wir hatten vielle Totte«, sagte Anuschka mit leiser Stimme. »Zwanzig Millionen sechshunderttausend Totte. Zehn Prozent von ganz Bevölkkerungg.«

Freifrau von Plessneck erstarrte. »Unerhört! Sie werfen unseren tapferen Soldaten vor, daß sie besser schossen als Ihre Horden?«

»Warum sie habben geschossen?«

»Eine typisch bolschewistische Frage!« rief Frau Dr. Faßler atemlos. Ihr Mann, Dr. Roland Faßler, vielfaches Aufsichtsratsmitglied in verschiedenen Konzernen, war im Kriege Wehrwirtschaftsführer gewesen und später, nach dem Zusammenbruch, zeitweilig Waldarbeiter, bis man beim Wiederaufbau der Industrie die Fachleute aus den verschiedenen Ecken wieder hervorholte. »Wenn Sie eine leise Ahnung von Geschichte hätten ...«

»Woher soll sie, meine Liebe. In der Taiga.« Frau Senator Pottbeck, erzogen in besten Schweizer Pensionaten, drückte ihr parfümiertes Spitzentaschentuch gegen Nase und Mund, als stänke es in der Umgebung Anuschkas nach Kloake. »Sie haben doch gehört: Sie war Komsomolzin!«

»Ist das nicht so etwas wie eine Vereinigung für freie Liebe?« fragte Frau Dr. Faßler. Ihre Stimme zitterte dabei, als betrachte sie projizierte erotische Bilder.

»So ähnlich, meine Beste«, antwortete Frau von Plessneck. »Auf jeden Fall ist es unter unserer Würde, hier weiter zu verweilen.«

Sie wandte sich ab und verließ grußlos den Salon.

In der Halle, am kalten Büfett und an den whiskybeschwerten Tischen, wunderten sich die Herren, als ihre Damen wie in einem Aufmarsch verblichener Schönheit hereinmarschierten, ihnen mit eisigen Mienen zuwinkten und weitergingen zur Diele. Die Herren verstanden. Sie stellten die Diskussionen über Getreidepreise und die neueste Lobby ein, unterbrachen Vertraulichkeiten aus Appartementwohnungen und folgten ihren Damen. In der Diele reichten Diener Alfons und die beiden Mädchen die Garderobe an, während die Lohndiener in der Küche saßen und darauf warteten, daß man die großen Gänge servieren konnte, die vorbereitet auf langen Tischen warteten. Der Abzug der empörten Damen, denen die Herren willig folgten – was weniger verwunderlich ist, wenn man weiß, daß viele Herren mit bekannten Namen ihren Unternehmerruhm erst durch Heirat erworben hatten –, vollzog sich innerhalb von zehn Minuten. Zurück blieb allein Reeder Holgerson, mißbilligend betrachtet, unmißverständlich durch Blicke aufgefordert, mitzuziehen. Als er sich abwandte, hob man die Schultern. Na ja, der Holgerson. War schon immer etwas links. Jetzt sieht man es! Wenn der so weitermacht, wird seine Reederei eines Tages pleite sein. Ein echter Christ und ein echter Demokrat hat in dem Hause Abels' ab heute nichts mehr zu suchen.

Als das Haus leer war bis auf die Dienerschaft, ging Holgerson hinüber zum Wintergarten. Dort saßen Inken und Abels Hand in Hand und sahen wie ertappte Liebesleute auf, als Holgerson sich räuspernd eintrat.

»Inken wird sich doch noch einmal operieren lassen!« sagte Abels und stand auf. »Es hat Mühe gekostet, sie davon zu überzeugen, daß man nie im Leben resignieren soll!«

»Gratuliere, Abels«, sagte Holgerson, aber es schwang keine Freude in seiner Stimme. »Sie scheinen bei Inken mehr Glück gehabt zu haben als Ihre Anuschka bei der Gesellschaft.«

»Anuschka? Was ist mit ihr?« Abels wollte aus dem Wintergarten laufen, aber Holgerson hielt ihn fest.

»Hören Sie mir erst zu«, sagte er.

»Hat man sie beleidigt?« rief Abels. Sein Gesicht hatte sich verändert. Es war kantig, zu allem entschlossen, hart wie aus Stein.

»Ich weiß es nicht. Vielleicht hat Anuschka die Gesellschaft beleidigt? Auf jeden Fall sind wir noch allein hier. Ihre Gäste sind alle gegangen.«

»O Gott!« sagte Inken leise.

»Und Anuschka?« schrie Abels.

»Ich nehme an, sie sitzt noch im Salon. Ich habe sie nicht gesehen, als die Damen abmarschierten.«

Abels befreite sich mit einem Ruck aus dem Griff Holgersons und rannte aus dem Wintergarten.

»Wir gehen auch«, sagte Holgerson, als Abels außer Hörweite war.

»Nein, Vater!« antwortete Inken betont.

»Wir müssen, Inken.«

»Wer zwingt uns?«

»Unser Ruf!«

»Ich verzichte darauf.«

»Wir verdienen unser Geld mit diesem Ruf.«

»Ich pfeife auch auf das Geld! Ich habe es dir schon einmal bewiesen!« Inkens Gesicht glühte. »Oh, wie ich diese hohlen Fratzen hasse! Anspucken möchte ich sie! Welch ein herrlicher Mensch ist diese Anuschka! Das *ist* ein Mensch! Und wenn ganz Bremen explodiert: Ich gehe mit ihr aus, Arm in Arm. Ich küsse sie vor allen Leuten als meine Schwester!«

Holgerson wischte sich den Schweiß von der Stirn. »Du weißt nicht, was ein Ruin ist, Inken –«, sagte er heiser.

»Ruin? Warum? Weil ich Anuschka verehre, die so viel mehr wert ist als alle diese blasierten Masken. Leben wir denn in einer Hölle?«

»Nein – aber in der Gemeinschaft zu schnell reich gewordener Menschen, und das ist noch schlimmer.«

Anuschka saß noch immer unbeweglich auf ihrem Gobelinstuhl im Salon, als Abels hereinstürzte. Er hatte sich vergewissert, daß alle Gäste das Haus verlassen hatten. Diener Alfons hatte in der Tür zur Diele gestanden und ihm zugerufen: »Weg sind sie, als wenn am Hafen ein nackter Mann versteigert wird.«

»Was hat man dir getan, Anuschka?« fragte Abels und riß sie vom Stuhl hoch. Er drückte sie an seine Brust und küßte ihr die Augen und die zitternden, kalten Lippen. »Ich schwöre dir – jeden einzelnen ziehe ich zur Rechenschaft! Was ist geschehen?«

»Nichts, Tinja, nichts.« Sie hob sich auf die Zehenspitzen

und küßte ihn mit einer scheuen Zärtlichkeit wieder. Aber plötzlich weinte sie auf, verbarg ihr schmales Gesicht an seiner Brust und schlang die Arme um seine Schultern. »Rette mich, Tinja!« schrie sie gegen sein weißes Smokinghemd. Ihre Lippen hinterließen rote Flecken von der Schminke, immer und immer wieder stieß ihr Gesicht dagegen. »Rette mich vor diesen Menschen – sie sind schlimmer und böser und erbarmungsloser als die Wölfe und Tiger in unseren Wäldern.«

*

Bereits drei Tage später ließ sich bei Abels ein Herr melden, der den nicht aufregenden Namen Peter Ulski trug und seine Visitenkarte durch den Diener Alfons hereinschicken ließ. Martin Abels hob die Schultern, sagte: »Kenne ich nicht«, ließ ihn aber eintreten und kam ihm durch das Zimmer halb entgegen.

Peter Ulski war ein großer, schlanker Mann mit einem Gesicht, das an einen Leberkranken erinnerte. Erst aus der Nähe erkannte man, daß das Gelbliche keine Krankenfarbe, sondern Natur war. Peter Ulski hatte asiatisches Blut in sich. Das verblüffte Abels sehr und machte ihn gleichzeitig besonders vorsichtig. Peter Ulski nahm Platz, verweigerte nicht die Annahme einer Zigarette, wartete, bis auch Abels sich eine Zigarre angesteckt hatte, und lehnte sich dann zurück.

»In Ihrem Hause beherbergen Sie eine Anuschka Turganow?« fragte er ohne große Umschweife. Abels hob die Augenbrauen.

»Zunächst: Beherbergen ist wohl nicht der richtige Ausdruck. Anuschka ist vor Gott meine Frau!«

»Gott!« Ulski lächelte mokant. »Bemühen wir den alten, müden Mann nicht, Herr Abels.«

»Ich werde in aller Kürze Anuschka auch nach deutscher Sitte heiraten.«

»Das dürfte Schwierigkeiten machen.«

»Was geht das Sie an?«

»Sie haben keine Papiere für Anuschka. Deutsche Standesämter trauen nur, wenn einwandfreie Papiere vorliegen, Paß, Geburtsurkunde, Impfschein.«

»Ich verstehe.« Abels lehnte sich zurück. So schnell, dachte er. Sie arbeiten prompt in Moskau. »Ich hätte nicht erwartet, daß Sie so bald hier auftauchen. Sie kommen von der sowjetischen Botschaft?«

»Nein. Ich bin Angehöriger einer anderen Dienststelle.« Peter Ulski schnippte die Asche von seiner Zigarette. Er hatte lange, dünne Finger. Auf dem Ringfinger glänzte ein Goldring mit einer Platte aus Lapislazuli. »Wir anerkennen Ihren Mut und Ihre phantastische Leistung, womit sie Anuschka Turganow aus Sibirien holten, aber gesetzlich und auch völkerrechtlich bleibt das immer noch eine Entführung!«

»Wollen *Sie* von Gesetz sprechen?« rief Abels. Er hätte fast gelacht, aber ein bitteres, ein anklagendes, ein aufschreiendes Lachen. »Ich werde Anuschka als politischen Flüchtling melden und ihr neue Papiere ausstellen lassen.«

»Leider stößt dies auf Schwierigkeiten.« Ulski betrachtete den Aufdruck auf dem Zigarettenpapier. Die Zigarette gefiel ihm. Sie war eine echte Orientimporte. »Wir haben der deutschen Polizei die Entführung Anuschka Turganows bereits gemeldet. Eine gewaltsame Entführung. Die Aussage des Vaters, des guten Pawel Andrejewitsch, liegt bei, in deutscher Übersetzung. Er klagt den Entführer seines Täubchens an und bittet den deutschen Staat um Hilfe.«

»O ihr Hunde!« Abels sprang auf. »Man weiß, wie solche Aussagen zustande kommen. Ihr habt Pawel Andrejewitsch gezwungen, solche Lügen zu unterschreiben. Ihr habt ihn gefoltert.«

»Aber Nikolai Stepanowitsch, so hießen Sie doch, nicht wahr? Sie sehen, wir wissen alles. Turganow war sehr willig auszusagen, nachdem wir ihn zu einer Besichtigungsfahrt nach Karaganda mitnahmen und ihm zeigten, wie herrlich frei man in Torusk leben kann und wie dumpf und dunkel es im Bergwerk ist. Und auch Olga Turganowa hat unterschrieben.« Peter Ulski schlug die Beine übereinander. Er fand es gemütlich und sehr gepflegt im Hause Abels. »Die deutschen Behörden waren sehr beeindruckt von den Aussagen. Wen interessiert es, wie sie zustande kamen? Wir sind doch kluge Leute, Nikolai Stepanowitsch. Keine deutsche Behörde wird sich um die Wahrheit kümmern, wenn es um Staatsinteressen geht. Das deutsch-sowjetische Verhältnis sollte nicht noch mehr durch solche private Dinge belastet werden, die man schnell als einen feindlichen Akt bezeichnen kann. Menschenraub aus der Sowjetunion, von einem Westdeutschen, die Eltern gebrochen, am Rande des Wahnsinns vor Schmerz ... ein Wink an die Presse, und Ihre Liebe zu Anuschka wird ein heißes Politikum. In der Sowjetunion, in Deutschland, in der ganzen Welt wird der ›Fall Abels‹ bekannt werden. Sie wissen doch, Nikolai Stepanowitsch, wir verstehen uns auf Propaganda.«

»Und was soll das alles? Warum diese langen Reden?« Abels blieb mit geballten Fäusten vor Ulski stehen. »Soll ich etwa Anuschka nach Torusk zurückbringen?«

»Aber nein! Wo denken Sie hin, Nikolai Stepanowitsch? Anuschka ist uns völlig gleichgültig. Werden Sie glücklich mit der kleinen Füchsin! Uns geht es um andere Dinge. Um politische Dinge.«

»Ich habe doch mit Politik nichts zu schaffen!« rief Abels laut. Peter Ulski nickte eifrig.

»Sie sehen es falsch, Nikolai Stepanowitsch. Man hat sich in Jakutsk und in Moskau lange die Köpfe zermartert, bis man unserer Dienststelle den Auftrag erteilte. Rekapitulieren wir einmal. Irgendwo – wo, das wissen wir nicht – sind Sie in die Sowjetunion eingesickert. Das allein ist für einen Staat, der auf seine Sicherheit bedacht sein muß, alarmierend. So wie Sie können andere, gefährliche Spione einsickern, kann unser Staat heimlich unterlaufen, unterhöhlt werden. Was wir nie geglaubt haben, Sie haben es bewiesen, Nikolai Stepanowitsch: Es gibt in unserem Sicherungssystem eine Lücke, durch die Sie geschlüpft sind. Der gebräuchliche Weg ist der Fallschirmabsprung ... das aber haben Sie nicht getan.«

»Nein! Woher sollte ich einen Fallschirm nehmen und das dazu gehörende Flugzeug?«

»Eben. Sie kamen auf dem Landweg. Über eine Grenze, die

wie keine andere bewacht wird. Sie kamen über zweitausend Werst hinein bis Torusk und wieder zweitausend Werst zurück, ohne daß sie jemand bemerkte. Das ist ungeheuerlich. Das hat den Genossen in Moskau die Haare aufrecht stehen lassen. Ein Mann spaziert in das tiefste Sibirien, und keiner hält ihn auf. Das ist es, was wir von Ihnen wissen wollen, Nikolai Stepanowitsch: Wer hat Ihnen geholfen? Wer sind Ihre Helfer gewesen?«

»Ich hatte keine!« sagte Abels fest. Peter Ulski schüttelte den Kopf.

»So kommen wir nicht weiter, Brüderchen. Nur Zeit verlieren wir. Man kann nicht nach Sibirien kommen, und keiner hilft einem weiter.«

»Man kann! Ich habe es ja gekonnt!«

»Warum machen wir es uns so schwer, Towarisch Arkadjef? Einen Helfer kennen wir bereits, er hat es gestanden. Wassilij Petrowitsch Tasskan.«

»Er hat mir nicht geholfen. Er hat mich nur beherbergt.«

»Das scheint uns genug. Wußte er, ob Sie nicht ein Spion waren wie diese Amalja Semperowa?«

»Er tat es aus Dank. Ich habe ihm und Marfa Umatalskaja das Leben gerettet. Sie wurden von einem Wolfsrudel verfolgt, und ich erschoß den Leitwolf.«

»Sehr nobel, Nikolai Stepanowitsch. Und woher hatten Sie das Gewehr und die Munition?«

Abels schwieg. Peter Ulski nickte lächelnd. »Sehen Sie, das wollen wir wissen. Man kann in Sibirien kein Gewehr zaubern – es muß einem gegeben werden.«

»Erwarten Sie von mir darauf eine Antwort?«

»Ja.«

»Erwarten Sie nicht, daß ich die Polizei rufe und Sie abführen lasse?«

Peter Ulski schüttelte bedauernd den Kopf. »Ich genieße die Immunität des diplomatischen Corps. Ihre deutsche Polizei interessiert mich also nicht. Selbst wenn ich Sie jetzt umbrächte, könnte mich ein deutscher Polizist erst nach Erlaubnis meines Botschafters berühren. So betrachtet ist es neben der Ehre auch eine Wonne, Diplomat zu sein.« Ulski zerdrückte die Zigarette in dem silbernen Aschenbecher und nahm sich eine neue aus dem Ebenholzkasten, der vor ihm stand. »Towarisch Arkadjef – daß ich Sie so nenne, sollte Ihnen beweisen, wie freundlich wir Ihnen gesonnen sind –, warum reden Sie nicht? Sie erschweren nur die Lage des guten Turganow. Er wartet im Gefängnis von Schigansk auf unsere Meldungen. Sehen wir doch klar: Sie haben Ihre Anuschka, wir machen Ihnen keinerlei Schwierigkeiten, wir schicken Ihnen die Papiere Anuschkas herüber, wir machen kein Politikum aus dem Menschenraub – und als Gegenleistung für diese Großzügigkeit verlangen wir nur Ehrlichkeit von Ihnen. Das ist doch wirklich fair!«

»Ich verrate keine Menschen!«

»Damit geben Sie zu, daß man Ihnen geholfen hat.« Peter Ulski erhob sich brüsk. »Begreifen Sie doch, Nikolai Stepanowitsch: Es geht um unsere Staatssicherheit! Da gibt es keine moralischen Grenzen mehr.«

»Das heißt –«, sagte Abels leise. Er kannte die Antwort im voraus.

»Das heißt, daß wir uns an Pawel Andrejewitsch Turganow halten und ihn zur Zwangsarbeit wegschicken. Wir werden Gelegenheit haben, Anuschka von dieser Entwicklung Kenntnis zu geben.« Peter Ulski sah Abels ernst an. »Die Grundbedingung einer glücklichen Ehe ist der Seelenfrieden. Er wird nicht vorhanden sein, wenn wir sagen, Martin Abels ist der Mörder seines Schwiegervaters.«

»Ihr seid Teufel!« sagte Abels heiser und wandte sich ab. »Gehen Sie!«

»Wir müssen Teufel sein, um den Beelzebub in unserm Land auszutreiben.« Peter Ulski zuckte mit den Schultern. »Also kein Kommentar, Nikolai Stepanowitsch?«

»Kein Kommentar!«

»Es ist bedauerlich.« Ulski verbeugte sich knapp. »Leben Sie wohl, Towarisch. Aber überlegen Sie bitte, daß Sie auch in Westdeutschland nicht sicher sind. Es gibt keinen Fleck der Erde mehr, wo ein Mensch sicher ist.«

»Soll das eine Drohung sein?« Abels fuhr herum. »Sie sollten mich soweit kennen, daß ich keine Angst habe.«

»Ich weiß, wie hart Sie sind.« Ulski nahm seinen Hut vom Tisch. »Wir kennen aber auch Ihre verwundbare Stelle.«

»Halt!« Abels hob die Hand. Peter Ulski drehte sich an der Tür um. »Nehmen Sie eines mit: Wenn Anuschka irgend etwas geschieht, ganz gleich was ... ich werde nicht ruhen, bis ich Sie gefunden habe. Und ich werde Sie finden! Über das, was dann folgt, brauchen wir nicht zu sprechen. Ich werde es tun, auch wenn ich nicht die Immunität der Diplomaten besitze. Ich werde mir mein Recht holen! Wir verstehen uns, Piotr Ulski?«

»Wir verstehen uns.« Ulski sah Abels lange und mit großen Augen an. »Ich habe immer Achtung vor einem gleichwertigen Gegner gehabt.«

Damit ging er. Diener Alfons brachte ihn bis an den Wagen. Er hatte kein normales Nummernschild, sondern eine Zollnummer. Peter Ulski war erst vor vier Tagen aus Moskau gekommen.

Martin Abels zögerte keine Minute, als die Tür hinter dem Besucher zufiel. Er lief zum Telefon und ließ sich mit dem Bundesverfassungsschutzamt in Köln verbinden. Ein Regierungsrat meldete sich bei der Abteilung Ost.

»Wir sind unterrichtet«, sagte er nach einigem Zögern. »Der Herr steht unter Aufsicht. Kommen Sie doch bitte nach Köln. Uns scheint, daß man von Moskau aus den Fall hochspielen will. Wir müssen uns einmal darüber unterhalten.«

Abels sagte zu und legte auf. Als er sich umwandte, stand Anuschka hinter ihm. Er hatte sie nicht kommen hören, und er schrak zusammen, als sie so dicht hinter ihm stand.

»Was ist geschehen, Tinja?« fragte sie leise. »Wer war der Mann?«

»Ein Besucher, Liebes.«

»Er kam aus Mütterchen Rußland.«

»Ja –«, gestand Abels zögernd.

»Er brachte Nachricht aus Torusk, nicht wahr? Bitte, antworte nicht. Ich will nicht, daß du mich belügst. Du sollst mich nie belügen, Tinja.« Sie senkte den Kopf und faltete die Hände vor der Brust. »Man hat Papaschka verhaftet.«

»Ja«, sagte Abels leise. »Diese Hunde!«

»Ich soll zurück, nicht wahr? Aber ich gehe nicht. Ich gehe nicht von dir, Tinja.« Ihr Kopf flog hoch. Die schwarzen schrägen Augen glitzerten voll Tränen. »Ich gehöre zu dir. Ich wußte, daß ich Torusk für immer verlasse, als die letzten Häuser im Schnee versanken und der Rauch aus den Öfen über den Wäldern zerflatterte. In diesem Augenblick waren sie alle gestorben ... Papaschka, Mamuschka, Samsonow, Unjeski, das Dorf, der Wald, ganz Sibirien. Nur du warst noch da, nur du, Tinja.« Sie schloß die Augen und streckte die Arme nach ihm aus. »Machen wir die Augen zu, Tinja, und die Ohren ... es gibt nur uns, weiter nichts auf der Welt.«

»Man will deinen Vater zur Zwangsarbeit schicken«, sagte Abels heiser.

»Papaschka ist gestorben, als ich wegging.« Sie warf sich an ihn und umklammerte ihn. Laut weinte sie auf und krallte ihre Hände in seinen Haaren fest. »Er ist tot!« schrie sie. »Man kann keinen Toten mehr deportieren! Das sollten wir denken! Nur das!«

*

Abels war nach Köln gefahren und hatte sein fast unglaubliches Abenteuer zu Protokoll gegeben. Unabhängig von ihm wurde Anuschka von einem Dolmetscher verhört. Es gab keine Unklarheiten mehr, durch die Ermittlungsakten wurde ein roter Strich gemacht. So wenig begreifbar es war, man erkannte es an: Da war ein Mann heimlich nach Sibirien gewandert, um das Mädchen zu holen, das er liebte.

»Früher hätte man daraus eine deutsche Heldensage gemacht«, sagte der Regierungsdirektor in Köln sarkastisch. »Heute sieht man so etwas rein politisch. So ändern sich nicht nur die Menschen, sondern auch die Auffassungen. Lassen wir jetzt also alles seinen normalen Weg gehen. Fräulein Turganow wird einen Ausländerpaß erhalten, und Sie suchen um die Erlaubnis einer Eheschließung nach. Es ist Ihnen doch klar, daß die Trauungsszene in Torusk nach deutschen Gesetzen nicht gültig ist.«

»Das habe ich mir gedacht.«

»Politisch werden wir jetzt einiges abzufangen haben, aber da habe ich keinerlei Sorge. Wir haben das Auswärtige Amt bereits unterrichtet. Nachdenklich stimmt mich bloß eine private Repressalie, wie man sie Ihnen angedroht hat.«

»Ich betrachte das nur als einen Schreckschuß.«

»Wir nicht, Herr Abels.« Der Regierungsdirektor blätterte in einigen Papieren. »Dieser Peter Ulski ist noch immer im Land. Er hat einen Diplomatenausweis und ist der Kontaktstelle für Kulturaustausch zugeteilt. Sie sollten vorsichtig sein, Herr Abels. Es übersteigt unsere Kräfte, Sie dauernd beschützen zu lassen. Wir können diesen Ulski beschatten, gewiß, aber in Deutschland leben viele Ulskis. Wir schätzen, daß allein in Westdeutschland 30 000 sowjetische Agenten herumlaufen, als biedere Bürger, Buchhalter, Handwerker, Handelstreibende, Journalisten, Beamte, Geschäftsleute. Es ist heute so, daß die Beseitigung eines unliebsamen Menschen unter 1000 DM kostet. Seien Sie vorsichtig, das kann ich Ihnen nur anraten. Man wird Sie nicht unmittelbar belästigen, aber da gibt es angeschnittene Autoreifen, die dann auf der Autobahn platzen; da gibt es Zeitzünder im Kofferraum; da gibt es unter Strom gesetzte Türklinken; da gibt es Giftgas, das aus den elektrischen Steckdosen strömt . . . man ist heute ungeheuerlich geistreich in der Erfindung von Tötungsarten.«

Martin Abels versprach, auf sich und noch mehr auf Anuschka aufzupassen. Vor dem großen Gebäude des Verfassungsschutzamtes allerdings stieg er unbesorgt in seinen Wagen. Am Steuer hatte die ganze Zeit Diener Alfons gewartet. »In vier Wochen etwa heiraten wir«, sagte er zu Anuschka, als sie aus Köln hinaus auf die Autobahn fuhren. »Hast du einen Wunsch, wohin die Hochzeitsreise gehen soll?«

»Ja, Tinja.« Sie lehnte den Kopf an seine Schulter und war unendlich glücklich. »Wir bleiben in unserem Haus – ganz allein.«

*

Für Inken Holgerson kam nun eine Zeit der inneren Spannung. Sie hatte den Schock überwunden, Martin Abels endgültig an Anuschka verloren zu haben. Sie hatte erkannt, daß dieses Mädchen aus Torusk nicht nur die Stärkere war, sondern wirklich und allein zu Martin Abels paßte. Nie hatte sich Inken vorher ein Bild von diesem sibirischen Mädchen machen können. Eine Jakutin, hatte sie gedacht. Gelbgesichtig, klein, gedrungen, wie ein Hunnenreiter, mit strähnigen schwarzen Haaren, Schlitzaugen und einem immerwährenden Lächeln ... und sie hatte Martin nie verstanden, daß er sich so weit verirren konnte, ein Steppentier – wie sie Anuschka früher einmal nannte – ihr, der schönen, in Kultur eingebetteten Inken Holgerson, vorzuziehen.

Nun sah sie Anuschka und war selbst als Frau und Feindin fasziniert von ihr. Aus ihrer natürlichen Gegnerschaft wurde so eine tiefe innere Freundschaft, die Inken um so weniger verstand, als sie sich gegen dieses Gefühl der Zugehörigkeit wehrte und sich immer wieder sagte: Sie hat dir Martin weggenommen. Du mußt sie hassen.

Sie konnte es nicht. Und als die Bremer Gesellschaft geschlossen die Abels-Villa verließ und preußische Tradition zelebrierte, zerbrach in ihr das letzte Hindernis. Sie war zu Anuschka gehumpelt, hatte sie in ihre Arme gezogen und sie getröstet.

Als Martin aus Köln zurückkam, brachte er die Nachricht mit, daß man in der Orthopädischen Universitätsklinik bereit sei, eine Operation zu wagen. Professor Dr. Hollenbach hatte mit seinen Oberärzten lange vor den Röntgenbildern gesessen und schließlich nur eine Möglichkeit gesehen. Es war eine sehr gewagte Operation, für die keiner eine Heilungschance voraussagen konnte.

Abels sprach darüber mit Inken allein. Sie gingen durch den Park spazieren, Inken ohne Stock, da Abels sie untergefaßt hatte und stützte.

»Ich will dir ganz ehrlich sagen, wie es sein wird«, sagte er. »Eine Verkürzung des gesunden Beines lehnt jeder Chirurg ab. Der einzige Weg ist der, daß man das verkürzte Bein noch einmal bricht, dich wieder in einen Streck legt, den zersplitterten und damals ungerade zusammengewachsenen Schenkelknochen so weit auseinanderzieht, bis das Bein die normale Länge hat, und dann wartet, ob sich neues Knochengewebe bildet und das fehlende Mittelstück zuwächst.«

»Und wenn es nicht wächst?«

»Das ist die Komplikation. Es kann sich eine Pseudarthrose bilden, es können andere Dinge geschehen, Entzündungen und so. Ich bin kein Arzt, und in Köln hat man mir alles erklärt – es war eine ganze Menge an Bedenken. Um es kurz zu sagen: Der letzte Weg ist die Amputation. Mit dieser letzten Möglichkeit müssen wir rechnen, wenn wir an diese außerordentlich schwierige Operation herangehen.«

Inken sah schweigend über das Blumenbeet und dann mit einem Ruck ihres Kopfes zu Abels. »Und was meinst du, Martin?«

»Laß dich operieren. Wage es, Inki.«

»Wenn du es sagst – ich tue es. Du gibst mir die Kraft dazu.«

»Es wird vielleicht ein halbes Jahr dauern. Geduld ist dabei alles. Aber es wäre doch gelacht, wenn wir dich nicht wieder auf einen Tennisplatz bekämen oder auf den Rücken eines Pferdes.«

»Ich danke dir, Martin«, sagte Inken Holgerson leise. »Ich bin eigentlich froh, daß alles so gekommen ist. Eine richtige Freundschaft ist auch was wert.«

Sie blieb stehen, hob sich auf die Zehenspitze des gesunden Beines und küßte Abels auf den Mund. Als sie schwankte, umfing er sie und hielt sie fest. Von weitem sah es aus, als versinke ein Liebespaar in die Grenzenlosigkeit des Glücks.

Hinter einem Busch stand Anuschka und starrte durch die frischbelaubten Zweige. Oh, sie hatte gelernt, wie man lautlos anschleicht, gegen den Wind, mit dem die Witterung davongetragen wurde. Gegen jedes Geräusch, das verriet, gegen jedes Knacken trockener Zweige. Gegen jeden knirschenden Schritt. In den Wäldern von Torusk hatte man es seit Generationen den Hamstern und Füchsen, den Wölfen und Tigern abgelauscht. Man glitt über den Boden, der Körper bekam eine merkwürdige Leichtigkeit und Schwerelosigkeit, beim Laufen berührte nicht der Fuß den Boden, sondern nur die Spitze des Schuhes, und alle Kraft lag in den Wadenmuskeln und in den Schenkeln.

So war auch sie Martin hinter den Büschen nachgeschlichen, und nun stand sie da, sah, wie sich Tinja und Inken küßten, sich umarmten, sich aneinander drückten, wie es Tinja sonst nur bei ihr getan hatte. Ihr Herz begann zu bluten, aber es kam keine Traurigkeit in sie hinein, sondern eine Kälte, wie die des ersten Eiswindes aus dem Norden, der die Wasser der Lena erstarren läßt, als würden sie gelähmt vor Entsetzen.

Man steht einem Tiger gegenüber, dachte sie. Was macht man? Man tötet ihn. Ein Wolf begegnet einem – man tötet ihn. Ein Bär bricht aus dem Unterholz – man tötet ihn. Sie, diese schöne, stolze Frau, ist alles. Wolf und Bär. Sie nimmt mir Tinja weg . . . also muß sie getötet werden! Das ist ein altes Gesetz, über das man nicht lange nachdenken muß.

Anuschka blieb hinter dem Busch verborgen, als Abels und Inken quer über den Rasen zum Haus zurückgingen. Sie hörte, wie Abels ihren Namen rief, und sah, wie Diener Alfons auf die Terrasse kam und bedauerte, die »Gnädige Frau«, wie er Anuschka bereits nannte, nicht gesehen zu haben.

Sie gingen ins Haus. Die Glastür klappte zu. Anuschka rannte leichtfüßig zurück, hinüber zum Tennisplatz Martins. Von dort kam sie aufrecht und langsam zum Haus zurück und sah, wie Martin hinter dem Fenster des Salons stand und ihr zuwinkte. Sie hob die Hand und winkte zurück, sie lächelte sogar, aber sie dachte dabei: Sie heucheln alle. Meine Liebe, meine Gute, meine Beste, ein Gegacker wie auf einem Hühnerhof, ein Spreizen bunter Federn wie bei einem Pfau, ein Stolzieren wie die Truthähne – und dahinter verbirgt sich die Lüge und die Leere satter, zu satter Gehirne.

Wie hatte Tinja gesagt? Die Lüge ist der Kitt unserer Gesellschaft. Absolute Wahrheit wäre eine Katastrophe, an der die Welt zugrunde ginge.

Sie warf den Kopf in den Nacken, strich die langen schwarzen Haare aus dem schmalen Gesicht und trat über die Terrasse ins Haus.

Inken humpelte ihr entgegen, ihr Gesicht strahlte.

»Ich lasse mich operieren!« rief sie Anuschka entgegen. »Martin hat mich dazu überredet! Ich bin so glücklich, daß ich ihn geküßt habe! Du verstehst das doch, Anuschka?«

Sie nickte, und ihr Herz blutete erneut.

Am Abend, als sie allein waren, als sie im Bett lagen und nur der Mondschein bleich eine Straße ins Zimmer zeichnete, kroch sie zu Martin und verbarg ihr Gesicht in seiner Achselhöhle.

»Ich bin dumm, Tinja«, flüsterte sie, und er verstand sie kaum. »Aber ich bin so dumm, weil ich dich liebe.«

Er antwortete nicht. Er sah auf die silbrige Mondstraße, die vom Fenster längs durch das Zimmer bis zu seinem Nachttisch führte. Ich habe ihr etwas verschwiegen, dachte er. Morgen gibt Konsul Villigst eine Gesellschaft. Zum erstenmal ist ein Martin Abels nicht dazu eingeladen. Der Boykott hat bereits begonnen. Auch Holgerson hat man keine Einladung geschickt – er nahm es tragisch, wie Inken erzählte, und hatte sie angefleht, sich von Martin zu lösen.

Die alte Weisheit, daß das Geld die Welt regiert, wurde hier bewiesen. Auch zur Jahreshauptversammlung des Golfklubs hatte er noch keine Einladung bekommen. Er hoffte auch nicht mehr darauf.

»Anuschka –«, sagte er leise.

»Ja, Tinja?«

»Könntest du dir denken, daß wir ein neues Haus haben ... irgendwo im Süden, am Meer vielleicht, oder an einem See ... die Welt ist überall schön. In Italien, Südfrankreich, in der Schweiz. Auch auf eine Insel könnten wir ziehen. Nach Capri oder Elba.«

Anuschka schob den Kopf aus seiner Achsel herauf und sah ihn groß an.

»Willst du flüchten, Tinja?« fragte sie mit dem Instinkt eines verfolgten Tieres.

»Flüchten?« Abels schluckte. Er sah sich erkannt.

»Bist du in Torusk vor dem Tigerpaar geflüchtet, Tinja? Du

hast es aufgescheucht und dann erlegt. Und jetzt willst du vor den Menschen flüchten?«

»Du hast recht, Anuschka.« Er legte den Arm um ihre Schulter und starrte in den Mondschein. »Kämpfen wir ... aber die Menschen sind grausamer als die Tiger.«

*

An einem Dienstag war es soweit.

Inken Holgerson fuhr in Begleitung ihres Vaters, Martin Abels' und Anuschkas nach Köln in die Orthopädische Klinik. Die Operation war für Donnerstag festgesetzt. Professor Dr. Hollenbach hatte noch einmal alle Möglichkeiten erwogen und Reeder Holgerson vorgetragen.

»Wenn es nach mir ginge«, sagte Holgerson, »so würde ich dieses Risiko nicht eingehen. Aber meine Tochter will es. Wenn Sie meine Tochter genau kennen würden, wüßten Sie, was das bedeutet, Herr Professor. Man sagt uns Holgersons Dickköpfigkeit nach ... bei Inken ist der Kopf aus Granit.«

Während der vorbereitenden Untersuchungen fuhren Martin und Anuschka nach Bonn und erhielten dort von einem Beamten des Innenministeriums einen Paß für Anuschka. »Das ist lediglich eine Formsache, wie Sie wissen«, erläuterte der Beamte das Papier bei der Übergabe. »Mit der Heirat wird Fräulein Turganow Deutsche. Diese ganze Prozedur dauert an sich sonst länger, aber auf höhere Verfügung hin haben wir den Vorgang beschleunigt. Darf ich im voraus bereits gratulieren?«

In Köln mieteten sie sich in einem der besten Hotels ein und waren in der Klinik, als Inken zum Operationssaal gebracht wurde. Abels und Anuschka gingen neben ihr her bis zu der Milchglastür, auf der »Eintritt verboten« stand.

»Mut, Inki!« sagte Martin und küßte Inken auf die Wange. »Wenn du aus dieser Tür wieder hinausgefahren wirst, hast du wieder alle Chancen in der Hand. Denk daran, was ich dir gesagt habe: Im Sommer wollen wir auf der Unterweser segeln. Da mußt du fit sein.«

Anuschka nickte, obgleich sie nur die Hälfte verstanden hatte.

»Viell Glückk«, sagte sie in ihrer harten Betonung. »Isch bäten für disch.«

Inken Holgerson lächelte. Die begleitende Schwester berührte sie leicht am Arm. »Ich will tapfer sein«, sagte Inken leise. »So tapfer, wie ihr es gewesen seid.«

Dann wandte sie sich ab und humpelte in den OP-Trakt.

Weinend lag sie auf dem Vorbereitungstisch, weinend wurde sie narkotisiert.

Martin, ich liebe dich – war ihr letzter Gedanke.

Es war alles so hoffnungslos.

*

Während Reeder Holgerson in der Klinik blieb, um bei Inken zu sein, wenn sie aus der Narkose erwachte, benutzte Abels den Nachmittag, um bei Geschäftsfreunden vorzusprechen und ihnen die Hand zu drücken. Auch wenn seine Kugellager berühmt waren, ist ein Händedruck des Chefs immer besser als zehn Werbebriefe. Anuschka lieferte er in dieser Zeit in einem Modehaus ab. Sie sollte sich einige Sommerkleider aussuchen.

Es war ein wirklicher Zufall, daß an diesem Nachmittag Dr. Roland Faßler von einer Aufsichtsratssitzung zu seinem Hotel fuhr und auf dem Neumarkt Anuschka bemerkte, die, sich wie in einem Wunderland vorkommend, einen Schaufensterbummel machte, nachdem sie den Modesalon verlassen hatte. Dr. Faßler ließ den Wagen anhalten, starrte aus dem Fenster und sagte sich, daß es solch eine Frau nur einmal gebe. Es mußte Anuschka Abels sein, jeder Zweifel war ausgeschlossen. Er verließ seinen Wagen, beorderte ihn allein zum Hotel und stellte sich neben Anuschka vor das Schaufenster eines Korsettgeschäftes.

»Sehe ich recht?« fragte er. »Solch ein Zufall! Gnädige Frau auch in Köln?« Er sah in die großen, erstaunten Augen Anuschkas, und er wäre kein Mann gewesen, wenn ihm unter diesem Blick nicht wohlig warm ums Herz geworden wäre. »Faßler. Roland Faßler. Ich hatte die Ehre, in Ihrem Hause . . .«

»Ach so.« Anuschka nickte. Frau Dr. Faßler, dachte sie. Die Frau, die gefragt hatte: »Waren Sie Kommunistin?«

»Ihr Gatte ist in der Nähe?« fragte Dr. Faßler vorsichtig.

»Njet.« Anuschka lächelte entschuldigend. »Nein«, wiederholte sie. »Martin ist bei Freund von Geschäfte. Isch suchen Kleid.«

»Sagen Sie ruhig Njet oder Nitschewo oder Karascho«, sagte Dr. Faßler mit jugendlichem Elan und kam sich witzig und charmant vor wie nie in den letzten Jahren. »Ich höre es gern, das Russische, vor allem, wenn es von so zauberhaften Lippen kommt. Darf ich gnädige Frau zu einem Täßchen Tee einladen?«

»Tee aus Samowar?« Anuschkas Augen bekamen einen feurigen Glanz.

»Nee, leider nicht. Tee aus Aufgußbeutel.« Dr. Faßler lachte über seine Schlagfertigkeit. Man ist doch noch ein toller Knabe, dachte er befriedigt. Dreißig Jahre Ehe haben einen noch nicht vergreist. Man ist noch voller jugendlichem Elan, wenn man nur das richtige Angriffsobjekt vor sich hat. »Ich kenne hier ein sehr intimes Lokal. Es wird Ihnen gefallen, Gnädigste.«

So war es. Harmlos, mit zwei Tassen Tee, mit etwas Geplauder, mit Komplimenten und einem Handkuß zum Abschied, als Dr. Faßler Anuschka wieder am Modesalon ablieferte. Es war die harmloseste Sache von der Welt.

Zurückgekehrt nach Bremen, hielt Dr. Faßler allerdings im trauten Männerkreis die Hand vor den Mund, zwinkerte vieldeutig mit den Augen und sagte in fetter Zufriedenheit: »Diese Anuschka, Freunde, das ist eine Klassefrau! Na, ich sage euch . . . Nee, ich sage nichts! Der Kavalier . . . na ja, ihr wißt!«

Es blieb nicht aus, daß über unbekannte Kanäle auch Frau Dr. Faßler davon erfuhr. Wahre Freundschaften zeigen sich erst in der Wiedergabe von Klatsch.

Unter den Frauen der Gesellschaft explodierte die Bombe sittlicher Entrüstung. Frau Dr. Faßler schwamm in Tränen dahin und rief immer wieder: »Diese sibirische Dirne! Dieses russische Weibsstück! Mit meinem Mann hat sie angefangen! Ich sage Ihnen – Roland war der erste. Auch Ihre Männer kommen noch dran! Sie läßt keine Ruhe, bis sie uns alle verseucht hat. Das ist bolschewistische Art. Aushöhlung von innen. Dieses Miststück! Ich finde keine Worte mehr. Eine Hure ist sie, jawohl!« Dann wurde sie ohnmächtig, wurde mit Riechwasser wieder mobil gemacht, auf einen Sessel gesetzt und so lange bedauert, bis sie wieder einen Herzanfall bekam vor niederdrückendem Selbstmitleid.

Unterdessen lag Inken im Streckverband. Professor Hollenbach war mit der Operation zufrieden. »Wir haben für das Gelingen des Experimentes einen großen Helfer«, sagte er zuversichtlich. »Die Jugend.«

»Und die Geduld«, fügte Abels hinzu.

Inken nickte. Der Schmerz in dem künstlich gebrochenen und nun gestreckten Knochen war kaum erträglich. Aber sie biß die Zähne zusammen und lächelte sogar, wenn auch verzerrt, als sich Anuschka und Martin verabschiedeten und versprachen, in einer Woche wiederzukommen.

Diener Alfons, der in Bremen geblieben war, empfing seine Herrschaften mit ernster Miene. Auch er hatte gehört, was man in Bremen flüsterte. Unbekannte Münder sorgten dafür, daß es von Haus zu Haus zog, wie ein geruchloses Gas, das die Herzen vergiftet. Er übergab Martin zwei Briefe, die ohne Absender waren und auf denen »Privat« stand.

»Zwei verschiedene Jungen haben sie gebracht«, erläuterte er, als Abels die Kuverts erstaunt in den Fingern drehte. Und da er ahnte, was die Briefe enthielten, fügte er hinzu: »Ich würde sie ungelesen wegwerfen.«

Martin schüttelte den Kopf. Es war eine Reaktion, wie sie bei ihm nicht anders zu erwarten war. Er riß den ersten Brief auf. Er enthielt nur ein paar Worte.

»Anuschka ist eine Hure. Passen Sie auf!«

Und der zweite Brief:

»Seien Sie nicht blind. Deutschland ist nicht Sibirien. Wo dieses Weibsbild Anuschka herkommt, mag freie Liebe erlaubt sein. Hier aber schlagen wir sie eher tot!«

Abels faltete die Briefe zusammen und steckte sie in die Rocktasche. Sein Gesicht war eisig. Anuschka sah ihn fragend an.

»Böse Nachrichten, Tinja?«

»Nein. Mein Anwalt bittet mich, gleich zu ihm zu kommen. Wegen eines Vertrages, Kleines. Ich fahre gleich. Aber vorher bade ich noch. Zum Abendessen bin ich wieder da.«

Er lief die Treppe hinauf, ohne sich weiter um Anuschka zu kümmern. Sie sah ihm nach, nahm ihren kleinen Koffer und stieg hinter Martin in die oberen Räume.

Es ist etwas anderes, grübelte sie. Ihr Gespür für Gefahr überfiel sie wieder. Diese Briefe waren böse. Sein Gesicht wurde wie erstarrt. So hat er nur einmal ausgesehen in seinem Leben ... damals, als er Nikolka Ippolitowitsch Litowka, dem »Roten«, gegenüberstand und sein oder des »Roten« Leben beendet werden mußte.

Im Badezimmer hörte sie Martin unter der Brause. Wie ein Wiesel schlich sie in den Ankleideraum, suchte in dem hingeworfenen Rock, zog die Briefe heraus und las sie. Ihr Schuldeutsch war gering, aber sie begriff, daß es eine Warnung war, eine Warnung vor Anuschka. Vor allem das Wort Hure kannte sie nicht ... sie prägte es sich ein, sah es immer wieder an und buchstabierte es, damit es in ihrem Gedächtnis blieb. H-u-r-e – Dann steckte sie die Briefe zurück, schlich ins Schlafzimmer und trat auf den Balkon. So fand sie Martin, als er aus dem Bad kam. Er zog sich um, steckte die Briefe in den anderen Rock und verließ kurz darauf das Haus. Er fuhr zu Rechtsanwalt Dr. Petermann.

Anuschka wartete, bis sie das Motorengeräusch von Martins Wagen nicht mehr hörte. Sie holte aus dem Kleiderschrank ein deutsch-russisches Wörterbuch und suchte unter H das merkwürdige Wort. H-u-

Sie fand es sofort.

Prostitutka hieß es auf russisch.

Anuschka starrte auf das Wort. Ihr Blut wurde kalt, das Herz überzog sich mit Eis. Das hat man Tinja geschrieben, dachte sie und legte die Stirn auf den Tisch. Ich bin eine Prostitutka ... ich, Anuschka Turganow aus Torusk.

O diese Menschen! Diese reißenden westlichen Wölfe!

Und Tinja glaubt es. Er ist weggelaufen. Zu seinem Rechtsanwalt. Er hat mich gar nicht angesehen, er hat mich unten stehen lassen, er hat mich zum Abschied nicht geküßt, wie immer. Sonst hat er mich immer geküßt, und wenn er nur in den Garten ging. »Anuschka«, hatte er jedesmal gesagt, »immer ist es ein Abschied. Jede Minute ohne dich ist ein grenzenloses Weggehen.« Und nun glaubt er es . . . wie ein Stein war er, wie ein gefrorener Kiefernstamm im Januar . . . Kalt . . . eisig kalt . . . und fremd wie durchziehende jakutische Jäger, die sich am Herd von Olga Turganowa für ein Stündchen aufwärmen . . .

Sie schloß die Augen. Ihre Hände lagen auf ihrem schmalen Leib. Nichts ist mehr auf der Welt, als ich und du, dachte sie. Nicht du, Tinja . . . du bist jetzt weit, weit weg, so fern wie damals, als ich acht Jahre auf dich wartete. Aber ein Teil von dir ist bei mir und wird mich begleiten, bis ich sterbe. Du weißt es noch nicht, ich habe es dir nicht gesagt, und jetzt wirst du es auch nie erfahren.

Vielleicht wird es ein Mann, so groß und stark und mutig wie du . . . oder ein Mädchen, das nichts fürchtet und einmal durch die Wälder reitet und das wilde Ren hetzt. Und ich werde am Herd warten und Kascha kochen oder Bortscht und an den Abenden ein Märchen erzählen von dem schönen, großen Jäger, der wie eine Sonne über mich gekommen ist und wie eine Sonne unterging und nie mehr am Himmel erschien –

Sie erhob sich, wusch sich das Gesicht und ging hinunter in die Bibliothek. Dort machte sie die letzte Probe: Nacheinander rief sie alle an, die auf der Liste der Gäste gestanden hatten – Freifrau von Plessneck, Dr. Faßler, Frau Senator Pottbeck, Frau Konsul Villigst, Frau Dr. Hernoth, Frau Banneweg, Frau Wiegner. Überall war es das gleiche . . . sobald sie sich meldete und sagte: »Hier Anuschka Abels«, wurde ohne eine Antwort abgehängt. Eine Welle von Haß und Ablehnung spülte ihr entgegen. Und Anuschka wußte, daß sie dagegen hilflos war und daß es immer so bleiben würde, solange sie an Martins Seite war. Und nicht nur ihr galt diese Ablehnung

– auch Martin Abels wurde ausgeschlossen. Er war zum Aussätzigen geworden, zu einem Gezeichneten, zu einem Todgeweihten mit der neuentdeckten Krankheit der sibirischen Fäulnis.

Anuschka legte nach dem letzten Telefonanruf den Hörer langsam zurück. Sie ging auf ihr Zimmer, packte eine kleine Reisetasche, steckte aus einer silbernen Schatulle Geld zu sich, wieviel, das wußte sie nicht, aber es war ein Bündel Scheine. Lautlos, wie ein Jäger am Fuchsbau, schlich sie die Treppe hinunter und verließ das Haus durch die Gartentüre. Diener Alfons hörte es nicht, er stand in der Küche und richtete das Abendessen. Lachsschinkenschnitten auf Toast, Ei mit Kaviar, frisch gebeizter Norwegerlachs mit Meerrettichsahne. Dazu ein gut temperierter Mosel und hinterher Sekt.

Er pfiff dabei ein fröhliches Lied, denn ein Koch muß probieren, was er serviert. Und Diener Alfons war ein verhinderter Gourmet.

Als er die ersten Platten hinüber ins Speisezimmer trug und den runden Barocktisch eindeckte, stand Anuschka bereits auf dem Bahnsteig des Hauptbahnhofes und wartete auf den Zug, der sie nach Hannover und weiter nach Braunschweig bringen sollte, und von dort nach Helmstedt und weiter nach Marienborn.

Dort wollte sie aus dem Zug steigen, auf den nächsten sowjetischen Offizier zugehen und sagen: »Genosse Leutnant. Hier bin ich! Anuschka Turganow aus Torusk an der Lena. Ich möchte zurück nach Sibirien – zurück in die Taiga zu meinen Leuten. Ich komme aus dem goldenen Westen ... aber es ist kein Gold, Genosse, es ist nur billige Bronze, mit der sie sich bemalen. Ich bitte euch, Brüderchen – laßt mich zurück in die Wälder.«

Ohne großes Erstaunen las Dr. Petermann die beiden anonymen Briefe, die ihm Abels in höchster Erregung auf den Tisch geworfen hatte. Er nickte sogar ein paarmal, schob sie zur Seite und beschwerte sie mit einem Stempelkissen.

»Wundert dich das?« fragte er.

»Das ist eine Infamie!« schrie Martin Abels.

»Nein, das ist erst die Ouvertüre. Die große Sinfonie beginnt noch. Hast du erwartet, daß die Gesellschaft – oder die Leute, die sich dafür halten – deine Anuschka so einfach in die Arme schließen, nur weil sie eine Frau Abels wird? O nein, mein Lieber – diese Aktion habe ich schon früher erwartet. Nicht in dieser Form, zugegeben, aber doch massiv genug. Es begann ja schon bei deiner Party. Das hätte eine Warnung sein müssen.«

»Warnung? Ich soll mich warnen lassen, eine Frau zu lieben, die mir mehr wert ist als alles andere auf der Welt?« Abels schlug sich mit der flachen Hand gegen die Stirn. »In welchem Zeitalter leben wir denn?«

»Im Zeitalter der Geldborniertheit, mein Lieber. Früher bestimmte der Adel den Ton. Aber der Adel ist pleite. Dafür sind die Händler ins Rennen gekommen. Wer mit Heringen im Jahr zehn Millionen macht, ist tonangebend. Die neudeutsche Aristokratie hat keine Wappen mehr, sondern Nullen auf dem Bankkonto. Und gegen diese Nullen – im übertragenen Sinne – hast du verstoßen, indem du ein Mädchen aus der Taiga gleichsetzt etwa einer Frau Dr. Faßler.«

»Die ganze Gesellschaft kann mich kreuzweise!« schrie Abels. »Ich verzichte auf sie!«

»Na also.« Petermann hob die Schultern. »Warum dann diese Aufregung über die Briefe? Lach drüber – und zerreiß sie.«

»Nein!« Abels ballte die Fäuste. »Ich habe in meinem ganzen Leben nie vor einer Gefahr, einer Gemeinheit, einem Angriff kapituliert. Das weißt du. Ich bin in Sibirien eingedrungen, und ich bin wieder herausgekommen, etwas, was man für eine Utopie hielt. Und ich soll jetzt vor diesen Schmierfinken da in die Knie gehen? Nie, Ludwig!«

»Und was willst du tun?« Rechtsanwalt Dr. Petermann ahnte nichts Gutes. Die Ideen Martin Abels' waren immer kühn gewesen – und es schien wirklich unbegreiflich, daß er bisher damit immer Erfolg gehabt hatte. Schon der Aufbau der Abels-Werke nach Martins Rückkehr aus der Gefangenschaft hatte jeden nüchternen Rechner schwindelig gemacht. Ohne eine nötige Auftragsdecke hatte Abels investiert, was nur möglich war, hatte die neuesten Maschinen angeschafft, die modernsten Drehbänke, die feinsten Präzisionswerkzeuge. Und dann kam plötzlich das große Geschäft, man verlangte Kugellager bester Qualität in aller Welt, und die Abels-Werke konnten liefern. Glück nannten es die einen, ein Wunder die anderen. Die Belegschaft nannte es Genie des Chefs. Es war keines von alledem, es war nur ein Gefühl für die Dinge, die möglich waren.

»Ich werde eine Belohnung aussetzen!« sagte Abels hart.

»Eine Belohnung? Wofür?«

»Ich will die beiden Jungen haben, die die Briefe überbrachten. Sie werden mir beschreiben können, wer ihnen die Kuverts gegeben hat. Ich nehme an, daß man ihnen vielleicht fünf Mark als Botenlohn gegeben hat. Vielleicht auch zehn Mark mit dem Hinweis, zu schweigen. Oh, sie kennen mich nicht!« Abels klopfte mit den Fingern auf die Schreibtischplatte. »Ludwig – in allen Zeitungen, die hier gelesen werden, setzt du eine große Anzeige ein. Die beiden Jungen, die als Boten einen Brief zu Herrn Martin Abels bringen mußten, werden gebeten, sich bei Herrn Abels persönlich zu melden. Jeder von ihnen bekommt bare tausend Mark!«

»Du bist total verrückt, Martin!« sagte Dr. Petermann erschüttert.

»Die Ehre Anuschkas ist mir zweitausend Mark wert. Und wenn sich keiner meldet – noch eine Anzeige. Noch größer. Und für jeden zehntausend Mark.« Abels hieb mit beiden Fäusten auf den Tisch. »Ich bekomme die Schreiber heraus. Und wenn es ein Vermögen kostet.«

»Man wird in Bremen über dich lachen.«

»Nein. Man wird gelähmt sein vor Schrecken. Zwanzigtausend Mark verschenkt der Abels. Für zwei Jungen. Und man wird begreifen, was Anuschka mir wert ist.«

»Und wenn du die Namen der Schreiber dann weißt?«

»Dann werden die Deiche brechen, bei Gott!«

»Und dann? Man wird Anuschka trotzdem nie anerkennen. Dann gerade nicht. Hier wird dann Geld gegen Geld stehen. Einfluß gegen Einfluß. Clique gegen Clique. Vor allem die Frauen werden dich wie den Tod hassen – und du weißt, daß die Frauen in der Gesellschaft die große Macht sind, weil man ihr Geld erheiratet hat.« Dr. Petermann schob das Stempelkissen weg und faltete die beiden anonymen Briefe zusammen. »Ein Rat als dein Freund, Martin: Laß alles auf sich beruhen. Wer im Schlamm rührt, bespritzt sich mit Dreck. Lebe dein Leben mit Anuschka, aber erzwinge nichts, was unmöglich ist.«

Martin Abels sah seinen Freund lange an. Dann schüttelte er langsam den Kopf. »Ludwig, ihr kennt mich alle so wenig – es ist erschreckend. Wenn ich herausgefordert werde, nehme ich an, aber ich ziehe mich nicht zurück. Ich schlage zurück, und so lange, bis einer auf der Strecke bleibt ... sie oder ich.« Er nahm seinen Hut und setzte ihn auf. In seiner Bewegung lag etwas Endgültiges. Es duldete keine Widerrede. »Die Anzeigen kommen so schnell wie möglich in die Zeitungen. Und dann wollen wir sehen, wie es weitergeht.«

Abels war schon an der Tür, als das Telefon klingelte. Petermann winkte ihn zurück und hielt den Hörer von sich.

»Dein Diener Alfons. Er ist ziemlich aufgeregt.«

»Mein Gott! Schon wieder eine Schweinerei?« Abels rannte zum Telefon und riß den Hörer aus Petermanns Hand. Er hörte stumm, was Alfons berichtete, und legte dann mit einer müden Bewegung auf. Dr. Petermann beobachtete mit Schrecken, wie Martins Gesicht fahl und alt wurde.

»Was ist denn, alter Junge?« fragte er burschikos, um die peinliche Situation etwas aufzulockern. »Wieder ein Brief?«

»Nein.« Abels setzte sich schwer auf den Stuhl zurück. Der große, muskelstarke Körper schien völlig ausgepumpt zu sein. »Anuschka ist weg.«

»Was?« Petermann sprang entsetzt hoch. »Was heißt weg?«

»Sie ist weggefahren. Mit einem Koffer. Irgendwohin. Sie ... sie ist geflüchtet vor uns ... vor uns westlichen Menschen, vor uns bornierten Hohlköpfen, vor uns Lügnern und Heuchlern – Sie ... sie ist weg.«

Sein Kopf sank auf die Brust. Petermann dachte, Martin sei ohnmächtig geworden, er stieß ihn an, rannte zum Schrank und holte Kognak. Abels schüttelte den Kopf und hob abwehrend die Hand.

»Sie haben es erreicht, Ludwig . . . sie haben mir Anuschka wieder genommen.« Sein Kopf flog hoch, in seinen Augen flammte es auf. »Aber das sage ich dir, Ludwig . . .«, seine Stimme war von einer unheimlichen Beherrschtheit – »wenn ich Anuschka nicht wiederfinde, werde ich zum reißenden Tiger. Wie ein tollwütiger Wolf werde ich diese sogenannte Gesellschaft anfallen.«

»Aber das ist doch alles eine dumme Spekulation. Wo soll denn Anuschka hingehen?«

»Zurück nach Rußland.«

»Aber wie denn? Sie kommt doch über keine Grenze.«

»In Marienborn . . . oder in Berlin.«

»Ich werde sofort mit dem Polizeichef sprechen.« Petermann griff zum Telefon. »Man soll die Grenzübertritte genau überwachen. Eine Anuschka ist nicht zu übersehen.« Er sah auf seine Armbanduhr. »Der Interzonenzug ist noch nicht da. Ich kenne den Fahrplan genau, weil ich oft Klienten aus Berlin habe, die damit fahren. Wenn Anuschka mit dem Zug in die Zone will, kann sie jetzt erst in Hannover sein. Ich rede sofort mit dem Leiter des politischen Kommissariats.«

Abels nickte schwach. Er hörte nicht zu, was Dr. Petermann telefonierte.

Anuschka ist fort, dachte er nur. Sie ist geflüchtet vor den Menschen, unter denen sie eine neue Welt suchen sollte. Sie hat mich verlassen, weil sie sah, wie alle mich zu bekämpfen begannen. Sie will sich für mich opfern.

Anuschka. Wenn es nicht anders geht, kehren wir gemeinsam zurück nach Torusk, in die Taiga, zur mächtigen Lena, zu Jossif Nikolajewitsch Samsonow und Victor Pawlowitsch Unjeski. Sie sind wirkliche Freunde . . . Sie haben ihren Kascha und ihren Bortscht, ihren Wodka und ihr Hasenfleisch, ihre Hütte und ihre Pelze, ihren Schlitten und ihre Rentiere. Und ihre herrliche Welt sind die Wälder, in der sie neben Gott allein der Herr sind.

Laß uns zurückkehren nach Torusk, Anuschka.

Dr. Petermann legte den Hörer auf. »Die Grenze wird ab sofort überwacht, Martin. Die Funkanweisung geht bereits hinaus.«

Abels nickte. »Es ist gut, Ludwig«, sagte er schwach. »Aber auf weite Sicht werden wir an einer Frage zugrunde gehen, die niemand beantworten kann: Warum wird der Mensch, wenn es ihm gutgeht, bestialischer als ein Wolf?«

*

In Hannover hatte Anuschka eine Stunde Aufenthalt, ehe der Interzonenzug aus Köln eintraf. Sie setzte sich in den Warte-saal, bestellte eine Tasse Kaffee und starrte vor sich hin auf das fleckige weiße Tischtuch, auf das irgend jemand Ei und Marmelade geschmiert hatte.

Sie dachte in diesen Stunden weniger an Martin, als an das Problem, wie sie über die Grenze kommen könnte. So leicht, wie sie es sich anfangs vorgestellt hatte, war es nicht. Nach der ersten impulsiven Tat, nach dem Wegfahren, hatte sie im Zug Zeit genug gehabt, alles zu durchdenken. Die Kontrollen zwischen Helmstedt und Marienborn waren groß. Wenn Tinja die Polizei alarmiert hatte, war es einfach, sie aus dem Zug zu holen, bevor sie noch einen russischen Landsmann sah. Sicherer war es, nicht bei Helmstedt über die Grenze zu gehen, sondern in Berlin. Dort gab es zwar die Mauer, aber es erschien ihr leichter, die Mauer zu überwinden als eine Kontrolle der deutschen Polizei in einem Zug.

Der Entschluß war ebenso plötzlich wie vor Stunden der in Bremen. Sie bezahlte, nahm ihren Koffer, lief aus dem Bahnhof und ließ sich mit einer Taxe zum Flughafen bringen.

Sie hatte Glück. Ein Platz in einer Touristenklasse war zu-rückgegeben worden wegen Erkrankung. Anuschka bezahlte, bekam ihr Ticket und saß dann in der Halle des Flughafenge-bäudes, klein, in sich zusammengesunken, ein hilfloses Vö-gelchen, bis ihre Maschine aufgerufen wurde und ein freund-licher Steward sie über das Rollfeld begleitete und an der Ma-schine abgab.

Während des ganzen Fluges starrte Anuschka durch das kleine Fenster hinaus auf die vorbeigleitende Erde. Werst um Werst fliegt dahin und trennt uns immer mehr voneinander,

Tinja, dachte sie. Sie weinte dabei, lautlos rannen die Tränen aus ihren schrägen Augen, ein paarmal beugte sich die Stewardeß über sie und fragte leise, ob es ihr nicht gut sei und ob sie etwas aus der Bordapotheke holen solle. Da schüttelte Anuschka nur den Kopf, trocknete mit dem Handrücken die Tränen von den Wangen, versuchte ein kleines, zitterndes Lächeln und sagte: »Es ist gutt, Fräulein. Es ist nix! Große Kummär in Härz ... nix hälfen Pillänn.«

In Berlin stand sie später allein auf dem Flugfeld, wurde durch das riesige Gebäude des Tempelhofer Flughafens geschleust und mit einem Taxenbus bis zum Büro der Fluggesellschaft am Kurfürstendamm gefahren. Dort lud man sie aus wie einen Koffer, wünschte ihr einen guten Aufenthalt in Berlin und ließ sie stehen.

Im ersten Hotel, das sie sah, bekam sie noch ein kleines Zimmer, hinten hinaus, schmal wie ein Schlauch und dunkel durch das einzige Fenster, das einen Ausblick auf eine Ziegelmauer gewährte. Hier saß Anuschka auf dem Bett und starrte gegen die Streifentapete, hörte irgendwo die Spülung eines Klosetts und roch durch das offene Fenster den Duft von Schmorfleisch und Rotkohl.

Tinja, dachte sie wieder. Tinja, was machst du jetzt? Bist du verzweifelt? Hast du die Polizei gerufen? Morgen werde ich wieder bei meinen Leuten sein, und ich werde sagen: Ich habe meinen Tinja so lieb – aber diese westlichen Menschen sind wie die Teufel. Prostitutka nennen sie mich. Hure ... und dabei habe ich ihnen nichts getan, Brüderchen ... gar nichts getan. Es genügte ihnen schon, daß ich bloß da war. Sagt mir, was sind das nur für Menschen? Haben sie alles vergessen, was gewesen ist? Den Krieg, die Toten, die Zerstörungen, den Hunger, das Elend? O Brüderchen, sag ... sind alle westlichen Menschen so schrecklich wie ein satter Deutscher –?

Am Abend ging sie aus, ging zum Brandenburger Tor und sah hinüber zur Mauer, fuhr zum berühmten Checkpoint Charly und beobachtete, wie auf der einen Seite die Amerikaner kontrollierten und auf der anderen Seite deutsche Volkspolizisten und sowjetische Soldaten.

Mit großen Augen sah Anuschka auf die Uniformen im Scheinwerferlicht. Da ist ein Genosse Leutnant, dachte sie. Und da . . . wahrhaftig, da geht ein Genosse General. Er zeigt einigen Männern die Mauer, er erklärt sie ihnen. Sie steigen auf eine Art Tribüne und sehen herüber zu mir.

Anuschka hob die Arme und winkte. Die Männer auf der östlichen Tribüne und auch der Genosse General beachteten sie nicht. Nur ein westdeutscher Polizist trat an Anuschka heran und faßte sie am Arm.

»Wat soll'n det?« fragte er hart. »Wohl 'ne Meise im Jehirn, wat? Weitergehen, Kleene . . . det hier ist nischt für Anfänger!«

»Da drüben ist Genosse General«, sagte Anuschka und winkte wieder. Der Polizist starrte zur Tribüne und dann zu Anuschka zurück.

»Jenosse Jeneral? Ham se dir loofen lassen aus der Klapsmühle? Los, hau ab, sonst nehm ick dir mit, von wejen Jenosse . . .«

Anuschka ging weiter. Sie stand in einem Hauseingang und beobachtete den Checkpoint Charly über eine Stunde lang. Als ein amerikanischer Sergeant auf sie zutrat und zu ihr sagte: »Na, Frollein . . . come mit in die Bett?« drängte sie sich an ihm vorbei aus der Haustür und lief weg. Hinter sich hörte sie das dröhnende Lachen des Amerikaners und seinen Ruf: »Oh! A lovely f . . . girl –!«

Die Nacht war schlaflos und voller Qual. Sie spürte Schmerzen im Unterbauch und verging vor Angst darüber, daß die Anstrengungen der letzten Stunden dem Kinde etwas geschadet haben könnten. Ganz ruhig, wie erstarrt, lag sie auf dem Bett, drückte die flachen Hände gegen den Leib und redete sich und dem Kinde zu.

»Bleib gesund, kleiner Tinjascha . . .« dachte sie. »Dich bringe ich mit nach Torusk. Ein großer Jäger sollst du werden, der mutigste zwischen Taragaisk und Schigansk. Und wie dein Vater Tinja sollst du aussehen, groß und stark und blond. Für dich will ich leben, Tinjaschka. Ganz ruhig, ganz ruhig . . . ruh dich aus und schlafe . . . schlafe . . .«

Die Schmerzen ließen nach, als hätten ihre Hände die

Gedanken auf das Kind in ihrem Leib übertragen. Aber Anuschka selbst schlief nicht. Sie starrte gegen die Ziegelmauer vor dem Fenster und sah den Schein des Mondes wandern. Erst gegen Morgen, als es schon grau vor dem Fenster wurde, schlief sie ein.

Bald werde ich wieder in Rußland sein, dachte sie als letztes. Bald werde ich ausruhen können. Um die halbe Welt bin ich gewandert, um ein Kind von Tinja zu bekommen. Hat es sich nicht gelohnt? Ich bin so glücklich . . . glaubt es mir, Brüderchen . . . auch wenn ich weine.

*

In dieser Nacht saßen auch Martin Abels und Dr. Petermann wach und riefen jede Stunde beim diensttuenden Kommissar im Präsidium an. Man konnte immer nur das gleiche sagen: keine Meldung aus Helmstedt. Mit den bisherigen Zügen ist sie nicht angekommen.

»Ich verstehe das nicht!« schrie Abels in höchster Aufregung. »Sie muß über die Grenze gegangen sein! Ihr Brief ist ganz klar: Ich gehe nach Torusk zurück!«

»Vielleicht ist sie nach Berlin geflogen?«

»Das glaube ich nicht. Sie hat Angst vor dem Fliegen.«

»In dieser Verzweiflung ist die Angst das geringste Hindernis.«

»Was soll sie in Berlin? Da ist die Mauer.«

»Vielleicht hofft sie, dort schneller zum Ziel zu kommen. Es gibt eine sowjetische Handelsmission in West-Berlin, ein Intourist-Büro, die Ehrenwache am Gefallenen-Ehrenmal . . .«

»Rufen wir sofort alle Flughäfen an, die sie benutzt haben könnte. Sie muß ja auf der Flugliste stehen.«

»Normalerweise ja.«

Gegen vier Uhr morgens wußte man, daß ein Fräulein Anuschka Turganow von Hannover nach Berlin geflogen war. Dr. Petermann rief das politische Kommissariat an. Die Grenzkontrolle wurde abgeblasen. Martin Abels jagte den Diener Alfons herum . . . Koffer packen, Flugkarte nach Berlin bestellen, Zimmerreservierung im Hilton, Gesprächsanmeldung mit dem politischen Kommissariat in Berlin.

»In Berlin!« rief Abels wie erleichtert. »Von dort hole ich sie zurück. Durch die Mauerdurchgänge kommt sie nicht . . . über die Mauer erst recht nicht.«

»Denk an die sowjetischen Stellen in West-Berlin«, sagte Dr. Petermann zweifelnd.

»Ich bin gegen elf Uhr in Berlin. Und ich werde Posten beziehen vor dem Checkpoint Charly. Wenn Anuschka in den Osten gebracht wird, dann nur durch diese Tür.« Er nahm den Koffer in Empfang, den Diener Alfons gepackt hatte. Vor der Tür parkte bereits der Wagen. In rasender Fahrt sollte es hinausgehen zum Sportflugplatz Bremens. Dort wartete eine Privatmaschine mit Pilot auf Abels. Sie gehörte Reeder Holgerson. Mit ihr flog er nach Hannover und von dort mit einer Linienmaschine nach Berlin. »Berlin ist näher«, sagte Abels und drückte Dr. Petermann die Hände. »Ich hatte mich schon darauf eingerichtet, wieder nach Torusk zu wandern und Anuschka ein zweites Mal zu holen.«

»Verdammt! Das hättest du getan!« sagte Petermann heiser.

»Ja. So sicher, wie in zwei Stunden die Sonne aufgeht. Es gibt für mich kein Leben ohne Anuschka.«

*

Während Abels über die Zone nach Berlin flog, erschienen in Bremen alle Zeitungen mit der großen Anzeige und der ausgesetzten 1000-DM-Belohnung.

Die Wirkung war ungeheuerlich.

Frau Senatorin Pottbeck ließ ihren Hausarzt rufen, der eine große seelische Erregung feststellte; Freifrau von Plessneck trat einen plötzlichen Urlaub zu den Kanarischen Inseln an. Nur Frau Dr. Faßler, die Ärmste in der Runde, zerfetzte in einsamer Verzweiflung einige Spitzentaschentücher und wußte keinen Rat gegen diese »teuflische Aktion«, wie sie die Anzeige Abels' in einem Telefonrundgespräch nannte. Und während Frau Senator Pottbeck ihrer Nerven wegen gegen

Mittag zur Bühler Höhe gefahren wurde, blieb Frau Dr. Faßler nichts anderes übrig, als ihrem Mann zu beichten, wie die beiden Briefe entstanden waren.

Dr. Faßler war ein Mann der Realität.

Er rief sofort Martin Abels an. Als er erfuhr, daß dieser auf dem Weg nach Berlin sei, wandte er sich nach Köln und bat Reeder Holgerson ans Telefon. »Es ist mir peinlich«, sagte er, nachdem er den Sachverhalt schonungslos erklärt hatte, »aber Sie wissen ja, wie die Frauen sind. Ein Blutegel ist ein charmantes Würmchen dagegen. Und ein gebärender Tiger ist ein Schoßkätzchen. Ich bin voller Mitgefühl für Abels – aber davon hat er ja nichts. Was kann man tun? Könnten Sie nicht vermitteln, Herr Holgerson?«

»Sie kennen doch Abels«, antwortete Holgerson.

»Ja, leider«, seufzte Dr. Faßler. Er wußte, was diese Frage bedeuten sollte. Bei diesem Duell blieb einer auf der Strecke. »Ich weiß, daß Entschuldigungen lahm sind. Rechtlich gesehen ist eine Beleidigungsklage drin, mehr nicht. Das bekommen wir mit der Justiz hin. Es sind da einige Bundesbrüder, Sie wissen – es geht mir hier nur um den gesellschaftlichen Skandal. Ich habe mir gedacht: Wir unterlassen alles, lassen es darauf ankommen und schließen Abels einfach aus. Um einen abseitsstehenden Mann wird sich keiner ein Bein ausreißen.«

»Ich muß nur immer wieder sagen: Sie kennen doch Abels«, sagte Holgerson.

»Er kann uns doch nicht zwingen, sein Taigamädchen als vollwertig anzuerkennen.«

»Er wird vieles können. Und er hat die besseren Nerven, darauf kommt es an. Wenn jemand aus Sibirien seine Frau holt, der hat keine Angst vor der Gesellschaft. Er hat sich gegen Wölfe und die Rote Armee durchgesetzt – was bedeutet da ein Dr. Faßler?«

»Hier leben wir in Deutschland, Herr Holgerson! Hier sind andere Sitten.«

»Sie sagen es, Dr. Faßler.« Holgerson tat es gut, so zu sprechen. »Nur ob sich hier bessere Sitten herausgebildet haben, möchte ich dahingestellt sein lassen.«

Und er hängte ab. Dr. Faßler warf den Hörer zurück auf die Gabel. Ihm war nicht wohl zumute. Immer diese Weiber, dachte er verbittert. Man hätte damals wirklich nicht auf die Mitgift, sondern auf sein Herz hören sollen. Aber wer kann ahnen, daß einmal ein Mädchen aus Torusk auftaucht und die Maske der Hohlheit vom Antlitz unserer Gesellschaft reißt?

Er wählte eine neue Nummer und rief noch einmal Dr. Petermann an.

»Hören Sie, Doktor«, sagte Dr. Faßler mit fester Stimme. »Wir sollten uns einmal zusammensetzen. Ihr Trick mit den Belohnungen von tausend Mark war gut. Ich bin nicht gewillt, um des Verschweigens wegen mehr zu bieten –«

»Abels will bis zehntausend Mark gehen!« antwortete Dr. Petermann fröhlich.

»Ich ahne es. Es rast der See.«

»Sie haben den Wind dazu gemacht.«

»Unsere Frauen! Es ist zum Kotzen, Doktor! Wir sollten gemeinsam einen Modus finden, der das alles aus der Welt schafft. Ich bin in einer halben Stunde bei Ihnen.«

*

In einer dieser Mainächte wurde an der kalifornischen Küste, in der Gegend von Kap Mendocino, nördlich von Fort Bragg, ein Schlauchboot an den Strand gespült.

Außerhalb der Dreimeilenzone war es aus einem niedergegangenen Flugzeug abgeworfen worden. Ihm folgte ein schmaler Körper, der auf dem Wasser des Stillen Ozeans aufschlug, wieder auftauchte, mit ein paar Schwimmstößen das Gummifloß erreichte, zu dem Flugzeug hinauf einige schnelle Blinkzeichen gab und sich dann umzog. Das Flugzeug unbekannter Herkunft schraubte sich wieder hinauf und entschwand in westlicher Richtung. Es tauchte ein paarmal auf den Radarschirmen der US-Luftkontrolle auf, ein paar Nachtjäger wurden losgeschickt, sich das rätselhafte Ding einmal anzusehen, aber dann irrten sie in der Luft herum, suchten vergeblich den Nachthimmel ab und erfuhren, daß das Flugzeug über zehntausend Meter Höhe gewonnen habe und deshalb für die Jäger außer Reichweite sei.

»Ein russischer Aufklärer, völlig eindeutig«, sagte ein Oberst, der die Radarbilder zur Auswertung erhielt. »Aber was wollte der Bursche über der See? Er hat doch vor der Küste abgedreht? Ist irgendein Marineheini unterwegs?«

Die Navy meldete Fehlanzeige. Kein Schiff im Bereich, das genannt wurde. Die Luftkontrolle machte hinter der nächtlichen Radarmeldung ein Fragezeichen.

»Hat sich verflogen, der Iwan«, sagte der Oberst schließlich. »Kommt überall vor. Unsere U-2 haben sich auch mal verfranzt.« Das war ein Witz, man lachte, trank Kaffee und blätterte weiter in Magazinen. So eine Nacht ist lang ... vor allem, wenn es so langweilig schon seit Jahren ist.

Betty Cormick landete drei Stunden später auf einem Sandstreifen der Küste. Sie ließ die Luft aus den Luftkammern des Schwimmfloßes, vergrub die schlaffe Plastikhülle im Ufersand, versenkte den kleinen Hilfsmotor mittels einiger angebundener Steine zwischen den Klippen, die südlich begannen, kämmte sich dann und legte sich am Strand nieder, bis der Morgen kam. Dann betrachtete sie sich im Spiegel, ordnete ihre moderne Sommerkleidung, kontrollierte alle Papiere, die auf Jeanette Parkins lauteten, hängte die flotte bemalte Ledertasche über die linke Schulter und wanderte landeinwärts bis zu der Staatsstraße, die von Trinidad nach San Franzisko führt.

Sie saß nicht lange auf einem Stein, als ein Lastwagen hielt. Ein Kühlwagen, der Frischfleisch in die entlegenen Küstenstädte brachte.

»Na, Puppe!« rief der Fahrer. »So allein im Wind? Dörrst ja ganz aus! Wäre schade, wenn dein Busen einschrumpfte.«

»Kannst mich ja auf Eis legen, Boy!« rief Betty fröhlich zurück. »Hast ja genug Kälte im Kasten! Aber paß auf, daß nicht alles zufriert.«

Der Fahrer lachte und stieß die Tür auf. »Steig ein, Baby! Ich fahre nach Frisco.«

»Genau da will ich hin.«

»'ne Stellung annehmen?«

»Mal sehen, was einem übern Weg läuft.«

Betty kletterte in das hohe Führerhaus, gab dem Fahrer die Hand und schloß hinter sich die Tür. »Ich heiße Jeanette.«

»Ich bin Tommy. Frisco ist ein heißes Pflaster, Baby. Da kann man sich die Füße verbrennen.«

»Ich nicht, Tom!« Betty lachte hell. »Ich habe bestimmte Fähigkeiten.«

»Das glaube ich gern.« Tommy starrte auf Bettys Busen in dem engen Sommerkleid. Verflucht, dachte er. Wir in Amerika haben doch schicke Weiber! Aber auch davon gibt's genug!

Mit lautem Gebrumm schwankte der Kühlwagen weiter nach San Franzisko.

Moskau hatte seine beste Agentin, Nummer D 17, mit Erfolg abgesetzt.

Es ist eigentlich so einfach, ein Spion zu sein.

*

Gegen Mittag erst wachte Anuschka auf. Sie setzte sich erschrocken im Bett hoch und sah sich um, bis sie begriff, wo sie war. Jetzt hörte sie auch, daß jemand an der Tür klopfte und daß es dieser Klopfton gewesen war, der in ihren Schlaf eingedrungen war und sie geweckt hatte.

»Ja?« sagte sie. »Was ist?«

»O nichts!« Eine Frauenstimme. Sicherlich das Zimmermädchen. »Ich wußte nur nicht, was los ist. Es ist schon zwölf Uhr. Entschuldigen Sie bitte.«

Schritte entfernten sich. In anderen Zimmern fing es an zu rumoren. Das Geräusch eines Staubsaugers. Fenster klapperten. Türen schlugen. Irgendwo Musik aus einem Zimmerradio, Tanzmusik. Ein Mädchen pfiff dazu... auch noch falsch.

Als habe sie Blei in den Gliedern und flüssiges Eisen in den Adern, so schwer fielen Anuschka alle Bewegungen. Sie wusch sich, starrte vor dem Spiegel auf ihr bleiches Gesicht, in dem die schrägen Augen merkwürdig fiebrig glänzten. Dann ging sie hinunter in den Speisesaal, aß ein Schnittchen mit Schinken und trank zwei Tassen Tee, bezahlte ihre Rechnung, faßte ihren kleinen Koffer und ging wieder hinaus auf die Straße.

Der Weg zur Mauer war eine einzige Qual. Ich habe geschlafen, dachte sie. Geschlafen, während Tinja gewiß wach war. Nun ist es wieder Mittag, und was wird er tun? Armer Tinja . . .

Wieder beobachtete sie die wenigen Autos, die hinüber in den Ostsektor fuhren. Wagen mit Standern der DDR, einmal ein großer Moskwitsch, in dem zwei Männer in Zivil saßen. Sonst war es still an dem Übergang. Man stand sich gegenüber, sah sich von Schlagbaum zu Schlagbaum an, zwei Welten, die nicht zusammenkommen konnten. Warum, das verstand Anuschka nicht, wie sie so vieles nicht verstand, weil sie einen so natürlichen Menschenverstand besaß, in den die Politik einfach nicht hineinpaßte. Wir sind Menschen, sie sind Menschen, wir wollen arbeiten und satt sein, sie wollen arbeiten und satt sein, wir alle wollen Ruhe und Frieden . . . ist das so schwer zu verstehen und so schwer zu erreichen? Man kann es nicht begreifen, wenn man ein einfacher Mensch ist und kein Politiker, der für Verwirrung bezahlt wird.

Auch hier werde ich nicht hinüberkommen, dachte Anuschka und drückte den kleinen Koffer an sich. Ich werde zurückfliegen müssen und versuchen, durch eine weichere Grenze zu kommen . . . nach Polen, in die Tschechoslowakei, nach Ungarn . . . überall wird es leichter sein als an dieser Mauer aus Betonblöcken.

Sie löste sich aus dem Schutz der Häuser und machte ein paar Schritte von der Mauer weg. In diesem Augenblick durchzuckte sie wieder ein Stich im Leib, sie spürte, wie sie schwankte, wie sich die Straße zu drehen begann, wie der Himmel sich senkte und der Asphalt zum Himmel wurde, wie ihre Sinne wegglitten und sie nur einen fernen Ruf noch aufnahm . . . eine fremde Sprache, fremde Hände griffen nach ihr, sie verlor den Halt unter den Füßen, sie schwebte, sie wurde schwerelos . . . ein Gesicht war über ihr, eine amerikanische Uniform, ein Mund, der unhörbare Worte ausstieß, und dann war sie ohne Besinnung und hing in den Armen eines amerikanischen Soldaten.

»Come on!« brüllte der Gefreite Jim Slake seinen beiden Kameraden zu, die neben einem Jeep standen und Gummi kauten. Er hielt Anuschka umschlungen und schleifte sie zum Wagen. »Zur Ambulanz, Boys! Das Baby hat die Besinnung verloren . . .«

Eine Stunde später lag Anuschka im amerikanischen Militärhospital, und eine junge amerikanische Schwester flößte ihr durch ein Röhrchen Orangensaft zwischen die fest zusammengepreßten Lippen.

Neben dem Bett saß ein Leutnant und nickte ihr freundlich zu, als Anuschka die Augen aufschlug.

»Guten Tag, Fräulein Turganow«, sagte der amerikanische Leutnant auf russisch. »Wie geht es Ihnen?«

»Gut.« Anuschka richtete sich auf. Man hatte sie ausgezogen und sie in einen Nylonschlafanzug gesteckt. Da er sehr durchsichtig war, legte sie verschämt beide Arme über ihre Brust. Der junge Leutnant lächelte diskret. »Wo bin ich hier?«

»Bei Freunden, nehme ich an. Was wollten Sie an der Mauer?«

»Hinüber.«

»Zu Ihren Landsleuten?«

»Ja.«

»Und was machen Sie im Westen? Wer hat Ihnen den Paß gegeben? Er ist in Köln ausgestellt.«

»Das ist eine lange Geschichte.« Anuschka legte sich schwach zurück. »Können Sie dafür sorgen, daß man mich abholt und nach drüben schafft?«

»Ich glaube kaum, Fräulein Turganow.« Der junge Leutnant schüttelte leicht den Kopf. »Wir werden erst nachprüfen, wer Sie sind.«

»Ich bin die Frau Tinjas.«

»Wer ist Tinja.«

»Mein Geliebter. Martin Abels in Bremen.« Anuschka schloß die Augen. Meine Reise ist zu Ende, dachte sie. Ich habe es dumm angefangen.

Vier Stunden später führten zwei amerikanische Offiziere Martin Abels durch die blitzsauberen Gänge des amerikanischen Militärhospitals. Über zwei Stunden hatte der CIC in einem Nebengebäude Martin Abels verhört, hatte in Köln zurückgefragt, hatte telegrafisch alle Angaben überprüfen lassen. Es stimmte, so unglaublich es klang. Ein Major sagte, was die anderen dachten:

»Mr. Abels, das ist die tollste Story des Jahrzehnts. Damit sollten Sie zur LIFE gehen und zu Metro-Goldwyn-Mayer. Da können Sie was draus machen! Ihr Mädchen aus Torusk liegt nebenan auf Zimmer 185! Sie hat einen Schwächeanfall bekommen. Kein Wunder, wo sie im vierten Monat ist.«

»Im was?« fragte Martin Abels und wurde rot.

Der Major lachte. »Okay, Mr. Abels. Das wird ein kleiner Sibiriake! Gratuliere! Und nun gehen wir mal zu dem Baby. Sie können sie im übrigen mitnehmen, wenn Sie wollen.«

»Und ob ich will, Major . . .« sagte Martin leise.

Ein Kind. Anuschka bekommt ein Kind. Das Wiedersehen in Torusk, die glücklichen Stunden in Turganows Hütte, die Seligkeit, sich zu lieben, unter einem Bärenfell – ein Kind.

Er taumelte hinter dem Major her den Gang entlang, bis er vor Zimmer Nr. 185 stand. Dort blieb der Major stehen und nickte. »Gehen Sie allein rein, Mr. Abels. Aber heute abend sind Sie unser Gast. Ich werde einen Freund von der New York Times einladen. Auf solche Geschichten sind sie scharf drüben in den Staaten.«

Er klopfte Abels wieder freundschaftlich auf die Schulter, klinkte die Tür auf und gab ihm einen Schubs.

»Anuschka«, sagte Abels leise, als er im Zimmer stand.

Sie hatte den Kopf zur Wand gedreht. Bei seiner Stimme fuhr sie herum und sprang aus dem Bett. Sie breitete die Arme aus und warf den Kopf weit in den Nacken.

»Tinja –« rief sie. »Verzeih mir, Tinja –«

Er fing sie auf und drückte sie an sich. Sie zitterte, und er trug sie wieder zum Bett, legte sie hin und deckte sie zu.

»Du mußt ganz ruhig sein, Anuschka«, sagte er zärtlich und küßte ihre geschlossenen Augen. »Du darfst jetzt nicht mehr an dich allein denken . . . es ist wichtiger, viel wichtiger.« Er legte die Hand auf ihren Leib, und sie schob ihre Hand darüber und drückte sie fest an sich.

»Du weißt es, Tinja?« flüsterte sie.

»Ich weiß alles, Anuschka.«

»Ich bin so glücklich, Tinja.«

»Ich auch.«

»Und so unglücklich. Es sollte in Torusk geboren werden. Larissa Lampolewa hätte es geholt. Sie holt alle Kinder in Torusk und Taragaisk. Sie hat eine kräftige, gute Hand, die alte Larissa. Nun wird es hier geboren. Und ich hasse dieses Hier!«

»Du wirst es lieben lernen, weil ich hier bin, Anuschka.«

»Nie werde ich es lieben. Nie, Tinja!«

»Wir fahren morgen zurück nach Bremen.«

»Nein!« Sie fuhr hoch und schob seine Hand von ihrem Leib.

»Doch! Wie lange hat Pawel Andrejewitsch einmal auf einen Tiger gewartet, ehe er ihn bekam?«

»Sieben Monate, Tinja.«

»Und er verlor nicht die Geduld. Und du, seine Tochter, willst ungeduldig sein? Schäme dich, Anuschka Turganow!«

Anuschka lächelte schwach. Sie schob die Beine aus dem Bett. Kindlich sah sie aus in dem dünnen Nylonanzug, schmal, zerbrechlich und doch von einer betörenden Fraulichkeit. »Wir fliegen zurück, Tinja?« fragte sie.

»Ja. Morgen früh.«

»Und die Frauen, die solche bösen Briefe schreiben und mich eine Prostitutka nennen?«

»Sie werden zu dir kommen und sich entschuldigen.«

»Glaubst du das wirklich, Tinja?«

»Ich werde sie dazu zwingen!«

»Es wird schwer werden.«

»Gewiß – aber sie werden es tun, und wenn ich wie Pawel Andrejewitsch auf seinen Tiger sieben Monate warten muß.«

*

Die Rückkehr Anuschkas und Abels' erzeugte in der Bremer Gesellschaft eine kleine Panik. Dr. Faßler setzte sich mit Dr. Petermann in Verbindung und besprach noch einmal, wie man Martin Abels am besten beruhigen konnte. Senator Pottbeck und Baron von Plessneck besprachen sich mit Reeder Holgerson, der ihnen den einzigen Rat gab, den er geben konnte: »Gehen Sie hin zu Abels wie Heinrich IV. nach Canossa und sagen Sie ihm, daß Sie für die Dummheiten Ihrer Gattinnen nicht aufkommen.«

Zunächst allerdings erschienen weder Dr. Faßler noch Baron von Plessneck, sondern Peter Ulski von der Handelsmission machte seine Aufwartung in Abels' Büro.

»Ich komme in erster Linie amtlich«, sagte Ulski mit seiner ihm eigenen Gewandtheit. »Wir verhandeln in Bonn über die Ausfuhrgenehmigung von Kugellagern. Wenn es klappt, wären wir an den Abels-Kugellagern sehr interessiert. Wir sollten einmal – zunächst noch unverbindlich – darüber sprechen. Es wäre ein schöner Millionenauftrag. Das vorweg. Rein privat möchte ich sagen, daß wir den Fall Turganow geschlossen haben. Wir wünschen Ihnen viel Glück mit Ihrer schönen Frau.«

»Wie großzügig.« Abels sah Ulski nachdenklich an. »Es ist nicht Ihre Art, Geschenke zu verteilen. Was ist die Wahrheit?«

»Sie kennen uns sehr gut, Nikolai Stepanowitsch.« Ulski betrachtete seine brennende Zigarette. »Die Turganows sind aus Torusk verzogen.«

»Das heißt, sie sind in ein Straflager gekommen«, sagte Abels rauh.

»Sie sind anders eingesetzt worden, Genosse. Überall ist der Aufbau unseres Volkes nötig . . . ob in den Wäldern der Taiga, im Bergwerk, in der Industrie. Die Turganows helfen mit am Sozialismus.«

»So habe ich ihnen Unglück gebracht.« Abels erhob sich und trat an das große Fenster. Von ihm aus konnte er seine Werke überblicken, ein äußerer Reichtum, der allein noch kein Glück bedeutete. »Ich glaube kaum, daß ich Ihrem Land die Kugellager liefern werde.«

»Verquicken wir doch Millionengeschäfte nicht mit privaten Dingen, Towarisch! Wir haben das Interesse an Ihrer einmaligen Leistung verloren. Wir wissen jetzt, daß Sie wirklich fast ohne Hilfe bis nach Sibirien gekommen sind.«

»Ach! Und woher wissen Sie das?« Abels fuhr herum.

»Von einer Betty Cormick. Ein kluges Mädchen. Sie hat uns alles erzählt. Unser Generalstab war sehr betroffen, daß Rußland im Osten so weiche Grenzen hat. Man wird das ändern.«

»Was habt ihr mit Betty gemacht?« rief Abels. »Ist sie schon am Eismeer umgebracht worden?«

»Aber Towarisch.« Peter Ulski lächelte mokant. »Betty Cormick ist wieder in ihrer Heimat, in den USA.«

»Das ist eine Lüge!«

»Leider wird die Wahrheit am wenigsten geglaubt. Aber es ist so.« Ulski erhob sich und drückte die Zigarette aus. »Humanität ist nicht eine alleinige Erfindung des Westens, Nikolai Stepanowitsch.«

»Auch das hat seinen makabren Hintergrund.«

Ulski hob die Schultern. »In unserer Welt muß man alles bezahlen, auch Humanität. Betty konnte bezahlen. Es war ein reelles Geschäft.«

»Und Tasskan, der Regisseur.«

»Ein armer Mensch. Er starb an Lungenentzündung im Gefängnis von Irkutsk.«

»Ach«, Abels verzog den Mund. »Weiß es Betty schon?«

»Nein. Das hat Zeit.« Peter Ulski sah neben Abels auf die Werkhallen. »Ich würde mich sehr freuen, Ihr Werk einmal besichtigen zu können. Ach so, Betty.« Ulski faltete die Hände vor dem Bauch. »Wir kennen ein altes Sprichwort, Towarisch: Das Böse sollte man einpökeln wie Fleisch, dann bleibt es immer frisch. – Ein guter Spruch, nicht wahr?«

*

Die Canossa-Aktion der Ehemänner brach zusammen, bevor sie überhaupt begonnen hatte. Martin Abels war schneller. Nachdem er die beiden Jungen gesprochen hatte und jedem seine 1000 DM ausgezahlt hatte, schickte er Einladungen herum.

»Herr und Frau Abels beehren sich, Sie und Ihre Gattin zu einer Wohltätigkeitsveranstaltung am Samstag um 20 Uhr einzuladen. Bekannte Künstler von Funk und Fernsehen werden auftreten sowie das Ballett der Hamburger Staatsoper. In einer Tombola werden amerikanisch versteigert: Ein Bild ›Das Gerücht‹, eine Skulptur ›Redende Frauen‹ sowie fünfzig andere Gegenstände.
Der Erlös der Versteigerung dient der Unterstützung der osteuropäischen Bibelaktion.
Fernsehen und Presse sind gleichfalls eingeladen.«

In den Villen entlang der Weser saß man mit dicken Köpfen vor dieser auf feinstem Bütten gedruckten Einladung. Man war sich einig, daß dies eine Infamie sei.

Zunächst stand da: Herr und Frau Abels. Nahm man die Einladung an, war das gleichbedeutend mit einer gesellschaftlichen Anerkennung des Mädchens aus Torusk. Sagte man ab, so konnte jeder im Fernsehen sehen, daß man sich vor einer Wohltätigkeitstombola drückte, die zudem noch kirchlichen Zwecken diente. Man mußte also kommen, um sein Gesicht zu wahren. Kurzum, eine Infamie Martin Abels' ohnegleichen.

Einige Rundgespräche wurden wieder geführt und Reeder Holgerson konsultiert, der freudig aus Köln verlauten ließ, Inken gehe es so gut, daß er abkommen könne und selbstverständlich an der Tombola teilnehme. Schließlich einigte man sich auf eine Linie, die absolute Bonner Reife verriet: Man wollte kommen, aber Anuschka nicht die Hand küssen, sondern ihr nur die Hand schütteln. Allein der Handkuß, so legte man fest, komme einer Anerkennung gleich.

Nach diesem diplomatischen Meisterstück, das übrigens Baron von Plessneck ausgeknobelt hatte, sagte man von allen Seiten zu und beglückwünschte Martin Abels zu dieser schönen Idee. Die in die Kur geschickten Frauen wurden zurückgeholt, die Schneiderinnen bekamen ein paar harte Tage, allein Dr. Petermann sah dunkel und beschwor Abels, den Krieg nicht auf die Spitze zu treiben.

»Was hast du vor, Martin?« fragte er. »Ich kenne dich. Diese Tombola ist nicht das Wichtigste. Du hältst etwas verborgen. Du hast eine heimliche Bombe, die du platzen lassen willst.«

»Was du immer denkst«, sagte Abels, aber sein stilles Lächeln war alarmierend. Dr. Petermann seufzte.

»Wäre ich nicht dein Freund, legte ich jetzt alle Mandate von dir nieder.«

»Aber du bist mein Freund, und deshalb geht es weiter.«

Zwei Tage vor dem Fest rief Reeder Holgerson aus Köln an. In der Nacht, heiser und völlig verstört.

Inken hatte hohes Fieber bekommen. Vor einer halben Stunde hatte sie das Bewußtsein verloren. Die Ärzte handelten schnell. Eine Mannschaft von der Chirurgie war zur Orthopädie gefahren worden und hatte sofort mit der Operation begonnen. Ein Thrombus hatte sich im Bein gelöst und war gewandert. Nun saß der Blutpfropf in der großen Lungenvene.

»Der Zustand ist hoffnungslos«, stammelte Holgerson. »Sie operieren noch – ich, ich kann nicht mehr . . .«

In der Nacht noch flogen Abels und Anuschka in Holgersons Privatflugzeug nach Köln. Die Nachtschwester öffnete nach wiederholtem Schellen, der diensthabende Arzt kam aus seinem Wachzimmer und starrte zunächst verwundert und begeistert Anuschka an, ehe er sich an Martin Abels wandte. Vom Flugplatz Ossendorf, wo die viersitzige Privatmaschine Holgersons gelandet war, hatten sie sofort ein Taxi genommen und waren zur Klinik gefahren.

»Fräulein Holgerson –« sagte der diensthabende Arzt gedehnt, als sich Abels vorgestellt hatte. Er war vom Oberarzt von dem Besuch unterrichtet worden. Der alte Holgerson saß oben neben dem Bett Inkens in einem Lehnstuhl und beobachtete jede Regung seines Kindes. Eine Schwester war ebenfalls ständig im Zimmer, um sofort einzugreifen. »Das war eine sehr schwere Operation. Wir mußten den Brustkorb öffnen und den Thrombus entfernen.«

»Und wie geht es ihr?« fragte Abels gepreßt.

»Den Umständen entsprechend zufriedenstellend.«

»Das heißt also: schlecht!« Abels lächelte bitter. »Ich kenne diese ärztliche Sprache.«

»Man kann noch gar nichts sagen. Fräulein Holgerson hat ein starkes Herz und ist jung . . . sie müßte es schaffen. Und Lebensmut hat sie auch . . . sollte sie haben . . .«

»Darum sind wir ja gekommen, Doktor.«

»Ich komme mit, meine Herrschaften.« Der junge Arzt ging voraus, während die Nachtschwester wieder in den Glaskasten der Aufnahme verschwand.

Im Zimmer war die kleine Nachttischlampe mit einem Tuch abgedeckt. Holgerson drehte den Kopf in seinem Lehnstuhl, als die Tür leise aufging. Die Schwester erhob sich von ihrem Stuhl am Tisch und ging leise den Eintretenden entgegen.

»Nichts Neues, Herr Doktor. Sie ist noch besinnungslos.« Dann nickte sie Abels und Anuschka zu und gab ihnen die Hand. »Schwester Letitia. Es ist gut, daß Sie so schnell gekommen sind.« Dabei warf sie einen Blick auf die zusammengesunkene Gestalt in dem Lehnstuhl. Reeder Holgerson erhob sich ächzend und kam mit schleppenden Schritten heran. Nichts mehr an ihm erinnerte noch an den agilen, lebenslustigen, fröhlichen Mann, dem man angesehen hatte, daß er das Leben und das Geld liebte und gewohnt war, zu herrschen und die Erfüllung seines Willens vorauszusetzen.

»Martin«, sagte er mit kaum hörbarer Stimme, »ich danke Ihnen.« Er beugte sich über Anuschkas Hand und küßte sie, aber es war eine müde Galanterie, mehr eine Gewohnheitssache. Etwas unendlich Trauriges lag in seinen Bemühungen, Anuschka gegenüber noch immer eine gewisse männliche Stärke zu zeigen.

»Ich mache mir Vorwürfe, Herr Holgerson . . .« sagte Abels gepreßt. Er sah hinüber auf das schmale, von den vollen braunen Haaren umrahmte Gesicht, das in dem Kopfkissen fast verschwand, so zart und durchsichtig war es geworden. Es war ein Puppenkopf, an dem man vergessen hatte, die rosige Farbe aufzutragen.

»Vorwürfe? Aber wieso denn?«

»Hätte ich Inken nicht zu der Beinoperation geraten, wäre es nie zu einer Embolie gekommen.«

»Es ist eine Dummheit, jetzt solche Gedanken zu haben, Martin. Wer konnte mit solchen Komplikationen rechnen?«

Anuschka war unterdessen an das Bett getreten und beugte sich tief über Inken. Es war, als wolle sie mit ihren Lippen spüren, ob noch Leben in dem bleichen Körper war. Ganz leicht legte sie ihre rechte Hand auf Inkens Stirn und strich über sie hinweg. Du hast Tinja so geliebt, wie ich ihn liebe, dachte sie dabei. Du armes, reiches Mädchen ... ich würde sterben, wenn ich du wäre. Ich könnte nicht mehr ohne Tinja leben ...

»Die Operation ist gelungen«, sagte Holgerson und schlurfte zu seinem Lehnstuhl zurück. »Ärztlicherseits ist also alles geschehen. Was jetzt kommt, liegt in Gottes Hand – wie man so wundervoll ohnmächtig sagt. Wir können nur noch warten und hoffen, und wenn wir uns Kraft davon versprechen – beten.« Er setzte sich und faltete die Hände. »Es ist schrecklich, Martin ... ich kann es nicht. Ich habe zum letztenmal bei meiner Konfirmation gebetet. Ich käme mir dumm und dreist vor, wenn ich jetzt Gott bitten sollte, mir, gerade mir zu helfen. Man bettelt nicht bei einem, den man Jahrzehnte lang verspottet und getreten hat.«

Der alte Holgerson senkte den Kopf und schloß die Augen. »Jetzt fehlt mir die Stärke, das hier durchzuhalten. Verstehen Sie das, Martin?«

»Sie sollten ins Hotel gehen und schlafen, Herr Holgerson.«

»Schlafen?« Der Reeder sah Abels an, als habe er etwas Ungeheuerliches gesagt. »Könnten Sie schlafen, wenn Anuschka dort läge?«

»Um Himmels willen, nein!«

»Inken ist der ganze Sinn meines Aufstiegs und meines Lebens. Für wen habe ich meine Werften aufgebaut und vergrößert? Für mich? Ich hätte mir ein gemütlicheres Leben denken können, auf Teneriffa oder an der Riviera. Was ich hatte, war genug für ein sorgloses Leben. Aber ich wollte Inken ein

Erbe hinterlassen, das sie und ihre Kinder einmal aller Sorge enthebt. Und nun das, Martin. Wenn Inken stirbt ... ich weiß nicht, was ich mache. Ich bitte schon jetzt für diesen Fall um die Freiheit eines Irren.«

»Holgerson!« Abels legte die Hände auf die Schultern des alten Mannes. »Sie sollten nicht solche Gedanken haben. Inken wird weiterleben.«

»Wenn gute Wünsche wie Wunder wären ...«

»Wir bleiben so lange hier, bis Inken außerhalb der Krisis ist.« Abels drückte die Schultern Holgersons. »Und Sie stehen jetzt auf und gehen ins Hotel.«

»Nein!«

»Doch!«

»Wenn Inken erwacht ...«

»Wird sie mich sehen und Anuschka. Das wird sie mehr freuen als der Anblick ihres Vaters.«

»Sie sind von einer entwaffnenden Brutalität, Martin.« Seufzend erhob sich Holgerson. »Ich gehe nebenan und lege mich auf eine Couch.«

»Sie sollen schlafen.«

»Ich will es versuchen.« Er blieb an der Tür stehen. »Rufen Sie mich, wenn Inken erwacht?«

»Natürlich.«

Der junge Arzt hatte unterdessen Inken abgehört, den Puls gefühlt und hob die Schultern. »Atmung und Herztätigkeit sind besser als vor einer Stunde«, sagte er und rollte sein Membranstethoskop zusammen. »Wie gesagt, wenn das Herz durchhält, haben wir gewonnen.«

Er nickte Anuschka und Abels noch einmal zu und folgte dann Holgerson auf den breiten Gang. Leise zog er die Tür hinter sich zu.

Stumm saßen Abels und Anuschka neben dem Bett und warteten. Gegen Morgen – die Schwester war am Tisch eingenickt, und auch Abels saß mit hängendem Kopf auf seinem Stuhl und schlief – bewegte sich Inken ganz leicht, und ihre Augenlider hoben sich. Anuschka beugte sich über sie.

»Inken ...« sagte sie leise. »Inken ... isch bin da. Kannst du sähen misch ...«

Wieder legte sie ihre kühle Hand auf Inkens Stirn. Es schien eine Wohltat zu sein, denn das plötzlich etwas verzerrte Gesicht Inkens entspannte sich.

Anuschka zupfte etwas Watte aus einem sterilen Behälter, der auf dem Nachttisch stand, träufelte Kölnisch Wasser darauf und rieb damit sacht das Gesicht Inkens ab. Dann hielt sie ihr den Wattebausch unter die Nase. Mit einem freudigen Schreck sah sie, wie Inkens Brust sich hob und wie der erste tiefe Atemzug durch ihren Brustkorb ging. Die Augen wurden größer, der Blick war plötzlich klar. Fragend und erstaunt erkannte Inken in diesem Moment die Anwesenheit Anuschkas. Auch Martin erfaßte ihr Blick ... den schlafenden, erschöpften Mann auf dem Stuhl.

»Ruhä ... bittä ... nix bewegen ...«

»Sie –?« flüsterte Inken kaum hörbar. Anuschka nickte.

»Martin«, sagte Inken etwas klarer. Anuschkas Herz verkrampfte sich. Aber dann nickte sie und beugte sich vor, rüttelte an Abels' Schulter und weckte ihn. Er fuhr erschrocken auf und strich sich die Haare aus der Stirn.

»Was ist, Anuschka? Himmel, ich bin eingeschlafen. Was ist mit Inken?«

Er beugte sich vor und sah die geöffneten Augen der Kranken. Ihr Blick war wieder verschwommen, unklar, weit weg von dieser Welt, aber die Augen blieben offen, und der Atem war kräftiger geworden.

Abels weckte die Schwester auf. Sie warf einen Blick auf Inken und rannte aus dem Zimmer, eine herzstärkende Spritze zu holen. Gleichzeitig sah sie in das kleine Besuchszimmer, wo Holgerson auf der Couch lag und rauchte. Mit einem Schwung setzte er sich auf.

»Was ist mit Inken?« rief er.

»Sie ist wach, Herr Konsul.«

Mit steifen Beinen rannte Holgerson ins Nebenzimmer. Er kam gerade dazu, als Abels sich über Inken beugte und zu ihr sagte: »Was machst du für Dummheiten, Inki?! Jetzt mußt du aber ganz fest mithelfen, gesund zu werden, sonst geht der Sommer vorbei, ohne daß wir segeln waren.«

Inken nickte mit den Lidern. Ihr Blick wanderte von Martin zu Anuschka und blieb bei ihrem Vater stehen.

»Ihr alle . . .« sagte sie kaum hörbar. »Was . . . was ist denn mit mir los . . .?«

»Ein Rückfall, mein Kleines.« Holgerson setzte sich auf die Bettkante. Er legte seine Hände auf ihre weißen, aber heißen Finger. Wie farblos die Fingerspitzen sind, dachte er mit Schrecken. Als sei sie schon gestorben. »Aber auch das geht vorbei, Inki. – Nur Mut! Nur Mut!«

Dann verließ ihn selbst die Beherrschung – er wandte sich ab, stand auf und ging in den Hintergrund. Es brauchte niemand zu sehen, wie der Reeder und Konsul Holgerson weinte.

*

Nach drei Tagen war Inkens Zustand nicht mehr lebensbedrohend, sie hatte die Krisis überwunden. Holgerson konnte nach Bremen zurückreisen, um die nötigsten geschäftlichen Dinge zu erledigen. Vorher aber nahm er Anuschka zur Seite. Sie war blaß und hatte tiefe Ringe unter den Augen. In allen drei kritischen Nächten hatte sie an Inkens Bett gesessen, ohne eine Minute zu schlafen. Eine ungeheure Energie, die Kraft, die in den Wäldern der Taiga zum Himmel ragt und die auf die Menschen überzugehen scheint, hielt sie aufrecht. Man sah ihr die Anstrengung an – aber das war nur äußerlich. Ihre innere Kraft war noch nicht verbraucht. Martin Abels war darin schwächer . . . in der dritten Nachtwache konnte er nicht mehr – er legte sich in den Lehnstuhl und schlief fest ein bis zum Morgen.

»Ich werde Ihnen das nie vergessen, Anuschka«, sagte Holgerson mit belegter Stimme. »Und ich verspreche Ihnen, auch für Sie durch die Hölle zu gehen, wie es Martin getan hat.« Er zögerte, dann wurde er verlegen, beugte sich vor und küßte Anuschka auf die Stirn. »Sie sind ein wunderbares Mädchen«, sagte er danach.

Und zu Abels sagte er draußen auf dem Flur, ehe er das Krankenhaus verließ und mit der Privatmaschine nach Bremen flog: »Ich verspreche Ihnen, Martin, daß ich in Bremen aufräumen werde. Wer auch nur einen leisen Ton gegen Anuschka sagt, fliegt bei mir raus! Sie wissen, welchen Einfluß ich habe . . . ich werde ihn voll in die Waagschale werfen.« Er gab Abels beide Hände und drückte sie fest. »Auch wenn mein Vaterherz dabei zuckt, muß ich es Ihnen sagen, Martin: Anuschka ist die einzig richtige Frau für Sie. Sie konnten gar keine andere haben. Auch Inken nicht.« Holgerson atmete tief auf. »Es war mir ein Bedürfnis, Ihnen das zu sagen. Und ich werde dafür sorgen, daß auch andere Kreise genauso denken.«

In Bremen hatte Dr. Petermann die Tombola vertagt und unterdessen die Begründung schriftlich herumgeschickt. Das große Mitleid war auf seiten Inken Holgersons, aber man begriff nicht, wieso Anuschka, diese Halbwilde, am Bett sitzen mußte, wo es ihr doch recht sein mußte, daß ihre Rivalin bei Abels auf solch einfache Weise aus der Welt schied.

Konsul Holgerson wurde auch sofort nach seiner Rückkehr von allen Seiten bestürmt und gefragt. Man sprach überschwengliche Genesungswünsche aus, ließ durch einen internationalen Blumenring riesige Gebinde in die Klinik schicken, und Frau Senator Pottbeck war es, die mutig auf den Kern der Dinge einging und sagte: »Wie nimmt denn Inken die Anwesenheit dieser Russin auf?«

Holgerson schob die Unterlippe vor. Der Trompetenstoß zum Angriff war geblasen. Er sah, wie Frau von Plessneck hektische Flecken am Hals bekam und Frau Dr. Faßler kurzatmig vor Spannung wurde.

»Diese – Russin –« sagte Holgerson gedehnt und legte auf das Wort Russin einen dicken Akzent, »ist der einzige Mensch, den ich – natürlich neben Abels – in der Nähe meiner Tochter dulde!«

»Oh!« Frau Senator Pottbeck sah hilfesuchend zu ihrem Mann. Aber dieser war damit beschäftigt, seine Zigarre abzuschneiden, was unter Männern eine fast heilige Handlung ist, bei der jede Störung verboten wird. »Sie meinen . . .«

»Ich meine, daß Anuschka – Sie sehen, ich sage nicht Russenweib oder Steppentier oder Sibirienmädchen – im Vergleich zu der landläufigen Ansicht über den Wert eines Menschen in eine himmlische Höhe gehoben werden muß.«

»Wie bitte?« fragte Frau Dr. Faßler spitz zurück. Dr. Faßler bemühte sich vergebens, vom Fenster her Zeichen zu geben. Halt den Mund, Mathilde, dachte er böse. O Gott, wenn sie doch nicht die Tochter eines Millionärs gewesen wäre!

»Wollen Sie etwa wieder den abgegriffenen Begriff des ›Engels aus Sibirien‹ praktizieren?« fragte Frau Dr. Faßler mutig. Holgerson schüttelte den Kopf.

»Sie haben recht – dieser Begriff ist zu sehr strapaziert worden. Ich möchte sie anders nennen: Sie ist ein Mensch! Sie ist das, was ein Mensch sein sollte.« Holgerson sah sich ostentativ um. »Bis zur Ankunft Anuschkas wußte ich nicht, was das ist, denn ich habe noch nie einen Menschen kennengelernt.«

Das betretene Schweigen, das seinen Worten folgte, bewies ihm, daß man ihn verstanden hatte. Als erster räusperte sich Senator Pottbeck.

»Wann erwarten Sie Frau Anuschka zurück?«

»Ich weiß es nicht. Sie bleibt bei Inken, bis man es verantworten kann, meine Tochter allein zu lassen.«

»Und Herr Abels?«

»Bleibt auch da.«

Der kleine Gesellschaftsabend verlief daraufhin still und endete kurz vor Mitternacht. Als letzter ging Baron von Plessneck. Er hatte den Abschied hinausgezögert. Seine Frau saß schon wartend im Wagen und der Chauffeur hielt die Tür auf, als Baron von Plessneck noch einmal zu Holgerson zurückging.

»Holgerson, unter uns – was halten Sie davon, wenn ich die Abels' nach ihrer Rückkehr aus Köln offiziell einlade?« fragte er leise. Holgerson hob die Schultern.

»Ich kann Ihnen da keinen Rat geben, Baron. Das müssen Sie allein wissen. Es ist Ihr Haus und es ist Ihr Sekt, den man trinken wird. Wenn Sie sich überwinden können, einem jakutischen Jägermädchen die Hand zu küssen . . .« Dicker Spott lag in Holgersons Stimme. Der Baron verstand und lächelte etwas schief.

»Sie wissen doch, Holgerson . . . die Frauen . . . und gerade meine Frau . . .«

»Dann überwinden Sie Ihre Frau, Baron. Ihre Vorfahren waren Ritter, die sogar einen Kreuzzug mitgemacht haben, um das Heilige Grab zu befreien. Es ist eigentlich schändlich, daß die Nachkommen die Fahne streichen vor der Hysterie ihrer Frauen.«

Baron von Plessneck nickte. »Ich lade sie ein, Holgerson!« sagte er hart. »Allerdings werde ich dreißig Jahre Schwäche mit einem Paukenschlag auslöschen müssen. Drücken Sie mir beide Daumen.«

»Und die großen Zehen dazu!« rief Holgerson lachend. Und er winkte fröhlich dem Wagen nach, als er die Auffahrt der Holgerson-Villa hinunterfuhr zur Straße.

Baron von Plessneck ist der Pegel der Gesellschaft, dachte er. Wenn seine Gunst für jemanden hoch steht, werden sie alle mitziehen. Der biblische Schrei: »Gebt Barabbas frei!« und »Kreuzige ihn!« ist noch nicht gestorben. Das von Gunst und Demagogie abhängige Hirn des Volkes hat sich in zweitausend Jahren noch nicht geändert . . . und wird sich auch nie ändern. Zufrieden ging Holgerson zurück in seine Villa und trank allein noch ein Glas Portwein.

Der Weg für Anuschka war frei.

Der »Westen« hatte sie gnädig aufgenommen.

Und Holgerson sagte laut, was er seit langem dachte: »Es ist zum Kotzen mit uns.«

Der Diener, der die Gläser wegräumte, zog die Augenbrauen hoch. Er kam aus England von einer Butlerschule und trug während des Dienstes nur weiße Handschuhe.

Das Wort Kotzen tat ihm körperlich weh.

Er trug deshalb auch die Gläser mit hochmütiger Miene an Holgerson vorbei aus dem Zimmer, als sei er persönlich beleidigt worden.

*

Drei Wochen später fand im engsten Kreise die deutsche Hochzeit von Martin und Anuschka statt.

In diesen drei Wochen war viel geschehen. Es begann damit, daß in der Kölner Klinik neben den Blumen für Inken nun auch Blumen für Anuschka abgegeben wurden. Den Reigen eröffnete Baron von Plessneck mit einer den Rosen beiliegenden Karte, auf der er seine Hochachtung für die Opferbereitschaft aussprach. Abels las ein paarmal diesen Schrieb durch, übersetzte ihn Anuschka ins Russische und schüttelte den Kopf.

»Jetzt werden sie alle verrückt, paß mal auf. Es fehlt nur noch, daß sie mit Palmwedeln fächeln. Ich werde in deinem Namen beim Baron anrufen und mich bedanken.«

In der zweiten Woche, als es Inken so gut ging, daß sie Besuche empfangen durfte, kamen die Wagen aus Bremen heran, als handle es sich um eine private Rallye. Fast schien es, als sei Anuschka wichtiger als Inken, der die Besuche ja galten. Mit einem stillen Lächeln beobachtete Inken, wie die Herren Anuschka umstanden und sich darum drängten, von ihr persönlich angesprochen zu werden. »Wie ein Haufen Hähne, die ein einsames Huhn umflattern«, sagte sie einmal. Dann lachten sie und blinzelten sich zu. Sie waren Freundinnen geworden, ja mehr noch: es war, als sei mit dem Eintritt Anuschkas in das Leben Inkens ein völlig anderer Rhythmus und ein wirklicher Sinn gekommen. Eine große Aussprache war dem vorausgegangen – es waren die ersten längeren Sätze, die Inken sprach, als sie kräftig genug war und der Dauertropf, an dem sie hing, abgesetzt werden konnte.

»Ich habe dich gehaßt, Anuschka«, sagte sie langsam. »Ich hätte dich umbringen können – weißt du das?«

»Ja.« Anuschka nickte ernst. »Ich hätte es nicht anders getan.« Sie lächelte verzeihend, denn sie hatte russisch gesprochen. »Isch dich auch umbringen«, sagte sie deutsch. »Isch tun für Tinja alles.«

»Und dabei bist du ein Engel.«

»Nix Ängel. Isch ganz dummes Mädchen.«

»Warum tust du das alles, Anuschka?«

»Für Tinja. Er froh, wenn du gesund.«

»Und du hast keine Angst, daß ich ihn dir wegnehme?«

»Nein.« Anuschka lächelte still. »Tinja liebt nur mich.«

Inken schloß die Augen. Ist es schon ein Jahr her, dachte sie, daß ich erkannte, wie unerreichbar Martin für mich geworden war? Wie die Zeit wegrast. Ein Jahr fast schon. Jener Abend vor dem Hause Martins, der sie zu einer Verzweiflungstat trieb, vor der sie hinterher selbst schauderte.

»Weißt du, daß ich mich töten wollte?« fragte sie leise. Anuschka beugte sich über sie. »Nein.«

»Als er mir sagte, daß er nur dich liebt und dich aus Sibirien herausholen wolle, habe ich versucht, mich mit dem Auto umzubringen. Ich war völlig kopflos. Wärest du damals schon hiergewesen, ich hätte dich zerrissen.«

»Armes Inken.« Anuschka streichelte über die schweißige Stirn der Kranken. »Isch nicht kann dafür, daß ich läbe . . .«

Von dieser Stunde an fühlten sie sich miteinander verbunden, und als dann die Besucher aus Bremen kamen, mit Blumenkörben, mit Fruchtschalen, mit einstudierter Herzlichkeit, zeigten sie ihre Freundschaft so deutlich, daß man Anuschka doppelt hofieren mußte, um Inken Holgerson die gebührende Achtung darzubringen.

Nun war die Hochzeit Martins und Anuschkas. Sie fand außerhalb Bremens in einer kleinen Dorfkirche statt. An der Unterweser, zwischen Deichen und Moorgräben, Kanälen und Bächen hatte Abels einen Bauernhof gekauft, den er verpachtete, auf dem er aber immer einige Zimmer für den Eigengebrauch reserviert hielt. Hier, abgeschieden von der lauten Welt, umgeben von der Stille trockengelegten Moores, zwischen Wacholderbüschen und schlanken Birkenwäldern, unter einem weiten blauen Himmel, der ahnen ließ, wie unbegreifbar die Unendlichkeit ist – hier wollten sie drei Wochen ganz für sich allein verleben, durch Moor und Heide reiten, in der Sonne liegen und den Grillen zuhören.

Nur Dr. Petermann, Heinz Fernholz, Holgerson, zwei Direktoren der Abels-Werke und der Pachtbauer waren bei dieser Hochzeit zugegen. Der Pfarrer sprach einige Minuten von der Kraft der Liebe, die keine Grenzen kennt, dann fehlten ihm die Worte, das auszudrücken, was in Wirklichkeit geschehen war. »Ihr werdet erkannt haben«, sagte er deshalb, »daß immer, auf allen euren Wegen, Gott neben euch gestanden hat. Ohne seine schützende Hand wäre dieses große Menschenabenteuer nicht möglich gewesen. Wir sollten ihn daran erkennen und ihm auf immer und ewig dankbar sein.«

Dann läuteten die Glocken der kleinen Dorfkirche, die Ringe wurden gewechselt, die winzige Orgel spielte »Jesu, geh voran auf der Lebensbahn«, die Trauzeugen gratulierten – aber die Gedanken Anuschkas und Martins waren weit weg... viele tausend Werst weit in einer Blockhütte am Rande der Wälder, die bis zur Lena reichten... das Haus der Turganows in Torusk... die Trauung vor der alten Ikone, Hauptmann Samsonow als Trauzeuge, der alte, in Verbannung lebende Pope mit den Handbinden aus zerschnittenen Handtüchern und den darauf gemalten Kreuzen, der zitternde Gesang von Olga Turganowa und das Gebrumm Pawel Andrejewitschs, das frische Brot, mit Salz bestreut, und das Ohr des Fuchses... und auf dem Herd brutzelte ein Braten, der Geruch sauren Kohls zog durch das ganze Haus.

Anuschka senkte den Kopf und lehnte ihn gegen Martins Schulter. Mamaschka, dachte sie, nun bin ich wirklich Tinjas Frau. Und ein Kindchen werden wir haben, ein schönes, rosiges Kindchen. Pawel Jossif werden wir es nennen, wenn es ein Junge wird. Pawel wie Papaschka, Jossif wie Hauptmann Samsonow.

Jetzt ist Juni. Die Birken haben geblüht. Im Garten leuchten die Rosen, die Lupinen strecken ihre Kerzen hoch, die Sonnenblumen schaukeln an langen Stengeln im Wind. Und Iwan Iwanowitsch Letkow ist wieder stolz, als einziger von Torusk im Garten Mais zu haben, mit dem er dann seine Hühner füttert. »Genossen!« hat er einmal gesagt, der einfältige Mensch. »Wenn es eine Prämie für den gelbsten Eidotter gäbe – Letkow, der ich bin, würde sie bekommen. Und nur wegen des Maises. Ihr solltet alle Mais anbauen, Brüderchen!«

Aber das lohnt sich nicht, denn es gibt wenig Hühner in Torusk. Wozu auch? Ein Jägerdorf lebt vom Wildfleisch. Aber Genossen, weißes, zartes Fleisch? Unsere Zähne wollen was zu reißen und zu beißen haben. Und eine Rentierkeule ist ungleich schöner als ein zartes Hühnerbeinchen.

Juni in Torusk. Es ist heiß. Manchmal dampfen die Wälder wie dicke Männer in der Banja. Und manchmal brennt es auch. Dann kommen die ängstlichen Tiere bis nach Torusk. Füchse, Bären, Hasen, Marder, wilde Rene, Hirsche, manchmal sogar ein Tiger. So wie damals, als plötzlich ein Tiger auf dem Dorfplatz stand, und Josef Wladimirowitsch Nilin, der Dorfsowjet, machte fast vor Angst in die Hose, denn ahnungslos trat er aus seinem Schuppen und sah in zwei grüne schillernde Tigeraugen. Diese Aufregung. Hauptmann Samsonow schrie nach seiner Maschinenpistole. Erlegt hatte den Tiger dann Unjeski, der Schlaukopf, denn er sparte somit den Ankauf des Felles von einem Dritten.

Martin küßte Anuschka auf die Augen. Sie blinzelte und sah ihn lächelnd an.

»Woran denkst du, Frau Abels?« fragte er leise.

»Woran du auch denkst, Tinja.«

»An Torusk –«

»An Torusk, Tinja –«

». . . und so stoßen wir an auf das glückliche Paar, das wohl das schönste ist, das ich je gesehen habe«, vollendete Holgerson seinen Toast und hob das Sektglas. Martin und Anuschka schraken auf und lächelten um Verzeihung bittend in die Runde. Was Holgerson vorher sagte, hatten sie in ihrer Versunkenheit nicht gehört. Es ist weit von Torusk nach Bremen.

Am Nachmittag fuhren sie hinaus zu dem einsamen Moorhof zwischen Wacholderbüschen und Birken.

»Wie schön, Tinja!« jubelte Anuschka, als sie durch den Stall ging. »Laß uns hier bleiben . . . laß uns immer hier leben! Hier werde ich wie zu Hause sein . . .«

Und sie nahm das Sattelzeug vom Haken, schleppte es in eine der Boxen und begann ein Pferd zu satteln.

Abels blieb im Gang des Stalles stehen. Er hörte, wie Anuschka mit dem Pferd sprach . . . russisch, mit zärtlicher, singender Stimme. Es war, als sänge sie dem Pferd ein uraltes Lied ins Ohr.

Wie ein Pfeil, so flieg dahin,
um die Wette mit dem Wind,
heij, mein Pferdchen, heij,
schneller als die Wolken –

Martin Abels wischte sich über die Augen.

»Bin ich ein glücklicher Mensch«? dachte er mit pochendem Herzen. »Ja, ich bin es! Ich bin ein wirklich glücklicher Mensch.«

*

In diesen Tagen des Glücks und der Ruhe stand in den Zeitungen eine kleine Meldung, die niemand sonderlich interessierte und die nur Martin Abels mit tiefer Nachdenklichkeit las. Anuschka erzählte er nichts davon. Es war die Meldung:

»Gestern wurde bei dem Versuch, in das Büro einer amerikanischen Atomraketeneinheit einzubrechen, eine Frau von den Wachen erschossen. Sie trug einen Paß auf den Namen Jeanette Perkins. Wie sich später herausstellte, war es die amerikanische Staatsbürgerin Betty Cormick, die als sowjetische Agentin Spionage für die UdSSR trieb.«

Martin Abels legte die Zeitung weg und sah hinaus über das stille, weite Moor- und Heideland. Betty Cormick, dachte er. Ein Leben ohne Liebe und Sinn war beendet. Erst hatte sie ihr Leben für ihre kranke Mutter eingesetzt, und man hatte sie verraten. Dann legte sie alles in die Waagschale des Schicksals, um ihren Geliebten Tasskan zu retten – und wieder wurde sie betrogen, denn Tasskan lebte schon nicht mehr, als man sie an der Küste Kaliforniens absetzte. Ihr ganzes Leben lang war sie eine Gehetzte. Sie irrte herum, um sich damit die Ruhe zu erkaufen. Nun lag sie in einem Leichenschauhaus und würde irgendwo in einer Ecke begraben werden.

Angehörige – keine, schrieb man auf den Totenschein.

Ein einsamer Mensch ging vollends auf in der Einsamkeit.

Der einzige, der noch Anteil nahm an dieser Meldung, war Dr. Petermann. Er rief am Abend Martin an.

»Hast du gelesen?« fragte er.

»Ja. Schrecklich.«

»Ich habe sechs Stunden gebraucht, um zu erfahren, wo Betty liegt. Über die Botschaft in Mehlem und andere Bekannte dort weiß ich es jetzt. Betty wird in St. John in Kansas beerdigt.«

»Lasse einen Kranz abgeben, Ludwig«, sagte Martin Abels leise. »Mit einer Schleife und der Aufschrift: ›Nun hast du Ruhe gefunden, Betty.‹ Geht das?«

»Ich glaube ja.«

Im Nebenzimmer wartete Anuschka am Tisch mit dem Abendessen. Es gab Milchsuppe und Eierkuchen mit Spargel. In Torusk aßen sie statt Spargel kleingehackte Hasenleber.

»Wer rief an, Tinja?« fragte Anuschka, als Abels ins Zimmer trat.

»Petermann. Geschäftlich.« Er setzte sich und streichelte Anuschkas Hand. »Ich habe mir überlegt«, sagte er, »daß unser Leben wirklich gesegnet ist.«

*

Am 10. November wurde Anuschka in die Klinik gebracht.

Die große Stunde stand bevor.

Diesmal begleitete Inken Holgerson sie. Martin war nicht in Bremen, er verhandelte in München mit Schweizer und italienischen Exporteuren. Da es schwierige Verhandlungen waren, hatte er keinen seiner Direktoren schicken können, sondern mußte selbst nach München fahren. Anuschka hatte ihn beruhigt mit der Behauptung, das Kind könne nicht so plötzlich kommen.

In der Nacht begannen die ersten Wehen. Der Hausarzt verständigte sofort die Klinik. Inken Holgerson war in zwanzig Minuten zur Stelle.

In den vergangenen Monaten hatte Inken sich gut erholt. Die Beinoperation war gelungen. Zwar mußte sie noch vorsichtig sein, für die kommenden zwei oder drei Jahre gab es für sie weder Skifahren noch Reiten, weder Wasserski noch Tennis, sie mußte behutsam gehen, öfter Pausen einlegen, damit das Bein nicht überanstrengt und überbelastet wurde – aber sie hinkte nicht mehr, sie konnte aufrecht gehen. Niemand kam mehr auf den Gedanken, daß dieses hübsche Mädchen einmal aus Verzweiflung über ein dauerndes Krüppeldasein aus dem Leben scheiden wollte.

Auch die große Embolieoperation hatte keine Rückwirkungen hinterlassen bis auf den Bogenschnitt auf ihrem Brustkorb. In den wenigen Minuten der Melancholie, die sie noch immer hatte, stand sie dann nackt vor dem großen Spiegel und betrachtete die große lange Narbe. Wird mich jemals ein Mann heiraten, wenn er diese Verstümmelung meines Körpers sieht, dachte sie dann. Ja, Martin würde es ... aber wo gibt es noch einen zweiten Martin Abels ...?

In der Klinik wurde Anuschka sofort in den Kreißsaal gerollt. Inken versuchte, Martin in München zu erreichen, aber er war noch mit den Herren aus der Schweiz und Italien unterwegs, wie das Hotel mitteilte. Inken nickte. Natürlich – Geschäfte großer Spannweite werden in Gesellschaft gefüllter Gläser getätigt, und wenn es hartnäckige Fälle sind, gehört auch ein Nachtlokal dazu.

»Herr Abels soll sofort in der Klinik anrufen!« hinterließ Inken dem Hotelportier. »Er weiß dann schon, was das bedeutet.«

Am 11. November wurde Martin Abels' Sohn geboren. Anuschka erlebte es nicht mit Bewußtsein; im kritischen Moment hatte man sie mit Lachgas betäubt. Obwohl sie nicht schrie, nicht ein einziges Mal. Sie biß die Zähne zusammen, so daß der Arzt dachte, sie brächen ab. »Schreien Sie doch, gnädige Frau ... das befreit. Hier hört Sie keiner. Brüllen Sie los – verkrampfen Sie sich um Himmels willen nicht. Schämen Sie sich nicht – schreien Sie!« Kurz vor der Geburt des Kindes erkannte man, daß Anuschka am Ende ihrer Kräfte war. Ihre Augen waren starr, ihr Körper schweißüberströmt, die Finger zerrissen ein Taschentuch in kleine Fetzen, aber sie blieb stumm. Papaschka, dachte sie. Oh, Papa! Ein Tier schreit, hast du einmal gesagt. Ein Mensch kann alles ertra-

gen. Aber das ist zuviel, Papa. Das geht nicht mehr. Ich muß
schreien ... o Mamaschka, hilf mir ... hilf ... du hast mich
ja auch geboren. Hast du geschrien, Mama? Warst du so tapfer wie ich? Aber ich kann nicht mehr ... ich – kann – nicht –
mehr – es ist zuviel ...

Da gab man ihr Lachgas, sie dämmerte in eine schwebende
Leichtigkeit hinein und spürte nicht mehr, wie neues Leben
aus ihr erwuchs, hörte nicht den ersten Schrei des Kindes,
sah nicht den kleinen, faltigen, roten Körper, den die Schwester hochhob, zur Waage trug und dann wickelte.

Erst in ihrem Zimmer kehrte ihr Bewußtsein zurück, sah
sie das lächelnde Gesicht Inkens neben sich.

»Ein Junge«, sagte Inken Holgerson und küßte Anuschka
auf die Augen. »Ein Prachtkerl, viertausenddreihundert
Gramm schwer. Ihr seid ein gesunder Schlag, ihr Menschen
aus Sibirien.«

»Ein Junge.« Anuschka seufzte glücklich. »Weiß es Tinja
schon?«

»Nein. Aber er landet in zehn Minuten – der Pilot hat per
Sprechfunk durchgegeben, daß sich der Chef wie irr be-
nimmt. Er bringt einen halben Spielzeugladen mit.«

»Guter, lieber Tinja ...« Anuschkas Augen fielen vor
Schwäche zu. »Es ist so schön, Inken, ein Kind zu haben –«

Martin Abels überrannte alles, was sich ihm in den Weg
stellte, als er wie ein Wirbelsturm in die Klinik einfiel. Pfor-
tenschwester, Stationsschwester, Stationsarzt sprangen ihm
aus dem Weg wie einer niederdonnernden Lawine. Hinter
ihm rannten mit gleicher Unaufhaltsamkeit der Pilot, ein
Chauffeur und Diener Alfons, in den Armen riesige Blumensträuße und völlig sinnlose Spielzeuge in großen Kartons.

Erst vor dem Zimmer kam Abels zum Halten, drückte vorsichtig die Klinke herab und sah seine drei Begleiter stra-
fend an, weil sie keuchend über den Flur herangehetzt kamen.

»Ruhe bitte!« sagte Abels halblaut und legte den Zeigefinger vor die Lippen. »Wecken Sie meinen Sohn nicht auf!«

Dann trat er ein.

Anuschka war allein. Inken hatte sich in einen Nebenraum

zurückgezogen – diese Minute gehörte allein Anuschka und Martin.

»Mein Kleines«, sagte Abels stockend. Er sprach russisch ... welche Sprache kann zärtlicher klingen als sie? »Mein armes Vögelchen, mein Täubchen, mein Schneeflöckchen ...« Er kam an ihr Bett, und plötzlich kniete er neben ihr nieder und legte seinen Kopf auf ihre Brust. »Ich danke dir«, stammelte er. »Mehr ... mehr kann ich nicht sagen.«

»Mein Tinja.« Anuschka streichelte seine zerwühlten Haare. An den Schläfen werden sie schon weiß, dachte sie. Man sollte sie immer küssen, damit sie nicht älter werden. »Wir haben einen Pawel Jossif.«

»Paul Josef Abels.« Martin griff ihre Hände und küßte sie. »Wo ist er?«

»Im Säuglingszimmer. Er schläft. Man wird ihn dir zeigen.«

Abels sah schräg hinauf zu Anuschkas Augen. »Wie ... wie sieht er denn aus?« fragte er leise.

»Wie du und Papaschka. Er wird einmal bärenstark werden.«

»Mein Sohn!« Abels richtete sich auf und dehnte sich. »Unser Sohn! O Gott – ist diese Welt herrlich und schön!«

Er rannte zur Tür, riß sie auf und winkte. Drei riesige Blumensträuße mit Beinen darunter schwankten ins Zimmer. Aus den Blüten und Blättern tönte die Stimme von Diener Alfons als Sprecher des Personals:

»Wir gratulieren, gnädige Frau.«

Anuschka lachte. Wie ein Sonnenstrahl glitt es über ihr bleiches Gesicht. Die Augen leuchteten. Sie richtete sich etwas auf und drohte Martin mit der rechten Hand.

»Verschwender! Du mußt das Geld zusammenhalten für Pawel Jossif!« Mit einem Seufzer ließ sie sich zurückfallen in die Kissen. »Jetzt hast du andere Pflichten, Tinja ... jetzt bist du ein Väterchen.«

»Väterchen –« Martins Herz schlug heftig. Er trat an das Fenster, schob die Gardine zurück und drückte das Gesicht an die Scheibe. Es brauchte niemand zu sehen, wie ihm die Tränen in die Augen stiegen.

Über der Weser schwamm die Sonne in den Wolken. Dunst stieg aus den Niederungen, den Kanälen und Weihern. Es würde noch einmal ein heißer Tag werden . . . heiß wie die Sommertage in der Taiga . . . heiß wie jener Tag vor über neun Jahren, als zwei Menschen im Schilf der Lindja lagen, sich bei den Händen hielten und wußten, daß sie sich immer lieben würden.

»Du bist unbegreiflich schön wie die Weite der Lena«, hatte er gesagt.

Und sie: »Ich liebe dich.«

Und er: »Ich werde nie weggehen aus diesem Land.«

Und sie: »Nein, du mußt immer bei mir bleiben.«

Hinter ihm klappte leise eine Tür.

»Väterchen –«

Er zuckte zusammen, aber er drehte sich nicht um.

»Ja, mein Täubchen«, antwortete er rauh.

»Unser Sohn!«

Langsam drehte sich Abels um. Im Zimmer stand die Säuglingsschwester, auf den Armen ein weißes, sich bewegendes Bündel.

Da straffte er sich, zog den Rock gerade und kam mit festen Schritten auf seinen Sohn zu.

Der Boden zitterte unter seinem Schritt.

Er ging wie ein Jäger aus Torusk.